DOM
nad rozlewiskiem

Małgorzata Kalicińska

DOM
nad rozlewiskiem

ZYSK I S-KA
WYDAWNICTWO

Projekt okładki
Agnieszka Herman

Fotografia na okładce
Katarzyna Sagatowska

Rysunki
Dariusz Korbański

Redaktor
Jan Grzegorczyk

Redaktor techniczny
Teodor Jeske–Choiński

Podobieństwo do osób występujących w tej książce jest całkowicie przypadkowe, lecz jeśli ktoś uzna, że jest inaczej, to także ma rację.

ISBN 978–83–7298–912–3

Wydanie I

Zysk i S–ka Wydawnictwo
ul. Wielka 10, 61–774 Poznań
tel. (061) 853 27 51, 853 27 67, fax 852 63 26
Dział handlowy, tel./fax (061) 855 06 90
sklep@zysk.com.pl
www.zysk.com.pl

Podziękowania i dedykacje
— te wszystkie miłe aplikacje

Dziękuję:

Zdzisławowi Romanowskiemu — dziennikarzowi i pisarzowi, oraz Ewie Gruszeckiej — doskonałej polonistce z Żoliborza — za poprawki, uwagi i „kopa w zadek na odwagę";

Janowi Grzegorczykowi — duchowi opiekuńczemu — za cierpliwość i życzliwość.

Książkę dedykuję mojej Mamie i wszystkim nam, mamom i babciom — kobietom tworzącym dom. Wdzięczna jestem mojej córce Baśce za wiarę w to, że dam radę, za pomoc i duchową asystę non stop.

Rozdział 1

Rozpędzona kula śniegu, czyli moje życie w pigule

Zjadam już piętnastą śliwkę. Zrywam je z drzewa w ogrodzie mamy.

Śliwy są leciwe, dość niskie, powykręcane ze starości. Przedwojenne? Się-
gam po owoce bez wysiłku i nawet nie wycieram ich o spodnie. Jak taką śliwkę węgierkę nacisnąć odpowiednio, pęka na pół, ukazując zielonobursztynowe
wnętrze. Węgierki, te prawdziwe węgierki, są słodkie, mają specyficzną, lekką
goryczkę i niepowtarzalny aromat! Pod fioletową skórką, cierpką i gorzkawą,
tkwi mięsista niespodzianka, rozlewająca się w ustach słodko–kwaśno, jeśli są
dojrzałe, i bardzo słodko, jeśli są po prostu — dojrzałe. Tylko z takich węgierek
powidła są świetne. Brązowe, skarmelizowane, gęste.

Jest wrzesień. Objadam się tymi śliwkami, bo zrywam je na powidła i „krótkie” dżemy. Już nie mogę się doczekać smażenia, gadania, mycia spirytusem
słoików. Całego tego obrzędu. Późnopopołudniowe słońce grzeje mnie w plecy.
Lekki, ciepły wciąż wiaterek szemrze w gałęziach. Tak tu spokojnie…

Już ponad rok, odkąd tu jestem, i nie wyobrażam sobie, jak mogłam żyć
w Warszawie — mieście rozpędzonych samochodów, rozpędzonych ludzi?
Wśród krzykliwych reklam, obcego mi coraz bardziej świata, którego byłam
fragmentem… rozpędzoną kulą? Jak spędziłam tyle lat bez mamy, śliwek, Rozlewiska, Kaczki Obrażalskiej, Piernackiego, Kaśki, Funia, Mazur…?

***

— Dzieci! Czy wyście, kurwa, pogłupieli?!

Prezes był naprawdę zły. Widać było, jak mu żyłka nabrzmiała przy kołnie-
rzyku. Kiedyś chyba bym coś powiedziała, uspokoiła go, bo takie uniesienie
grozi zawałem. On jest w grupie ryzyka. AA. Nie, nie alkoholik. Owszem, lubi
„dać w rurę”, jak sam mówi, ale to AA to akurat od: Ambitny Aktywny. Do
tego dochodzi kawa — za mocna, za słodka, za dużo. Papierosy — za mocne, za dużo, za często. Stres ponad miarę. Zero umiejętności „odpuszczenia”,
„zluzowania”.

Wszystko jest na hiperpowadze, hiperobrotach i w hipertempie.

Rozwiedziony. Niedawno, bo żona była z tych wytrwałych, ale jak długo
można czekać na faceta? Penelopa czekała dwadzieścia lat, a ta, Zofia jej było,
nie miała tyle cierpliwości. Do dwudziestej sama. Na ferie z dziećmi sama. Do
teściów na dwudziestolecie sama, bo firma była w Krakowie na festiwalu. Z Jaś-
kiem do ortodonty sama. Kamilę rodziła sama, bo on — Prezes — był wtedy

z Ważnym Klientem na golfie. W końcu miły kolega z dawnych, licealnych czasów rozgonił tę jej samotność. I już!

Cóż, Prezes też święty nie był, ale taki znowu latawiec też nie, choć „chciałaby dusza do raju". No, bo kiedy?! Gdzie?! Przecież na dupy też trzeba umieć latać! Mieć chociaż czas. Czasem jakąś skubnął, ale tak „po towarzysku". Biedny pracoholik.

Fakt. Żyjemy dzięki firmie, a firma to my. Czyli: Prezes, Wiktor (Wiceprezes, czyli „Vicek") i personel. W nim — ja. Kilka dobrych komputerów, najlepsze drukarki, kawiarka i kuchenka, bo niektórzy nie lubią napojów z tej durnej maszyny nalewającej bezduszną kawę do bezdusznych kubeczków.

— Nie te kolory zamawiał klient! Czy wy, kurwa, śpicie? Pani Jola dopiero co zwróciła mi uwagę! — indyczył się wciąż Prezes.

Za często ostatnio używa tej „kurwy". No, ale „kurwa" weszła na salony! Nawet wielkie damy, aktorki, dziennikarki szczycą się tym, że używają plugawego języka. Nasz Prezes to taka wielka dama i uważa, że mu z tym do twarzy. A niech tam!

Trzy małpy we mnie — „Nie mówię", „Nie widzę", „Nie słyszę". Z racji stażu to ja rzadko biorę udział w takich akcjach. Nie muszę... Mam czterdzieści parę lat i wiem (cholera jasna!), że jestem najstarsza w firmie. Nie przypilnowałam Sławki i czuję się winna jej błędu. Sławka ma nos jak gałka hamulca od karuzeli, bo poryczała się w poczuciu winy jak mała. Kiedyś też tak reagowałam. Sądziłam, że tak wygląda odpowiedzialność — przejmować się własnymi błędami, do łez. Ojca to strasznie wkurzało i powiedział mi kiedyś, że „odpowiedzialność to skupienie, rzetelne wykonanie, poświęcenie czemuś maksimum uwagi, i wtedy nie potrzeba beczeć". Tak, pryncypialny to on był. Matematyk, w systemie zero–jedynkowym.

Sławka młoda jest i właśnie „bierze w dupę od życia", jakby powiedział tato. Czasem tak się wyrażał i zaraz potem tłumaczył, że u niego w partyzantce tak się mówiło, i żeby nie było, że on tak mówi, „to tylko cytat!".

Pracuję w firmie, jakich tysiące na świecie. Agencja Reklamowa Hop–Art Media Sp. z o.o. Czyli: „Eksport, import, aport i rapaport. Tańczy, śpiewa i stepuje, krawaty wiąże i przerywa ciążę". Robimy za pieniądze wszystko. Wszystko! Nie, nie jesteśmy „jednakowoż" Agencją Towarzyską, choć i u nas rządzi pieniądz i młodość. Wszędzie rządzi pieniądz i młodość! Ja też muszę być młoda, bo inaczej jak mam być kreatywna? Nikomu do łba nie przychodzi, że można mieć osiemnaście lat i być psychicznym starcem. Można być na emeryturze i tryskać pomysłowością, być nowoczesnym i kreatywnym.

Kiedyś wygłosiłam taki tekst, że — sądziłam — powalę wszystkich na kolana: „Wielcy tego świata, twórcy wiekopomnych dzieł, które pozostaną na długo w ludzkiej pamięci, to na ogół twórcy z doświadczeniem i życiową mądrością, jakiej nabywa się latami, pracując, obserwując i myśląc. Weźmy na przykład Beksińskiego, Dudę–Gracza, Kiliana, Preisnera, Szop…"

— Gosiu, kochanie — odezwał się przy wszystkich Prezes — nasze dzieło ma przetrwać kampanię reklamową. Przynieść forsę nam i producentowi. Potem „nasze wiekopomne dzieło" może sobie iść na śmietnik.

Moja błyskotliwa inteligencja już wie, że Prezesowi zawsze przyznaje się rację, więc zwarłam kły i, patrząc na niego jak na bohatera, rzekłam:

— Tak… W naszej branży tworzymy rzeczy o chwilowej wartości. To fakt!

Wieczorem, w domu, wciąż czułam się tak, jakbym go publicznie pocałowała w dupę. Wtedy właśnie zdałam sobie sprawę, że muszę uważać, iż moja pozycja jest zagrożona, bo ja nie jestem startującą do żłobu siusiarą, a dojrzałą kobietą, która musi udowodnić swoją wartość nie tylko tym, co robi, niestety, lecz także tym, jak wygląda i jak myśli.

— Dzieci! — Prezes tak czule do nas mówi, kiedy jest zły — rozejrzyjcie się, jak wyglądają pracownicy agencji reklamowych. To najlepsze młode kadry! Właśnie ta dziedzina wymaga odwagi, nowatorstwa, ataku! Jesteśmy żołnierzami, zdobywamy w imieniu klienta rynek. To walka. Trzeba być na topie!

Siedziałam i wydawało mi się, że słucham współczesnego Jaruzelskiego. Pieprzenie. Zaraz się zbłaźni, więc podrzucam:

— Myśleć i widzieć trzeba nowocześnie!

— Właśnie. Słusznie Gosia podpowiada. Macie urządzać sobie pranie mózgu!

— …burzę — ratuję go.

— No, mówię. I nadążać! Bo kto ma to zrobić, jak nie młody narybek? To wy! Załatwiam wam wyjazdy, szkolenia, ale macie sami kontrolować stan! To era młodych! Widzieć, słyszeć i wyprzedzać! Top, trendy! To droga do sukcesu!

O Matko! Ale pieprzy. A Leonardo da Vinci? Był stary i nienowoczesny, ale jak on myślał! Nie mogę się wychylać. Żal mi Prezesa. Chce dobrze. Głupi nie jest, bo utrzymujemy się w siodle, ale po co takie zebrania?

Na ostatniej imprezie Dużego Klienta nawalił się z Dużym u Hawełki w Krakowie. Pili Tequilę „Bum–bum". (Tequila z seven–up wstrząśnięta i wypita haustem. Jak to wchodzi!). Wyli, tańczyli na stole i zaczepiali kelnerów. Na Rynku zachowywali się skandalicznie. Trzecia rano. Policjant i tłumaczenie, że to moi szefowie (i ta cipka). Byłam załamana.

— Prezesie! No, po co to było? Musiałam się tłumaczyć szefowi Hawełki przy fakturowaniu kolacji. I to z tą durną dupcią tego ich szefa. Wstyd!

— Głupiaś. To jego asystentka. On ją uwielbia. Ona ze mną załatwiła interes, ja z nią. Więc ja z nim załatwiłem interes! I wszyscy są zadowoleni! A moja Agencja ma wyglądać światowo! Pamiętaj!

Fakt. Po dwóch tygodniach dostaliśmy nowe zlecenie od niego… Na duże pieniądze. Więc? Co jest ważne? Top, trend czy tequilla pita z kimś ważnym, adorowanie głupawej asystentki, rozkładanie kolan przed szefem, taniec na stole…? Nie nadążam.

Dostroiłam się. Zamykam dziób. Mimikra.

Z wyglądem to ja nigdy nie miałam problemów. Jestem taka w normie, ani niska, ani wysoka. Naturalna blondynka po ojcu. Zawsze oceniano mnie na znacznie mniej, niż głosiła metryka. Niestety, od paru lat utrzymanie tego stanu rzeczy wymaga ode mnie znacznie więcej wysiłku i pieniędzy. Kremy, maseczki, rewitalizacja to było dobre. Do czterdziestki.

Po przyjęciu z okazji dziesięciolecia firmy jeden z naszych klientów, nieźle już napity, wyrzęził mi w tańcu, że „on lubi takie więdnące lilie, bo z młodymi to różnie bywa: albo się ceregielą za dużo, albo technicznie kiepskie". Nie mogłam dać mu kopa w krocze, bo to był dobrze płacący klient, więc wykręciłam się bólem głowy i ryczałam w domu do rana. Ze złości, że mu nie dokopałam.

Potem znalazłam najlepszy w Warszawie salon piękności i zostałam jego stałą bywalczynią. Dopóki to było solarium, owijanie rąk i nóg w folię (że niby od tego cellulitis nie powstaje), paznokcie, fryzjer, to jeszcze nie bolało. Szła na to moja dodatkowa pensja z głupotek, które pisałam do babskiego czasopisma.

Efekty były (wtedy) spektakularne — ładna skóra, nowe fryzury, doskonałe nawilżenie, bo pani Jola z gabinetu jak policjant odpytywała mnie, czy piję regularnie dwa litry wody dziennie. Później wcierała we mnie tyle kremów i żeli nawilżających, ile mieści się w drogerii na półce z napisem „Kremy".

Nie mogę być „więdnącą lilią" ani dla tego palanta, ani dla kolegów z firmy… Moje rozliczne talenty, życiowe „ociosanie", odwaga i spryt sprawiły, że szybko osiągnęłam wysoki status finansowy, a w firmie nic beze mnie się nie mogło stać. Byłam niekwestionowaną królową działu, liczono się z moim zdaniem i klienci często sądzili, że to ja jestem wiceprezesem lub kimś w tym rodzaju.

Nie chorowałam, Marysia była „odrośnięta", więc żadnych zwolnień na grypy i biegunki. Nie byłam konieczna na zebraniach i wywiadówkach, bo moje dziecko było w szkołach nowoczesnych, w których rodziców nie wzywano bez powodu. Zawsze dyspozycyjna, przygotowana na nowe wyzwania. Słowem ideał!!!

Taka kąpiel w maśle, wieczna świadomość zwycięstwa usypia czujność. Ale nie moją! Chyba nawet większą wagę niż do pracy przykładałam do obserwowania tego, co się dzieje dookoła mnie. Żeby się dostosować w porę, żeby szybko zauważyć nowe zagrożenia, nowe trendy, zareagować jak kameleon — tylko szybciej.

Koloseum, czyli pracowałam w TVP

Przed agencją pracowałam w telewizji. Taka biurowa dłubanina, pomoc w redagowaniu porannego programu. Miałam trzydzieści lat, mąż dawał mi solidne oparcie finansowe, a tę pracę traktowałam jako odskocznię po poprzedniej, nudnej robocie w wydawnictwie.

W domu królowała teściowa, córeczka nie wymagała ustawicznego niańczenia, mogłam się „realizować" i znajoma załatwiła mi tę telewizję. Pracy nie miałam zbyt dużo, wykorzystywałam więc mój znakomity zmysł obserwacyjny.

Na wszystkich stołkach szefów, dyrektorów, kierowników siedzą Władcy Dusz, wołając: „U nas króluje młodość!", „Potrzebne nam młode buzie!", „Świeże spojrzenie! Świeża krew!". Sami za nic na świecie nie oddadzą stołka młodym. Mają świetne samopoczucie i są przekonani, że mają wspaniały gust, są nieomylni, najlepsi i najpiękniejsi. Nadwaga, zły zgryz, nie najlepsze pomysły, nieświeży oddech — ich nie dotyczą! Młodzi zaś, dumni i szczęśliwi, że dostali się do telewizji, robią, co mogą, by zwrócić na siebie uwagę, zatrzymać na sobie oko kamery i szefa.

A mogą dużo! Nie mają skrupułów, oporów. Najpierw wykazują się. Jeśli mają czym, to OK, ale to nie wystarcza. Kierownicy, dyrektorzy niczym w koloseum lubią, jak młodzi powalczą. Młodzi dają się, jak zwierzaki. Zagryzą się na śmierć. Bardzo szybko łapią, czego tu się od nich oczekuje. Lojalność, przyjaźń, uczciwość wobec kolegów znika, gdy trzeba walczyć o uwagę szefa.

Patrzyłam na te lansady, na to upodlające lizodupstwo i żal mi ich było. Zastanawiałam się, kogo oni widzą rano w lustrze? Co mówią kolegom, koleżankom, którym, by coś wygrać, podłożyli świnię, na których donieśli, których oplotkowali, zniszczyli…? Dziwne dzieci. Rodzą się już z kłami. Zwycięzcy Wyścigu Szczurów.

Znacznie bardziej przykre było obserwowanie egzystencji rezydentek, które niczym się nie naraziły i trwają, bo są pracowite i lojalne. Godzą się na coraz gorsze stanowiska, coraz gorsze płace, gorsze traktowanie, byle tylko przetrwać, bo gdzie one, starzejące się, mądre i pracowite, znajdą pracę? Na moich oczach rozgrywał się najgorszy spektakl upodlenia. Mądre, inteligentne, kompendia wiedzy o pracy w telewizyjnym medium są wobec młodszych koleżanek dość miłe, ale tylko tyle, ile wymaga podstawowa grzeczność. Boją się piranii. Piranie, młodziutkie i ładniutkie, są początkowo przymilne, z czasem jednak hardzieją i pokazują, kto tu rządzi. Nieliczne mają tyle kultury, by szanować starsze koleżanki i liczyć się z nimi, a przynajmniej ich nie lekceważyć.

Największym przewinieniem w telewizji nie są błędy, potknięcia, tylko starzenie się. Stary wygląd, stare poglądy, choćby nawet na kulturę, stara szkoła — to grzechy niewybaczalne! Zostawiono dwoje, troje redaktorów „starych". Resztę zastąpiła świeża krew. Czy lepsza?

Pamiętam takie zdarzenie z mojej pracy w telewizji. Kolega poprosił mnie, bym dostarczyła dyrektorowi projekt programu, który wspólnie przygotowaliśmy. Dyrektorem był młody, szczupły człowiek, blondyn o rozmarzonych oczach. Znawca literatury, który występował w programach opiniotwórczych. Kulturalny, inteligentny, mądry... Miałam wtedy nogę w gipsie, ale dość sprawnie poruszałam się o kulach. Podjechałam taksówką na ulicę J.P. Woronicza i pokuśtykałam do odległego bloku. Wejście na piętro i spacer słynnymi z długości korytarzami Telewizji Polskiej nie należały do przyjemności. Wreszcie zapukałam do pokoju dyrektora. Po cichym: „Proszę" weszłam i wyłuszczyłam, po co przychodzę. Odpowiedział, żebym poczekała na zewnątrz, bo on teraz nie może. Wyszłam. Oparłam się o ścianę, bo jedyna noga, na której chodziłam, była już porządnie umęczona. Ktoś z pokoju sąsiedniego wyniósł mi krzesło. Czekałam. Przygotowałam się na rozmowę o programie, dość ważnym społecznie. W ręku miałam projekt.

Po dwudziestu minutach ktoś bez pukania, znaczy — ważny, wszedł do Pana Dyrektora i, wychodząc, zaprosił mnie do środka.

Weszłam. Młody pan nawet nie zaszczycił mnie spojrzeniem, przeglądając papierki. Był blady, rozczochrany, rozkojarzony. Podałam jego wyciągniętej dłoni nasz plan. Nie poprosił mnie, bym usiadła, tylko spytał, rzucając okiem na mój dokument:

— Czemu to redaktor X (mój kolega) nie przyszedł?

— Ma chorego tatę — powiedziałam to, czy też coś równie prawdziwego.

— Hmm... dobrze... — w jakimś dziwnym zamyśleniu powiedział Pan Dyrektor, ni to do mnie, ni to do dokumentu, który udawał, że czyta. — Dziękuję pani...

Wyszłam ogłupiała całkowicie jego... chamstwem. No tak, chamstwem! Tak by to nazwała babcia Eleonora, największa znawczyni dobrych manier w mojej rodzinie. Mógł zniszczyć nasz program merytorycznie! Proszę bardzo! Ale żeby trzymać mnie, z nogą w gipsie widocznym jak cholera, za drzwiami swojego gabinetu, za które wyprosił mnie, nonszalancko, wiedząc, że tam nie ma na czym usiąść... No, no! Ale panisko! Byłam zła na siebie, że nie chlusnęłam mu w twarz tego, co czułam. Wymagam od siebie i innych elementarnych zasad dobrego wychowania! Niech siedzi za biurkiem, gdy kobieta wchodzi. Trudno. Ale na jednej nodze ciężko jest, baranie, chodzić, stać, czekać na twoją łaskę. Pampers zafajdany.

Wtedy zadecydowałam, że nie wrócę na Woronicza czołgać się przed gówniarzami, lizać tyłków szefowym o niewyżytych instynktach władczych, do kolegów sinych z przerażenia, czy aby ja, nowa, im nie zagrażam. Rozmawiających ze mną czujnie, ostrożnie, bo a nuż capnę ich stołek. Lekceważącej mnie koleżanki, która awansowała na gwiazdę i teraz ledwo mnie dostrzega.

Prehistoria w Agencji, czyli pożółkła fotografia

Po telewizji zaczęłam nowe życie w Agencji. Byliśmy młodzi, bardzo chętni do pracy i kariery. Zupełnie nie czułam różnicy lat. No tak, byłam ciut starsza, ale jaka młoda duchem! Firmę tworzyliśmy od podstaw. Razem. Prezes miał jasną wizję tego, co chce osiągnąć, więc praca była łatwiejsza.

Na nieformalnym spotkaniu, raczej imprezce w znanym pubie, popłynęła wódeczka i zaczęły się ocieranki, więc ustaliliśmy, że nie robimy z naszej Agencji burdelu. Nie obłapiamy się ani w pracy, ani poza nią. Chyba, że ktoś się zakocha... Potem wypiliśmy „za miłość" i w tak czystej atmosferze rozjechaliśmy się do domów.

Reklama! Taki modny kierunek! Taka widoczna wszędzie nasza praca! Banery, billboardy, reklamówki telewizyjne, ulotki i cały ten... chłam.

Pojawiły się pierwsze pieniądze. Wymieniłam samochodzik na samochód, dołożyłam się do domowego budżetu. Byłam z siebie dumna! Niestety, nikt w domu nie podzielał mojej radości, bo „przecież nie musisz tego robić". Konrad od lat demonstrował swój żal, że nie jestem taką „żoneczką", jaką chciał mieć. Najczulej wspominał te lata, gdy Marysia była malutka, a ja w kretonowej podomce czekałam w domu, pachnąca mlekiem. Nie dziwię mu się, może to i byłoby fajne, ale od kiedy poszłam do pracy, czułam swoją wartość. Lubię być chwalona, doceniana. Tato rozbudził we mnie ambicję. Tak już mam.

W uznaniu zasług szef zafundował nam wycieczkę w góry, na tydzień. Trzy lata pracowaliśmy prawie bez urlopów. Należało nam się.

Pensjonat — czar w góralskim stylu. Śniegu po pachy! Wszystko to poza sezonem. Tylko my i górki, lasy, bezkresy… Zachowywaliśmy się jak licealiści. Hałaśliwie, z egzaltacją wstawialiśmy narty do komórki, dobieraliśmy sobie pokoje, żartowaliśmy z właścicielami, waląc do nich: „gazdo", „gaździno". Jak te durne cepry. Po zakrapianej kolacji zasnęłam już o dwudziestej pierwszej.

Na stoku, w kolejce do kibelka dowiedziałam się, kto kogo odprowadził do pokoju. Na przykład młoda sekretareczka naszego wiceprezesa, zwanego Vickiem, faceta mało przyjemnego, raczej mruka o dość trudnych manierach. Siup! I już była u niego.

— Żartujesz?! Ta cipcia? Pracuje toto w sekretariacie ledwie od miesiąca!

Dotąd była gońcem. Zastąpił ją Karolek, kiedy Vicek zażądał od Starego sekretarki, „bo się nie wyrabia z głupotami, a Kasia jest po technikum ekonomicznym i to z wyróżnieniem". Wczoraj Vicuś poluzował ostro i odreagował stres z Kasią… I o co chodzi? Szybko zapomnieliśmy, a raczej przestaliśmy się dziwić. Jesteśmy nowocześni i wyluzowani. I na urlopie!

Na stoku czułam skrzydła. Jeździłam bardzo dobrze, miałam ładny kombinezon, starannie dobrane rękawiczki, szalik i czapę. Koledzy zgotowali mi aplauz po pierwszym zjeździe, bo pojechałam z nimi na sam szczyt i zjechałam najtrudniejszą trasą! Bez problemu. Kręciłam tyłeczkiem, spadałam w ostre doliny i zawijałam na zakrętach. Od miesiąca chodziłam na aerobik. Specjalny! Taki pod jazdę na nartach. Byłam rozciągnięta i nie miałam zakwasów. Szef wcześniej szepnął mi o tym wyjeździe:

— Wiesz, Gosiu, chcę dzieciakom zrobić frajdę. Jak myślisz, dać im forsę czy zafundować jakąś wycieczkę?

Wymyśliliśmy te narty… Większość mężczyzn z naszej grupy szybko znudziła się zjeżdżaniem. O wiele bardziej bawiło ich uczenie naszych młodych koleżanek narciarstwa i rozgrzewanie się grzanym piwem i herbatką „z prądem". Na szczyt więc jechaliśmy we czwórkę: prezesi, ja i Karolek, znakomity narciarz.

Spokojnie i dostojnie zjeżdżaliśmy z Prezesem narciarskim baletem, przystawaliśmy w punkcie widokowym i podziwialiśmy ciszę i widoki. Wystawialiśmy twarz do słońca, łapiąc opaleniznę, i czuliśmy, jak spływa z nas zmęczenie. Cudowne śnieżne polany, choinki pod białymi czapami i słońce! Skrzące się radośnie i powodujące nagły przypływ optymizmu. Prezes wzdychał i mówił:

— Popatrz, Gośka. Żaden lodowiec w Austrii nie jest wart naszych gór. Jak tu ładnie! Te choinki wyglądają jak krasnoludy, a to nasze tatrzańskie powietrze…

Rzadkie chwile, kiedy czułam się taka swobodna.

Dzwoniłam do domu wieczorami i poza tym, że wszystko w porządku, niewiele się dowiadywałam. Marysia chwaliła się stopniami, opowiadała, na jakim filmie była z tatą i co babcia robi na obiad. Spokojna wracałam do świetlicy.

Nikt już nie chwalił moich umiejętności. Chłopaki, popijając każde słowo piwem, żartowali z koleżanek, robili się hałaśliwi i nastawiali muzykę, od której robiło mi się niedobrze. Dziewczyny bawiły się doskonale, dając temu wyraz chichotem lub głośnym, gardłowym śmiechem, brzmiącym jak nawoływanie w puszczy. Zaczęłam flirtować z Prezesem przy barze, a po paru wódkach zatańczyłam z nim takie tango, że chyba trochę przesadziłam. Później pijany, idiotyczny seks w moim pokoju. Kompletnie niepotrzebny.

Powrót do Warszawy był przykry. Nie dlatego, że powrót do kieratu. Całe miasto pokrywała brudna papra, w niczym nieprzypominająca śniegu. Niebo, bure i ciężkie, szorowało po dachach najwyższych budynków. Z samochodu nie sposób było wysiąść suchą stopą. Ludzie pochyleni pod naporem wiatru i wewnętrznego ciężaru. Tylko wystawy, lśniące, kolorowe jak papugi, odporne na aurę, obiecywały przebrzmiałe hity za pół ceny. Zimowe wyprzedaże. Wreszcie towar idzie za prawdziwą cenę. Chodźcie, pieniądze! Chodźcie, ogłupiali klienci, kupować, co się da, bo tanio!

Jeszcze bardziej znienawidziłam to moje miasto, kiedy odstawiłam samochód do warsztatu. Wsiadłam do tramwaju. Jak ja dawno nie jechałam tramwajem! Nowoczesna linia, inne kasowniki niż za moich studenckich lat, kiedy to na taksówki nie było mnie stać. Przyglądałam się ulicom, ludziom, tramwajowi — jak dziecko. Wysiadłam i coś brzękło o trotuar. Moja szminka! Torebkę miałam rozciętą. Nic nie zginęło, widocznie jestem zanadto ruchliwa. Ale ciachnięta była na ukos!

— Szlag! — warknęłam, patrząc za odjeżdżającym wagonem. Kto inny będzie pożywką sukinsyna…

Szłam lewą stroną Marszałkowskiej, w kierunku placu Unii. Tę stronę lubię bardziej. Dostrzegłam nowe sklepy, wystawy wabiące obniżką. Zimno. Mokro. Obco. Zatęskniłam za samochodem, dającym mi większe poczucie bezpieczeństwa i ogrzewanie. Mój strój był nieodpowiedni na spacer po mieście w taki dzień. Chciałam jeszcze zajść do sklepu z indyjskimi ciuchami, ale zrezygnowałam. Rozpruta torebka w foliowej siatce, chłód i błoto pogoniło mnie do pracy. Jestem niedostosowana do miasta…

Vicek, czyli szczerze

Prezes i Vicek, czyli Wiktor, rozumieli się doskonale. Jak stare, dobre małżeństwo, chociaż różnili się. Prezes — średni wzrost, raczej szczupły, choć z widoczną oponką nad paskiem od spodni (brak ćwiczeń — sflaczały brzuch). Zakola na bladej twarzy, ostre rysy. Ciut podpuchnięte oczy. Raczej pospolita uroda. Autokrata, a przynajmniej tak chciałby być postrzegany. Wiktor — wysoki, postawny, opalony. Ładna, oliwkowa cera. Zadbane, dość długie włosy układające się naturalnie do tyłu. Żadnych zakoli. Szatyn. Dyskretne szkła. Krótkowidz. Wąskie, zacięte usta i szeroka, męska szczęka. Zawsze pachnący dobrymi kosmetykami. Zamknięty w sobie. Również autokratyczny, dominujący nienachalnie.

Mnie dokoptowali sobie do grona i często uczestniczyłam w naradach. Kiedyś nawet Prezes powiedział, że powinnam wejść w skład Zarządu. Vicek nie podzielał jego entuzjazmu i tak się jakoś rozmyło. Wiktor nie lubił mnie i żadne moje wysiłki, by zmienić ten stan rzeczy, nie przynosiły rezultatu. Prezes wyjaśnił mi podczas jakiejś prywatnej rozmowy, że stanowię dla niego (Vicka) intelektualne zagrożenie, że jestem bardziej od niego oczytana, znam się na wielu rzeczach, wiem, co się dzieje w sztuce, kulturze…

Pogłaskał moje ego i podtrzymał naszą wzajemną, Wiktora i moją, niechęć. Po co mielibyśmy się lubić? Jeszcze stworzylibyśmy koalicję przeciw niemu. Bo Prezes nie czytał, nie bywał, nie interesował się. Był błyskotliwie inteligentny i w razie potrzeby doskonale udawał, że wie, bywa, czytał, tylko „nie pamięta tytułu…".

Byłam czujna. Kontrolowałam sytuację. Zgadzałam się na takie status quo. Dla Vicka i dla mnie ważny był wzajemny szacunek. Nie musimy wyjadać sobie z dziobków. Czułam, że Prezesowi byłam potrzebna, a Wiktor chyba uważał, że zawsze można mnie wymienić na nowszy model. Byliśmy skazani na swoje towarzystwo. Vicek i ja. Rozmawialiśmy o firmowych sprawach, czując, że jest między nami jakieś napięcie.

Kiedyś zaczęłam:

— Wiem, że mnie nie lubisz, szanuję to, ale czym to jest spowodowane?

— O czym ty mówisz?

Był zdumiony szczerym postawieniem sprawy.

— Nie udawaj. Prawie nie rozmawiasz ze mną, unikasz mnie i jesteś złośliwy. Bardzo.

— Przesadzasz. Złośliwość jest cechą ludzi inteligentnych. Lubię się z tobą droczyć, bo tylko z tobą jest to tu możliwe. Jesteś inteligentna, ładna, oczytana i z dużą wiedzą. Nie udawaj, że nie wiesz.

— To dziwne, bo skoro tak mnie oceniasz, to dlaczego mnie unikasz? Trzymasz na dystans?

— Sądziłem, że jesteś bardziej spostrzegawcza.

— Nie jestem. Lubię cię i szanuję twoją wiedzę, kompetencje, nawet to, że jesteś skryty i masz „nie wszystko na sprzedaż". Przecież ci nie zagrażam?

— Nic nie rozumiesz…

— To mnie oświeć. Wyczyśćmy to.

— OK. Jesteś kobietą z klasą, to po cholerę te głupoty z Prezesem? Traktuj go na równi. On ci do pięt nie dorasta.

— Jakie głupoty?

— Ten flirt na nartach… no, sama wiesz.

— Powiedział ci?!

— Tak, bo to kutas.

— Dziękuję. Masz rację.

Nigdy już tak nie rozmawialiśmy.

Ja z rodziną w tle i o tym, jak mi reklama podchodzi do gardła

Wyżywałam się w pracy. W domu nie było za ciekawie. Konrad pracował w innej branży i moje zawodowe sprawy nie fascynowały go, podobnie zresztą jak mnie nie zajmowały jego problemy z konstrukcjami, wyliczeniami, transportem… Tworzyliśmy od lat poprawny związek, by Marysia rosła w normalnej rodzinie. Miał do mnie żal, że nie jestem kurą domową. Taki model rodziny wyniósł z domu. „Kobieta może pracować, jeśli nie koliduje to z zajęciami domowymi". Moja teściowa zaczęła pracę zawodową dopiero, jak Konrad zdał maturę. Teraz zaś świetnie nam gospodarzyła. Ja nigdy nie byłam typem gospodyni domowej, więc kiedy Manieczka poszła do przedszkola, bryknęłam do pracy. Po co miałam siedzieć w domu razem z babcią Zosią?

Konrad się burzył, ale teściowa nie dokładała do ognia i nie zajmowała stanowiska. Konflikty narastały, bo nagle nauczyłam się stawiać na swoim. Oddaliliśmy się od siebie. Brakowało wspólnych tematów. Zdarzały się ostre awantury, bo Konrad, odkąd zmarł tato, był moim sterem. Doskonale pełnił funkcję kapitana na naszym statku.

To on decydował w wielu sprawach, a ja zgadzałam się, bo bałam się podejmowania decyzji. Kiedy wydoroślałam, awansowałam, stałam się mocniejsza i zapragnęłam suwerenności, szacunku dla moich wyborów, wściekł się. Próbował ostrymi pyskówkami wybić mi z głowy moje idee.

Cholery dostawał, gdy spokojnie odpowiadałam:

— Nie jesteś u siebie na budowie. Nie krzycz na mnie.

— ...bo ty inaczej nic nie rozumiesz!

I tak dalej, bez rzeczowej rozmowy.

Chyba rozczarowało go małżeństwo, ja... Nie umiał tego nazwać nawet dla własnej potrzeby. Próby porozmawiania na ten temat spełzały na niczym. Ja tworzyłam swój świat, on usuwał się w swój. Nigdy nie tryskał humorem, był poważny i rzeczowy, ale chyba czuł, że coś go w życiu omija, a ja nie umiałam go zrozumieć, nakierować na właściwy tok myślenia.

Po moich rodzinnych peregrynacjach nie chciałam rozwodu. Konrad zaś pochodził z rodziny, w której rozwodów nie było, nie ma i nie będzie.

Moja teściowa zawsze była w porządku, choć w niektórych sprawach bardzo się różnimy. Mamy duży dom, mama mieszka z nami i jak czuje w powietrzu burzę albo ma nas dość, idzie do swojego skrzydła, gdzie za życia teścia mieszkali sobie dość niezależnie.

Teść zawsze okazywał mi atencję. Tak, atencję. Dziś żaden facet nawet nie wie, co to jest. Mieliśmy dużo wspólnych tematów. Był urokliwym, dowcipnym komplemenciarzem. Opowiadał mnóstwo zabawnych dykteryjek, a w niedzielne poranki chodził po domu, nucąc piosenki z młodości, i rozsiewał zapach wody lawendowej. Był znawcą sztuki i, jak mówiła Zosia w chwilach złości na niego (nielicznych), „pięknoduchem". W jej ustach brzmiało to jak obelga.

Teściowa jest kobietą starannie wykształconą, o nienagannych manierach. Racjonalistka do bólu. Pragmatyczka. Niewysoka, sucha, zawsze trzymająca się prosto, z wciąż jeszcze czarnym kokiem starannie upiętym z tyłu głowy.

Pojęcia nie mam, jak oni się dobrali i jak wytrzymali te pięćdziesiąt lat razem. Po śmierci teścia zostałam sama. Mój ojciec też już nie żył, a mama... Jej prawie nigdy przy mnie nie było. Odeszła od nas, jak miałam kilka lat. Mieszkała gdzieś na Mazurach.

Marysia urodziła się zdrowiutka, roześmiana i beztrosko rosła, nie przynosząc nikomu najmniejszych kłopotów. Dziecięce choroby przeszła prawie niezauważalnie, uczy się świetnie. Jest bardzo uzdolniona matematycznie i muzycznie. Dużo czyta i śmieje się z byle czego. Jakby zupełnie nie zauważała naszych domowych nastrojów, kłótni i chłodu. To zasługa mojej teściowej. Jak tylko sytuacja robi się niepewna, a mama wyczuwa to niczym meduza burzę, Marysia ląduje u niej. Mają tam swój świat.

Nie miałam czasu na zazdrość. Zawsze było mi na rękę, że Maryśka ma taką opokę w babci. Nie biega z kluczem na szyi, jest dopilnowana, regularnie wożona na muzykę.

Teściowa parę razy pytała mnie, czy muszę pracować, skoro Konrad tak dobrze zarabia. Jej zdaniem mogłabym siedzieć w domu, zainteresować się jego życiem, jego sprawami. Kobiety zawsze tak żyły i to, jej zdaniem, było OK.

Może gdybym musiała... gdyby...

Ale ja nie...

Zaczęłam zdawać sobie sprawę, że to, co robimy, to pozłotka, nic ważnego w sensie ogólnoludzkim. „Pracuję dla zysku firmy". „Formuję gusta społeczne". „Pomagam kanalizować zapotrzebowanie i popycham do przodu gospodarkę rynkową". Jezu! Jakiś absurd! Kanał!

Reklamujemy rzeczy tylko po to, żeby się sprzedały, napędziły kasę nam i producentowi. Nic poza tym się nie liczy. Człowieka i jego potrzeb nie ma. On ma tylko kupić i nie narzekać. To jakaś paranoja!

Gigantyczne pieniądze na reklamę nowego proszku, który jest gówniany. Kampania reklamowa paraleku, który od dawna jest w aptekach, ale pod starą nazwą, więc trzeba wzmóc sprzedaż. Ogromna forsa ładowana w telewizyjną reklamę sieci sklepów, która wyzyskuje swoich pracowników, upodlając ich i poniewierając nimi niczym niewolnikami, stosuje niedozwolone chwyty handlowe, towar ma tani, ale byle jaki. Jedno wielkie oszustwo, a ja dobrze sobie z tego oszustwa żyję.

Kiedyś coś niepotrzebnie chlapnęłam na ten temat. Uświadomił mi to Prezes w drodze do klienta, kiedy „ulało" mi się nieco mojej filozofii.

— Zwariowałaś?! A ty myślałaś, że jesteś w harcerstwie? A z czego ty masz samochodzik i luksusowe leczenie, Gosiu? A dodatkowe ubezpieczenia? Nie martwisz się chyba o rachunki? Co? Nie ty, to inni będą z radością robić to, na co się wybrzydzasz. Nie rób z siebie Matki Teresy. A i przy kliencie nie wyjeżdżaj mi z tym swoim gadaniem. Gośka! Kurwa! Co ci odbiło?! Chcesz naprawiać świat, to idź do Akcji Humanitarnej!

— Odczep się. Też na pewno miewasz wątpliwości natury moralnej. No, nie mów, że nie!

— Tak! Tylko wiesz, gdzie ja trzymam te moje wątpliwości? W kapciach! Świat jest areną, my — gladiatorami i nie zamierzam, kurwa, dać się zeżreć. Gonia, proszę cię!

Ale byłam głupia. Głupia! Zachciało mi się filozofii. Uczciwości. Prawdy. Zauważyłam, że niektórzy już nie są tak życzliwi, czołobitni jak kiedyś. Nowi jakoś nie traktowali mnie specjalnie. Wyczuwałam poluzowanie, ale i zwiększenie dystansu. Dotąd raczej traktowaliśmy się, a przynajmniej „stary trzon", jak bracia, kumple. Rodzina… Lekko, blisko, bezpośrednio. Teraz jednak coś niezauważalnie się zmieniało. Myślałam najpierw, że to przez Prezesa i Vicka. Wiktor traktował mnie z nonszalancką rewerencją, wszyscy myśleli, że to taka gra. Zawsze miałam ostry język, on też, więc nasze syczenie było dla publiki niezłym teatrem. Potem jednak Vicek złagodniał, jakby dawał mi fory.

Natomiast Prezes odwrotnie, pokazał parę razy brak klasy, przy młodzieży. Zrobił mi publicznie przykrość, a przeprosił prywatnie. Poprzednio mu się to nie zdarzało, ale puściłam to płazem.

Te lata, słabsze, trudniejsze, minęły jak z bicza trzasnął. Marysia wyrastała z wieku dziecka i stawała się kobietką. Tymczasem ja — „kobietą z bagażem zdarzeń". Stałyśmy się sobie bliższe. Niby panienka, a taka potrafi być dziecinna, szczególnie w chwilach, gdy jesteśmy same.

Raz gadałyśmy, leżąc na kanapie, o piersiach, talii, miesiączce, na którą Marysia niecierpliwie czekała.

— Mamo, czy to tak musi być?

— Jak?

— Nieapetycznie.

— Musi.

— A czemu musi?

— Bo natura, albo Pan Bóg, nie zna pojęcia „nowoczesne". On chciał dobrze. Biologicznie dobrze. Nie zastanawiał się nad estetyką.

— Czemu nie? Jest wszechmocny!

— Może za szybko się unowocześniamy i On nie nadąża?

— Mamo, a ty w Niego wierzysz jak babcia?

— Wierzę, ale inaczej.

— Jak?

— Emocjonalnie. Bardziej… biologicznie.

— To jak?

— Myślę, Maniu, że Bóg jest energią, słońcem, ciepłem, czułością. Nie jest filozofem ani psychologiem. Wszystko dzieje się dzięki energii i w tym tkwi boskość. Ja nie każę słońcu brać odpowiedzialności za to, co robimy. To nasza sprawa i sami ponosimy tego konsekwencje.

— Ksiądz i babcia mówią inaczej.

— Jak to zanalizujesz — tak samo.

— Modlisz się?

— Tak. Jak robię dobre rzeczy, jak się opalam i myślę, że to cudowne leżeć w słońcu, i jak cię kocham, to też jest modlitwa.

— Jestem twoją modlitwą?

— Jasne! Chodź, podrapię cię po pleckach. Chodź tu, mój mały potworze!

Uwielbiam ją! Jej zapach zawsze mnie upajał. Najpierw pachniała oliwką zmieszaną z witaminą D3. Taką mieszanką nacierali ją w szpitalu. Pachniała jak mała morska rybka — tranem. Wszystkie nasze dzieci z sali tak pachniały. Potem, kiedy zaczęła być ssakiem, co się zowie, doszedł zapach mleka. W domu była inna oliwka, ale i tak Mania cały czas pachnie sobą. Takim dzieciuchem.

Po latach doszedł dezodorant, perfumy, puder, a Mania to Mania — pachnie jak Mania i wygląda… Wygląda wciąż inaczej. Rośnie. Powoli wykluwa się z niej motyl. Każda mama tak to widzi.

Jest zła, bo już prawie wszystkie dziewczynki z klasy mają okres, a ona — nie. Skrywa rozczarowanie pod maską obojętności: „Jest się do czego śpieszyć! Też mi coś!". Wzrusza ramionami. W szafce już dawno leżą dziewczęce podpaski, zareklamowane w damskim czasopiśmie jako soft. Czeka. W końcu przychodzi ten dzień. Marysia dzwoni do mnie do pracy i żąda spotkania.

— Marysiu? Teraz? Jest pierwsza!

— Tak, mamo, to ważne, ale nic się nie bój. Zaczekam na ciebie w barze sałatkowym w „Panoramie". Na twój koszt zjem krewetki, te wielkie. Mogę?

— OK. Będę za godzinę.

Mam dużo pracy, więc nie kojarzę, o co chodzi. Wchodzę do baru. Marynia siedzi nad talerzykiem krewetek. Ma lisią minę.

— …to dziś, mamcik — szepcze.

— Co, dziś…? Już?! Moja ty! — krzyczę i obejmuję tak, że chyba łamię jej kości. — Myszeńko! Moja… moja… kobietko!

Powtarzam i już beczę ze wzruszenia. Tak. Mam fontannę zamiast oczu.

— Mamo! — fuka Marynia. — Mamo! Cicho, bo robisz wiochę! Cicho! — Potem zniża głos do szeptu: — Dziś na dużej przerwie idę do łazienki, a tu plama!

Potem robi minę zwycięzcy, taką śmieszną, bardzo śmieszną.

Po krewetkach Mysia idzie jeszcze do szkoły na coś tam, na muzykę i w domu mamy spotkać się wieczorem. Dzwonię do Konrada. Jest wzruszony i zupełnie nie wie, jak się zachować.

— To… chyba ja będę udawał, że nic nie wiem, bo to ją może speszyć. Jak sądzisz?

— Zaakcentuj to jakoś. Nie wiem. Przekroczyła jakiś próg. To dla niej ważny dzień.

— Dla mnie też — mówi cicho Konrad.

Dam sobie łeb uciąć, że się wzruszył jak ja — do łez.

Wieczorem czekamy na Mysię. Wchodzi jak zawsze po swojemu i od progu woła:

— Proszę was! Tylko bez... tych tam, wszystkich! No cześć!

Rzuca torbę i usiłuje być naturalna. Konrad wychodzi do przedpokoju i wraca z bukietem frezji. Marysia jest zażenowana i uśmiecha się. Ja znów mam mokre oczy i całuję ją w łepek. Babcia zaś mówi:

— Chodź, kochana. Kiedyś tak to było na wsiach, że jak dziewczyna dojrzewała, to najstarsza z rodu robiła tak — i babcia strzeliła Marysi soczysty policzek, a potem przytuliła ją mocno. — To, żeby dziewczyna wiedziała, że bycie kobietą łatwe nie jest, czy coś takiego. W majątku moich dziadków i rodziców zawsze tak właśnie przyjmowano kobiety do grona. Nie boli cię?

Trochę byłam wzburzona zachowaniem teściowej, ale Marysia, rozcierając rumieniec, powiedziała:

— Ksiądz nam opowiadał o takich zwyczajach, więc my w klasie każdą prałyśmy po pysku. Ja też już dziś dostałam!

— Od wszystkich? — spytała babcia.

— Nie, od Marzeny! (To przyjaciółka Marysi).

Potem zjedliśmy kolację, a Manieczka poszła się uczyć. Nigdy... nie, dawno już nie byłam z nią tak blisko jak dziś. Wszyscy byliśmy dziś bliżej. Trochę.

Lubię to wspomnienie. Siebie lubię w nim. Marysia ma fajną mamę. To ja! Bardzo chcę, by tak właśnie było. Oczywiście daleko mi do doskonałości, ale Mania robi wszystko, by przynosić radość. Ze zdziwieniem konstatuję, że łatwo jest być mamą Mańki. Wystarczy bardzo ją kochać i rozumieć jak kobieta kobietę. Daję jej to, za czym zawsze tęskniłam. Mamę.

O plotkach z niemym Grzesiem, o Marinie Vlady, seksie małżeńskim i szczurach

W pracy wyluzowałam. Już nie było tak jak dawniej. Już nie byliśmy Rodziną. Ja przestałam być Najstarszą Siostrą. Czułam, jak rozpada się nasz dawny świat, jak stajemy się po prostu maszyną do robienia pieniędzy. Robiłam swoje, a koterie, towarzystwa wzajemnej adoracji, ploteczki już mnie nie interesowały.

Nie byłam w stanie dłużej udawać, że zajmują mnie ich problemy. Zresztą oni, ci młodzi, nie mają problemów. Zastanawiają się, na co wydać kasę, dokąd pojechać na narty, kto z kim sypia, czym się upiją w sobotę i w jakim klubie. Faceci rozmawiają o najnowszych modelach samochodów i obgadują koleżanki, a panny zastanawiają się, czym się depilować i kto je dziś poderwie.

Płytkie rozmowy o programach telewizyjnych, których nie byłam w stanie oglądać, bo umierałam z nudów i miałam uczucie, że to już jest szambo ostateczne, stanowiły częstą pożywkę w czasie rozmów w kuchence.

— Widzieliście?! Taka dupa! Walczyli o nią jak te głupki, a co się okazało? Facet! O kurwa! Jaki przypał!

— To jest numer!

— Ale to poniżej pasa! Widzieliście, jak się ten wybrany wkurwił?

— A ty byś się nie wkurwił?

— Nie. No, co wy! Kasa, jachcik. Mógłbym go (ją) nawet... tego.

— Pieprzysz! Lubisz facetów?

— Widziałeś go? To kobitka transwestytka! Ekstra dupa! A ty swojej doprosić się nie możesz, żeby ci od tyłu dała!

— Ale z przodu jajca ma.

— I co z tego? Mam takie same.

Wraz z napływem nowej, świeżej krwi zmienił się język, którym się porozumiewali.

Tym razem kobiety:

— Widziałaś Mandarynę? Ty, ona sobie włosy doczepiła!

— Pieprzysz, a zresztą, jak cycki sobie zrobiła, to i włosy...

— Może też sobie zrób?

— No, weź! Nie świruj!

— A co? Stać cię.

— No, ale ten mój, to by mnie, kurna, wyśmiał!

— Co ty?

— No, siur, że tak! On lubi cycuszki takie malutkie, płaskie...

— Ty, to może on pedał jest?

I rechot! Pogadało jaśniepaństwo. Dzieci po wyższych uczelniach. Prywatnych, albo i nie. Z dobrych domów... Groza. Żenada.

Nie interesuje mnie też obrabianie tyłka Wiktorowi, bo jest inny, gburowaty i introwertyczny. Nie bawi mnie to, bo oni mu do tego tyłka nie dorastają. Drażni ich, bo jego życie osobiste jest hermetycznie chronione przed firmą. Nie wiedzą, kogo bzyka (Kasi sekretarki już dawno nie), z kim pije, co robi „po lekcjach".

Półtora miesiąca temu Prezes przyjął do pracy nowego grafika i przydzielił go do mojego pokoju. Trochę się stawiałam, bo od niedawna cieszyłam się własnym lokum i spokojem. Trudno, przygarnęłam chłopaka. Okazał się głuchoniemy. Dobrze sobie radził z rozmową ze mną. Czytał z ruchu warg, a ja uczyłam się „czytać" jego miganie. Nie przeszkadzaliśmy sobie. Rozmawialiśmy rzadko, ale treściwie.

Nowy grafik miał swoją ciszę, ja miałam swoje radio i nikt nam nie psuł aury. Kolejne graficzki przychodziły, wychodziły za mąż, odchodziły na macierzyński, a ja, szefowa red–grafu, trochę copywriterka, trochę redaktorka — trwam. Teraz zamiast kolejnej cipci mam kolegę, który czyta z moich ust, ma kolosalne poczucie humoru i zna własną wartość. Inteligentny. Bardzo zdolny. Zdaje się, że nie na długo u nas przysiadł, bo rodzina załatwia mu pracę i szkołę za granicą oraz specjalne stypendium, ale nikt o tym nie wie. Tylko ja.

Grześ artykułuje dźwięki, ale bardzo kiepsko, nosowo. Wstydzi się tego. Do mnie mówi na głos, przynajmniej się stara. Z innymi miga i szeptem wymawia wyrazy tak, by być zrozumianym. Dopiero przy nim zdałam sobie sprawę, czym jest dla nas dźwięk, bo Grześ żyje w ciszy. Nas bombardują odgłosy. Są miłe albo niebezpieczne, relaksują, niosą informację, alarmują… On tego nie zna. Ma za to dużą wiedzę i intuicję. Czyta, interesuje się fotografią. Jest postawny i ładnie zbudowany. Zielonooki, jasny blondyn. Jedno oko lekko mu ucieka. To mu dodaje… czy ja wiem? Uroku…?

Właściwie wolę być sama, niż wchodzić w świat moich kolegów, mamy czy Konrada. On zresztą zawsze był mało wylewny, zamknięty w sobie. Jeśli nie robiłam czegoś tak, jak on to sobie wyobraził, był zły, zamiast prosto powiedzieć, o co chodzi. „Powinnaś wiedzieć" albo „Powinnaś się domyśleć". Tyle razy próbowałam go przekonać, że to myślenie absurdalne.

— Powiedz. Zwerbalizuj swoje myśli. Polemizujmy. A tak, skąd ja mam wiedzieć, czego oczekujesz?

Tu zazwyczaj następowała ucieczka w demagogię w rodzaju: „Kobieta powinna…", bla, bla. Boże! Jak często chciałam mu wypalić, że on też mógłby się domyślić, czego oczekuję, że mam jakieś pragnienia. Sama również popełniałam grzech milczenia, choć sporo pragnień wypowiadałam głośno. O samochodzie, o remoncie tarasu, o drzewkach w ogródku, nieskoszonej trawie.

Nigdy zaś nie odważyłam się powiedzieć Konradowi, jak beznadziejny jest w łóżku, jak kompletnie nie umie stworzyć między nami prawdziwej bliskości, intymności. Że seks to nie jest czynność fizjologiczna, tylko… Żeby było tak… tak… Nie umiałam sama sobie dobrze odpowiedzieć na pytanie: jak? W literaturze, na filmach jakoś inaczej to wygląda. Cholera! Wiem, że życie to nie film ani literatura, ale miałam już od dawna dość tej alkowianej fizjologii.

Lata temu, kiedy byłam bardzo młoda, oglądałam film, chyba węgierski, z Mariną Vlady, piękną francuską aktorką. Miała wtedy koło czterdziestki, grała żonę jakiegoś węgierskiego urzędnika. Była tam taka scena, w zwykłym mieszkaniu, w zwykłym łóżku, czy nawet na wersalce? (Nienawidzę wersalek). Marina, jako żona, leżała z mężem w pościeli i rozmawiali. On był w pasiastej piżamie. W średnim wieku, taki zestresowany, zmęczony, zniszczony... Potem zgasili lampę, a on tylko trochę zsunął gacie, położył się na niej i po kilku ruchach było po wszystkim. Przewalił się na swoją stronę wersalki, odwrócił do ściany i zasnął...

Pamiętam twarz aktorki — Mariny Vlady — piękną, smutną, z taką beznadzieją w oczach... Twarz milionów kobiet uwikłanych w taki małżeński obowiązek. Kobiety, która nigdy nie powie swemu, dobremu skądinąd, mężowi, że nienawidzi tego, co on robi. Że jest beznadziejny. Że ona czuje się po takim seksie jak kibel. Nie powie, bo on, ten dobry mąż, poczułby się skopany w najczulsze miejsce. Obraziłby się. Nie wiedziałby, o co jej chodzi. Najpewniej o to tylko, by mu bardzo dopiec.

Im się wydaje, że my, kobiety, mamy tak samo jak oni... Mężczyźni w stresie mają wzwód, a orgazm to po prostu odreagowanie, rozładowanie napięcia. Przychodzi wraz z fizjologicznym wytryskiem. Kiedy nam jest ciężko i źle, nie chcemy seksu. Musimy odejść od stresu. Wyluzować. Powoli nabieramy ochoty na seks. Bardzo powoli. Stres temu nie sprzyja. Nastrój, atmosfera, uwolniona psyche... Potem zaczyna reagować ciało. Chyba tak...

Bardzo głęboko przeżyłam tę scenę. Wtedy myślałam, że jak wojna, trąd czy plagi egipskie — mnie to się nie przydarzy. Nigdy.

Konrada poznałam pod koniec studiów. Byłam już zmęczona i przestraszona tym, że wszystkie dziewczyny mają facetów, bagaż doświadczeń seksualnych... Nauczyłam się doskonale udawać. Opowiadałam niestworzone rzeczy o jakimś chłopaku, który mieszkał daleko. O tym, że jeżdżę do niego, do tego miasteczka, gdzieś w Polsce, że tam u niego w pokoju to... Ho! Ho! Zawsze miałam bujną fantazję. Wystarczyło dużo czytać, by stworzyć sobie równoległy świat. Owszem, często wyjeżdżałam, ale z harcerzami, na sobotnio–niedzielne biwaki. Gdy poznałam Konrada, musiałam dla otoczenia wykombinować bajeczkę o zerwaniu z tamtym.

Pamiętam, że ja i Konrad poznaliśmy się na jakiejś studenckiej balandze. Było dużo wódy i hałasu. Wyszliśmy równocześnie, nie umiejąc się dostosować.

Zaproponował, że mnie odprowadzi i tak szliśmy, prawie milcząc, przez uśpioną Warszawę. Był fantastycznie nieśmiały. Jego filozoficzna zaduma imponowała mi ogromnie, tym bardziej, że po jakiejś godzinie spaceru, gdy kiwałam głową w odpowiedzi na jego wywody o konstrukcji mostu, nagle wziął mnie za rękę. Był mi chyba wdzięczny, że konstrukcje nośne wzbudzają mój entuzjazm.

Pod domem staliśmy niezdecydowani. Chwila niezręcznej ciszy przeciągała się, więc Konrad nachylił się i pocałował mnie w usta. To było okropne! Zamieszał mi w ustach językiem, jakoś pośpiesznie, i spłoszony poszedł. Może myślał, że stoję tam, oczarowana, ale ja stałam zdumiona.

Na prywatkach, owszem, całowałam się z chłopakami i nawet oni, niezwiązani ze mną, robili to lepiej! Szczególnie ci, którzy udawali namiętność, bo myśleli, że zaciągną mnie do łóżka. Parę razy nawet zdawało mi się, że się zakochałam, ale nie... Nie.

Rozbroił mnie ten Konrad. Taka fujara... Niemota. Za poważny jak na swój wiek. Przystojny, ale to zauważyłam później. Kiedy wiedziałam już wszystko o mostach, filarach, rozkładach sił, Konrad stwierdził, że jestem warta jego intymności i zaczął otwierać przede mną swą duszę. Spotykaliśmy się w knajpkach, więc siłą rzeczy nie było tam miejsca na czułości. Za to mogliśmy gadać do oporu. Konrad mówił. Też nie za wiele, bo do dziś nie jesteśmy gadułami. Wtedy jednak czuł potrzebę zaakcentowania, że wreszcie spotkał kogoś, kto nie usiłuje go przegadać, kto nie zmusza go do słuchania o ciuchach i najnowszych przebojach, o tym, że za granicą to dopiero jest fajnie! (Jesteśmy z pokolenia, które stworzyło słowo—wytrych: fajnie, fajny). Słuchałam Konrada, bo sama nie wiedziałabym, co mówić. Tak było łatwiej. Pod domem starałam się zatrzymać język Konrada na dłużej, poczulić się przy klatce schodowej, ale on płoszył się jak panienka, mruczał coś, że nie wypada, żegnał się i umykał.

W czasie przerwy semestralnej pojechaliśmy całą grupą na zimowisko. „Wyjątkowy” zbieg okoliczności sprawił, że wylądowaliśmy w dwuosobowym pokoju. Były tam raczej pokoje wieloosobowe, ale czułam, że Maryla, moja koleżanka, postarała się o nasze tête–à–tête.

Wieczorem, kiedy byliśmy już w łóżku, Konrad znów dość obcesowo mnie pocałował. Owszem, dłużej, ale tak nachalnie, ostro. Językiem mało mnie nie udusił, a jak zaczął niedbale ściskać moją pierś, odsunęłam go i powiedziałam:

— Nie spieszmy się... Mamy czas.

Odskoczył urażony. Zły. Spokojnie tłumaczyłam mu, że chcę inaczej, bez pośpiechu, troskliwie, czule... Musiałam się starać, by go znów obłaskawić, nakłonić do zaufania. Mówiłam długo, dotykając go i głaszcząc, intuicyjnie czując, że to droga do sukcesu. Powoli ulegał, rozklejał się i poddawał. Czułam, że trochę robi to wbrew sobie, ale stara się.

Kiedy całowałam go w szyję, mruknęłam:

— Bądź delikatny, bo ja pierwszy raz…

Teraz spanikował i odskoczył na brzeg łóżka.

— Teraz mi to mówisz?! — powiedział spięty i zdenerwowany nie na żarty.

Zamilkłam i tak milczeliśmy strasznie długo. Siedział zgięty, zamyślony i nic nie robił. Nic. Wtedy wstałam, podeszłam do niego i zaproponowałam:

— Chodź do baru na wódkę. Przyda nam się.

W barku byli jeszcze nasi, napici i tryskający na nasz widok dowcipami łóżkowymi. Byliśmy speszeni. Konrad wziął mnie za rękę i próbował wyluzować. Za oknem walił śnieg, a my zamówiliśmy po dwie pięćdziesiątki i poszliśmy na werandę. Nic nie mówiliśmy. Konrad przytulił mnie i wypił. Potem powiedział:

— Kocham cię — i znów wypił.

Też machnęłam tę wódkę szybko i ostro. W końcu miałam wreszcie szansę stracić cnotę!

Bolało jak cholera. Krwawiłam jak kaczka. Pewnie za późno się zebrałam z tym dziewictwem. Dwudziestkę miałam za sobą. Było jakoś nie tak… Nie tak, jak na filmach… Ale za to nie byłam już panienką! Konrad zaś był taki refleksyjny, wyciszony i prawie czuły. Powiedziałam mu, że go kocham, bo chyba na to czekał i tak mi się zdawało. No, w końcu spaliśmy ze sobą, to chyba miłość?

Staliśmy się parą.

Pracę dyplomową obroniłam na ledwo, ledwo, bo byłam w panice. Właśnie oddałam do badania w przychodni rejonowej mocz, w butelce z nazwiskiem, na test ciążowy. Cała kolejka staruszek i dziadków z osiedla to słyszała. W tamtych czasach nie było w aptece testów, które w dwie minuty pokazywały różowy albo niebieski paseczek. Oddawało się mocz w butelce, w okienku maleńkim, i mówiło się głośno:

— Na ciążę.

Wszyscy udawali, że na mnie nie patrzą. Jeśli daję mocz do badania na ciążę, to znaczy: nie mężatka, a jeśli nawet, to nie chce dzieciaka, bo jakby chciała, to by nie badała. Czekało się dwa tygodnie. W laboratorium ten mocz był wstrzykiwany szczurzycom, a one reagowały jakoś na hormony ciążowe.

Dwa tygodnie jak przed plutonem egzekucyjnym.

Dwa tygodnie na łasce szczurzycy…

Co ja powiem ojcu?! Co ja zrobię?! O Matko! Oby nie!

Pamiętam noc przed odebraniem wyników, kiedy tak leżałam i modliłam się:

— Matko! Żeby tylko nie to.

W pewnej chwili zdałam sobie sprawę, że nie o Matkę Boską mi chodzi. O moją! O mamę! Moją mamę!! Nie spałam bardzo długo, bo tych myśli było za dużo. Wtedy pierwszy raz od dawna myślałam o mamie. O tym, dlaczego właściwie nie ma jej przy mnie, dlaczego tato nigdy, rzeczywiście nigdy nie wspomniał o niej po tym, jak od nas odeszła.

Siedziałam na kanapie z pozytywnym wynikiem badania sików na ciążę. Konrad słuchał mnie uważnie. Drżałam i byłam bardzo zdenerwowana. Trzymał mnie za rękę i powiedział:

— Ale ja chcę, żebyśmy byli razem. Dziecko to kwestia czasu. Przecież obroniłaś się. Jest akurat czas, żeby założyć rodzinę.

Tak powiedział: „założyć rodzinę".

Teraz właśnie potrzebowałam, by ktoś to wziął na siebie. Ja też nie chciałam, żeby to był jakiś romansik. Nie tak jak oni wszyscy, nie tak beztrosko, radośnie, z wódką i wolnym seksem. Ja chciałam inaczej. Tak poważnie, odpowiedzialnie. Porządnie.

Reakcja taty zaskoczyła mnie. Pokiwał głową i milczał, a potem podszedł i ucałował mnie. Uścisnął rękę Konradowi.

— No, tak — powtarzał zakłopotany. — No, tak.

Był już wtedy bardzo chory, ale ja o tym nic nie wiedziałam… Czekał na moją obronę. Wiedział, że ma niewiele czasu, a tu nie tylko magisterium, ale i wnuk w drodze.

Z rodzicami Konrada poszło gorzej. Ich zaskoczenie nie było niczym miłym. Nie ukrywali zażenowania. Szczególnie jego mama. Odpuściło im, jak zmarł mój ojciec, nie doczekawszy rozwiązania. To był ósmy miesiąc. Wtedy oboje, mama i tatko Konrada, otoczyli mnie nagle wielką serdecznością. Tak już zostało. Mieszkaliśmy razem w ich domu po skromnym ślubie cywilnym.

Mama, moja mama, przyjechała na pogrzeb taty. Nie widziałyśmy się tyle lat… Ostatnio, gdy zdałam do liceum. Była pod szkołą, gratulowała mi, ale ja nie chciałam z nią iść na koktajl. Wolałam koleżanki.

Nasze powitanie na cmentarzu było poprawne, choć jak zwykle dość trudne. Nieporadne, suche. Mówiłam do niej bezosobowo, bojąc się powiedzieć „mamo". Podobno przychodziła do szpitala przedpołudniami, ale ojciec był już wtedy prawie nieprzytomny. Nie widywałam jej tam… Ja bywałam wtedy na zajęciach ze studentami, ojca odwiedzałam po południu.

Uśmiechnęła się, widząc mój brzuch. Spytała, który to miesiąc, i patrzyła na mnie zachłannie. Obiecałam, że po porodzie napiszę do niej i przyślę zdjęcie dziecka. Szybko i niepostrzeżenie wyszła. Mam dyskretnych teściów. Nie zadawali pytań. Nigdy.

Byłam zaprzątnięta chorobą, umieraniem ojca, trochę ciążą. Żyłam w jakiejś mgle, w odrętwieniu, taka pogubiona i niewiedząca, co dalej? Kompletowałam wyprawkę, urządzałam w dawnej suszarni pokoik dziecięcy z ogromną pomocą teściowej. Wieczorami, po obiedzie szliśmy z Konradem do siebie, na pięterko. Robiłam herbatę, a Konrad opowiadał, jaką mnie widzi, jaki będzie nasz dom, co będziemy robić. Mówił tak, jakby opowiadał film, jakby chciał mnie obsadzić w jakiejś roli. Podziwiał kaftaniki, kolor firanek, głaskał mnie po brzuchu.

Powinnam być taka szczęśliwa! Miałam się za malkontentkę. Niejedna moja koleżanka zazdrościła mi. One tułały się z mężami po wynajętych pokojach, wpłacały raty na utęsknione M–3, a ja tak dobrze wylądowałam! Willa na Saskiej Kępie! Z ogrodem! Hmm. Raczej skromny, dość brzydki dom. Szara kostka z przybudówką. W środku ciemnawe pokoje. Fakt, miły ogródek. Byłam zła na siebie. Czemu nie czuję tej rozpierającej radości? Malkontentka.

Byłam „passé", jestem „trendy"! Czyli — nie dać się!

Zygmunt, nowy dyrektor do spraw marketingu, i Prezes, stanowili fantastyczny aparat napędowy naszej firmy. Byli kolegami jeszcze z podwórka. Wiktor ogarniał finanse i księgowość. Nie wtrącał się do reszty. Zygmunt, młodszy od naszego Prezesa, pojawił się u nas jakiś rok temu. Wszyscy się dziwili, bo poprzednio pracował w dużej „sieciówce", zarabiał krocie, a u nas trzeba się nagimnastykować, żeby złapać klienta. Podobno zaplątał się w jakąś aferę, czy coś... Taki młody yapiszon, „pistolecik".

Miał rozległe kontakty, nieziemski tupet i był singlem, więc jego życie polegało głównie na pracy, a praca — na „bywaniu". Minimum raz w tygodniu jakiś bankiet, otwarcie, impreza. W sezonie zima — wiosna, przed świętami i w karnawale prawie nie schodził z sal. Brylował, pił z kim trzeba, tańczył z kim trzeba i gadał z kim trzeba. Mieliśmy klientów. W firmie mocno się ruszyło, poleciało parę osób, znów kilkoro doszło. Same dzieci, moim zdaniem, ale oczywiście przyglądałam się ich fachowości. Była.

— Wiesz — mówiłam, trochę migając po mojemu, do Grzesia — oni się chyba już tacy dostosowani rodzą.

— Co masz na myśli?

— Tacy są... odważni, mają talent i tupet. W szkole ich tego uczą?

— Telewizja, MTV, zmysł obserwacyjny i świadomość walki o przetrwanie.

— Oglądasz MTV? — spytałam zdumiona.

— Czasem, jako niemy cyrk. Dobre! O muzyce nic nie mogę powiedzieć. — Zaśmiał się. — Ty też powinnaś oglądać. Zamówiłaś papier?

— Zamówiłam. A dlaczego powinnam? Ja rzygam takimi programami. To nie moja bajka.

— Gosiu — powiedział tym swoim dziwnym nosowym głosem, odwracając się do mnie całym sobą, żeby widzieć moje usta — jeśli chcesz być na czasie, oglądaj to, co się dzieje w świecie blichtru. To twój zawód — karmić snobów i głupoli. Niby jesteś szefową działu, ale to ta nowa, Majka, robi rzeczy najbardziej „topowe", najlepiej płatne. Ty „przędziesz" drugorzędne drobiazgi. Jesteś dobra, ale ta mała już ci zagraża.

Mówił wolno, patrząc mi życzliwie w oczy.

— Nie mogę, jako szefowa działu, robić wszystkiego, Grześ — usiłowałam się bronić.

— Wiesz, że mam inne plany życiowe, więc mi to wisi, ale ty bądź czujna, nadążaj. Zobacz, do czego dąży Zygmunt. Nie chciałbym, żebyś się dała wyruchać jak koza na pastwisku.

— Grześ! Skąd u ciebie takie teksty!

Zawsze umie mnie rozbawić. Ma fatalną artykulację przez tę swoją głuchotę, ale życiowy to on jest! „Jak koza na pastwisku"!

— Jesteś fajna baba, Gosiu, więc nadążaj! Nie daj się!

Grześ potwierdził to, co czułam podskórnie. Przestawałam pasować do naszego zespołu. Odstawałam.

Wyszłam wcześniej i pojechałam do centrum handlowego. Pomyśleć. Czułam narastający niepokój. Głuchy, młodszy ode mnie Grześ, ostrzegał mnie. Widział i rozumiał więcej. Poczułam się stara. Niedołężna. Trzeba mnie ostrzegać, bo sama już straciłam czujność. W stadzie takie osobniki nie są potrzebne. Zagryza się je albo wypędza...

Boże! Mam przecież dopiero czterdzieści parę lat! Dopiero się rozkręcam! Mam siłę, wiedzę, doświadczenie! Nie mam maleńkich dzieci i obowiązków domowych! Moja wiedza jest sto razy większa od wiedzy dzieciaków z działu promocji! Ja jedyna mam jeszcze jako tako opanowaną gramatykę i ortografię, wiedzę ogólną...

Szlag! Przecież to się nie liczy! W „kompie" jest *Tezaurus*, w internecie — wszystko. To co się liczy? Młodość! Brak zahamowań, nonszalancja, „cel uświęca środki", „za wszelką cenę". Nie pasuję tu z moimi manierami, wahaniami, poglądami...

W kilku butikach dałam szkołę obsłudze. Rozsiadłam się i kazałam dawać wszystko, co „trendy". Elegancję oceniałam sama. Moje dotychczasowe, świetnie skrojone kostiumy i garnitury w „bezpiecznych" kolorach zapakuję do pawlacza. Żegnajcie!

Kupiłam kilka par dżinsów. Jasnych i ciemnych, ładnie leżących na pupie. Kolorowe bluzki do nich i niebanalne żakiety. Jeden skórzany. (O Matko! Ja i skóra!). Buty...? Buty mam OK. Zawsze lubiłam takie kobiece, na obcasie. Doskonałe do dżinsów i żakietu. Będę je nosić na co dzień.

Na parterze jakaś hostessa podała mi kolorowy świstek. Wpakowałam torby do bagażnika i wsiadłam do samochodu. Odruchowo, fachowym okiem spojrzałam na ulotkę. Dość klasyczna reklamówka salonu urody. „Makijaż permanentny" — przeczytałam. Nigdy, nawet przez moment, nie zastanawiałam się nad czymś takim. Głupota. Głupota. No, głupota! — tłukło mi się po głowie. A kiedy stanęłam na światłach, przypomniała mi się jedna z narad w firmie, kiedy omawialiśmy jakąś strategię reklamową na zasadzie burzy mózgów. Byliśmy już naprawdę zmęczeni i tylko głupoty przychodziły nam do głów. Jedna z nich okazała się strzałem w dziesiątkę.

W domu dopadłam telefonu i zadzwoniłam do mojej pani kosmetyczki.

— Pani Asiu, czy pani wykonuje makijaż permanentny?

— Tak, oczywiście!

— Proszę mnie zapisać na najbliższy, popołudniowy termin.

— Dobrze, ale najpierw przez parę dni powinna pani brać heviran, żeby się opryszczka nie wdała, bo usta, rozumiem, robimy i oczy?

— Ja nie mam skłonności do opryszczki...

— To nic, ale musimy się mocno zabezpieczyć, bo jak przypadkiem się wda, to się pani oszpeci, zamiast upiększyć!

Po tygodniu, w piątek przed wolną sobotą, leżałam już na kozetce u pani Asi. Opowiedziała mi wszystko o zabiegu, potem przyszła zatrudniona u nich pani dermatolog i znieczuliła mi usta. Asia w tym czasie pokazała mi, że igła jest jednorazowa i sterylna. Jezu! Jednak bolało! Byłam nieziemsko dzielna. Wydawało mi się, że dwie cienkie kreseczki to będzie nic, a jednak ciąganie, kłucie tą igłą, szarpanie wrażliwych ust było męką. Karą za próżność. No cóż. Tak wygląda walka o przetrwanie.

Cieniowanie ust też było męką. Z oczu ciekła mi strużka łez, bo to znieczulenie jakoś nie całkiem znieczula.

— Przepraszam — mówiła łagodnie Asia — tak mi pani żal, ale efekt będzie super! Mówię pani! Jeszcze troszkę… — powtarzała jak dentystka do zapłakanej Marysi, borując jej ząbek.

W nagrodę za dzielność dostałam wodę mineralną i chwilę przerwy. Do pani Asi zadzwonił mąż i mogłam odpocząć dłużej. Potem uparłam się, żeby zrobić powieki. Chociaż górne. Dam radę! Walczę o siebie. Oczu nie daje się znieczulić niczym, poza maścią, która też niespecjalnie się spisuje. Igła boleśnie szarpała moją delikatną skórę. Byłam tak spięta, że leżałam wygięta w łuk. Asia, co jakiś czas łagodnie mówiła:

— Spokojnie, już, już!

Wydawałam się sobie śmieszną idiotką, która dała się zwieść reklamie. Ja! Pracownica agencji reklamowej! Po cholerę mi to?! O Matko! Jak to boli! Podobno nie będę musiała co pół godziny malować ust, bo ja zjadam tony szminek, taką mam mimikę. Usta blondynki takie mi się zrobiły mdławe, że zawsze miałam w kieszeniach, w torebkach, szufladach mnóstwo szminek.

— Teraz, pani Gosiu — powiedziała Asia — wystarczy tylko błyszczyk, na okazję.

Po zabiegu wstałam i podeszłam do lustra. Ujrzałam potwora. Opuchnięte, przekrwione powieki, jak po ciosie Gołoty. A usta…? Usta były przerażające. Wielkie i wynicowane, jak u małpy. Jakbym miała zamiast nich — dwie parówki. Asia stanowczo twierdziła, że mi do wieczora zejdzie jakieś pięćdziesiąt procent opuchlizny, a pojutrze reszta. Dała specjalny krem i zapewniła raz jeszcze, że „będzie super". Wracałam do domu zawinięta szalem i przerażona własną głupotą.

Konrad i mama zachowali się dość przyzwoicie. Dali mi święty spokój i dopiero, gdy byli sami w kuchni, dali upust swemu zdumieniu. Mama na pewno tłumaczyła Konradowi, że „kobiety w pewnym okresie" tak mają. Raz już dyskretnie zapuściła sondę, czy mam oznaki klimakterium, bo ona „to" miała bardzo wcześnie, i co sądzę o farmakologii w tej dziedzinie, bo ona czytała…

— Mamo, miesiączkuję regularnie. I badania mam w porządku. Na razie nie czuję nic, co mogłoby mnie niepokoić.

— Przepraszam cię — powiedziała Zosia i na tym się skończyło.

Wieczorem wtargnęła Marysia i kazała sobie pokazać.

— Super! A nie za dużo kolagenu?

— Mańka, ja nie wstrzykiwałam sobie kolagenu, tylko wytatuowałam usta. To odczyn. Zniknie do poniedziałku.

— A jak nie? — spytał mój osobisty anioł.

— To założę sobie kółko do nosa i wyjadę do Afryki…

W poniedziałek wzięłam wolny dzień, bo usta były już prawie na swoim miejscu, ale wydawało mi się, że jeszcze powinny się „wtąchnąć". Oczy wyglądały naprawdę fajnie nawet bez malowania, więc poszłam na całość i pojechałam do fryzjera. Na górze pokazałam się pani Asi. Była zadowolona ze swego dzieła i mojej odwagi. Na dole, w salonie fryzjerskim kazałam podać sobie katalogi fryzur. Było wczesne przedpołudnie, cisza i właściwie ja, jedyna klientka. Wyżaliłam się, że staro się czuję, więc od razu zebrało się całe konsylium i uradziłyśmy zmianę koloru i radykalne cięcie, bo moja długa fryzura jest już „passé". Czułam się jak na zlocie czarownic! Albo jak na *Stalowych magnoliach*. Kobiety, jak chcą, jak mają niezeżartą jadem duszę, potrafią być świetne. Powiedziałam, że w firmie pracuje sama młodzież i że mają mnie za staruchę. Podniósł się krzyk oburzenia: „Jak tak można, pani przecież tak młodo wygląda, o proszę, żadnej zmarszczki". Fryzjerki okazały solidarność i postanowiły pokazać swoją maestrię. Czułam się członkinią spisku. Jakbyśmy wspólnie warzyły zioła przeciw złym mocom. Z żalem żegnałam swoje długie włosy. Są ładne i gęste. Wydawało mi się, że tak młodzieżowo wyglądam w rozpuszczonych, w ogonie…

Trójkolorowy balejaż przeraził mnie nieco, ale dziewczyny zapewniły, że w takich jasnych płomieniach (złoty, ciemnozłoty, rudozłoty) będzie mi znacznie „krwiściej" niż w dotychczasowym szarawo–mysim — bylejakim. Postanowiłam nie marudzić. Ma gabinet renomę, czym ja się przejmuję? Przecież walczę o przetrwanie!

Wystrzępione włosy, teraz ledwie do ramion, a właściwie do pół szyi, nabrały innego kształtu i wydawało mi się, że zamiast głowy mam dużą banię. Obiecano mi, że to tylko tak prosto po fryzjerze — lakier. I to coś, co podnosi nasadę włosa… Koło policzków przyjemnie majtały mi niesforne kosmyki. Mogłam je zawijać za ucho albo odgarniać niedbałym gestem. Taki niekontrolowany, ładny ruch dłonią — jak oganianie się od muchy. Albo kokieteryjny ruch głową. Setki razy ćwiczyłam to przed lustrem, ale nigdy publicznie. Rozpuszczonym włosom kazałam grzecznie siedzieć za uszami, na ogół jednak spinałam je, wiązałam.

Nie byłam kokietką. Kiedyś, na początku działania firmy, kiedy czułam się jedną z nich — młodych, potrząsałam włosami albo śmiałam się, odrzucając głowę do tyłu, ale później znów stałam się bardziej powściągliwa.

Cały poniedziałek celebrowałam siebie — nową. Nagle poczułam, że mam nogi, włosy, uszy, talię, palce u rąk, rzęsy… Przymierzałam ciuchy, studiowałam czasopisma z modą. Wszystko to przygotowałam na pomoc w walce o byt… W firmie.

Przemowa do umarłych,
czyli próbuję zrozumieć „nowe"

Jakie to wszystko inne od tego, czego uczył mnie ojciec i druhna Anna! Tato twierdził, że nie szata zdobi człowieka, że o ludzkiej wartości stanowią jego zdolności, dokonania, ideały, do których dąży czasem wbrew wszystkiemu.

— Tato! — prowadziłam z nim wyimaginowany dialog. — Nie teraz i nie tutaj! To inny świat! Inni ludzie! W tym świecie rządzi pieniądz i młodość. Reklama, blichtr, chwilowe efekty. To, co stałe, solidne i mocne, jest niemodne. Wiesz, tato, że modne knajpy, restauracje nie mogą trwać długo w swoim entouragu? Nudzą się po dwóch, trzech latach i trzeba im zmieniać klimat. Remont, zmiana wizerunku, kuchni — wszystkiego. Bo już była „passé". Nikt nie chodzi do niemodnej knajpy, wiesz, tato? Na szczęście, została twoja ukochana. Przedwojenny „Samson", ciut tylko zmieniony, bo stali klienci z zagranicy nie znieśliby tego, że ich spokojna, koszerna knajpa zmieniła się w bawarską gospodę czy laotański pałac.

Tam zabierał mnie tato rzadko, ale jednak, na rybę po żydowsku, żydowski kawior i złoty rosół. Uwielbiałam te wyprawy. Inne dzieci miewały różne radości życiowe — nowy rower, wyjazd za granicę, wrotki… A ja bywałam z tatą w „Samsonie" i wiedziałam, jak smakuje karp faszerowany na słodko, a przy okazji tato wypijał (tylko tam!) zimną wódeczkę do śledzia i opowiadał o Żydach, sypał szmoncesami i ja jedna w klasie wiedziałam, co to jest.

Wiesz, tato, jak się zmieniło? Ja też muszę się zmieniać, bo inaczej zostanę w tyle. Będę „de mode" i „passé". Pójdę na zawodowy śmietnik. To nie czasy, tato, że szanuje się starsze osoby. Choćby tylko stażem starsze. Wszyscy uciekają przed starością, przed tym, co takie naturalne i mądre. To ty mówiłeś, że „starość jest mądra". Teraz to bzdura. Teraz, tato, starość to hamulec rozwoju. Wstydliwy etap w życiu. Nikt nie chce być stary. Ja też…

Druhna Anna przewraca się w grobie.

Po odejściu mamy tato zasugerował mi drużynę harcerską. W mojej szkole prowadziła ją druhna Anna — znajoma taty jeszcze z okresu okupacji. Miała wielki temperament, była definicją harcerza i zaprzeczeniem kobiecości.

Jako zuch, potem harcerka, spędzałam czas na obozach, zbiórkach, zadaniach, oczarowana harcerską mistyką i ideałami. Druhna Anna opowiadała nam godzinami o historii, Szarych Szeregach, przyjaźni, lojalności. Miała ogromną charyzmę i była wesoła. Obieranie ziemniaków, budowanie latryny — z nią wszystko nabierało cech wyczynu. Nawet zwykłe marsze. Druhna Anna mówiła nam, że uroda to po prostu obciążenie. Zza urody, mówiła, nie widać człowieka, a tym bardziej kobiety. Ozdobą kobiety są jej cnoty. Sama była wierna tylko grzebieniowi, mydłu i najtańszemu szamponowi. Nigdy nie widziałam jej umalowanej. Nigdy w cywilu. Zawsze w wielkiej, szarej, harcerskiej sukience, skarpetach i sandałach lub traperkach.

Szanowałam ją, ale czułam, że z tą urodą to coś nie do końca tak. Lubiłam się w domu przebierać, zawijać w kapy, wypychać biust, chustki spuszczać na ramiona jak woale. Chciałam być królewną.

Pamiętam mamę, jak przed odejściem od nas malowała usta bladoróżową szminką. Patrzyła na mnie, odbita w lustrze, i uśmiechała się, mówiąc:

— Co, moja śliczna królewno?

Albo:

— I co tam, żabko?

Nosiła sukienki w wielkie, kolorowe tulipany… Mama. Mama.

Z początku, w drużynie chciałam być jak druhna Anna. Surowa, traperska, dzielna. Szybko mi przeszło. Inne nauczycielki były pachnące, kolorowe, malowały się i nie było w tym nic nagannego. Byłam więc dla druhny harcerką, a w szkole, dla koleżanek, normalną dziewczynką. Tacie wystarczało, że byłam uczciwa, pracowita i szczera. Nawet lubił zawiązywać mi kokardę na końskim ogonie, kupować kolorowe bluzeczki, sandałki…

Gdyby zobaczył, co teraz dzieci noszą, jak małym dziewczynkom matki pozwalają malować usta, farbować włosy, przekłuwają pępki, upodobniając je do małych kurtyzan! Nie wyobrażam sobie jego reakcji. Ani druhny. Oboje już nie żyją. Mają gdzieś to, co się z nami porobiło.

W mojej Agencji, naturalnie, zrobiłam trochę szumu moim wyglądem. Były aplauzy i komentarze. Dziewczyny, chyba szczerze, podziwiały kolor, nowy styl, odwagę. Poszłam do Prezesa. Zdziwił się, ale nie dałam mu dojść do słowa. Rozmawialiśmy o potrzebach naszego klienta, o terminach, tempie pracy.

— Grzesiek się wyrobi? — spytał Prezes.

— Spoko. Ma to opanowane.

— A ty? Co ci się stało? Kochanka masz?

Zbił mnie z tropu, ale na chwilę. Pisałam coś w notatkach i nie podnosząc oczu, mruknęłam, niby zajęta:

— Nie jesteś, mam nadzieję, zazdrosny.

Zaśmiał się trochę za głośno, rzucił jakiś dowcip. Najwyraźniej był zaintrygowany całą tą sytuacją. A tak się bałam, że pokażę po sobie niepokój i lęk! Kamienny spokój. Moja mocna strona. Mój udawany, kamienny spokój.

Wszedł Zygmunt. Gwizdnął na mój widok. (Tato! W obecności kobiety! Widzisz, co za maniery?).

— O… o! Gosiu, co robisz dziś wieczorem?

To taki jego żart. Taki tekścik do kobiet, że niby chętny do podrywu. Uśmiechnęłam się z widocznym wysiłkiem. Wróciłam do meritum, jakby nigdy nic. Wychodząc, odgarnęłam gestem włosy. Tak sobie…

Grześka nie było. W łazience, z dziewczynami pogadałam o fryzurze, podziękowałam za komplementy. Byłam miła i „cool".

No i co, druhno Anno? Inne czasy. Liczy się uroda, młodość, top, szczyt, trend. Muszę tu trwać. Nadążać. Tylko bardzo stare autorytety są kochane. Pod warunkiem, że pokazuje je telewizja i tym samym dyktuje modę na starych mistrzów. Papież ma prawo i obowiązek być stary, profesor Kołakowski, profesor Maria Janion może być stara i brzydka, Wisława Szymborska, nobliwa noblistka, Kazimierz Kutz, profesor Maria Szyszkowska, filozofka–marzycielka. Oni mogą być starzy, bo ich myśli są ponadczasowe, ich idee — nieśmiertelne. Mam jednak obawę, że pokazywani są w telewizji tylko dla równowagi. Dla przyzwoitości.

Media oszalały na punkcie gwiazd, młodych i pięknych. Króluje szczupła sylwetka, kolorowe włosy, tipsy długie i upstrzone, nawet brylantami, na co dzień, silikon, kolagen. Najważniejsze, kto jak się ubiera, kto schudł i zrobił karierę, kogo kochają tłumy za wulgarne wypowiedzi, wyuzdane teksty, opowiadanie o łóżkowych wyczynach. Szanujące się media pokazują czasem kogoś starszego, z dorobkiem, jako przeciwwagę dla tysięcy młodych, jednodniowych gwiazd, głuptasów bleblających przed kamerą lub dla gazety cokolwiek, byle zaistnieć. Nawet kosztem śmieszności. Jętki Jednodniówki. Wielki szał, wielki show, sezon, dwa na szczycie, a potem cisza, zapomnienie, wódka, żal, czasem narkotyki. Gwiazda spada.

Ja nie jestem jeszcze Mądrą Starowinką. Mnie trzymają w firmie, bo jeszcze do nich przystaję, jeszcze nadążam, jeszcze robię rzeczy „trendy", na „topie". Jak przestanę, wywalą mnie, druhno Anno, i nikogo nie będzie obchodziło, ile mam do emerytury, jaki mam potencjał, co jeszcze mogę.

Do pokoju wszedł Grześ. Zero reakcji. Kompletnie nic. Rzucił powitanie i usiadł! Siedziałam jak na szpilkach. Po chwili powoli odwrócił się, pokręcił głową i westchnął.

— No?! — wrzasnęłam. — Jesteś moją najlepszą koleżanką! Powiedz — jak wyszło?

— Ty cholero! — zamigał i zabuczał. — Nie mówiłaś, że masz młodszą siostrę! Nie jestem już twoją koleżanką. Od dziś jestem facetem. Uważaj!

Fajny ten nasz Grześ. Było mi naprawdę miło i, paradoksalnie, na jego zdaniu zależało mi najbardziej.

Najgorsze było „nadążanie", czyli oglądanie stacji młodzieżowych, czasopism, programów. Gala nagród MTV — żałosny targ ekstrawagancji. Grzesiek skombinował kasety z reklamowymi przebojami ostatniego sezonu. Korepetycje ze światowych trendów. Z firmą już nie chciało mi się jeździć na „Crackfilm" do Krakowa. Z imprezy zrobił się ściek. Za dużo bezpłatnego piwa i chamstwa.

Wraz ze zmianą moich ciuchów, fryzury, bycia, koledzy znów jakby mnie „zasymilowali". Pracowaliśmy na kolejny sukces. Ciężko, wytrwale, bo klient był wymagający i nie dał się omamić byle czym. Znów było jak dawniej — jeden wielki organizm, rozpędzony, zatrybiony, walący w stronę zwycięstwa. Yeeees! Prowizje! Premie! Forsa w kasie!

Zygmunt napuszył się jak paw, Prezes miał dobry humor, a Vicek spokojnie to skwitował:

— No co? Normalka. Tak ma być.

Jego trudno ucieszyć. Ja jedna wiem, że to poza. On tak ma.

Moją premię wpłaciłam Marysi na fundusz powierniczy. Taka jestem!

Wyjazd integracyjny. Dlaczego fajnie było zmoknąć, czemu nie zmarzłam i z kim się zintegrowałam

Wiosną Prezes, zadowolony z naszego kolejnego sukcesu, mniejszego, ale jednak, zapowiedział szkolenie i puścił oko. Szkolenie miało odbyć się na promie do Karlskrony, a wycieczka dalej, w głąb Szwecji aż do Malmö. Ucieszyłam się.

Niektórzy, nieposiadający samochodu, pojechali do Gdyni wynajętym busem. Stary z nimi, by nie czuli się gorsi, a tak naprawdę, żeby się napić w drodze. Lubił tę naszą młodzież i dobrze się czuł w ich towarzystwie. Na pewno dobrze mu robiło „oddychanie młodością". Też, by nadążać, musiał się inspirować. Najbardziej lubił to robić za pomocą whisky.

Grzesiek nie chciał jechać, ale go namówiłam, bo z kim, pytałam, będę gadać?! W trasie to się nam nie gadało, bo musiałabym odwracać do niego twarz, żeby czytał, co mówię. Włączyłam moją radiostację, Grześ siedział z nosem w książce albo drzemał.

W gdyńskim porcie, po zaokrętowaniu okazało się, że mam kabinę z Iwoną. To dobrze. Maleńkie pomieszczenie rozbawiło mnie. Koje takie wąskie, niewygodne... Iwona zaraz mnie oświeciła, że w tych kojach to na ogół tylko dzieci śpią, bo życie nocne toczy się w restauracjach, dyskotekach, barach.

Prawie natychmiast po odbiciu ruszyliśmy do knajp. Zrobiło się rozrywkowo i poczuliśmy nagłą potrzebę zabawy. Opanowywaliśmy barki i dyskotekę. Na każdym poziomie można było spotkać kogoś z naszych.

Grzesia znalazłam przy automatach. Obaj z Karolem szaleli na jakimś wyścigu. Na ekranie pędziły samochody, a oni, otoczeni publicznością, rozwalali bandy, gnali po prostych i cięli zakręty. Obok nich ojcowie z chłopcami w wieku szkoły podstawowej, kibicujący tak, jakby to było naprawdę. Stałam i śmiałam się, a jak się skończyła ta ich runda, Grzesiek przywołał mnie gestem. Ociągałam się, bo nie jestem kozak jako kierowca. Ruszyliśmy i z miejsca rozbiłam samochód. Dopiero po kilku próbach pojechałam porządnie. Świetnie było! Ja miałam swoją publiczność, Grzesiek swoją. Mali chłopcy podniecali mnie do walki okrzykami i brawami. Fantastyczna zabawa! Oczywiście na końcu rozbiłam się znów...

Ustąpiliśmy miejsca chłopakom i ich ojcom. Karola nie było, poszedł pewnie pić z resztą grupy. Atmosfera panująca w środku, picie piwa, tańce i hulanki zaczęły mnie w końcu nużyć. Ile można pić? Opychać się? Nie lubię jeść na noc, potem nie śpię.

— Pójdę do kabiny — zamigałam do Grzesia.

— Nie, nie pójdziesz. — Pokręcił głową. — Pójdziemy na pokład. Jest akurat taka pogoda, że można, a jak nie, to się załatwi i też pójdziemy.

Zachwycona to ja nie byłam. Była już noc, na zewnątrz pewnie wilgotno, a może nawet mokro i zimno. Nie chciałam jednak wyjść na mięczaka, w kabinie tylko książka... OK.

— Załóż coś ciepłego, sztormiak i za pięć minut czekam tu na ciebie.

Szliśmy korytarzami, w których już się pogubiłam. Grześ dzielnie parł ku wyjściu, jakby znał topografię tej krypy. Pomocował się z jakimiś drzwiami i, kiedy się otworzyły, wyszliśmy na pokład. Chyba nikogo nie interesowała taka nocna eskapada, bo byliśmy sami.

— Grześ, a jak oni zamkną te drzwi od środka i nie wejdziemy?

— Nie panikuj. Te się otwierają i jest OK. Patrz na niebo, jest fajnie?

Łaziliśmy po prawie pustym pokładzie. Mijał nas ktoś z obsługi i może ze dwoje amatorów nocnej wyprawy na pokład. Reszta bawiła się w środku. Morze, granatowe, nieprzyjazne, było lekko wzburzone albo mi się tak wydawało. Fale blisko dziobu rozbijały się o burty i pióropuszami spadały na pokład słoną mżawą. Widok był trochę straszny i trochę piękny. Dookoła czarnobura przestrzeń, spieniona, sfałdowana, groźna, zlewała się daleko z nieboskłonem. Niebo, rozgwieżdżone, piękne, monumentalne. Bardzo odległe. Stawaliśmy w różnych miejscach, uważając, bo mokry pokład był miejscami śliski. Wleźliśmy wszędzie, gdzie się dało, na jakieś mostki, drabinki, „nadpokłady". Czułam się jak odkrywca. Nie przeszkadzał mi chłód, noc, mokre bryzgi. Nie zauważyłam nawet, kiedy zaczęło padać. Było tak fajnie!

Był stale obok i pilnował, żebym się nie poślizgnęła, nie upadła. Obserwował moją radość i uśmiechał się jak wujek, który pierwszy raz zabrał bratanka do zoo. Ręce miałam mokre i czerwone z zimna. Grześ wziął je i ogrzewał oddechem. Była w tym troska i czułość, a jego twarz widziałam oświetloną księżycem. Była cała w kroplach morza i deszczu. Jak moja.

Grześ, patrząc cały czas na mnie, rozpiął nasze sztormiaki, przyciągnął mnie blisko, bardzo blisko, a potem powolutku zaczął wodzić ustami po mojej twarzy. Byłam zaskoczona i oszołomiona. Wsunęłam ręce pod jego sztormiak i robiłam to samo. Jego twarz była słona i ciepła. I bardzo, bardzo chciałam, żeby mnie całował. Zmysłowo i delikatnie. Czułam, że mam oszalałe tętno, że płonę z jakiegoś uniesienia, ekscytacji... Zachłannie brałam te chwile zaskoczenia, bo chciałam, coraz bardziej chciałam tak stać i całować się do rana, jak jakaś małolata.

Na dziobie, na którym już raz byliśmy, teraz ja całowałam Grzesia, tak jak on mnie przed chwilą nauczył. Bardzo powoli i bardzo namiętnie. Zupełnie jakbym wylizywała nutellę ze słoiczka. Patrzyłam czujnie na jego reakcję, czy to przypadkiem nie jest udawanie, czy nie powód do żartu? Może tak tylko mnie prowokował? Nie... Nie. Znów staliśmy przytuleni, w mżawce, a Grześ patrzył na mnie ze zwycięskim uśmiechem.

— No co? — spytałam.

— Miałem rację, fajna jesteś.

— Założyłeś się z kimś?

— Powinienem z tobą, z sobą, bo ja wiem? Już dawno myślałem o tym.

— O czym?

— Że trzeba cię przytulać.

— Czemu „trzeba"?

— Bo jesteś do tego stworzona. Chodź, bo teraz to ci zimno.

Zeszliśmy pod pokład i natychmiast natknęliśmy się na nasze rozbawione grono. Byli porządnie pijani i rozhulani po dyskotece, a przecież mamy przed sobą dzień przygód! Po krótkim marudzeniu poszliśmy wszyscy grzecznie do kajut.

Stałam przed moją niezdecydowanie. Spać to mi się nie chciało wcale. Endorfin we krwi miałam hektolitry... Nie zasnę! Było mi gorąco z emocji, a w głowie mętlik. Zdecydowałam się na małą „lufkę" w bistro. Po knajpie tłukło się jeszcze trochę tych, którzy w ogóle zrezygnowali ze spania. Jedni siedzieli przy stoliczkach i cicho gadali, inni szukali towarzystwa, popisywali się i śmiali za głośno.

Siadłam przy barze. Młody barman pochylił się, pytając, co podać. Wzięłam koniak. Trzymałam kieliszek, mile wypukły, pasujący do zagłębienia dłoni, sączyłam i uśmiechałam się do własnych myśli. Robiło mi się wstyd na chwilę, a potem odrzucałam tę myśl i cieszyłam się z mojej tajemnicy.

Obok mnie pojawił się wielki cień, zajeżdżający browarem, proponując towarzystwo. Chyba było ich dwóch. Nie reagowałam. Jeden z facetów lekko szturchnął mnie w łokieć i powiedział:

— Kobieto! To nie grzech się z nami napić!

Popatrzyłam na niego, niby zaskoczona, i pokręciłam przecząco głową, ale chłop był niezmordowany:

— Nie pozwolimy takiej lasce siedzieć samej!

Zrobiłam zdziwioną minę i wielce udatnie, naśladując Grzesia, zamigałam coś, udając głuchoniemą.

— O kurwa! Głucha Peja! — ucieszył się Wielki Kloc.

— Niemowa, głupku — poprawił go koleś i poszli sobie rozbawieni.

Barman pokręcił głową ubawiony i powiedział:

— Mała dolewka na koszt firmy!

Piłam koniak i zamieniłam kilka słów z barmanem.

— Zdąży pani jeszcze zdrzemnąć się przed portem.

— Do widzenia. Dziękuję — powiedziałam i poszłam do kajuty.

W kabinie drzemałam w ubraniu. Myślałam o tym, co robiłam na pokładzie. Zamiast ekspiacji czułam roznoszącą mnie radość. Przeżyłam tyle lat i nie wiedziałam, że można tak całować! Zrobiło mi się nawet trochę smutno, ale „lepiej późno niż za późno", jak mówi stare przysłowie pszczół!

Zastanawiałam się, jak mam się zachować wobec Grześka. Postawiłam na „niby nic", bo co? Mam mu się rzucić na szyję? To była taka chwila i już…!

Wieczorem w Malmö hotel, cztery godziny szkolenia, balanga. Nazajutrz znów jakieś łażenie po mieście i odjazd do Karlskrony wcześnie, bo Iwona ma tam namiar na sklep ze starociami. Potem na prom i na dom!

Kiedy prom przybił do portu w Gdyni, wszyscy się szybko rozjechali, zmęczeni i przepici. Grześ znów rozłożył na kolanach książkę i ruszyliśmy w powrotną podróż, do Warszawy. Jechałam bardzo spokojnie, pełna refleksji. Mijałam ulice Trójmiasta. Nowe, stare, ładne i brzydkie. Jak zwykle przepełnione samochodami. Korciły mnie sklepy i księgarnie, ale padało i chyba nie chciało mi się szukać parkingów. Minęłam więc Starówkę Gdańską po lewej i śmignęliśmy wiaduktem w stronę Warszawy.

Czasem czułam na sobie wzrok Grześka. Wtedy odwracałam głowę i łowiłam jego uśmiech. Jego wzrok był przyjazny i trochę analityczny. Czasem głaskał mnie po nodze. Normalnie spytałabym: „Co tam?", ale teraz tylko odwzajemniałam uśmiech i patrzyłam przed siebie. Padało równo i powinnam uważać na śliską nawierzchnię. Mogłaby być ładniejsza pogoda.

Lubię tę trasę na Gdańsk. Znam nazwy mijanych miast, wsi. Na przykład Stare Babki — jaka ciekawa nazwa! Zakręty — wiem, który niebezpieczny, a który mogę ciąć. Niedaleko rozjazdu na Elbląg rosną na poboczach piękne łopiany. Mają wielkie, okrągłe liście. Zawsze zapominam łopatki — saperki, by wykopać parę sadzonek do ogródka. Obiecuję sobie, że następnym razem podjadę na obiad do zajazdu dla tirowców o dziwnej nazwie „Nowa Holandia".

Mijam to wszystko, słuchając koncertu skrzypcowego Bacha. Pada deszcz. Mokry asfalt wślizguje mi się pod koła, amatorzy szybkiej jazdy wyprzedzają mnie, a ja muszę się porozglądać… pomyśleć. Grześ śpi.

Przypominam sobie, jak mnie całował, i czuję przyjemną falę gorąca. Na pewno mam wypieki. Kręci mnie to wspomnienie. Z lubością przypominam sobie jego wilgotne usta i język. Zagryzam wargi, skupiam się na prowadzeniu. Takie nic, myślę. Taki relaks — jego i mój. Chciałabym jeszcze… Tak!

Mijam Zakroczym, Modlin, Czosnów i wreszcie docieram do korka w Łomiankach. Wlokę się w sznurze wracających z północy samochodów. Grześka budzi wolniejsza jazda. Przeciąga się i drapie mnie w nogę. Nie pada, ale jest ponuro i chłodno. Wieje wiatr, ludzie pochylają się, idąc ulicami.

Podjeżdżamy pod dom Grzesia. On dotyka kluczyków i wyłącza silnik.

— Nie udawaj, że o tym nie myślałaś — miga poważnie.

— O czym…? — udaję naiwną.

— Chodź, przecież też chcesz. — Grześ uśmiecha się i bierze moją dłoń.

Serce mi wali jak wściekłe. Nigdy nie byłam w takiej sytuacji, ale tak. Tak! Myślałam o tym całą drogę. Chciałam i nie chciałam, by tak się stało. Nie umiałam wyobrazić sobie tego, co mogłoby się stać, i jak… Moje wahanie, małe i takie pro forma, ośmieliło go.

— Chodź.

Ciągnął mnie za rękę, taszcząc swój plecak. Otworzył przede mną drzwi klatki schodowej.

Jego mieszkanie pachniało… książkami, komputerem i dobrą wodą toaletową. Męską. Lekki rozgardiasz. Męski. Nie widać, na szczęście, kobiecej ręki.

W pokoju stałam jak Sierotka Marysia, nie wiedząc, jak się zachować. Grześ podał mi szlafrok i zaproponował łazienkę, ale zanim wzięłam do ręki pomarańczowy, puchaty płaszcz kąpielowy, przyciągnął mnie do siebie i objął. Był czuły i delikatnie kołysał mnie w ramionach, jakby rozumiał moje zakłopotanie.

— Tam jest sypialnia — powiedział nosowo. — Bądź tam, ja zaraz po tobie tam przyjdę.

Nie myślałam racjonalnie. W głowie mi huczało i byłam przyjemnie podekscytowana. Pod prysznicem opadły lęki, a wezbrało pożądanie. Jestem atrakcyjną kobietą, czeka na mnie przystojny, interesujący facet.

Okazuje mi to, na co czekam od lat. Moje ciało zwariowało i lepiej ode mnie wie, co je czeka. Niedbale się wycieram. W lustrze widzę mokre kosmyki, z których krople wody spływają na szyję i dekolt. Ładna jestem? W drzwiach mijam Grzesia. Całuje mnie w kark. Mam gęsią skórkę…

Nie sądziłam, że to trwało tak długo. Kochaliśmy się dobrze ponad godzinę, a ja myślałam, że kilkanaście minut. Zdziwiona spojrzałam na zegarek.

— Muszę.

— Nie.

— Muszę! Puść. I tak na razie nie jestem w stanie prowadzić.

— Dlaczego?

— Ciągle jeszcze nie wystygłam — powiedziałam, zamykając oczy na myśl o tym, co się działo z moim ciałem jeszcze parę minut temu. Czułam, wiedziałam, że tak to musi wyglądać! Ani książki, ani filmy nie umiały oddać tego, co się ze mną działo. Nasza gra wstępna zaczęła się jeszcze na tym mokrym pokładzie. Potem wyobraźnia łagodnie wprowadzała nas, a mnie na pewno, w stan podniecenia, oczekiwania. Grześ działał z rozmysłem, domyślając się, że nie jestem łóżkową lwicą. Widział mój wstyd, niepewność. Powoli przełamywał moje zażenowanie i doskonale wiedział, co robić, żeby było naprawdę dobrze. Było.

— Krzyczałaś.

— Nie słyszałeś.

— Słyszałem. Całym sobą. Krzyczałaś.

— Tak. Jesteś super.

Chciałam tak jeszcze leżeć w cieple jego ramion, przekomarzać się, co słyszał, a czego nie, ale musiałam… chciałam iść. Nie należałam do jego świata. Byłam tu tylko z wizytą. Teraz chcę wrócić do siebie i pobyć sama.

Dwa tygodnie później Grześ pokazał mi bilety lotnicze i poszedł do Prezesa. Gdy wrócił, spytałam:

— Wściekł się?

— No pewnie! Traci dofinansowanie z PFRON–u na to, że utworzył miejsce pracy dla biednego kaleki. Mnie mu nie żal. Grafików w branży jak psów. Forsy mu żal.

— Kiedy lecisz?

— Za dwa miesiące. Zdążysz się mną znudzić.

Poczerwieniałam. Nie byłam pewna, czy mówi ogólnie, czy o Tym.

— W piątek po pracy, dobrze? Proszę cię. — Patrzył uwodzicielsko. Uśmiechał się. Jest taki śliczny. W podbrzuszu poczułam znajome mrowienie, niemal skurcz, na myśl o tym, jak mnie dotykał…

„Ale wpadłam" — pomyślałam sobie. Miałam panować nad sobą, być obojętną, a przynajmniej udawać! Jasne, że chciałam jeszcze choć raz to powtórzyć, ale wolałam myśleć, że to był incydent. Tak było bezpieczniej.

— W piątek? — ponaglił. — Urwiemy się wcześniej, będziemy mieć więcej czasu. Tak!

Grzesiek kiwnął głową zawadiacko i usiadł na swoim miejscu. Nie widział mnie. Całe szczęście, bo drżałam. Nie panuję nad emocjami. Są takie silne! Tyle czasu spały we mnie. Jestem stara jak na kochankę.

O Matko! Jestem kochanką! Siedziałam i śmiałam się do siebie. Cała ta historia powodowała jakąś niewytłumaczalną eksplozję radości zamiast wyrzutów sumienia, poczucia winy…

W zasadzie tak byłam wychowana przez tatę i druhnę Annę, że powinnam nie dopuścić do tego, co zaszło, a jeżeli już, to czemu nie leżę krzyżem? Gdzie ekspiacje? Wstyd? Zamiast tego uśmiecham się do własnych myśli, cieszę się, że kochałam się jak zwykła kobieta, że zaspokoiłam ciekawość latami niedającą mi spokoju. Tak! W łóżku można oszaleć. Tak! To fantastyczne — ten seks. To nie wymysł szatana, druhno Aniu. Ciekawe, czy druhna Anna miała, chociaż raz, porządny orgazm?

Roześmiałam się.

Do wyjazdu Grzesia spotykaliśmy się jeszcze parokrotnie. To było takie niewymuszone, spontaniczne, lekkie. Żadnego dramatu, zaklęć, obietnic.

Zastanawiałam się na początku, czy go kocham. Oczywiście, urzekał mnie, tęskniłam do jego ramion, patrzyłam przez pryzmat tego, co robiliśmy w łóżku.

W domu wpadł mi artykuł, a raczej rozmowa dwóch facetów, literata i psychologa, o zdradzie. Mówili o tym, że jednak coś jest w tym, że mężczyźni potrafią oddzielić seks od miłości. Im, podobno, wystarcza zauroczenie. Mężczyzna nie musi od razu się zakochać, a u kobiet zdrada wynika zawsze, no, na ogół, z zakochania. My, kobiety, podobno bardziej się angażujemy, traktujemy seks bardziej romantycznie, a oni rozdzielają fascynację, chwilowy zawrót głowy od życiowych i ciężkich: „Tylko w małżeństwie" i „Tylko z wielkiej miłości". Oczywiście nie wszyscy. Oczywiście. Spryciarze! Ale się urządzili!

Poznawałam siebie nową. Nigdy nie myślałam, że tak potrafię się poruszać, całować, tak bardzo przeżywać chwile najwyższych uniesień. Żywiołowo i radośnie poznawałam tajemnice erotyki w najlepszym wydaniu. Grześ był szczodry i wyraźnie lubił sprawiać mi radość. Rozpierała go duma, że szaleję w jego ramionach i jestem coraz odważniejsza. Dyskretnie i delikatnie pokazywał też, co on lubi, a ja czerpałam coraz więcej satysfakcji z faktu, że Grześ tracił kontrolę, zamykał oczy i zwyczajnie odpływał z rozkoszy. Byłam taka odważna!

— Grześ? — spytałam kiedyś. — Kto cię nauczył tego wszystkiego w łóżku?

— Pani doktor logopeda, z którą pracowałem nad moją mową, ustami, podniebieniem i językiem. Oczywiście, byłem już pełnoletni! Prawie. Była starsza, zaledwie o kilka lat. Świetna. Zrobiła ze mnie faceta. Mówiła, że najgorzej, jak chłop się mazgai.

Grześ zbierał się do wyjazdu. Przykro nam było się rozstawać. Pożegnaliśmy się naturalnie i bez łez. Jak przyjaciele, których łączy coś jeszcze. Taka mała tajemnica. Nie czułam, że zostaję sama. Byłam już inną kobietą niż ta sprzed wyjazdu do Szwecji.

Przepoczwarzyłam się. Grzesiek dał mi wiarę w siebie większą, niż miałam. Obudził we mnie całą moc, wartość, świadomość. Dzięki niemu nie bałam się siebie, swoich nowych pragnień. Zaczęłam widzieć się ostrzej, rozmawiać z własnym „ja". Nie czułam się już seksualną kaleką, a to w niewytłumaczalny sposób dodało mi pewności siebie i siłę.

Zaczęłam myśleć wreszcie o swoim życiu, o tym, co mam do zrobienia, powiedzenia, zreperowania. Tak, jak bym stanęła nagle przed lustrem i zobaczyła się taką, jaką jestem Naprawdę. Kiedyś, teraz i w przyszłości.

Jak dostałam czerwoną kartkę i zeszłam z boiska

— Co tak stukasz obcasami? — zagadnął mnie Prezes na korytarzu. — Wpadnij do mnie, mamy do pogadania.

Może wreszcie zaproponuje mi wejście do Zarządu? Ostatnia kampania przyniosła nam niezły szmal. Klient Zygmunta był zadowolony z naszej pracy, a sponsorowany wywiad, który załatwiłam z zaprzyjaźnionym czasopismem, przyniósł wymierny efekt finansowy. Agencji, klientowi i mnie.

— Co tam? — spytałam ciut za swobodnie.

— Gosiu...

Spocił się. Miał krople na czole. Postarzał się i wyglądał na zmęczonego. Czy on w ogóle się bada? Na pewno ma nadciśnienie. To widać gołym okiem. Może wrzody? Koniecznie powinien pójść na długi urlop. Zaraz mu to powiem. Firma nie padnie bez niego. Pracoholik. Zaniedbał się. Zapuścił. Przygasł.

— Gosiu — zaczął raz jeszcze. — Rozmawiałem z główną księgową, policzyliśmy i jest tak, że...

Przerwał i patrzył w blat biurka.

— ...że... tego... musisz jeszcze tylko parę lat gdzieś przepracować i możesz iść na wczesną emeryturę... tego... no... A na pewno załatwisz sobie pracę w tym swoim wydawnictwie, z którym współpracujesz, czasopiśmie, do którego piszesz, rozumiesz... My tu robimy zmiany i twój dział likwidujemy. Trzeba zmian, bo wiesz...

— Wywalasz mnie?! — spytałam, niedowierzając własnym uszom.

Wszedł Zygmunt.

— Wywalacie mnie?! — przyparłam go spojrzeniem.

— Nie dramatyzuj, Gocha. Reorganizujemy się. Nastawiamy na inny typ działalności i ty, znaczy twoje stanowisko, wiesz, idzie się... no, kasujemy je! A ja ci obiecuję, że załatwię ci pracę, u kolegów. Coś fajnego się znajdzie. Zobaczysz! — Roześmiał się niby pojednawczo, nieszczerze.

Patrzyłam na nich jak na karaluchy. Prezes nie wiedział, co ze sobą zrobić, więc robił głupią minę. Jak pajac w cyrku. Zygmunt zapalił papierosa, zaciągając się głęboko. Odchylił się na krześle i bujał nim.

— C'est la vie, jak mówią Francuzy — powiedział niby dowcipnie i znów zaciągnął się nerwowo. — Gocha! Nie damy ci zginąć! Znasz specyfikę rynku! No, nie będę cię uczył, na czym to polega! Musimy się rozwijać, zmieniać. Sama wiesz to najlepiej. Jesteś super. Poradzisz sobie! Damy ci porządną odprawę, referencje. Trzymiesięczny ten... no, okres wymówienia i nawet nie będziesz musiała codziennie przychodzić. Fajnie? — spytał zachwycony sobą. Znów odchylił się na krześle.

— Uważaj, bo się spieprzysz — usłyszałam swój kamienny głos.

Wyszłam z gabinetu Prezesa.

Do mojego pokoju wszedł Wiktor. Pierwszy raz usiadł.

— Gocha, nie przejmuj się, nie pasujesz tu. Masz klasę, wiedzę. Wiem, że będzie ci ciężko, ale chcę, żebyś wiedziała, że pożarłem się z nimi. To fiuty. Cała ta reklama to szambo. Ty o tym wiesz i ja też. Mój cynizm pozwala mi brać z tego kasę. Twój... Ty nie jesteś cyniczna. Zawsze jestem do twojej dyspozycji.

Możesz na mnie liczyć. Mam kontakty, pomogę ci. Proszę cię. Znajdziesz swoje miejsce.

Pobeczałam się. Bo co innego mogłam?

Teraz wydawało mi się, że wszyscy na mnie patrzą. Szłam korytarzem, a w pokojach cichły rozmowy, czy mi się zdawało? Zamknęłam drzwi do pokoju. Szkoda, że nie ma Grzesia. Wykrakał, ale z nim byłoby mi raźniej. Szkoda.

Mimo wszystko strasznie mnie to „sieknęło". A ostatnio czułam taką moc, radość… Nic nie jest proste. Pozbywają się mnie jak niemodnej kanapy.

Do domu wróciłam z koniakiem. Wypiłam wielki haust, prosto z butelki. Dopiero teraz mi „puściło" i znów ryknęłam. Szlochałam głośno, bo nikogo nie było. Wyrywało mi się z piersi zawodzenie i krzyk — prawie. Jak u histeryczek. Było mi żal. Siebie, moich wysiłków, całej tej walki z metryką, bitwy o przetrwanie.

I co? To już koniec?! Przestałam się liczyć?! Tak po prostu — won?! Za stara jestem. Po prostu za stara! W żadnej zaprzyjaźnionej agencji już nikt w moim wieku nie pracuje. Chyba że Prezesi. Tak, to ten triumfalny pochód młodości rozjechał mnie jak czołg. Przestałam być „jazzy".

Rozczulałam się nad sobą głośno i żałośnie. Dobrze było się wypłakać, wywrzeszczeć. Całą sobą dać wyraz rozczarowaniu i bólowi. Chyba nigdy nie pozwoliłam sobie na taki szloch. Po twarzy lały mi się łzy, z nosa ciekły wodniste smarki. Przyniosłam z łazienki rolkę papieru. Cholera!!! Nawet ten papier reklamowaliśmy!

Zadzwoniłam do Konrada. Przyjechał szybko i z troską usiadł naprzeciw mnie.

— No, co się stało, na miłość boską! Mów.

— Wywalili mnie — wykwiliłam i nie mogłam już wydusić ani słowa.

Konrad milczał i patrzył na mnie smutnym wzrokiem.

— Doprawdy… doprawdy… — próbował zebrać myśli.

Nalałam mu koniaku. Sobie też.

— Upij się ze mną, proszę cię! Tak mi smutno!

— Gosieńko — powiedział bardzo miękko, jak nigdy. — Gosieńko, ale to do niczego nie doprowadzi. Po co? Dobrze, zresztą dobrze. Upijemy się. Tylko nie płacz już.

Uspokoiłam się.

Konrad mówił oczywistości, że to przecież nie koniec świata, że mam zawód i możliwości pracy w branży, w której właśnie doświadczenie bardziej się liczy niż młodość. Że moje wydawnictwo dawno już proponowało mi współpracę szerszą niż tylko zlecenia. I takie tam… Pocieszajki.

Teściowa i Marysia wróciły z miasta. Wszyscy mnie pocieszali, a ja bezkarnie się rozklejałam i popłakiwałam. Wolno mi! Dziś jestem nieszczęśliwa i biedna!

Całą sobotę leżałam i myślałam, a w niedzielę pojechałam z Mańką do kina. W głowie miałam gotowy plan. Musiałam zakończyć etap agencyjny i poszukać ciekawej pracy. Nie chcę do końca życia pędzić za szmalem, na oślep, kosztem zdrowego rozsądku, wbrew wewnętrznym nakazom, wbrew sobie. Chcę być potrzebna. Chcę robić coś bardzo pozytywnego, potrzebnego, dobrego. Nie chcę godzić się na bylejakość. Tak! Koniecznie tak!

W wydawnictwie była ostra reorganizacja (u nich też?) i poprosili o spotkanie za parę miesięcy. Tak, są zainteresowani, ale później. „Na pewno, pani Gosiu! Na sto procent!"

Dalej było już tylko gorzej. Prawie w każdym miejscu, w którym się pojawiałam, moja metryka powodowała zakłopotanie. Naturalnie, widać, że ze mnie świetny fachowiec, naturalnie świetne referencje, bla, bla, ale… „Nie jesteśmy zainteresowani".

Tymczasem bywałam w swojej Agencji udawać, że pracuję przez te trzy miesiące okresu wypowiedzenia. Prezes otwarcie powiedział mi, żebym przede wszystkim szukała pracy. Nie muszę codziennie „odbijać karty". To było mi na rękę, bo udawać nie umiem, zleceń z wydawnictwa na razie nie miałam, więc jeździłam i składałam moje CV, podanie… Było mi piekielnie ciężko otwierać drzwi do kolejnych sekretariatów, kolejnych prezesów. Uśmiechać się, lekko odpowiadać na pytania i słuchać usprawiedliwień, dlaczego „nie". Kolejne odmowy, kolejne: „Może w przyszłym sezonie" osłabiały mnie i dołowały.

Nie mogłam pojąć, że wszyscy są tak ślepi i nie widzą ewidentnych korzyści płynących z zatrudnienia mnie. W ciążę już nie zajdę, na macierzyński nie brykne, mam doświadczenie wielkie jak słoń, wyglądam… jeszcze nieźle. Mam wysoki poziom kultury, samochód… Mam wszystko!!! Wszystko, co wam jest potrzebne, tylko nie mam czarodziejskich dwudziestu pięciu lat!!!

— Zyta? Cześć, kochana! Mówi Gosia. Wiesz… szukam pracy.

— Ty?! Coś się stało?

— …reorganizacja. Nieważne. Więc jakbyś coś słyszała… bo mówiło się, że u was potrzebna była…

— A, tak! Ale wiesz, szef się uparł, że chce kogoś młodego.

— O Boże! Tak, młodą cipcię, która zajdzie w ciążę — wysyczała żmija we mnie.

— Szef już nawet gadał z takim młodym. Śliczny taki, metroseksualny. Podobno singielek — hetero. Dziewczyny z PR oszaleją! No sorki, Gosia, ale widzisz…

— Metroseksualny singiel? To jak android... Cześć, Zyciu! A ty i Gabi — jak tam?

— Super! Jedziemy za tydzień do Ośrodka Spa w Krynicy Górskiej, podciągnąć się na urodzie. Może pojedziesz z nami? Załatwię ci voucher.

— Nie. Ale dzięki.

Metroseksualny Andro–Hetero Singiel wygryzł mnie, zwalił z ringu...

Ogłoszenia w prasie w tym tonie: „Młoda/y bez zobowiązań, do 30 roku życia. Wykształcenie wyższe, praktyka. Języki obce w stopniu b. dobrym".

W domu obchodzono się ze mną jak z jajem. Teściowa otwarcie zaproponowała kontakt z lekarzem lub terapeutą, a na pewno z ginekologiem w sprawie klimakterium. Nie warknęłam tylko dlatego, że chciała dobrze. Konrad był milcząco opiekuńczy. Jakby miał poczucie winy. Marysia przytulała mnie i pocieszała, ale bardziej była zajęta studiami i Kubą — nową miłością. Nie epatowała mnie swoim szczęściem. Była dyskretna i czuła.

Zdjęłam koronę z głowy i poszłam do Prezesa po kontakty i listy polecające. Głupio tak pójść do pracy, do znajomych Zygmunta i Prezesa. Na pewno przyjmą mnie z łaski. Szlag! Cholera! Jeszcze raz: puder, kostium, szpilki, teczka z CV, listami i chustki do nosa. Postawa. Marsz!

— Dzień dobry pani, byłam umówiona z panem prezesem. Jestem z firmy Hop–Art Media.

— Proszę, pan prezes czeka na panią.

Słodka, jak krem z wisienką, długonoga Barbie pokazuje mi drzwi. Jej dłoń zbrojona jest tipsami pięciocentymetrowej długości. Cudo! Tylko jak ona pisze na kompie?!

Pan prezes długo ze mną rozmawiał. Taka narkoza. Zadawał pytania, kiwał głową jak koń, choć przysięgłabym, że zastanawiał się, kiedy sobie pójdę. Skoro już przyszłam, to dowiedziałam się, że to byłoby cudownie, gdyby mogli mnie zatrudnić, „bo Zygmunt tyle dobrego o pani mówił, ale właśnie wpadliśmy w tarapaty finansowe i chętnie wrócimy do tej rozmowy, ale na wiosnę. Wcześniej nie".

U kolejnego kolegi Zygmunta spóźniłam się o jeden dzień. „O jaka szkoda! Pan Zygmunt tak panią reklamował! Czekaliśmy dwa tygodnie temu. Dlaczego pani nie przyszła?". Czarna seria.

Wstawałam nareszcie późno, jak lubiłabym całe życie. O dziewiątej. Taka dobra godzina. Rozciągałam się w łóżku, leżałam, słuchałam Preisnera cichutko i gdyby nie depresja, byłoby to cudowne. Niestety, po kilku ziewnięciach, kilku taktach muzyki przypominałam sobie, że wywalili mnie z boiska i nawet nie jestem już na ławce rezerwowych. Czerwoną kartkę dostałam za metrykę. Za karę, że jestem stara.

To nieprawda! Nieprawda! Jestem młoda i żądna życia! Pracy! Dopiero teraz rozumiem, na czym to wszystko polega, co jest ważne, co czarne, a co białe!!! A może nie? Może moja optyka widzenia nie przystaje do tego, co „trendy”? Nawet na pewno nie. Źle się kryłam? Źle udawałam, że świat to tylko maszyna do robienia interesów, że nie należy za głęboko myśleć, pragnąć rzeczy dobrych i porządnych, ludziom wciskać kit, byle tylko za niego zapłacili?

Konrad nie mógł zrozumieć moich słów.

— Jak to, Gosiu, wciskać kit? Gdybym zbudował „kitowaty” most, zawaliłby się! Nie wolno robić byle czego i byle jak!

— Nie rozumiesz? Konrad, przyjrzyj się reklamom, sklepom, wystawom. To jeden wielki kit! Nieważne, co sprzedają. Byle tylko poszło. Z mostem to nie przejdzie, to jasne, ale z proszkiem do prania, kremem na zmarchy, nawet samochodem — przejdzie! Pamiętasz, jak to powiedział Kuba? „Wyprodukować teraz można wszystko. To nie problem. Najtrudniej znaleźć frajera, co to kupi”. Wiesz, kogo firmy potrzebują najbardziej? Dobrego handlowca, czyli poszukiwacza klientów–frajerów oraz księgowego ze znajomością prawa, żeby umiał unikać podatków.

— Co ty mówisz, Gosiu! Przemawia przez ciebie zwątpienie i żal.

— Konrad! Ja w tym siedzę od lat! Zygmunt jest wałem, jeśli chodzi o moralną stronę życia. Jego filozofia to filozofia Kalego. Robi błędy ortograficzne na poziomie podstawowym, mówi „włanczać” i nie rozróżnia kolorów. Nie wie nic o strategii reklamowej, jest dupkiem, ale mistrzowsko znajduje klientów i przynosi ich Prezesowi w zębach, jak ogar kaczkę na polowaniu. Zarabia krocie i, nie daj Boże, żeby go Stary puścił. To doskonały Łowca Frajerów. A nasz Vicek? Studiował prawo i księgowość ma w jednym palcu. Wciąż ją studiuje. Jeździ na kursy, szkolenia, czasem nawet Stary wysyła go za granicę. Po prostu Vicuś umie zrobić tak, żeby jak najmniej płacić fiskusowi. Wykręca Starego z wszelkich problemów finansowych. I za to właśnie jest co rano całowany w dupę.

— Nie rozumiem. Jak mogłaś w tym wszystkim wytrzymać...

Mogłam. Mogłam, bo urodziłam się w tym. Telewizja i Agencja wyrobiły we mnie mechanizm mimikry. Tyle. Już. Zawsze umiałam się dostosować. Ukrywałam swoje „ja”.

Kiedy mama odeszła, instynktownie czułam, czego tato ode mnie wymaga. Pokazywałam mu, że jestem twarda. Starałam się czuć podobną dezaprobatę jak on. Nie czułam. Płakałam w nocy z tęsknoty za mamą. Trzymałam w tapczanie jej sukienkę, bo nią pachniała. Potem, kiedy byłam w drużynie, pokazywałam, że jestem świetną harcerką jak druhna Anna, bo taką druhna chciała mnie widzieć. W szkole nie musiałam być harcerką, zresztą wyśmiano by mnie. W szkole byłam kolorowym motylem, śpiewałam radiowe przeboje, żułam gumę i nosiłam się modnie. Na studiach kłamałam, że mam chłopaka. Wszystkie miały. Udawałam tak, że wszyscy wierzyli.

Zakłamane życie?! Tak?! Kto nie kłamie, nie udaje, nie konfabuluje — niech pierwszy rzuci kamieniem! Zdałam sobie sprawę, że zawsze robiłam to, czego po mnie oczekiwano, że dopiero spotkanie z Grześkiem, odkrycie mojego kobiecego „ja" spowodowało, że zaczęłam być sobą. Niepewnie, powoli dowiadywałam się, że gdzieś w środku jestem cała, prawdziwa JA. Teraz, po wywaleniu mnie z firmy, schowałam się znów w mimikrę. Znów chciałam robić to, czego ode mnie oczekiwano, tyle że nikt mnie nie chciał.

W domu nie umiałam się odnaleźć. Błąkałam się po pokojach, uciekałam przed Ulką — dziewczyną przychodzącą sprzątać. Było mi głupio, że ona zasuwa z odkurzaczem, a ja nie. Kuchnia nie była moim miejscem. Shopping drażnił, łażenie po centrach handlowych nie przynosiło ulgi. Wracałam więc do domu. Brałam do rąk książkę i okazywało się, że nie umiem czytać. Przewracałam kartki, litery nie składały mi się w zdania... Włączałam telewizję. Koszmar. Durne memlanie, reklamy gówien, idiotyczne seriale dla półmózgów, programy dla dzieci. Siedziałam w fotelu i beczałam. Nie umiem żyć...

— Co się z tobą dzieje?! — zapytała teściowa groźnie, z przyganą. — Ja rozumiem, brak pracy, załamanie, depresja. Ale tyle czasu?! Czas już z tym skończyć. Już dość. Ogarnij się i zrób coś!

— Ale co?! — wrzasnęłam na nią wściekła. — Co mam zrobić z tym durnym życiem?! Mamie łatwo mówić, bo mama ma wszystko poukładane! Ja od początku mam w życiu bałagan! Nie umiem już tak dłużej...!

I rozszlochałam się na dobre.

— Wiesz co? — teściowa uklękła i objęła mnie ramieniem. — Mam pomysł. Mam doskonały pomysł, moja droga. Powinnaś wszystko od początku uporządkować. Głównie twoje uczucia. Nigdy o tym nie rozmawiałyśmy, ale... Dlaczego w twoim życiu nie ma i nie było miejsca na matkę? Przecież ona żyje, istnieje i w takich chwilach to ona powinna cię przytulać. Ja ci jej nie zastąpię, dobrze o tym wiemy — ty i ja.

W nocy nie mogłam zasnąć. Słowa teściowej obudziły we mnie coś, co spało pod grubaśną warstwą zapomnienia. Tato tego chciał. Żebym zapomniała. Sukienka mamy wisiała w szafie, pod moją suknią balową. Wciąż stanowiła fetysz, ale już nie pachniała maminymi perfumami.

Mama.

Sto pytań zatrzaśniętych jednym zdaniem ojca: „Nie wracajmy do tego, nigdy".

„Mama, mama" — powtarzałam to słowo półgłosem, leżąc w łóżku. Włączyłam koncert Rachmaninowa i zamknęłam oczy.

Mama w sukience biegnie przez park z latawcem z papieru i śmieje się głośno. Mama zgrabnie ścina wierzch jajka i kroi kromkę chleba na cieniutkie pałeczki. Macza je w ciepłym, płynnym żółtku i podaje mi do ust. Do dziś jajko na miękko jem tylko tak. Marysia też. Co jeszcze pamiętam o mamie? Co? Czy taty determinacja i zraniona dusza wykastrowała całą moją pamięć o niej? Zasnęłam zapłakana.

Rano w domu było cicho. Nie było nikogo. Do telefonu podchodziłam z tysiąc razy. Słuchawka nie układała mi się w ręku, notes spadał na podłogę, numer telefonu mamy rozmazywał się.

— Halo… Dzień dobry, mówi Małgorzata. Ja chciałam rozmawiać…

— To ja, Gosiu. To ja.

— Dzień dobry, znaczy, chciałam… Czy mogę przyjechać?

— Naturalnie, kochanie. Masz adres e–mailowy? Wyślę ci mapkę. Wiesz, ja mieszkam za miasteczkiem i trzeba mieć orientację, jak dojechać. To nietrudne! Wszyscy tu do mnie trafiają bez pudła. Kiedy byś była?

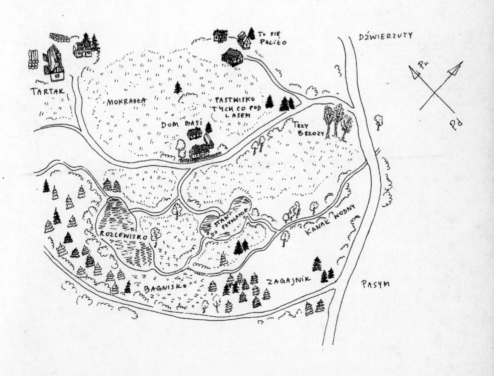

Rozdział 2

Ja chcę do mamy, czyli podróż w nieznane

Odebrałam należne mi resztki urlopu, wzięłam z szafy czerwoną torbę i mapę, jak trafić do mamy. Marysia przytuliła mnie przed domem i powiedziała:

— Jedź, znajdź wreszcie siebie, bo tu zwariujemy z tobą. Musisz być szczęśliwa. Całusek, mamcik. Odezwij się z drogi i jak będziesz na miejscu.

Pożegnałam mamę, Konrada i ruszyłam.

Mokry i dżdżysty grudzień to jakieś totalne nieporozumienie. Jechałam przez ubłocone miasto, brejowate kałuże. Mimo dyndających wszędzie akcentów świątecznych, nie stwierdziłam u siebie żadnego miłego nastroju. Żałosne lampki, choinki, Mikołaje, świecące napisy: „Wesołych Świąt" tonęły w brudnej mżawce. Dołowało mnie to wszystko. Gdzie biel i śnieg? Mróz, śnieżynki i sople? Jedynie może na ilustracjach dziecięcych bajek. Prychnęłam z niezadowoleniem i włączyłam radiową „Dwójkę".

Wyjechałam z Warszawy na Płońsk. Mogłam, według opisu mamy, jechać też na Szczytno, ale tamta droga była mi mniej znana. Wolę oswojoną „Gdańszczankę".

Do Płońska byłam spięta, podenerwowana. Wciąż nie wiem, czy dobrze robię. A jak nie znajdę z mamą wspólnego języka? Jak okaże się, że ona jest zupełnie inna…? Od kogo? Myślę. Inna od siebie samej? Przecież ja nie wiem o niej nic! Prawie nic. To, co pamiętam, wydaje mi się przekręcone, nie do końca prawdziwe. Nigdy nie weryfikowałam u ojca tego wszystkiego.

Rozparłam się w fotelu, zrobiłam głośniej radio i jechałam, żując myśli jak gumę bez smaku. Rozmokłe pola zaorane na zimę, wystraszone kuropatwy uciekające skibami wśród wystających z ziemi patyków nie drażniły mnie tak, jak miasto. Gołe drzewa i smutne, bezlistne krzaki spały wzdłuż szosy, nieporuszane wiatrem. Gdzieniegdzie biegł zmarznięty pies z podkulonym ogonem. Żadnych ludzi. Tylko dym z kominów świadczy o tym, że w chatach po obu stronach szosy jest życie. Stalowoszara szosa ma biały nalot od soli. Znaczy bywa tu ślisko…

Jadę nie za szybko. Słucham muzyki, myślę i rozglądam się, bo nikt na mnie nie czeka, nie muszę się spieszyć. Orkiestra Agnieszki Duczmal ślicznie rozprawia się z kwartetami Bocceriniego. Jest i mój ulubiony — *Musica notturno de Madrid*. Nucę razem z nimi, a kastaniety wybijam palcami na kierownicy. Jestem coraz spokojniejsza. Coraz mi lepiej. Teraz w moim życiu zaprowadzę porządek! Będę robiła tylko to, co potrzebne, piękne i dobre. Tak!

Za Mławą krajobraz zmienił się niepostrzeżenie. Wszystko jest jakby posypane białą kaszą. Taka sama manna, bielutka i świeża, leci z nieba. Przyjemnie. Odrobina zimy.

Za Nidzicą, w lasach wszystko jest białe. Warstwy śniegu nie topniały chyba i nakładały się na siebie. Zawalone śniegiem bajkowe zarośla. Gdzieś tam pewnie stoi na polanie chatka z piernika. Sadź na drzewach, krzakach i trawach opakowała wszystko w biel jak na happeningu. Ależ tu ładnie! Szkoda, że Marysia tego nie widzi.

Zatrzymałam się na poboczu. Jest pusto. Na tej bocznej szosie nie mijał mnie żaden samochód. O, teraz jedzie jakaś nyska... Zaglądam do czerwonej torby. Zawsze mam ją przygotowaną na krótki wyjazd. Życie mnie tego nauczyło. Pamiętam, jak Prezes dał mi godzinę na skok do domu po bagaż, gdy znienacka mieliśmy polecieć do Amsterdamu na spotkanie z klientem. Boże! Jakich ja głupot nabrałam do torby! Szczoteczkę do zębów, pończochy i świeże majtki musiałam kupić sobie i tak na lotnisku, a ze sobą wzięłam niepotrzebne bzdury. Potem już zawsze czerwona torba czekała gotowa w szafie do krótkiego wyjazdu.

Na pewno mam tam aparat fotograficzny! Zrobiłam Marysi trochę zdjęć tej bieli, oszronionych drzew, słońca w śniegu, bo właśnie błysnęło. O! I jeszcze te ptaszki! Jakie kolorowe! Zupełnie nie wiem, co to za jedne, ale piękne! Za krzakiem robię siusiu, prosto w śnieg, zupełnie jak w dzieciństwie! W cywilizowanym świecie to się robi na stacjach benzynowych. Wyłącznie! Ale ja jestem w jakiejś dziczy!!! Jest cudnie!

Wsiadam do samochodu ubawiona tym sikaniem. Dobrze mi w tym świecie z dala od miasta. Jadę dalej, zerkając już na mapę. Mijam Pasym. Niedługo zaczną się boczne dróżki i skręt „za pagórkiem, na którym rosną trzy brzozy, droga polna porośnięta starymi jabłoniami, rozlewisko podobne do jeziora, dalej długi szereg świerków" i już podobno ma być widać dom mamy. Mijam trzy brzozy na wzniesieniu i skręcam w polną drogę. Czy ona w ogóle dokądś prowadzi?!

Rzeczywiście, droga zwykła, wiejska. Widać pod śniegiem, że chyba piaszczysta. Po obu stronach nieregularnie rosną powykręcane, jak od reumatyzmu, stare jabłonie pełne zgrubień i brodawek. Jak stare wiedźmy pilnujące czegoś. Czego?

Dalej, lekko w dole, po lewej lśni tafla rozlewiska, co to „nie jest jeziorem". Zupełnie nie wiem, o co chodzi, dla mnie to małe jezioro, ale skoro mama tak napisała, znaczy, że to różnica — rozlewisko i jezioro. Droga lekko zakręca. Od pól po prawej oddzielają ją wysokie jodły. No, to są chyba jodły, a nie świerki!

Duże i piękne. Jakie szyszki kołyszą się im na gałęziach?! Pola ogrodzone są płocinami, walącymi się ze starości i zaniedbania. Sękate, grube paliki, szare i spróchniałe, złączone są drutem plączącym się bezładnie od pala do pala. Po tych drutach skaczą jakieś małe, zmarznięte, ale żwawe ptaszki.

Widać już dym z komina i zagrodę mamy. Tak to wynika z rysunku, że to zagroda mamy. Daleko w głębi, po prawej, pod lasem, widać żółte domostwo sąsiadów.

Duży dom z czerwonej cegły otoczony jest płotem z prostych, brązowych desek. Zupełnie tak, jakby to narysowało dziecko. Płot, jak gorsetem, obejmuje i ściska kłębiące się ponad nim gałęzie przydomowych zarośli. Sadzik owocowy? Krzaki bzu? Dalej budynki gospodarskie, też ceglastoczerwone.

Podjeżdżam pod furtkę. Wita mnie rozjazgotany kundelek, malutki jeszcze, ale zadziorny. Nie muszę dzwonić, psiak robi alarm jak cholera. Zza domu idzie mama zawinięta w kolorową chustę. Ojej! Jest siwa! Ostatnio była szpakowata, zaledwie… Ma okrągłą twarz, spod grzywki widać wesołe oczy. Uśmiecha się i woła:

— Funiu! Uciekaj! Nie hałasuj tak! Proszę, kochanie. (To, do mnie.) Wchodź i nie bój się tego szakala. Nie gryzie, ale już ma zadatki na stróża.

— Może wprowadzę auto?

— Jeszcze nie. Zaraz ci wszystko powiem, tylko wejdźmy do środka.

Weszłam do typowego, wiejskiego domu. Obszerna sień, z której prowadzą drzwi do kuchni i innych pomieszczeń. Pod sufitem ładna, metalowa lampa z ażurowego, czarnego metalu. Robota miejscowego kowala zapewne… Duży gliniany dzban z ikebaną mazurską — gałęzie z czerwonymi owocami, suche trawy pampasowe z pióropuszem, brązowe pałki wodne. Lustro. I więcej nie wiem, bo już jestem w kuchni.

— Usiądź, kochanie. Tak dawno cię nie widziałam. Chcesz herbaty? Może kompotu ze śliwek?

— Dziękuję, chętnie kompot. Herbaty właściwie nie pijam.

— Proszę. Wiesz, Gosiu, mamy tu taki kłopot, że chyba przydasz się jako kierowca. Ja nie mam samochodu, bo stoi w warsztacie, a moja Kaśka ma od rana silne bóle brzucha. To chyba woreczek, wiesz… Myślę, że powinnam ją zawieźć do szpitala. Zgodziłabyś się?

— Naturalnie. Kto to jest Kaśka?

— Mieszkamy razem od początku, to jakby moja siostra. Wszystko ci opowiem potem, dobrze?

Po chwili mama wyprowadziła z wnętrza domu starszą kobietę z wykrzywioną od bólu twarzą. Zachowywała się dziwnie, po dziecięcemu. Trzymała mamę kurczowo za rękę, płakała jak dziecko i próbowała wynegocjować pozostanie w domu. Była ewidentnie „nie tego". Mama spokojnie tłumaczyła:

— Kaśko (tak powiedziała: „Kaśko"), ja tam będę z tobą. Tak trzeba, bo inaczej będzie jeszcze bardziej bolało. No, mądrasku, chodź! Potem kupię ci coś pysznego, zobaczysz!

— Batona?

— No dobrze, batona. Chodź.

W szpitalu mama musiała cały czas być z Kaśką, bo inaczej ta wpadała w popłoch.

Zadzwoniła moja komórka. Marysia robiła mi wyrzuty, że nie dzwoniłam.

— Przepraszam Maniuśka, tyle się dzieje! Aktualnie jestem w szpitalu, w Biskupcu. Nie! Nic się nie stało. Mamy, mojej mamy… lokatorka, taka starsza pani miała atak woreczka i zawiozłyśmy ją do… no, tutaj. Zadzwonię jutro. Pa, kochanie, pa.

Siedziałam w korytarzu, w szpitalu, w obcym mieście. Za oknami zmrok zapadł niepostrzeżenie. Jarzeniówki rozświetlały długi hol. Korytarzami chodziły pielęgniarki, stukając o posadzkę drewniaczkami, i nieliczni chorzy w szlafrokach, swetrach, dresach. Stąpali powoli znudzeni, obolali. Pachniało szpitalem i gotowanymi parówkami. Pewnie już robią kolację. Poczułam głód. Z tysiąc lat nie jadłam gotowanej parówki! Z musztardą. Zawsze mówiło się, że parówki robi się z rogów, cycków i ryjów, więc po co to jeść? A teraz marzy mi się gorąca, różowa w środku paróweczka… I niech sobie ma barwniki „identyczne z naturalnymi, produkty białkowe pochodzenia zwierzęcego" i zapach „identyczny z naturalnym", i nawet konserwanty niech ma! Chcę parówkę!

Mama wreszcie wyszła z zabiegówki. Już nie słyszę Kaśki popłakiwania.

— No, już. Kaśka zaprzyjaźniła się z doktorem i pielęgniarką. To woreczek. Muszą jej usunąć, bo kamienie aż grzechoczą. Szczęściem, obie jesteśmy zaszczepione na żółtaczkę. To co? Do domu? Pewnie zgłodniałaś. Na co masz ochotę? Bo ja na coś wyjątkowego!

— Parówki na gorąco, z musztardą… i piwo! I bułka, może być czerstwa! — wyrzuciłam głośno jednym tchem.

— A ja… — zamyśliła się mama — ja chcę… omlet! Z dżemem. I też piwo! Chodź szybko. Zdążymy zrobić zakupy i jazda!

Patrzyłam na nią i chłonęłam każde jej słowo, gest. To moja, całkiem nieznana mi mama. Jest niska i dość przysadzista. Ma siwą grzywkę uciętą równiutko tuż nad oczami. Reszta włosów siedzi ciasno zwinięta frotką w niedbałą kulkę na głowie. Na piersiach dyndają jej okulary na ładnym łańcuszku. Pewnie sama

zrobiła. Z koralików i piórek. Ma długą spódnicę, golf i kaftan taki kolorowy, góralski. Śmieszna jest… Maszeruje po korytarzu szpitala tak dziarsko, jak
mały… gnom. Tak! Jak gnom.

Jeszcze nie wiem, czy przejdzie mi przez gardło: „mamo", ale już ją lubię. Za
tę grzywkę, za to, jak chodzi i że patrzy na mnie z dołu i uśmiecha się, lekko
marszcząc nos. Zupełnie naturalnie mnie traktuje. Bez ceregieli.

W sklepie bierzemy do koszyka dwa piwa, musztardę i moje parówki. Mama
twierdzi, że w domu są czerstwe bułki.

— Zobaczysz, jakie smaczne, z tutejszej piekarni.

Kieruje mną, bo nie wiem, jak jechać. Noc na Mazurach, taka grudniowa,
jest jednak ciemna i trzeba znać drogę, żeby trafić do mamy. Zanim powiedziała:
„tu skręcamy", zobaczyłam w światłach reflektorów trzy brzozy, więc mruknęłam: „taaak jest". Otworzyłyśmy furtkę i bramę, wprowadziłam samochód do
mamy garażu. Drewniane wrota skrzypiały niemiłosiernie.

— Jak chcesz, nasmaruję je jutro. Mam w bagażniku smar w sprayu.

— Wybacz kochanie, ale byłoby to wręcz niewskazane. Taki dźwięk jest
ważny, bo bardzo denerwuje psy. Teraz tylko Funia, niestety. Nasz stróż Zbój
przeniósł się na Wielkie Łowy, dwa miesiące temu. Był stary, ale bardzo… No,
stanowczy!

Zwróciłam uwagę, że mama mówi dość swobodnym językiem. W ogóle nie
jest spięta, choć rzadko podnosi na mnie wzrok. Jeśli już, to z uśmiechem. Wtedy broda jej się tak fajnie wygładza. Ta dolna część żuchwy. Normalnie jest zwykła taka, a w uśmiechu — skóra się napina i jest trochę tak, jak u młodej Liz
Taylor. Nic więcej mama z niej nie ma i całe szczęście! Za to ja zżeram mamę
wzrokiem. Aż nieprzyzwoicie.

— Pomogę ci, tylko nie wiem jak — proponuję.

— Idź do łazienki, znajdź na półce ręcznik, który ci się spodoba, odśwież się,
a ja tu wszystko zrobię. Potem pomożesz mi z pościelą. Jestem kurdupel, więc
to nie jest moje ukochane zajęcie. Zawsze robi to Kaśka. No idź, to z sieni na
wprost.

Weszłam do dużej łazienki, wygospodarowanej chyba z jakiegoś małego pokoju. Matowa szyba miała u góry śliczny lambrekin ze starej firanki. Na wprost
drzwi, prawie w kącie, na przedwojennej szafce zamocowana była duża umywal-
ka. Dość nisko jak dla mnie, ale mama jest przecież kurdupel. Bardzo mnie tym
„kurduplem" rozbawiła. Dawno już nie słyszałam ani nie używałam tego słowa.
Lustro też nienowoczesne, lekko porysowane, niejedno w życiu widziało. Teraz
ogląda dwie stare kobiety. Samo też się pewnie stało starą kobietą. Za to wanna

61

duża, nowa, narożnikowa, z firaną do prysznica. A cały jej narożnik wyłożony ka-felkami urywającymi się wysoko, bez ładu i składu. Płytki, kolorystycznie podob-ne, ale niektóre „z innej parafii". Świetny efekt patchworku. Gustowny. Mama ma niezwykły smak. Na ścianie porządny piec na gaz do ciepłej wody. Pod nim butla. Oj, nie lubię! Bałabym się. A jak wybuchnie? Nie moja sprawa.

Obok leciwa szafa, niewielka, wiejska, bez drzwi, pomalowana „przecierką" w spatynowaną, szarą zieleń z jakimiś szafirowymi przebłyskami. W środku, na półkach — ręczniki. Na dole chemia. Na szafie ogromna, wielkolistna begonia. Prawdziwa! Jej grube, zwisające w stronę okna łodygi oblepione są wielkimi, mięsistymi liśćmi. Obok stolik na ciuchy i wieszak ze szlafrokami. Ten duży, różowy, w słonie i żyrafy to pewnie tej Kaśki.

Fajnie tu. Rozglądam się ciekawie, bo to też obraz mojej mamy. Jestem już tak wygłodniała, że odświeżam się pośpiesznie. I tak niedługo pójdę spać, to się umyję.

W kuchni pachną już moje parówki. Funio siedzi koło stołu w postawie mo-dlitewnej. Mógłby udawać sporego yorka, ale po charakteryzacji.

— Jest bardzo yorkowaty — mówię do mamy.

— Prawda? Udał się nam! To ze wsi, od ludzi. Najmniejszy z miotu. Jest za-dziorny i naprawdę ma w sobie coś szlachetnego.

— Może to nowa rasa? York mazurski.

— No, naturalnie! — Mama nachyla się i drapie yorka mazurskiego pod brodą. — Zaraz dostaniesz swoją miseczkę. Tak.

Jest śmiesznie pochylona nad psiakiem. Z racji wzrostu nie musi dużo się nachylać, wystarczy trochę. Wygląda trochę jak Mimbla z *Muminków*.

Z patelni już pachnie wywinięty w „grzybek" omlet. Siadamy. Parówki są pyszne i nienaturalnie różowe w środku. Musztarda, najtańsza „Sarepska", sma-kuje jak kiedyś na pochodach pierwszomajowych z tatą. U nas od dawna ku-pujemy francuską „Dijon" albo „Bawarską" na miodzie. Nagle wydało mi się to głupie. „Sarepska"! I co tu kombinować? Piwo to świetny dodatek do parówek. Pieni się i szczypie wypijane wielkimi haustami. Pić mi się chciało. Dobrze, że wzięłam dużą butelkę. Mama zjada swój omlet, wielki na cały talerz. Dżem, oczywiście domowy, z truskawek. Połowa omletu ląduje na małym talerzyku, bo mama „już nie może". Jakbym słyszała Marysię.

— Zjedz, proszę cię. Te parówki to za mało na cały dzień. Jako deser, dobrze? Proszę.

Biorę ten omlet ze względu na dżem. Teraz już powoli pijemy piwo, doja-damy końcówki posiłku, leniwiejemy. Mama dorzuca do pieca. Dopiero teraz uważnie mu się przyglądam. Zajmuje dużą część kuchni. Jest właściwie jedną jej ścianą. Cały z grubych, kremowych kafli, a na nim jakieś duże i małe drzwiczki, szyberki...

— Ogrzewasz dom piecem?

— Tak. Czasem. Jesienią albo wiosną prądem, ale to się nie opłaca. Mam drugą, nocną taryfę i jak przyjeżdżają jacyś letnicy lub znajomi, dostają konwektor do pokoju, gdy noce są zimne. Ten piec jest przedwojenny. Wielki, co? Jak pootwieram wszystkie szybry, ogrzewa prawie wszystkie pomieszczenia po tej stronie. Długo trzyma ciepło. Poprawiał mi go taki stary zdun, powiedział, że nikt już takiego by nie zbudował. W drugiej części domu jest drugi, podobny. Chodźmy, wstawimy olejak do gościnnego pokoju, bo rano może być zimno. I pomożesz mi z pościelą.

Pokój dla mnie jest drugi za kuchnią. Niewielki, ale prosto i ładnie urządzony. Moją uwagę zwróciło staroświeckie łóżko. Ciemne, z namalowanym ręcznie pejzażem na tylnej desce. Stoi przy lewej ścianie, a na niej, wzdłuż łóżka wisi dywanik. Bardzo po wiejsku. Fajnie. Toaletka też niemłoda, z prostymi zdobieniami. Drewno miejscami ktoś porzeźbił w kwiatowe motywy.

— Jakie to ładne! — pochwaliłam.

— Tak. I ma duszę. Potem ci powiem, jaką to ma historię.

Z szafy wyjęłyśmy pościel. Kremową w dyskretny wzorek i szybko ubrałyśmy kołdrę i poduszkę. W pokoju było zimno, bo piec dopiero rozpoczął pracę po otwarciu szybra. Nawet oddech nam parował. Na pościel mama narzuciła koc, zapaliła nocną lampkę i powiedziała:

— No, chodźmy do ciepłego. Zmęczona jesteś?

— Nie, chyba nie. Jakoś nie chce mi się spać. Miałaś mi opowiedzieć o Kaśce.

— Dobrze, tylko posprzątajmy, bo nie lubię zostawiać do rana.

Kiedy siedziałyśmy już przy stole, po zmywaniu, mama zapaliła dużą, grubą świecę i zaczęła:

— W zasadzie to trzeba by wszystko od początku. Wygodnie ci?

— Tak. Mogę wziąć taboret pod nogi?

Mamy stół kuchenny jest niższy niż wszystkie. Wygodnie się o niego opiera łokcie. Usiadłam bokiem, położyłam nogi na taborecie, jak mama.

Funio zasypiał na swoim dywaniku, a do kuchni cichutko zaskrobał ktoś w drzwi. Mama wpuściła wielką kocicę. Miała ogon jak szczotka do kurzu, futro napuszone, jakby angorskie. Była biała jak śnieg i w ogóle nie zwróciła na mnie uwagi. Powoli podeszła do miseczki, w której leżały chrupki Funia. Nachyliła się i Funio zaniepokojony podbiegł. Wiercił się i próbował coś skubnąć, wtedy kocica prychnęła ostrzegawczo i Funio podbiegł poskarżyć się mamie.

— Nie zaczepiaj Blanki. Ty już jadłeś! No, bo nigdy nie zacznę! — powiedziała i ukokosiła się w swoim „fotelu".

Opowieść o cyrku, Józefie, Mariannie, czyli coraz ciekawiej

Mama zaczęła:

— Moi rodzice po wojnie osiedli tu, w Pasymiu. Przedtem mieszkali w okolicach Iławy. Ich dawny majątek został bardzo zniszczony w czasie wojny, a po niej ziemia dziadków „wsiąkła" w PGR. Z pożogi wojennej uratowali właściwie tylko tę toaletkę z twojego pokoju. Mama, moja mama, a twoja babcia, Bronisława, była tu nauczycielką. Z racji kursu pielęgniarskiego i faktu, że przed wojną prowadziła ochronkę dla dzieci, dostała pracę w szkole. Zamieszkali w małej oficynie, nieopodal starego kościoła ewangelickiego. Ojciec był już bardzo stary. Mama miała coś koło czterdziestki. Była między nimi duża różnica wieku.

Za domami Pasymia, za kościołem, jak się idzie w stronę jeziora, mieszkał stary ogrodnik, u którego Bronia, moja mama, kupowała warzywa. Aby do niego dojść, trzeba było iść ścieżką koło zagrody Józefa Króla, miejscowego kowala — opoja. Józef był przystojny jak Cygan i zadziorny. Lubił rozrywki i wódkę, ale jak już coś robił, to na poważnie. Swoją starą matkę bardzo szanował…

Kiedyś, przed wojną był w jakimś miasteczku, w którym zatrzymała się wędrowna trupa cyrkowa. Była tam też dziewczyna, młodziutka i piękna, trzymana wcale nie dla sztuczek cyrkowych. Właściciel prostytuował ją po prostu, dla marnych paru groszy, w budzie na konnym wozie. Józef oszalał dla niej, gdy tylko ją zobaczył, ale szef nie chciał jej sprzedać. Plan Józefa był prosty — upić szefa, a potem zgrać w karty. Tak oto wygrał Mariannę.

Miała ze szesnaście lat, jasne, lniane włosy skręcone w sprężynki i wielkie, smutne oczy. Nie odzywała się prawie do nikogo i bezwolnie poszła z Józefem jako wygrana. Zamieszkali razem. Powoli, jakoś tak po roku, Marianna odzyskała spokój, bo jej nowy właściciel był dla niej dobry i czuły. Karmił, ubierał i chyba kochał, bo zaczęła się uśmiechać. Do niego, bo ludzi się bała. Z czasem wybrali się do księdza z wstydliwą sprawą: Marianna nie miała nic oprócz imienia. Została ochrzczona, a parę tygodni później ksiądz pożenił ich bez wielkich problemów, bo mówił Józefowi:

— Razem żyjecie, to żyjcie po Bożemu…

Żyli więc cicho i porządnie. Józef pił i pracował, Marianna zaś roniła kolejne ciąże. Jakoś tak po wojnie utrzymała jednak tę ostatnią i urodziła dziewczynkę. Józef zachwycony nie był, ale dobre i to. Małej dano na imię Katarzyna.

Kiedy Bronia poznała Mariannę, ta pracowała w szkole jako sprzątaczka i pomywaczka, bo Józefowi kiepsko szedł interes. Za dużo pił, bo jak twierdził: „Bachor drze pysk na okrągło i on przez to spać nie może". Kasia rzeczywiście była płaczliwa, co było słychać z drogi, jak się szło do ogrodnika. Marianna, gdy nie pracowała w szkole, nosiła małą bezustannie na sobie jak Cyganka, w wielkiej chuście. Tylko wtedy dziecko cichło. Kiedy szła do pracy, Kasią zajmowała się matka Józefa, bardzo stareńka już babunia, pomarszczona, zgięta wpół, poważna.

Którejś wiosny Marianna i babka, matka Józefa, płynęły łódką przez jezioro do zastawionych przez niego sieci wyjąć ryby. Sam Józef leżał pijany w kuźni. Łódka wywróciła się i obie utonęły. Od tej pory Józef kompletnie ogłupiał. Pił na umór, a gdy lekko otrzeźwiał, karmił Kaśkę, darł się na nią w bólu i pił dalej.

Dziecko miało już ze dwa latka. Jednak nie mówiło i tylko popłakiwało nie za głośno, brudne i głodne. Często wyjadała psu z miski, bo o psie Józef częściej pamiętał niż o córce. Nienawidził jej, bo przypominała mu o Mariannie, chociaż była podobna do niego. Miała czarne włosy, duże, grube usta. Głos też nie dziecięcy, gruby, niski, chropowaty. Taka była … inna.

Wkrótce zaczęła zupełnie dziczeć. Bała się ludzi, nie mówiła i całymi dniami bawiła się z psem. Bronia widziała czasem, jak spali w słońcu przed budą, na ziemi.

— Wiesz, Michałku — powiedziała kiedyś do męża. Do mojego taty. — To taka mała Mowgli rośnie. Jest kompletnie zdziczała, brudna, zawszona. Jakbym mogła, zabrałabym ją temu durniowi!

— To zabierz, Brońciu — powiedział ojciec. — Kto ci się oprze?

Sam był już stareńki i Brońcia była dla niego opiekunką, żoną, matką i wyrocznią. Całym światem. Była mocną, mądrą kobietą, dla której wszystko było możliwe. Zawsze twierdziła, że to Michał dał jej tę siłę. Bardzo go kochała. To było wspaniałe małżeństwo.

Tak oto, po rozmowie z Michałem, powzięła decyzję. Ja miałam wtedy z siedem lat. Bardzo się ucieszyłam, jak mama powiedziała mi o swojej decyzji. Chciałam mieć siostrę. I to małą, żebym mogła wozić ją w wózku, jak moje koleżanki swoich braciszków i małe siostrzyczki. Moje przyrodnie rodzeństwo było starsze i mieszkało w Toruniu. Mama wychowywała dwoje dzieci taty i jego poprzedniej żony — Hanię i Piotra. Byli już dorośli.

Rano, w niedzielę Bronia poszła do zagrody Józefa. Było cicho. Zajrzała przez okno do izby i zobaczyła, jak Kaśka szarpie pijanego ojca za rękaw koszuli. Chyba była głodna, bo wydawała dziwne pomruki, a psia miska była pusta, od dawna chyba... Józef ocknął się i zdzielił Kaśkę otwartą dłonią w głowę tak mocno, że ta zatoczyła się i uderzyła o piec. Zaniosła się płaczem i wtedy moja mama wpadła do środka. Józef targnął ciałem, wrzeszcząc:

— Czego?!

Ale Mama krzyknęła głośno:

— Ani mi się waż! Zabieram ci ją i nie próbuj niczego!!! Ani się waż!

Wzięła dziecko na ręce i poszła do domu. Kasia nie wyrywała się, tym bardziej, że ta pani nieraz coś dobrego dawała jej przez płot. Czasem mówiła coś, ale Kasia nic nie rozumiała. Stała z przekrzywioną główką, otwartą buzią i mruczała po swojemu. Teraz ta pani tuliła ją i to było miłe.

Obie z mamą umyłyśmy Kasię. Strasznie śmierdziała. Jajecznicę jadła jak zwierzak. Mama naprędce owinęła Kaśkę w jakieś swoje bluzki i zaniosła do katolickiego kościoła, bo właśnie trwała msza. (Moi rodzice byli ewangelikami.) Akurat gdy stary ksiądz proboszcz kończył kazanie, mama wkroczyła do środka z Kaśką na ręku. Podeszła do ołtarza i uklękła, potem zaś odwróciła się tak, że stała przodem do księdza i bokiem do ludzi.

— Księże proboszczu! Ludzie! Oświadczam tu, przed naszym wspólnym Bogiem, że biorę Katarzynę Król, córkę Marianny, którą tu wszyscy pamiętamy, od jej wyrodnego ojca Józefa, kowala, pijaka (oby Bóg się nad nim ulitował) i będę się nią opiekowała w myśl miłosierdzia Bożego. Jako że Marianna była katoliczką, ja jej córkę, Katarzynę, do katolickiego kościoła będę prowadzać. Nie stracicie owieczki. Amen.

Ukłoniła się proboszczowi i zawróciła w stronę drzwi. Proboszcz uczynił znak krzyża, bo nie wiedział, co powiedzieć, a to wydało mu się najodpowiedniejsze.

Kiedy tak szła, Paweł z żelaznego sklepu spytał głośno:

— A kto ci dał prawo?

Paweł znany był z mocnej ręki i skłonności do kieliszka. Bił żonę, a jego dzieci wciąż chodziły posiniaczone. Na to odezwał się ksiądz, wciąż jeszcze z ambony, tonem poważnym i nieznoszącym sprzeciwu:

— „Kto niewinny, niech pierwszy rzuci kamieniem"! Niech rzuci! — I dodał w stronę mamy: — Idźcie z Bogiem! A my módlmy się.

Tak oto dokonała się pierwsza znana mi, publiczna adopcja.

W miasteczku zawrzało i ucichło. To kobiety ucinały wszelkie dyskusje, mówiąc krótko:

— To trzeba było samemu wpierw zrobić! Głodził tę małą na zatracenie, a my milczeli. To Bronisława zrobiła, co należało, i nie ma o czym gadać.

Oczywiście młodsze kobiety, dziewczyny właściwie, te, co miały odwagę chodzić do miejscowej knajpy pić i tańczyć po nowomodnemu, gadały czasem z braku innych tematów:

— Ta ewangeliczka nie miała prawa!

Ale wtedy Józia, bufetowa, dawała znak grajkom i zaczynały się tańce.

Kaśka rosła zdrowo, śmiała się, ale nie mówiła. Ja byłam całkowicie pochłonięta nową lalką, którą bez wątpienia była Kasia. Mama opiekowała się starym mężem (moim tatą, którego ja traktowałam raczej jak dziadka), pracowała, więc sporo obowiązków spadło na mnie. Karmiłam, myłam i kołysałam Kasię do snu. Uczyłam ją mówić, ale na próżno. Tatko tylko kołysał ją na kolanach i mówił:

— Patataj, patataj, pojedziemy, Kaśko, w piękny kraj! No, Kasiu, powtórz: pa–ta–taj!

Nie umiała.

Bronia zawiozła więc Kaśkę do Biskupca, do szpitala, w którym znała jedną lekarkę. Marinę Pawłównę. To była Rosjanka, z ruskiego wojska, która zakochała się w chłopaku z warszawskiej Pragi, też lekarzu. Pobrali się i tu, w Biskupcu, dostali przydział do pracy. Doktorka Marinoczka obejrzała i zbadała Kaśkę, zawołała jeszcze dwóch kolegów lekarzy i powiedziała Bronce:

— Normalnaja to ona nie jest. Zobaczymy zdjęcie, dlaczego utyka. Ogólnie zdorowaja, ale główinka chyba „nie takaja". Może od urazu? Może nie dotleniona przy porodzie? Może tak już miała „z gienów"?

Mamie natychmiast przypomniało się, jak Józef uderzył Kaśkę. Pewnie nie pierwszy raz… Nóżka, okazało się, miała ślady złamania. Zrosła się „na dziko", stąd kuśtykanie.

Minął rok. Zmarł ojciec. Bronia, moja mama, załamała się bardzo. Skurczyła i zamknęła w sobie z rozpaczy. Ona i Michał to były „połówki jabłka". Mnie było tylko bardzo smutno. Kaśka nic nie rozumiała, a widząc smutek i łzy mamy, głaskała ją po twarzy i wycierała chusteczką każdą łezkę.

Józef, czasem trzeźwy, mijał nas na ulicy. Przystawał wtedy, nachylał się nad córką i niezdarnie podawał jej łapę. Kasia podkurczała głowę w ramiona i chowała się za mamę lub za mnie.

— Nie poznaje… Nie poznaje… — mówił Józef ni to do nas, ni to do siebie.

Potem wciskał mamie jakiś pieniądz, jak miał, całował w rękę niezdarnie, kłaniał się i szedł pić do knajpy. Pierwszy kieliszek wypijał głośno, zawsze: „Za

Mariannę". Jesienią upił się i spalił w swojej kuźni, na węgiel... To, co z niego zostało, wsypaliśmy do bańki po mleku i ksiądz pochował Józka koło Marianny.

Czas jakiś później do mamy przyszedł list od notariusza. Józef za życia zapisał mamie swoją parcelę i dom, i spaloną kuźnię. Przeprowadziłyśmy się chętnie, bo tam był ogród. Kawał ziemi aż do jeziora, a nasze mieszkanko małe było i byle jakie. Dużo ludzi pomogło nam w remoncie. Głównie uczniowie mamy i znajomi, których tu, po wojnie, poznała.

Mama była lubiana i poważana. Miała poczucie humoru, ale też była ogromnie zasadnicza i nieustępliwa, gdy chodziło o sprawy ludzkiej krzywdy, sprawiedliwość. Była jak sędzia. Nawet Paweł ze sklepu żelaznego, ten pyskacz, dał nam nowe fajerki do kuchni i zawiasy do drzwi.

Powolutku, rok po roku „zrobiłyśmy" ten dom tak, że mieszkało się nam wygodnie. Mama oszalała na punkcie ogrodu i wkrótce pyszniły się w nim zielone ogony marchwi, pietruszki, selera. Po tyczkach pięła się fasola i pomidory, w cieniu liści dojrzewały ogórki, dynie i kabaczki, a dalej siniały głowy kapust — zwykłej, czerwonej i włoskiej. Pachniał koper i zioła.

Nie lubiłam pielenia. Za to Kasia nie opuszczała mamy nawet na krok. Przy pieleniu wyrwała niejedną pietruchę albo marchewkę, zanim nauczyła się odróżniać, co jest co. Ale szybko to pojęła.

Żyło nam się jak wszystkim, dobrze i źle. Raz lepiej, raz gorzej, nie bogato, ale godnie i spokojnie. Do gimnazjum wyjechałam do Torunia, do mojej przyrodniej siostry, Hani.

Kasia została z mamą w Pasymiu. Już było wiadomo, że jest trochę nienormalna. Mówić zaczęła bardzo późno i kiepskie to było mówienie. Mama dużo z nią pracowała. Kasia wciąż miała mentalność dziecka, trzeba jej było pilnować, ale była posłuszna. Co tylko dobrze wykonała, mama nagradzała oklaskami i okrzykiem: „Brawo!". Kaśka uwielbiała to i sama też klaskała i wołała „Brawo!". Cokolwiek robiła, przykładała się do tego bardzo sumiennie. Była staranna i taka... zacięta, zapiekła na to, co robi. W skupieniu wywalała język, jakby miał jej pomóc. Prace w ogrodzie kochała ponad wszystko, tym bardziej, że przychodziła do pomocy stara Felicja, wdowa po ogrodniku. Miała prawie dziewięćdziesiąt lat i nie umiała usiedzieć spokojnie, bez pracy. Przychodziła do opieki nad Kaśką i obie w ogrodzie doskonale się rozumiały. Felicja nie miała dzieci, więc traktowała Kaśkę jak swoje dzieciątko, a że miała nieustanny słowotok, gadała do Kaśki stale albo śpiewała.

Czasem, jak wracałam ze szkoły, przystawałam i patrzyłam, jak Felicja tańczy z Kaśką wokół ogniska, gdy paliły suche liście, albo sadziły coś i Felicja opowiadała ciekawie o każdej roślinie. Kaśka wsadzała do dołka w ziemi sadzonkę i, z językiem na wierzchu, słuchała starowinki z uwagą. Tak sobie żyły we trzy, bo ja byłam „przyjezdna".

Skończyłam gimnazjum i przeniosłam się na studia do Warszawy. Pasym był zabitą prowincją. Mama uważała, że muszę „iść do świata".

Kłopoty z Kaśką zaczęły się, gdy osiągnęła dojrzałość. Nie rozumiała miesiączki, przeszkadzały jej piersi i… hormony. Szybko się denerwowała. Wkrótce mama sprzedała swoją parcelę z domem, bo przyjezdny letnik z Warszawy zaoferował jej bardzo duże pieniądze za ziemię i dom. Dostałam trochę z tego na studia, a mama kupiła to miejsce, gdzie teraz siedzimy. Bardzo jej się spodobało, bo jest na uboczu, dom solidny, zabudowania też, a kosztowało grosze. Co prawda do Pasymia dalej, do jeziora też, ale jest płytkie rozlewisko, więc Kaśka się nie utopi, a jak kwitną grążele, kaczeńce, tatarak, jest pięknie.

W miasteczku już kilka razy pijane chłopy próbowały użyć sobie na Kaśce, ale wyła i szarpała się tak strasznie, że jakoś nie dawali jej rady. Któryś próbował na cmentarzu, ale kościelny zawsze miał Kaśkę na oku i zalotnikowi grabiami na plecach wyorał krwawe pręgi. Dobrze, że wyprowadziły się dalej. Kaśka była tu, w tym urokliwym zakątku, bezpieczniejsza. Mama mniej obawiała się, że w końcu ktoś ją zgwałci, dokuczy. Znała okropne opowieści o tym, co potrafili zrobić własowcy kobietom. Szczególnie pastwili się nad takimi nienormalnymi. A tu, swojaki, z tego samego miasteczka, i też agresywni, durni, okrutni.

W nowym gospodarstwie Kaśka miała mnóstwo roboty, bo nie było ogrodu. Trzeba było go zrobić od początku.

Z tartaku, odległego od mamy o jakiś kilometr, sąsiad przysłał swojego parobka, syna — Czarka, z traktorem, pługiem i bronami, by zaorał ziemię pod Kaśki ogród. Tyle ile trzeba. Czarek był po heinemedinie. Koślawy, ślinił się i jak Kaśka nie umiał czytać. No, trochę. Skończył na czterech klasach. Umiał się podpisać. Był robotny i… głupiutki. I brzydki był, bo włosów na głowie też prawie nie miał, i brwi, i rzęs.

Jak się można domyśleć, buchnęła miłość. Czarek jak tylko miał chwilę, już był koło Kaśki i pomagał w milczeniu. W podarku przywiózł jej nawet obornika końskiego do ogrodu, bo ojciec, oprócz tartaku, hodował konie. Roztrząsnął i przekopał sam, osobiście! Patrzył na Kaśkę i wykonywał każde jej polecenie. I co najdziwniejsze, rozumiał jej dziwaczną mowę.

Mama Bronia patrzyła na to z rozczuleniem. Uważała, że każdy może i powinien kochać. Kaśka stała się mniej nerwowa, czekała na wizyty amanta i nawet chustką wycierała mu ślinę, która czasem w nadmiarze zbierała się na jego ustach. Nie wzięła jednak Bronia pod uwagę faktu, że takie ludziki jak oni, „głupki", jak o nich mówiono, mają silne libido. (Jakby to teraz powiedziano.) No i nasza Julia zaczęła chętnie spotykać się ze swoim Romeo w drewutni albo na łąkach. Gruchali i obściskiwali się zapamiętale.

Kiedyś zostali przyłapani za stertą drzewa. Parzyli się aż miło. Na nic się zdały zakazy. Czarek uciekał do Kaśki od każdej roboty. Stał pod płotem godzinami. Jak pies. Gdy mama zamykała Kaśkę w domu, ta złościła się jak jędza, skubała włosy aż do łysych placków, tupała i z tęsknoty onanizowała się zawzięcie. To zrobiło się trudne i niemiłe, więc poluzowano trochę, ale kochankowie potrafili wszędzie się dopaść, a jurni byli nieludzko. Wkrótce mama z przerażeniem stwierdziła, że Kaśka już nie zużywa tyle waty, co zawsze, i zawiozła ją do Biskupca do Mariny, lekarki. Oczywiście ciąża była jak ta lala, więc uradziły obie, że trzeba to załatwić raz a dobrze. Wezwany anestezjolog potaknął. W karcie stało jak byk, że ciąża była pozamaciczna. Fachowo i porządnie pozbawiono Kaśkę wczesnej ciąży i płodności.

— Teraz może się łomotać do woli! — powiedziała Marina jowialnie i dobrotliwie.

Przez lata akcent przestał zdradzać jej pochodzenie. Nikt już nie mówił „Ruska", bo awansowała na zastępcę ordynatora, miała polskie nazwisko i hodowała polskie dzieci. Była pozbawiona złudzeń i filozofowania co do takich Czarków i Kasiek.

— A ty, Bronia, źle wyglądasz. Połóż się u mnie na oddział, przebadam cię, podleczę.

— Po co, Marinoczka, po co? Ja jestem już stara, to i słaba. Zobacz, chuda, pomarszczona. Urodziłam dziecko, przeżyłam wojnę, pochowałam Michała... Zdrowa jestem. To starość, Maryniu. Tylko starość.

Kaśka po operacji wycichła jakoś, uspokoiła się, choć spotykali się z Czarkiem nadal. On złościł się i obrażał, że ona już nie taka chętna do macania i kochania się jak kiedyś, ale nikt inny nie był dla niego taki dobry i czuły, więc i tak przychodził. W zimie często siedzieli w maminej kuchni, koło pieca, słuchali radia, trzymali się za ręce, a Kaśka wciąż wycierała mu nadmiar śliny chusteczką. To był taki macierzyński gest. Matka Czarka była dla niego oschła. Resztę młodszych dzieci miała normalnych. Za Czarka była kiedyś, za młodu, wyśmiewana, więc nie dała mu za dużo miłości. Ojciec nie miał czasu rozczulać się nad nim, bo musiał wyrabiać państwowe „normy" w tartaku, potajemnie zaś dorabiał handlem końmi. Czarka zauważył dopiero wtedy, gdy ten zdatny był do roboty.

W lecie, całkiem nagle, zmarła moja mama, Bronia, Brońcia, Bronisława. Gdy przyjechałam, Kaśka była w szoku. Miałam z nią krzyż pański, bo nie umiała zrozumieć odejścia mamy, choć bywała na grobach i wiedziała od mamy i starej Felicji, z którą w dzieciństwie chodziła do kościoła, co to jest śmierć. Grób Marianny i Józefa przystrajała pięknymi bukietami, własnoręcznie układanymi. Zapalała świeczki i śpiewała im kołysanki, bo przecież oni „spali snem wiecznym". To, że mama Bronia zasnęła snem wiecznym, okazało się nie do pojęcia dla Kaśki.

Hania z Piotrusiem, moje rodzeństwo, zajęli się wszystkim. Ja — Kaśką. Wyła jak zwierzę i płakała na cały kościół. Chciała otworzyć trumnę i uwolnić Bronię. Przy zakopywaniu uklękła otępiała i kiwała się w rozpaczy. Czarek też płakał, bo Kaśka płakała, i pokazywał ją matce palcem. Matka pchnęła go i powiedziała:

— Idź, Czaruś, pociesz Kasię, idź.

Czarek nachylił się nad Kaśką, objął ją, podniósł i tak kiwali się razem na boki, dwa cudaki.

Nie na długo Kaśka została sama, bo już na pogrzebie mamy wiedziałam, że przyjadę tam do nich, do Pasymia, na rok albo dwa. Musiałam tylko pozałatwiać moje osobiste sprawy. W tym czasie Kaśką zajęła się mama Czarka i jego siostry. Codziennie ktoś z nich przychodził, by pomóc w prostych czynnościach, które sprawiały jej trudność, gdy nie było dowodzącego. Gubiła się, zapominała, by uważać na ogień albo włączone żelazko. Radio i ukochani *Matysiakowie* rozpraszali jej uwagę i zapominała o tym, co zaczęła. Gotować nie umiała zupełnie. Tylko ziemniaki. Ale zapominała o nich i przypalała, bo na przykład szła na spacer, bawiła się z psem albo słuchała radia. Czasem też przychodził Czarek. Sam lub z siostrą. Jakoś tak sobie radzili aż do mojego przyjazdu. Bardzo mi pomogli w „aklimatyzacji ponownej". Później ci o tym opowiem.

Jakoś tak dwa albo trzy lata po tym, jak tu osiadłam, Czarek dostał zapalenia opon i zmarł. Już nie było histerii w kościele. Tylko jak się dowiedziała, kręciła głową i skubała włosy. Niema rozpacz. Na pogrzebie siedziała za trumną na honorowym, rodzinnym miejscu, razem z jego siostrami i braćmi. Jak synowa. Zupełnie zignorowała nowego, młodego księdza, który prowadził mszę i pogrzeb. Modliła się po swojemu, głośno klepiąc swoje własne pacierzo–modlitwy, czasem coś zaśpiewując. Nikt jej nie uciszał. Wiedziała, że Czarek idzie do nieba, do anioła Bronisławy, że też będzie aniołem i mama Bronisława wszystkiego go w tym niebie nauczy i pokaże Pana Boga, i przedstawi ich sobie.

— A chustkę? — zabuczała mi wprost do ucha, kiedy stałyśmy nad grobem Czarka.

— Co, chustkę? — spytałam.

— No, czy ma… tam, gdzie… chustkę, bo ślini się.

— Kto?

— No, Czarek się ślini. Chustkę tam ma? Taaaak?

— Tak, Kaśko — powiedziałam. — Na pewno Marianna i mama Bronia go pilnują.

— Dobrze. Tak — potwierdziła uspokojona.

Mamę Mariannę znała z opowieści Felicji i mojej mamy. Miała jej zdjęcie obok łóżka. Marianna tkwiła tam w jasnej sukience, ze smutną, poważną twarzą, z rozpuszczonymi włosami, spływającymi jej po wątłych ramionach. Tak chciał Józef, żeby wyglądała na anioła. Zdjęcie robił wędrowny fotograf i Marianna zaraz po tym ujęciu zaplotła włosy, upięła „w koronę" i kazała zrobić drugie, „porządne". Rozpuszczone włosy kojarzyły jej się bardzo źle, ale skoro Józef kazał… Fotograf za dodatkową opłatą pokolorował to zdjęcie Marianny tak, że nawet domalował jej kwiaty w tych włosach. Po śmierci Marianny Józef całował tę jej anielską podobiznę tak często, że gdyby nie była za szkłem, scałowałby wszystko do białego papieru.

Od śmierci Czarka Kaśka często bywała na cmentarzu. Śpiewała tam swoje songi grubym głosem. Najgłośniej, jak grzebaliśmy starego proboszcza, tego, co był „współadoptującym" Kaśkę wtedy, w kościele. Po śmierci starej Felicji poszła do księdza proboszcza upewnić się, czy ona — Kaśka — legnie po śmierci do grobu mamy Marianny, bo dzieciaki ją nastraszyły, że „głupie nie idom do Boga". Wtedy ksiądz zagrzmiał na katechezie, uświadamiając wszystkich, że Bóg szczególnie ukochał sobie „Boże dzieci", czyli takie Kaśki, Czarków, biedne Marianny zmuszane do nierządu, pomyleńców i chorych „na głowę". Dzieciom się dostało, a Kaśka spokojna, polubiła cmentarne zajęcia. Była blisko tych, których kochała, i zajmowała się spokojem ich wiecznego snu. Czasem gawędziła z księdzem. To znaczy, on do niej gawędził, a Kaśka słuchała go, natchniona, z otwartymi ustami i co jakiś czas mówiła to swoje:

— Taaaak.

Na cmentarzu Kaśka ma zawsze masę pracy. Odwiedza grób rodziców, mamy Bronci, Felicji, Czarka i proboszcza. Tworzy wariackie bukiety. I robiła je na długo przed współczesną modą bukietów ze wszystkiego. Wykorzystuje wszystko. Łopiany, kwiaty, trzciny, sprężyny, które sprytnie wycina z kolorowych, plastikowych butelek. Nawet zużyte żarówki. Nie masz pojęcia, jaką ona ma fantazję!

Ona nie jest nienormalna. Ona żyje w innym świecie. Mnie wpuszcza na trochę. Jest czasem jak dziecko. A jak coś powie albo zauważy, to jakbym słyszała mamę, Felicję... Jakby była ich wysłanniczką.

Ona czci tęczę, wiesz? Nie umiała jej sobie wytłumaczyć. Zachwyca ją ogromnie ten taki fantomowy twór, więc spróbowałam być Felicją i powiedziałam, że to mama Marianna tak robi z nieba, żeby Kaśkę rozweselić albo pocieszyć. Od tej pory rozkłada ręce przed tęczą, jak ją zobaczy, i gada do niej.

— Więc widzisz. Kaśka to „Boże dziecię", choć dziś stara jest już i spracowana — zakończyła opowieść mama. Moja mama — Basia.

— No wiesz — powiedziałam. — Ale historia!

— Takich tu mnóstwo — odpowiedziała i dopiła resztkę piwa. — Chodź. Późno jest i powinnaś się wyspać.

— Dobranoc — powiedziałam i uśmiechnęłam się. Ciągle jeszcze „mamo" nie umiało „wyjść ze mnie".

— Dobranoc, kochanie, i zapamiętaj sen! Na nowym miejscu śnisz coś, co się spełni. — Gnom uśmiechnął się promiennie.

Nie mogłam zasnąć tak od razu. Obrazy z mamy opowiadania przesuwały mi się przed oczami. Cyrk w miasteczku, okrutny właściciel, pożar kuźni, Kaśka, jezioro, w którym utopiła się Marianna, Kaśkowe bukiety, stara Felicja i te różne mamy: mama Marianna, mama Bronia, mama... Basia. Ja też mama. Mama Marysi. Mama Gosia. Wszystkieśmy mamy.

Z dworu nie dochodził żaden dźwięk. Podeszłam do okna. Śnieg padał cichuteńko, miękko opadając na ziemię. Jak w animacji komputerowej, do której nikt nie dorobił muzyki. Odległa ściana lasu wyglądała spokojnie, dostojnie. W rozlewisku (nie zapytałam mamy, czym różni się od jeziora), w tafli srebra pobłyskiwało księżycowe światło. Wszystko to wyglądało jak jakaś scenografia.

Zasnęłam.

O czarnym terenowcu i konnej bryczce

Durny zegarek zapikał o siódmej. Tak nauczony. Głupek, nie wie, że jestem na urlopie! Nie, nie na urlopie, ale „wszakże mam wolne"! Nie muszę wstawać. Mogę ziewać i przeciągać się, i zasnąć też mogę! To zasnęłam.

Obudziłam się, bo Funio szczekał. Ho, ho! Już dziesiąta! I tyle światła za oknami! No tak! Śnieg już nie pada. Jest wyż, więc i słońce.

W kuchni mama siedziała przy stole, z nogami na taborecie. Na czubku nosa miała okulary i czytała gazetę.

— Cześć, śpiochu!

— Cześć... mamo. (O Jezu! „Wyszło" mi!) Gdzie jest kawa?

— Tam, na półce, obok młynka. Jest i zwykła, i rozpuszczalna. Jak chcesz mleka, to proszę, tu, w kance, z rannego udoju.

— Hodujesz krowę?

— Ja, nie. To Kaśki krowa. Musiałam ją dziś ja wydoić i nie wiem, czy się to jej podobało. Ale dała!

Na stole obok kanki stał koszyk z bułkami.

— Byłaś rano w sklepie?

— Nie, kochanie. Stary Piernacki mi przywozi. I potem jedzie do Karolaków, do lasu do leśniczego i do tartaku. Tak sobie dorabia do emerytury. To czerstwy chłop. Nudzi się i jak mówi: „nie może spać rano" i koń też musi się ruszać. Umówił się z nami i rozwozi bryczką chleb, gazety i co tam jeszcze, za drobną opłatą.

— Bryczką?! Mamo, który wy tu macie rok? Wiek? (Znów powiedziałam: „mamo"!)

— Piernacki był listonoszem. Teraz od paru lat na emeryturze. Ma też gospodarstwo agroturystyczne, hoduje konie i ma bryczkę i sanie. Jak jest więcej śniegu, przyjeżdża saniami. Kaśka bardzo lubi z nim jeździć saniami. Ja też! Tu, u nas, tak się plecie to, co stare i nowe. Tu nie ma pojęcia „niemodne". Najwyżej: „niewygodne", „nieładne", „nieekonomiczne", „nie całkiem zużyte"... Nie śmiej się. To wszystko ma swój sens. Zobaczysz.

— Żebyś ty wiedziała, jakie herezje pleciesz według kanonów współczesnego świata! — powiedziałam sarkastycznie, nalewając wrzątku z elektrycznego czajnika Philips do kawy Maxwell. Granulowanej. (Robiliśmy im, jako Agencja, promocje nagrodowe w sieciówkach.)

— Współczesny świat jeszcze przyjdzie do nas w łachę! — powiedziała dziarsko i zanurzyła nos w gazetę. — Aha! I na stole jest dżem, a jajka w lodówce.

Po chwili skończyła czytać i spytała:

— Masz jakieś plany szczególne, czy przeżywamy wszystko na żywioł?

— Na żywioł! Żadnych planów, projektów i ich realizacji! A teraz, jajeczko poproszę miętkie.

Pyszne buły pszenne! Niezdrowe! Trujące, bo z mąki i z solą. Cukier do kawy taki niedobry, trujący, i kawa, i dżem takie zabójcze! Jajko na miękko, od kury grzebiącej na podwórku, pełne tego wstrętnego i podstępnego cholesterolu!

— Jakie to cuda! Jakie pyszności! Te wszystkie niezdrowe okropności!

Mlaskałam i jajko spływało mi po brodzie. Bułę grubo obsmarowałam masłem, a dżem jadłam łyżeczką! A co!

— No, to co ci się śniło? — spytał Gnom.

— Aż mi głupio.

— No?

— Śniła mi się łąka pełna łopianów, to twoje rozlewisko i tam...

— No? — niecierpliwiła się.

Głupio mi było naprawdę i zawiesiłam głos.

— ...tam „łomotałam" się z kimś na kładce. Z kimś, kogo nie znam. Ale wstyd! Co?

— Coś ty! To fajny sen, tylko kto to był i czy było fajnie?

— Nie wiem, nawet twarzy nie pamiętam. A fajnie... było.

Teraz to mama tylko gwizdnęła i od razu usłyszałyśmy szczekanie Funia pod drzwiami.

— To zróbmy tak: podjedźmy do warsztatu, zobaczę jak tam mój samochód, a potem...

— Może do Kaśki, pewnie czeka tam na ciebie.

— Tak, do Kaśki koniecznie. Dalej zobaczymy.

— Co zabieramy Kasi do szpitala? Chciała batona...

— Dziś chyba jej nie pozwolą, ale jutro zawieziemy jej coś takiego, co mogłaby zjeść. Może kisiel?

— Co lubi?

— Wiesz, nie smaki ją „kręcą". Najbardziej lubi w tych gumach, batonikach, niespodzianki — naklejki, jakieś tam fanty. O! Tatuaże lubi. Nakleja sobie na rękę.

Śmieszne to wszystko. Nierzeczywiste. Jeszcze niedawno zastanawiałam się, do jakiego stopnia zgłupieć, oddalić się od swoich ideałów, by utrzymać stanowisko, a teraz kombinuję, jakiego batona kupić Kaśce za odwagę. W którym są tatuaże? Bo ona na to czeka i dzisiaj to właśnie jest najważniejsze. Uradować Głupią Kaśkę.

Pojechałyśmy do Dźwierzut, do warsztatu. Już dwa razy jechałam przez to miasteczko, jakby urwane w połowie w drodze do Biskupca.

— Czemu tutaj? W Pasymiu nie ma warsztatów?

— Tak już jest, kochaneczko — powiedziała mama. — W Warszawie też masz masę fryzjerów, a chodzisz nie zawsze do tego, który mieszka najbliżej, prawda? Pan Paweł ma czysto i porządnie zarówno w głowie, jak i w warsztacie.

Jest miły, uczciwy i lubimy się. On razem z synem Karolaków znaleźli mi tanio to, czym jeżdżę! — powiedziała z dumą, jak małe dziecko.

— No, to pochwal się, które to twoje?

— Tamten czarny terenowiec. Fajny, co?

Bardzo śmieszne! Mały, siwy Gnom w terenowcu!

— Dzień dobry! — usłyszałyśmy za sobą.

— Dzień dobry, panie Pawle! — Mama spojrzała na faceta, zadzierając głowę do góry.

Stał za nami wysoki, młody i uśmiechnięty chłop.

— To moja córka, Małgosia!

— Jeszcze jedna? — Roześmiał się głośno. — Pani Basia ma tu mnóstwo dzieci w okolicy. — Wyjaśnił mi. — Miło mi! — powiedział poważniej i podał mi przegub dłoni, bo palce, jak to mechanik, miał usmarowane.

— Jak jest, panie Pawle?

— Muszę ściągnąć z Olsztyna pasek rozrządu. Pani wie, że to musi potrwać.

— Skoro musi. Do zobaczenia! Będę jakoś tak, niedługo!

— Kłaniam się!

W szpitalu było więcej ludzi niż wtedy, wieczorem. Zapach inny, światło dzienne, nie świetlówkowe, które daje szpitalom wieczorem taką aurę melancholii. Było jakoś tak gwarniej i inaczej. Kaśka była po zabiegu, senna i obolała. Marudna.

— Basia, weź mnie do domu, tak? Taaak?

— Wezmę cię, Kasiu, jak wyzdrowiejesz. Jak się czujesz, rybko?

Mama głaskała starą twarz Kaśki z czułością i troską. Aż mnie coś ścisnęło w dołku.

— Boli.

— Wiem, kochanie. Pan doktor zadba, żeby nie bolało. Siostra da ci zastrzyk.

— Nie! Zastrzyk, nie — powiedziała, naburmuszając się.

— A pamiętasz, jak miałam chore korzonki i przychodziła siostra z ośrodka? Wcale nie protestowałam, prawda?

— Taaak.

— A potem, jak dobrze się czułam, pamiętasz?

— Taaak.

— Dobrze, daj buziaka i bądź dzielna. Gosia ma dla ciebie batona, ale na razie nie możesz.

— Nie — Kaśka pokręciła głową — nie mogę. Nie. Tylko wodę dzisiaj mogę. Pa, Basiu, i tobie — pa! (to do mnie!) — zabuczała.

Widać, że źle się czuła. Pewnie była na środkach usypiających, bo powieki same jej opadały. Mama Basia poszła pogadać z lekarzem. Ja zadzwoniłam do Konrada. Pobieżnie opowiedziałam mu, co się dzieje. Konrad w pracy bardzo nie lubi prywatnych rozmów. Zawsze rozmawia krótko i po wojskowemu. Marysia miała akurat zajęcia, więc tylko powysyłałyśmy do siebie kilka SMS–ów.

O pryncypiach i Zygmuncie, co się powiesił

Zakupy zrobiłyśmy w Biskupcu. Takie tam, obiadowe i chemię. Widziałam też bułgarski koniak w jednej z siatek. Myślę, że to na wieczór. Obie wiemy, że musimy pogadać. Mama dłużej na to czeka. Ja od niedawna. Tato dość skutecznie spowodował moją wieloletnią narkozę. Zawsze jednak przychodzi przebudzenie. Właśnie nadeszło.

Mamy przed sobą babski wieczór. Z bułgarskim koniakiem.

Z powodu nagłego niżu zaczęła się odwilż, więc droga była śliska.

— Czy ktoś to kiedyś posypuje? — spytałam retorycznie.

— Pani burmistrz nie uważa tego za konieczne. Owszem, drogę na Szczytno, tak. Tamtędy jeżdżą solarki. Tu jest konflikt. Chyba się nie lubią z wójtem Dźwierzut, bo tej drogi nikt nigdy nie sprzątał. Tak naprawdę, to ważniejsze tu są sprzeczki personalne, polityczne pyskówki niż dobro narodu, czyli coś, co jest już niemodne. Naród sam sobie musi poradzić, a oni wszyscy kombinują, jak najwięcej z pustego koryta wygarnąć dla siebie. Cholerę im w bok! Wiesz, był w Dźwierzutach, w gminie, na stanowisku… no, taki od spraw komunalnych.

— I co? Solił?

— No, takiej mocy to może nie miał, ale starał się. Za jego czasów na górce i pod nią zawsze, co roku, stał kopczyk piasku. Teraz nie… No i walczył o ludzkie sprawy.

— Odszedł na emeryturę?

— Powiesił się. Nie podołał zaszczuwaniu.

— Szczuli go za piasek?!

— Nie upraszczaj. Za idee. To był współczesny Don Kichot. Był spragniony sukcesu, ale chciał go osiągnąć za pomocą prawdy i sprawiedliwości. No, sama powiedz…

— Wy też tu w to nie wierzycie?

— Córeńko. Bronia była idealistką. Ja jestem idealistką, ale po reformacji. Zawsze byli równi i równiejsi. Prawdy prawdziwe i mniej prawdziwe. I sprawiedliwość, co to „musi być po naszej stronie". Myśmy z Zygą, bo Zygmunt mu było, strasznie się potrafili kłócić o pryncypia.

— Wy też? — westchnęłam.

Okropnie oblodzona droga. Sterty starego, zamarzniętego, śniego–lodu, pośrodku wyjeżdżone koleiny. Jak oni tu żyją?!

— A wójt? Nigdy tędy nie jeździ? — kontynuowałam.

— Chyba nie. On nie ma potrzeby. Ma to gdzieś.

— No, a ten Zyga? Powiesił się, bo czuł się zaszczuty? Tylko przez to? Musiało go coś jeszcze…

— Masz rację. Te różne podchody, świństwa, podszczuwanie chyba dopełniły miary. Lekko nie miał. W rodzinie też było mu ciężko. Mieli córkę z dziecięcym porażeniem mózgowym. Młodszą. Starsza się buntowała, bo chyba czuła nierówny rozkład uczuć. Zresztą, wiesz albo nie, ale takie rodziny mają bardzo ciężko, bo faceci nie umieją pogodzić się z faktem, że nie mogą nic poradzić. Z początku myślą, że rehabilitacja, lekarze, leki, w ostateczności cud — pomoże. Potem, gdy nic nie pomaga, tylko trzeba orać, a dziecko bardziej przypomina zwierzątko, żona — Matkę Teresę, opadają im skrzydła. Dopada ich poczucie winy, porażki, frustracja. Rzadko kiedy takie związki są normalne. Kobieta musi być 24 godziny na dobę pielęgniarką i rehabilitantką. Nie ma czasu być mamą dla zdrowego dziecka. Żoną dla męża. Wszyscy muszą podporządkować się chorobie. Być dyspozycyjni. Powoli ich potrzeby przestają się w ogóle liczyć. Są zapędzeni do kieratu matki. Stąd bunt. Zygmunt czuł, że jako ojciec poniósł porażkę, nie sprawił cudu. Jako mąż też był traktowany roszczeniowo. W pracy również nie znalazł oparcia, u nikogo. U wójta i kolegów też. Czuł to samo w domu i w pracy. Ma orać tak, jak każą mu „układy", nieczuły zwierzchnik, panowie radni. Różni, jak wiesz. My tu nie mamy się czym szczycić… Powiesił się, bo nie miał już sił, oparcia, przyjaciela. O, tam, na tamtym drzewie.

— Co?! — O mało nie rozbiłam się w poślizgu. Zahamowałam z całych sił, bo drzewo stało blisko drogi. — No, tak. Chciał krzyczeć po śmierci własnym ciałem — powiedziałam z żalem.

— Masz rację, ale mu się nie udało. Był gorący czerwiec, liście go zasłoniły, a potem rozkład. Cóż, zgnił za szybko i po paru dniach spadł. Znaleziono go prawie po roku. Przypadkiem.

— Jak to, po roku?!

— Tak to. Na dole jest takie mokradło. Chaszcze. Widzisz? Nikt tam nie chodził. Jak podeschło w tym roku, taki jeden natknął się przypadkiem…

— Mamo. To jakiś horror! Naprawdę tak było?

— Tak. Zygmunt to mój wyrzut sumienia. Widziałam, że cierpi, ale nie miałam dla niego cierpliwości. Ostatnio zanudzał mnie wyflaczaniem się na tematy społeczno–moralne. Opędzałam się. A on miał skowyt duszy.

— „Skowyt duszy". Ładnie powiedziane.

— Tak… — Mama wyraźnie zapadła we wspomnienie o tym Żydze.

Dalej jechałyśmy w ciszy. Zresztą już niedaleko trzy brzozy. Zaraz skręt w polną drogę.

— Fajni ci z tego żółtego domu? — spytałam nie na temat.

— Rzecz gustu, ja ich nie lubię. To samoluby i egoiści. Nigdy nikomu nie pomogli. Zamknięci, samowystarczalni, obcy. Pobudowali się jakieś dziesięć lat temu, na miejscu, gdzie stał dom starej Bujnowskiej. Żadnej bliskości. Ledwo mówią: „Dzień dobry". Gbury.

Z zagrody wybiegł Funio. Tak bardzo się cieszył, jak byśmy wracały nie wiadomo skąd.

— Zobacz, sama radość! Funiu! Bo ci ogon odpadnie! Chodź, malutki, chodź! Mam kostkę cielęcą za całe dwa pięćdziesiąt! Doceń to!

Funio powąchał kość, ale obskakiwanie i lizanie nas po nogach i gdzie się dało było mu bardziej potrzebne. Blanka nadeszła bezszelestnie, spokojnie i z godnością. Udawała, że przechodzi tu przypadkiem. Siadła na schodku i patrzyła na Funia z niesmakiem. Na twarzy miała wypisane: „Lizus!".

Wniosłyśmy zakupy i zakrzątnęłyśmy się wokół obiadu.

Najzwyklejszy makaron, z masłem i serem, był świetny. Tym bardziej że nie jadłam go od lat. Takie smaki z dzieciństwa. Ten akurat ze stołówki w szkole. Mama była nastrojona refleksyjnie i poważnie. Ten Zygmunt chyba nie dawał jej spokoju.

— Pozmywam, dobrze? Może połóż się, mamo. — Uśmiechnęłam się porozumiewawczo.

— Zanim całkiem się ściemni, pójdę do naszej krowy. Głodna jest i trzeba ją wydoić.

— Pójdę z tobą.

W oborze mama zapaliła światło. Zapachniało krową, obornikiem. Wsią. Miły zapach. Przypomniały mi się od razu wakacje z harcerzami. Taka mała nasza grupka wyjechała z druhną Anną na wieś. Mieszkaliśmy nad Bugiem, w Klimczycach, u gospodarza. To on zwrócił naszą uwagę, że najładniej pachną końskie gówna, potem krowie, kurze, świńskie, a najgorzej, powiedział, „ludzkie gówno śmierdzi i tylko muchi je lubio".

Patrzyłam, jak krowa wita mamę. Powściągliwie, ale po koleżeńsku. Odwróciła głowę i, żując jakiś trawiasty kosmyk, kiwnęła przyzwalająco. Mama już narzuciła jej siana.

— Co to? — spytałam.

W żłobie, nisko zawieszonym, leżał brązowo–szary relief. Kiedyś sześcian, teraz podziurawiony dziwnymi tunelami, jakby były wypłukane...

— To? Lizawka! To sól w takiej bryle. Krowy też muszą się zdrowo odżywiać. Prawda, Buśko?

— Kto ją tak nazwał? Kaśka?

— Naturalnie. Dostała ją od mamy Czarka. Śliczny to był cielaczek. Kaśka była tak zachwycona, że nazwała ją Baśka, ale jej wytłumaczyłam, że ja, to ja, nie mam nic przeciwko temu, ale ludziom się to nie spodoba. No to mama Czarka powiedziała, że może tak Buśka, bo buzię, znaczy pysk, ma ładny. Tak zostało. Pokaż się Gosi, jakaś piękna!

Buśka, jakby rozumiejąc, pokiwała łbem w moją stronę. A może to było z politowaniem? Mama podsunęła sobie pieniek, kucnęła pod brzuchem Buśki i zaczęła doić.

— No, zaimponowałaś mi! — powiedziałam w drodze z obory. Niosłam wiadro mleka, świeżo udojonego z krowiego cycka.

Cała moja Agencja nawet nie wie, skąd mają śmietankę do kawy! Spytani odpowiedzą: „Ze spożywczego!".

Dzieci cywilizacji!

Mama, idąc, uśmiechnęła się znów jak Liz Taylor. Jej siwy ogon kołysał się na boki, kiedy szła. Okulary, na łańcuszku z koralików, zdjęła. Spod białej grzywki zerkała na mnie taka... wcale nie stara! Już dowiedziałam się, że mleko zostanie rano zabrane do tartaku. Tam jest dużo ludzi, a mama Czarka robi świetne sery. Sery dostaje mama Basia i leśniczy. Co jakiś czas Piernasio bierze też sobie trochę i mleka, i serów. Mało, bo nie lubi, ale ma koty i psa, a w lecie — letników.

W domu było ciepło i cicho.

— Patrz, już szósta! Jak ten czas leci... Gosiu, zrobię kawę i siądziemy sobie. Dobrze? Zmęczona jesteś?

— Nie. Raczej trochę zdumiona wszystkim tym, co widziałam. Oj, mamo, ale tu ciekawie! Inny świat. Chciałabym, żeby to Marysia kiedyś zobaczyła.

— Ja też bardzo bym chciała. Idę przecedzić mleko.

Trochę posprzątałam w kuchni, dołożyłam do pieca, a mama tymczasem przecedziła mleko i wystawiła do sieni. Rzeczywiście, inne tu wszystko, a przede wszystkim, bieg czasu. No, niby powiedziała: „Jak ten czas leci", ale tu — znacznie wolniej.

Patrzyłam przez okno na mazurski mrok. Z tego okna nie widać żadnego domostwa. Tylko taki cichy, zimowy świat. To od nastroju chyba zależy, czy ta pustka za oknem jest samotnością, czy pięknem i spokojem. Pewnie można się przyzwyczaić i do tych odległości, zwyczajów, wszystkiego.

Dlaczego mamy nie było, czyli miłość ci wszystko wybaczy

Wkrótce siedziałyśmy już nad parującą kawą. Każda z nas z taboretem pod nogami.

— Wiesz dużo czy mało? — spytała mama.

— Znasz ojca. Znałaś — poprawiłam się. — Żelazne drzwi, żadnego wspominania. Sądziłam, że to był jego pomysł. Czy wasz wspólny?

— Poczekaj. To wyjdzie. Bo wiesz, to nie jest tak, że to ojciec jest ten zły. Ja też... Dobrze, po kolei. Studiowałam w Warszawie. Mieszkałam u naszej dalekiej krewnej, cioci Wiesi. Odnajmowała pokoje studentom, chłopakom, głównie z SGGW i SGPiS-u. Mnie wzięła, „bo rodzina". Tak poznałam Stasia, moją wielką pierwszą miłość. Jeszcze nie twojego ojca. To tylko zbieżność imion. Żeby nie rozciągać, straciliśmy siebie (o tym kiedy indziej) i żyłam w rozpaczy. W klubie studenckim poznałam twojego ojca, a wówczas wykładowcę, asystenta na politechnice. Zaiskrzyło. On był długo bardzo samotny. Stracił swoją ukochaną w czasie okupacji. Byli bardzo młodzi, głównie ona. Znali się z podwórka i byli sobie przeznaczeni.

— Nie mówisz chyba o druhnie Annie? Ona przecież żyła.

— Nie, nie, choć blisko! Anna była siostrą Inki. Starszą i w dodatku podkochiwała się w ojcu. Cierpiała w milczeniu, bo Inka i twój ojciec byli nierozłączni, zakochani od zawsze. Do Anny wrócimy. Tak więc spotkaliśmy się, tacy wewnętrznie poranieni, i zostaliśmy parą. To było dla mnie bardzo wygodne, wreszcie ktoś się mną zajął i o wszystkim decyduje. Twój ojciec mógł zużyć całą energię na tworzenie „nas". On i Inka byli jak Staś i Nel. Ojciec przecież też Stanisław. Był przyzwyczajony do kobiety Calineczki. Szybki ślub. Po twoich narodzinach zajmowała się tobą ciocia Wiesia i jej studenci (ku oburzeniu ojca), bo ja kończyłam tę moją biologię i miałam mało czasu na pieluchy. Naturalnie, jakoś to poszło i wkrótce dostaliśmy mieszkanko, na Żoliborzu.

— Wiem, na Żeromskiego, tak?

— Tak. Małe, ale własne i radosne. Jasne, przyjemne. Zostałam nauczycielką w żoliborskim liceum, ty chodziłaś do przedszkola. Dopiero potem zamieniliśmy na większe, przy placu Inwalidów.

— No, to pamiętam. Tam już zostaliśmy do końca. Znaczy ojciec. Byłaś szczęśliwa?

— No, widzisz… Nie. Usiłowałam być. Starałam się, ale jakoś nie mogłam. Za długo kołysałam w sobie pamięć o moim pierwszym chłopaku. Nasze rozstanie poharatało mnie jak szrapnel. Nic nie czułam oprócz tęsknoty. I wtedy, wybacz mi…

Mama wstała, znalazła koniak i próbowała go otworzyć, ale miała łzy w oczach i nie mogła.

— …otwórz.

Wzięła chustkę i usiadła.

— Tu zaczyna się, Gosiu, mój pierwszy grzech. Wobec ciebie. Wtedy byłam tak pochłonięta własnymi uczuciami, studiami, pracą, zapominaniem, że zabrakło mi… Tego, żebyś ty stała się moim całym światem. Opiekowali się tobą wszyscy, ja rozdrapywałam ranę i zamknęłam się na świat. Puszczało powoli. Byłam taka nieczuła. Zamknięta!

— Mamo, ja pamiętam dobre i wesołe chwile! Byłyśmy w parku, tam od strony Cytadeli. Ty miałaś taką piękną sukienkę w wielkie tulipany. Puszczałaś mi latawca. Pamiętasz?

— Naturalnie! Bo tam właśnie puszczał latawce mój pierwszy Staś… Ze mną. Kiedy byłyśmy tam razem, ja oblewałam wspomnieniami dawne ścieżki, jak głupia. Ty, wybacz, byłaś na dalszym planie… Córeńko, bardzo zawiniłam wobec ciebie.

— Ja tego tak nie odbierałam. Byłaś… Miałam cię wystarczająco. Wszyscy byliśmy zajęci.

— Jesteś miła, ale zaczekaj z ocenami. Już wtedy było między mną a ojcem ciężko, bo nie sposób jest udawać. On też starał się zapomnieć o Ince, ale Anna okropnie mu mieszała. Razem pracowali. Była wściekła, że się ożenił. W oczach Anny każda na moim miejscu byłaby zła. Zdawała sobie sprawę, że u ojca nie ma szans jako kobieta, więc zadowoliła ją rola… hmm, takiego medium między nim a zmarłą Inką. Była „przyjacielem". Anna mnie nie znosiła.

To zrozumiałe. Nie mogła zająć miejsca Inki, więc miłość ojca do mnie (bo kochał mnie wtedy) była dla niej bolesna. Wiesz, że nie była kobieca. Inka była inna. Wiotka, zwiewna, eteryczna. Weszłam między ich wspomnienia o Ince, bo Anna stale dbała o to, by pamięć o niej była wciąż gorąca. W końcu to był świetny pretekst do takiej zażyłości.

— To chore, mamo! Taka zaborczość! A ojciec się dał… Nie miała swojego życia, jak pamiętam. Na zbiórkach mówiło się szeptem, że to stara panna.

— To prawda. Bardzo poświęcała się pracy. Wychowała mnóstwo nie swoich dzieciaków.

— Zrobiła ci krzywdę.

— Poczekaj. Po kolei. W mojej szkole pracował Andrzej. Uczył WF–u i miał zajęcia, takie wojskowe… Zaraz, jak to się nazywało… Nieważne. Wysoki, postawny, smutny. Piękny. Taki… refleksyjny. Bardzo milczący i niewchodzący w te wszystkie koteryjki w pokoju nauczycielskim. Wieść gminna niosła, że miał żonę świetnie ustawioną życiowo. Piekielnicę. Heksę. Pracowała w Urzędzie Dzielnicowym na pół etatu, przewodniczyła Komitetowi Rodzicielskiemu w naszej szkole, bo ich starszy syn właśnie zdał do pierwszej klasy. Jej ojciec był radnym, a matka była prywaciarą. Miała w Radości warsztacik produkujący damskie torebki, a z niego dobrą kasę. Mówiło się, że żona Andrzeja kupiła go sobie. Może tak było… Nalejmy sobie, bo zaczynam wątek zasadniczy. Pamiętaj, że to wszystko działo się w PRL–u. To były dziwne czasy. No, więc Andrzej przyjeżdżał do pracy ślicznym, beżowym trabantem i raz czy dwa zaproponował mi podwiezienie. Jak się domyślasz, „porobiło się”. Obydwoje oszaleliśmy dla siebie. Był ogromnie oczytanym, wrażliwym człowiekiem, romantykiem czułym i spragnionym czułości.

Jego obsypana biżuterią krzykliwa żona była typową cwaną prostaczką. Umiała doskonale poruszać się w tamtych czasach, układach. Żeby warsztacik mamy szedł, rozwiodła rodziców, oczywiście fikcyjnie, ojca obsadziła jako radnego i nikt nic nie mógł im zrobić! Andrzej bardzo cierpiał za swoją głupotę. Mieli dwóch synów, a ona utrzymywała go podczas studiów, ubierała w najlepsze ciuchy, kupiła trabanta. Nie umiał odejść. Został kupiony. Za daleko zaszło.

Kochaliśmy się strasznie. Byliśmy sobą tak nienasyceni, że tęskniliśmy bezustannie. To było szaleństwo. Wszyscy nasi bliscy to wyczuli. Twój ojciec robił mi wymówki, że jestem nieobecna duchem, że nie poświęcam ci czasu, a ja udawałam, że mam jakieś kursy, i po prostu romansowałam… Jak ogłupiała. Byłam taka szczęśliwa! Byliśmy. Andrzej kwitł, snuł plany. Romantyk. Najważniejsze było wtedy znaleźć pusty pokój i parę godzin dla siebie.

— To chyba wtedy ojciec zapisał mnie do harcerstwa. Pamiętam, bo w tym czasie rzeczywiście jakoś mało ciebie było. No, mówiło się, że masz „kursy".

— Tak, kursy miłości. Głupio, co?

— Nie, mamo, nie głupio. Trochę tragicznie. Wypijmy za miłość. Zrobić herbaty? Z cytryną, to jutro nie będziemy miały takiego kaca.

Stałam koło blatu i czekałam na wrzątek. Czułam na plecach wzrok mamy. Długo czekała na mnie. Na moją reakcję. Tak. Pamiętam, że druhna Anna jakoś tak wyjątkowo często pojawiała się w naszym życiu, rozmowach...

— Zwykłą czy cynamonową?

— Zwykłą. Do cytryny najlepsza jest zwykła.

Znów usiadłam.

— Mów. Opowiadaj.

Mama westchnęła i ciągnęła:

— No i pięknie było, aż ktoś oświecił żonę Andrzeja, a ta oczywiście byłaby chora, gdyby nie zrobiła czegoś za dużo. Mogła przecież tylko z nim pogadać. Przyznałby się. Może ustaliliby coś z rozwodem? Ona jednak kochała afery.

— Powiedz, jak wyglądała! Opisz tę lafiryndę, proszę!

Byłam bardzo wciągnięta w opowieść.

— Gosiu! No, co ty! Dobrze, jako przerywnik. Nosiła utleniony, natapirowany kask. Wielkie klipsy, codziennie, nawet jak szła po kartofle do warzywniaka. Ubrana w najnowsze cuda z komisów, szpilki lakierki, sweterki elastyczne, ortaliony... Czerwone paznokcie, nawet do różowych ciuchów. No i makijaż. Wiesz. Lalka.

— Dobrze. Dalej.

— Ktoś dokładnie jej opisał, gdzie i kiedy. Zawsze, gdy jechała do Ciechanowa albo Sochaczewa z tymi ich torebkami. Minimum raz w tygodniu. Najczęściej u nich w domu. Tam mieliśmy najwięcej spokoju. Młodszy syn był w szkole albo u dziadka, a starszy wracał ze szkoły późno. Chodził gdzieś na żeglarstwo. Tak. Był w drużynie wodniackiej.

Chata wtedy bywała wolna... Ona zaczaiła się. Wpadła jak bomba. Było ostro i głośno. Andrzeja sprała po pysku, na mnie nawrzeszczała i wygnała. Byłam pewna, że teraz nastąpi przełom, że rozwiedziemy się, on i ja, i będziemy szczęśliwi razem. Głupia.

— Czemu głupia? Nie mogło tak być?

— Faceci są dziwni, Gosiu. Do dziś nie wiem, czemu tak mu wierzyłam. Jednak ta awantura w domu, to było nic, w porównaniu z tym, co stało się potem. Andrzej, dureń, idealista, wygarnął jej, że jej nie kocha i nigdy nie kochał.

Wiesz. Uderzył boleśnie, a ta furia, zraniona i z poczuciem prawa własności, wyrzuciła mu z kolei, że on żyje tylko dzięki jej forsie. Studia, mieszkanie, samochód, wczasy w Bułgarii. Wszystko za jej pieniądze, bo przecież nie za te grosze z nauczycielskiej pensyjki! Oczywiście zaszachowała go chłopcami.

— Zrozumiałe. Moneta przetargowa. Handel dziećmi. Dobrze, że mną nikt nie grał.

— Nie mów „hop!", córeńko.

Mamie znów oczy zaszły łzami i sięgnęła po kieliszek. Koniak ma moc. Dobrze robi przy takich rozmowach.

Teraz ja westchnęłam.

— Spokojnie, mamo. Jest dobrze — powiedziałam i dotknęłam jej ręki.

Popatrzyła na mnie głębokim, ciepłym spojrzeniem.

— No, dobrze — powiedziała. — Przejdźmy przez to. Żona Lafirynda była żądna zemsty. Krwi. Urządziła nam taki magiel w pracy, że wióry leciały. Odbyła się nadzwyczajna Rada Pedagogiczna. Wicedyrektorka była prywatnie pasiona przez Lafiryndę różnym dobrem. Ta idiotka była żądna awansu i marzyło jej się wysiudanie z fotela dyrektora, który odciął się od tej historii. Milczał. Udało jej się po dwóch latach. Wywalili starego dyrektora, a ta karierowiczka została dyrektorką takiej dobrej szkoły! Wtedy, w czasie tej aferki, wyrzucono nas z partii.

— O Jezu! Byłaś w partii?!

— Gosiu. Wszyscy byli wtedy w partii. Prawie wszyscy. Tylko nielicznych było stać na komfort niebycia. Teraz nikt się do tego nie przyznaje! A jak już, to zastrzega, że tak, owszem, ale on nigdy nie wierzył, musiał biedak, zmuszali go… Myśmy wierzyli, że to dobrze, że: „W jedności siła", ale jak ta partia wyrzuciła mnie za miłość, grzebała się w naszym łóżku, z miejsca przybrała twarz Lafiryndy. Nigdy już nie żałowałam.

Andrzej się załamał. Żona zrobiła mu sąd kapturowy w domu. Przy wszystkich. Nie oszczędziła chłopców. Koszmar. Dostaliśmy wymówienie. Pracowaliśmy tylko do końca roku szkolnego. Potem koniec. Miałam świetną klasę, rok przed maturą. Żegnali mnie na naszym podwórku. To była scena! Moja najlepsza uczennica i najfajniejszy chłopak z klasy powiedzieli w imieniu wszystkich tam zebranych: „Pani profesor! My wiemy, że poszła pani za głosem serca. Miłość musi zwyciężyć kołtuna! Pani i panu profesorowi życzymy szczęścia". Zamiast zgorszenia oni byli zafascynowani naszą historią! Sekundowali nam! Dzieci! Dzieci!

Koleżanki z grona skazały mnie i Andrzeja na społeczną banicję. On miał swoją kanciapę koło sali gimnastycznej. Ja siedziałam w pokoju nauczycielskim właściwie sama. Nikt się do mnie nie odzywał. Tylko wiekowa nauczycielka geografii wzięła moją stronę. Miała pół etatu, ale zawsze, jak tylko była, pocieszała mnie i tkwiła przy mnie jak wierna zaufana. Kochana!

U nas w domu też była wielka burza, bo Lafiryndzie mało było. Poszła bruździć ojcu na uczelnię.

— Żartujesz. Kto się dał na to nabrać?

— U ojca, nikt. Dziekan wezwał go i spytał, czy zna tę wariatkę. Pogonił ją. Był normalny, ale ojca to okropnie kopnęło. Pewnie pamiętasz niektóre rozmowy. Zawsze wieczorem, przy zamkniętych drzwiach.

— Tak. Ale rodzice moich koleżanek też tak się kłócili, więc myślałam, że to normalne. Tylko potem…

— Wiem. Nalej jeszcze… Wygarnęliśmy sobie z ojcem wszystko. Szczerze, do bólu. Powiedział mi o Ince. Jak bardzo ją kochał, jak tęsknił za nią zawsze i że nie jestem do niej podobna. Ja walnęłam się w piersi. Przepraszałam. Jakoś tak było blisko konsensusu, ugody. Ale Anna robiła swoje. Nienawidziła mnie. Niby pod płaszczykiem przyjaźni i troski wkładała mu do głowy swoje pryncypia. Wiesz, kropla drąży kamień. Pracowali razem. Znali się dłużej. No, i znałaś Annę, potrafiła być przekonująca.

— O! Tak! Tylko wiesz, mamo, ja się jej nie dałam. Czułam, że ona chce mnie uformować po swojemu. Dla spokoju, udawałam. Na zbiórkach i na obozach. W życiu prywatnym nie dałam się. Miałam twoją sukienkę.

— Którą?

— Tę w tulipany. Pachniała tobą. Była moją tajemnicą. Mam ją do dziś.

— Cieszę się, Gosiu. Opowiem dalej, dobrze? Ostatecznie pokłóciłam się z ojcem, bo jednak stale mnie karcił, dopiekał. Andrzej otrząsnął się i pyskował żonie. Wymyślił dla nas plan. Wyprowadził się do kolegi i wniósł pozew o rozwód. Uświadomiłam mu, że jego żona może kupić każdego adwokata. Machnął ręką. Po kolejnej rozmowie z ojcem usłyszałam, że to, co zrobiłam, położy się cieniem na całym twoim życiu, że wstyd, na jaki naraziłam jego i ciebie, będzie się wlókł zawsze. Zażądał deklaracji, przysięgi i tak dalej. Złamał mnie. Przysięgłam. A potem… nie wytrzymałam. Spotykaliśmy się nadal w głębokiej konfidencji. Anna nas wywęszyła. To ona śledziła mnie poprzednio i doniosła żonie Andrzeja. Teraz też. Jak się domyślasz, ojciec poczuł się oszukany, poniżony. Wyjechał do sanatorium, a Anna w jego imieniu wystawiła mi walizki za drzwi i wręczyła list. Ojciec prosił… nie, żądał, bym dla twojego szczęścia zniknęła z waszego życia. Raz na zawsze. Według jego słów nie mogłabyś żyć szczęśliwie, mając taką matkę. Według Anny byłam zwykłą kurwą. Po rozmowie z nią tak się właśnie czułam.

Andrzej czekał na mnie. Na moją decyzję. Wybrałam jego... Wyjechaliśmy do Torunia. Piotr, mój przyrodni brat, załatwił nam pracę i pokoik. Znów było trochę szczęścia. Niestety, Lafirynda przysłała pismo, z którego wynikało, że alimenty na nią i chłopców „zjedzą" całą jego pensję. Andrzej się uparł i zmienił pracę. Robił, co mógł, ale wciąż było mało. Wkrótce zaczęła przyjeżdżać jego żona. Nękała go, a gdy skutek był marny, zaczęła przywozić chłopców.

— A to suka! — wyrwało mi się szczerze. Wypiłam już troszkę i wszystko nabierało ostrości.

— Ale była skuteczna. Złamała go. Jakoś tak pod koniec roku szkolnego coś marudził o wakacjach z chłopcami i pojechał. Potem napisał, że się ze sobą zbliżyli, że chłopcy zapominają, że wybaczają, że są w takim wieku, że potrzebują ojca... No, i to była prawda. Miałam już dość tej walki. Byłam zmęczona, więc odpuściłam. Było mi głupio, że on wrócił do dzieci, a ja cię zostawiłam. Wysłałam do ojca mnóstwo listów. Błagałam, prosiłam, przepraszałam. Odpisał mi tylko raz. Ostro, pryncypialnie, nieprzystępnie. Pojechałam do Warszawy. Spotkaliśmy się w koktajlbarze w Alejach Jerozolimskich. Pamiętasz? Lubiłyśmy tam chodzić na mleczne koktajle, jajko po wiedeńsku, omlet... Uwielbiałaś te malowidła na ścianach, takie rozszalałe wróżki... Był bardzo spokojny, rzeczowy, obcy i konsekwentny. Wytłumaczył mi, że nie mogę wrócić, a utrzymywanie kontaktów z tobą byłoby przestępstwem pedagogicznym. Rozumiesz, jaki szach? Sam tego nie wymyślił...

— Anna?

— A któżby? To dla twojego dobra przecież! Chciała się mnie pozbyć i zawładnąć chociaż tobą. Wiem, że jej się nie udało.

— Skąd wiesz?

— Musieli się pokłócić, bo odnalazła mnie i przyjechała. Niby taki gołąbek pokoju. Taka była spokojna, przymilna. Jeśli w ogóle umiała być miła. Siedziałyśmy przy kawie w kawiarni, a ona wypytywała mnie, kiedy ostatnio pisałam do ojca, o czym. Zastanowiło mnie to. Widocznie coś się zmieniło. Podpuściłam ją. Jak ona mnie. Niby taka byłam stroskana jej przeżyciami, wiesz. No i wyszło, że ojciec usamodzielnił się, a ją odsunął.

— To chyba wtedy, kiedy miał taki mały romansik z niejaką Haneczką. Wtedy już pracował w biurze projektowym, a ona była tam na stażu. Młoda, taka cipcia. Uskrzydliła go na jakiś rok, potem się rozeszło.

— Wiedziałaś o tym?

— Pewnie. Nie umiał kłamać ani udawać. Przepraszam, ale ty w te klocki byłaś lepsza.

— Dziękuję, choć to nie powód do dumy. I co, byłaś zła na ojca?

— Ja nie, ale wtedy właśnie pożarł się z druhną Anną. Okropnie się zrobiła namolna. Za często przychodziła do nas i kontrolowała go. Wściekł się. Ja też się jej urwałam ze smyczy.

— Byliście całym jej światem...

— Hola! Mamciu! A całe ZHP? Poza tym, co ona sobie myślała, że będzie żyć naszym życiem?! Powinna ułożyć sobie swoje. A tak, była z niej taka jemioła.

— Powiesiłyśmy na niej zdechłe psy, córko. Nie godzi się tak o zmarłych. Zdrowie Anny — Jemioły!

Chyba byłyśmy już pod dobrą datą, bo chichocząc, spełniłyśmy toast za druhnę.

— Gosiu, zróbmy małą przerwę. Siusiu i kanapki. W tej kolejności.

Ale wieczór!

Wyszłam przed dom popatrzeć na świat. Tak tu fajnie, przytulnie, cicho. Stałam oparta o framugę. Miałam wypieki od alkoholu i nadmiaru emocji. Parowały ze mnie. Z ciemności wyłoniła się Blanka i bezszelestnie wślizgnęła się do domu. Nie było mrozu. Na niebie były gwiazdy, pół księżyca i trochę chmurek. Jutro będzie ładnie.

Wróciłam do kuchni. Mama już robiła kanapki. Rzeczywiście, czas na kolację.

— Która to? — spytałam.

— Zobacz, tam stoi zegar. — Głos mamy zdradzał łzy.

Podeszłam blisko i położyłam jej dłoń na głowie.

— Mamo, co ty?

Przytuliła się do mnie, całą sobą i zaszlochała w moją pierś:

— Bardzo cię przepraszam, Gosiu. Bardzo.

— Nic to, Baśka, nic to... — powiedziałam i oczy mi się zaszkliły.

Długo to nosiła w sobie. Dobrze, że wreszcie jej ulżyło. Mnie chyba też puszcza.

— Nie chlip już, mamo. Jest dobrze. Jestem tu, a ty nie skończyłaś.

— Dobrze — powiedział Gnom.

Usiadłyśmy i mama kontynuowała z pełnymi ustami:

— Na czym stanęło?

— „Przyszła koza do kapusty".

— A! Tak! Anna. Wyjechała niepyszna. Nie znalazła we mnie oparcia ani sprzymierzeńca... Dołóż do pieca... Zdecydowałam się przyjechać do domu mamy Broni, tu, do Pasymia. Były wakacje, chciałam odpocząć. Odnalazłam tu sens życia! Stanęłam na nogi… Poczekaj. Mam coś dla ciebie.

Mama wstała i poszła do swojego pokoju. Przyniosła zawiniątko i położyła przede mną.

— To na później. Teraz twoja wersja.

— Moja? Będzie znacznie krótsza.

— No pewnie. Nie opowiesz mi teraz całego życia, zresztą późno jest. Powiedz tylko, naświetl siebie w tym, o czym mówiłam. Proszę.

— Nie wiem, czy zsyntetyzuję to, czy będę obiektywna…

— Masz nie być! Nie być! Liczy się, co czułaś, jak to przeżyłaś! Zrobiłam wam… tobie!… taką krzywdę!

— Nie wiem, mamo, czy aż taką. Dobrze. Krótko, ale treściwie. Wiedziałam, że już jest źle, kiedy tato pojechał do sanatorium, bo Anna często bywała i mówiła grobowym głosem, że: „tatko pojechał, bo jest załamany" i że ty wpędziłaś go w chorobę. Gdy pytałam: „czym?", wzruszała ramionami i milczała uparcie albo mówiła, że: „dzieciom o tym nie wiedzieć". Czekałam na wasz przyjazd. Tymczasem koleżanki zwąchały temat i doniosły mi uprzejmie, że uciekłaś z kochankiem.

— Małpy — skomentowała mama. — No, ale szczere!

— Żarłam się z nimi aż do powrotu ojca, który po indagacji przedstawił sprawę jakoś inaczej, wiarygodniej. Że ty byłaś tu nieszczęśliwa, że człowiek musi szukać swego losu i takie tam ble, ble. Zakończył jednak jakoś tak, że jak to się robi kosztem czyjegoś życia, szczęścia, to źle, ale ty tak właśnie zrobiłaś. Odeszłaś od nas i koniec. Powiedział KONIEC w taki sposób, że mi ciarki przeszły. Zupełnie poważnie powiedział mi wtedy: „Nigdy więcej nie rozmawiajmy o mamie. NIGDY, rozumiesz? Ani tobie, ani mnie nie jest to potrzebne. Damy sobie radę bez niej, a ona sama wybrała".

— Taki rodzaj szantażu, ale rozumiem go…

— Mamo, ponieważ on jakoś wtedy odsunął druhnę od nas, zbliżyliśmy się. Byłam już duża. Byliśmy kumplami, a on zaczął traktować mnie inaczej, niżby chciała druhna Anna. Chodziliśmy do kina na komedie, kupował mi duperele, dawał kasę na fanaberie, czyli na przykład na kiecki, kolorowe opaski na włosy… Rozpieszczał i kupował mnie, po prostu. Lubiliśmy chodzić razem na śledzika, do „Samsona"… Chciał mnie mieć w swojej drużynie. I miał. Wszystko dookoła mówiło mi, że nas porzuciłaś, bo tak chciałaś. Przyjęłam to, bo tak było wygodniej.

— Skończmy, Gosiu. Wystarczy na dziś. Pocałuj mnie na dobranoc. Dajmy się tematom przetrawić.

— Dobrze, mamo Basiu. Buziak. Śpij dobrze.

Objęłyśmy się i poszłam do łazienki. W pokoju poczułam zmęczenie. Rozziewałam się, a łóżko ciągnęło i mamiło. Było chłodno, ale przyjemnie. Zasnęłam bardzo zmęczona.

Obudziłam się nad ranem. Było ciemno, cicho i ciepło. Szósta! Nigdy nie budziłam się o tej porze taka wyspana. Zapaliłam lampkę i wyjęłam spod poduszki zawiniątko od mamy. Listy. O mój Boże! Wszystkie do mnie! Niektóre nawet nierozpieczętowane.

Wzięłam pierwszy, rozcięty czymś ostrym.

Kochana Gosieńko!
Nie ma mnie przy tobie, moja Gwiazdko. Tak ułożył się los i tato z pewnością wytłumaczył ci to.
Masz wspaniałego, kochającego tatę, ciocię Wiesię, babcię Eleonorę i myślę, że oni bardzo Cię kochając, zaopiekują się Tobą najlepiej, jak można.
Obok mnie nie ma, ale jestem zawsze. ZAWSZE obok Ciebie. Jak duszek.
Moje myśli są pełne troski i serdeczności. Może zechcesz zrozumieć, że na razie nie możemy być razem i będziemy do siebie pisały?
Całuję Twojego kochanego buziaka. Pisz o wszystkim! Świat jest taki ciekawy!

Twoja mama

List był pięknie napisany, ozdobiony rysunkiem słoneczka i chmurek. Inne były rozklejane nad parą. Widać to było po fałdkach na klejowym pasku. Dużo — całkiem nietkniętych. Zwrócone nadawczyni.

Zaczęłam je wszystkie otwierać pilniczkiem i czytać. Tymi listami mama stukała do zamkniętych drzwi. Sądziła, że się dąsam, gniewam. Przepraszała, tłumaczyła, prosiła o mały liścik…

Beczałam nad nimi. Nad sobą i mamą. Ktoś za mnie zadecydował, że nie dałam mamie żadnej szansy. Ktoś w moim imieniu odrzucał ją i jej prośby. Ktoś manipulował moim i jej życiem! Kto?! Ojciec?! Druhna Anna?! Oni razem, w spisku?!

Szlag! Szlag!

Komu mam wypruć flaki za moją tęsknotę? Komu dać w pysk za to, że mama nie mogła się do mnie zbliżyć, nawet listownie?

90

Poznaję okolicę i kilka miłych osób

Na śniadanie znów pochłaniałam niezdrowe i tuczące paskudztwa. Jajka od grzebiącej kury są jednak najlepsze! Maminy dżem z truskawek, bułeczki i tym razem kakao.

Jadłyśmy, gawędząc, spóźnione śniadanie. Ja opowiadałam o Marysi, pokazywałam zdjęcia, napomknęłam co nieco o Konradzie i jego rodzicach.

— Mnóstwo wyjdzie nam w rozmowach. Teraz trudno mi tak, wszystko, do cna.

— Wcale tego nie oczekuję. Wiesz? To miło zabrzmiało: w rozmowach. Pobędziesz jeszcze trochę?

— Tak, parę dni…

— Wzięłaś wolne czy masz urlop? — spytał Gnom, wstając z naczyniami.

— Opowiem ci w samochodzie. To co? Plan? Żywioł?

— Zaplanowany żywioł. Najpierw Kaśka. To jasne. A potem… Coś tam wyjdzie.

Droga była ładnie odśnieżona. Ktoś przejechał całą „spychem", od wnętrza lasu aż do szosy. Białe przestrzenie zachwycały mnie, tak jak w górach. To rozlewisko z zamarzniętą taflą, suchymi trzcinami… Zupełnie jak na obrazach malarza Porwasza, z książki Nienackiego. Ślady zwierzaka, który dokądś biegł, ściana lasu kryjącego tajemnice… Tak sobie myślałam, patrząc na to, co było za oknami samochodu. Tyle przestrzeni! Taki spokój! Koniecznie muszę iść na spacer. Poczuć to, odetchnąć tym, co otacza mnie teraz. Tak fantastycznie statycznej natury nie widziałam od lat. Mijałyśmy mnóstwo takich pejzaży. Mazury takie są. Pofałdowane ciekawie, z krętymi drogami i mnóstwem jezior, oczek wodnych, stawów. Lasy są pięknie wkomponowane w uprawne pola, na których pozostawiono kępy starych drzew. Na zachodzie tak nie ma. Wycina się wszystko, co przeszkadza w uprawie. Tu, pośrodku pól, jest mnóstwo zadrzewionych kawałków. Dzięki temu krajobraz jest ładniejszy.

Kaśka dzieliła pokój ze starszą panią. Widać było, że są już zakumplowane.

— Basiu! Basiu! Mam panią koleżankę! — buczała Kaśka.

Czuła się lepiej. Pokazywała palcem na staruszkę o pomarszczonej, ale bardzo miłej twarzy. Pani była emerytowaną nauczycielką. Z troską odnosiła się do Kasi i pogodnie do nas. Mnie Kaśka pozdrowiła nieśmiałym spojrzeniem. Chyba ciągle jeszcze nie mogła się do mnie przyzwyczaić. Spoglądała na mnie badawczo, tak spod brwi. Śmiesznie.

Dobrzała, więc tylko umyłyśmy ją, uczesały i pogadały z obydwiema o głupstwach.

— Cieszę się — powiedziała mama z westchnieniem, gdy już wyszłyśmy ze szpitala — że ona tak dobrze to znosi. Trochę się bałam, że będą fanaberie, lęk. Dokąd teraz?

— Nie wiem, wymyśl coś.

— Pojedźmy do domu, ubierzemy się inaczej i pójdziemy na spacer do lasu. Kiedy ostatnio byłaś na zimowym spacerze?

— Jak jechałam do ciebie, sikałam w lesie w śnieg. Strasznie mnie to ubawiło.

— Czemu?

— Bo ja jestem dziecko cywilizacji!

— Jedziemy.

W drodze opowiadałam mamie o różnych domowych historiach. O Marysi — o niej mogłam nieskończenie. Mama była wdzięcznym słuchaczem. W końcu dość niespodziewanie zjawiła się w jej życiu córka i wnuczka.

Zrobiło się naprawdę ładnie, więc ubrałyśmy się ciepło i poszłyśmy w stronę lasu. Funio szalał z radości, więc cyknęłam mu parę zdjęć na śniegu. Minął nas stary Piernacki na swojej bryczce.

— A! Dzień dobry paniom! A kogóż to pani Basia gości u siebie?

— To moja córka, panie Piernacki. Poznajcie się!

Stary zdjął czapkę z głowy i ukłonił się z uśmiechem.

— Ładna! A może, pani Basiu, na wydaniu? Może chciałaby mnie, co? Ha! Ha! Ha! O, konika mam ładnego, robotny jestem i emeryturka niczego sobie! Co?

— Oj, Piernasiu! — zawołała mama. — Moja córka to feministka, sama sobie chłopów bierze! Tak, Gosiu?

— Pan przyjdzie po południu — powiedziałam poważnie. — Proszę przynieść kartę zdrowia, wyciąg z konta i trzy zdjęcia. Jedno może być rentgenowskie.

— O! Cięta w języku jak nieboszczka pani Bronia! Ho, ho! Fajna z pani kobitka. A imię jak, jeśli można?

— Małgosia.

— A ja Henryk. Miło było poznać, pani Gosiu. To co, kobitki? Podwieźć do tartaku, do leśniczówki może?

— Nie, panie Henryku. Powiedziałam, idziemy na spacer.

— Boicie się, co? Że taki ze mnie Banderas?! Wio! Malutka! Kobitki mnie się boją! Żegnam uprzejmie!

I pomachał nam czapą.

— Cudny! — powiedziałam do mamy.

— Widzisz? Robisz wrażenie. Miałabyś męża, konia, sanie i bryczkę!

Szłyśmy polną drogą do rozwidlenia, a potem skręciłyśmy w mniej „chodzoną" dróżkę, biegnącą skrótem do lasu. Piernacki właśnie wjeżdżał w las, pobrzękując dzwoneczkami swojego zaprzęgu.

— Masz tu piękne tereny, mamo.

— Dalej od miasta, ale piękniej. Zobacz, tam, pod krzakiem siedzą kuropatwy! A tam dalej zobaczysz, będzie mnóstwo śladów saren. Co z twoją pracą, Małgoś? Miałaś mi powiedzieć.

— Właśnie mnie wywalili, bo jestem stara i się nie nadaję.

— Byłaś modelką? — zażartowała. — Opowiadaj.

— To taka branża, mamo. Żeby robić w reklamie, trzeba być młodym i mieć świeże podejście. Inaczej: nie mieć zahamowań, skrupułów, nadążać za trendami… Ja zostałam inaczej wychowana. Teraz właśnie od paru lat wyłazi ze mnie dobrze wychowana dziumdzia, która nie pasuje do tego wizerunku. Coraz więcej rzeczy mnie wkurza, mam wymagania co do uczciwości, kultury, zachowań. Nie umiem iść na tak dalekie kompromisy, że jak klient płaci, to może narzygać ci do kieszeni, a ty się cieszysz, bo wystawisz mu soczystą fakturę. Kasa, za wszelką cenę. Nie wiem, może gdybym była właścicielem takiej Agencji, też walczyłabym o każdy grosz?

— Takie czasy, Gosiu. Czytujesz Lema?

— Nie, mamo. Akurat Lema — nie.

— A wiesz, córko (jakie to ładne — „córko"), że ten dziad ma tak fenomenalnie „umeblowaną" głowę, że jego publikacje, teraz już takie filozofujące, dają mi dużą dawkę spokoju. On ma rację. Nie przebijesz głową muru, to nie bij! Znajdź sobie swoją niszę. Rób to, co lubisz i co cię satysfakcjonuje. Odnajdziesz szczęście.

— Brzmi to jak wykład z sintoizmu? Ja wiem? Buddyzmu?

— A może to prawda uniwersalna?

— Może. Ale ja nie wiem, gdzie taką niszę znaleźć! Byłam już w tylu miejscach! Wszędzie nic…

— Może tu, u nas?

— W Pasymiu? Dźwierzutach? Szczytnie?

— Pomyśl, nie zarzekaj się. Tu jest mnóstwo do zrobienia. Bronia zaczęła, ja się starałam i ty pomóż. Znalazłabyś niszę dla siebie. Jestem pewna.

— A jak nie?

— To wydamy cię za Piernackiego!

— Mamo!

Las otworzył się przed nami, jakby nie był nigdy zamknięty. Droga szeroka, a drzewa — wysokie sosny po bokach — tworzyły jakby wrota. Ciężko było iść zaśnieżoną ścieżką, więc poszłyśmy dalej odśnieżoną aleją, po której właśnie przejechał Piernacki. Funio hasał po śniegu i co rusz wsadzał nos w jakąś jamkę. Zapach śpiącego zwierzaczka nęcił go i Funio pokazywał nam, że jest gotów przynieść nam go w zębach. Oczywiście, gdyby mu się chciało!

Przystanęłam. Ta cisza mnie urzeka. Nie ma wiatru. Nic się nie porusza. Śnieg leży cicho i ta cisza aż dzwoni w uszach takiego mieszczucha, jak ja.

— Ale tu pięknie!

— Prawda? — pyta retorycznie Gnom. — Nie muszę chodzić do kościoła, by poczuć Boga i jego dobroć.

— Mnie pobyt tu, u ciebie, ten spacer, daje więcej niż terapeuta.

— Chodziłaś?

— Nie. Czułam, że jestem blisko ześwirowania. Byłam załamana, rozmamłana psychicznie i wówczas mama… sorry, teściowa powiedziała, że muszę cię znaleźć. Zacząć rozmawiać, dowiedzieć się i od tego zacząć porządki w głowie.

— Nie „sorruj". Teściowa nazywana „mamą" to coś więcej niż teściowa. Widocznie to mądra kobieta.

— Wiesz, inna niż ty. Może nie taka… ciepła, ale życiowa. Taka dyskretna, ale jak trzeba, to walnie, co ma na sercu. Lepsze feng–shui miałam z teściem. On mnie rozumiał i rozpieszczał. Był staroświecki.

— Czym się zajmował?

— Miał taki warsztat, w którym budowniczowie Zamku Królewskiego zamawiali sztukaterie i robił też złote ramy do obrazów starą metodą. Słuchaj, był urokliwy! Miał staroświeckie maniery, rozległą wiedzę, zainteresowania sobie niewspółczesne. Jak mama złościła się na niego, to wyzywała go od „pięknoduchów".

Zabrnęłyśmy daleko od „wejścia" i las się zmienił. Po obu stronach drogi rosły zagajniki.

— Tutaj pod choinkami, bo jestem kurduplem, zbieram latem maślaki — objaśniła mama. — Tam, za zakrętem, zobaczysz las bardziej liściasty. Zawsze kryje w poszyciu jakieś koźlaki, prawdziwki. Słabo się znam na grzybach. Tyle, żeby Kaśce w koszyku zrobić kipisz. Bo ona zbiera wszystko, jak leci. Zajdziemy do tartaku. Poznasz moich sąsiadów. Mamę Czarka, jego siostry, jak będą, i tatę. Mili są.

Zamilkłyśmy na trochę. Cisza leśna była cudowna. Tak się relaksowałam, jak rzadko. Funio też zmęczył się chyba i szedł obok nas spokojnym truchtem.

Czasem w koronach trzepotało się coś ptasiego, wtedy śnieg z gałęzi spadał na dół obficiej.

W oddali zobaczyłam już polanę i usłyszałam maszyny. Cięły coś równo swoim rytmem.

— No, to dochodzimy do tartaku — powiedziała mama.

Mama Czarka była mocno starszą panią, pulchną i serdeczną. Zaraz zrobiła w dzbanku herbaty, wcisnęła cytrynę i bez pytania osłodziła. Ze starego kredensu wyjęła bułki i miskę powideł.

— Zjedzcie, pani Basiu i…

— Ja jestem córką. Mam na imię Małgosia, miło mi.

— O Matko Święta! Córka? Pani Basiu, to ta, co pani mówiła?

— Tak. — Gnom uśmiechnął się ślicznie.

— Matko Boska! A pani wie, jak my tu wszyscy czekali z paniom Basiom na panią! Jejku, jaka radość! Ja zaraz męża zawołam, bo też zobaczyć by chciał! O! Właśnie idzie!

Wszedł tęgawy, duży chłop, zdejmując czapkę.

— Powitać! Pani Basiu! Córkie, słyszałem, pani przyprowadziła?

— A skąd pan wie, że córkę?

— Toć stary Piernacki dopiero co nowość roznosi! Witam panią! — Ucałował mnie w rękę. Widać „nowe" jeszcze tu nie przyszło i mężczyźni wciąż całują kobiety w rękę.

Rozmowa przy bułkach i słodkiej herbacie miała charakter grzecznościowy, ale bardzo bezpośredni. Byli bardzo mili i ciekawi wszystkiego. Obiecałyśmy, że urządzimy kiedyś wieczór towarzyski, a teraz pospacerujemy jeszcze.

— Do leśniczówki też? — spytała mama Czarka z uśmiechem.

— Ano! — powiedział Gnom, wkładając czapkę.

— Do zobaczenia!

Wszyscy wycałowali wszystkich. Z dubeltówki, jak rodzinę.

— Takie tu są obyczaje, Gosiu. Jako moja córka wytęskniona (bo oni znają całą historię), jesteś „swoja"!

Znów szłyśmy lasem, ale pogoda już była inna. Zrobiło się szaro i zimniej niż dotąd.

— Wracajmy. Jakoś nieprzyjemnie się robi. — Mama badawczo patrzyła na niebo, wyzierające buro ponad gałęziami.

— No. Chłodno jakoś. Wracamy!

Funiowi było wszystko jedno. Najważniejsze, że mógł sobie poszaleć, wywąchać te wszystkie norkowe zapachy.

— W Warszawie, mamo, nie ma takich klimatów. Owszem, spotykam tu i ówdzie (w centrach handlowych) znajomych, ale już nikt z nikim tak szczerze się nie wita, nie czuje się takiej... więzi. Fajni ci ludzie.

— Zobaczysz, jak spotkamy się na „wizycie"! To dopiero są klimaty! Przywieź tu Marysię. Może jej się spodoba?

— Teraz to ona bez tego swojego Kuby nie zechce się ruszyć.

— Znasz go? Fajny jakiś?

— Nie zdążyłam. Chyba fajny, skoro go wybrała.

— To niech tu zjadą razem — powiedziała z diablim uśmieszkiem. — Sprawdzimy, co za jeden i czy fajny. Tak?

— A jak będzie do bani?

— To go zamienimy w żabę i niech szuka frajerki!

Funio rozszczekał się ostro. Jakby zrozumiał? Nie! Stałyśmy oko w oko z warchlakami. Młode, rude, świniowate głupole stały naprzeciw nas, durnowate. Trzepotały jasnymi rzęsami i kiwały główinami, nie rozumiejąc, kim jesteśmy.

— O, kochana! — trwożliwie powiedziała mama. — Spadajmy stąd szybko, bo ich mamcia może nas źle zrozumieć, a ja nie umiem wspinać się po drzewach!

Wzięłyśmy Funia w garść i szybko poszłyśmy przed siebie. Oglądałyśmy się cały czas, czy aby nie szarżuje na nas locha. Ale jakoś nie. Pewnie nie bardzo jej się chciało. Funio, wzięty na ręce, był zły i obraził się na nas. Taka atrakcja! Warchlaki! A my uciekamy, jak jakieś niedojdy, mając jego! Takiego obrońcę! Mimo wszystko dość realnie poczułam, że to nie warszawska ulica. A może lepiej spotkać tu lochę niż w stolicy kieszonkowca? Albo tych, co zwijają torebki z samochodów, na światłach? Tak, chyba wolę lochę. Moralnie jest przynajmniej czysta. Broni swoich bachorów, a nie kradnie mi tego, co moje.

Podzieliłam się z mamą moimi myślami.

— Nie spotkałam jeszcze lochy, tak oko w oko. Znajomy leśnik mi opowiadał, że na ogół nic takiego się nie dzieje, ale jak są młode, może jej odbić — powiedziała.

— Co wtedy? Zeżre? Skopie? Pogryzie?

— Poturbuje. Czasem mocno, ale to takie wyjątki, że aż o nich nie słyszałam. A ci kieszonkowcy, złodzieje torebek to duży problem w Warszawie?

— Miałam takie zdarzenie. Rozcięcie torebki w tramwaju lub na Stadionie Dziesięciolecia to „małe miki". Jestem ruchliwa i w obu przypadkach przeciął, ale nie dał rady nic świsnąć ze środka. Natomiast kiedyś musiałam być czymś mocno zaprzątnięta, bo na ogół tak nie robię. Położyłam torebkę obok siebie, po tym, jak

wsiadłam do samochodu. Usłyszałam tylko otwarcie i trzaśnięcie drzwi. Zobaczyłam uciekającą sylwetkę. Wiesz? Wydałam z siebie taki dziwny dźwięk. Krótki
skowyt? Okrzyk? On już był w bramie. Całe szczęście, że komórkę mam zawsze
w kieszeni. Zablokowałam karty kredytowe i zadzwoniłam po bezradną policję.
Dopiero po tym wszystkim poczułam… Jak to nazwać? Skowyt duszy. Nie wiem
jak ty, mamo, ale ja w torebce, jak Mama Muminka, mam wszystko. Całe swoje
życie. Szlag z forsą! Najgorsze jest odnawianie wszystkich dokumentów, bo to kosztuje czasu. A rzeczy nie do odtworzenia? Podarowane, ukochane perfumy, okulary
zapasowe, wizytownik. Wizytówki! Ty wiesz, co to za skarb? Notatnik telefoniczny.
Na szczęście mam duplikat w domu. Koleżanka mnie nauczyła. Ostatnie wyniki
mammografii i deklaracja oddania moich narządów do przeszczepu, jakby co. Aha!
I jeszcze karta dawcy szpiku, książeczka krwiodawcy, bo kiedyś byłam… Skarpetka
do mierzenia butów w lecie… Takie tam, no wiesz. Same ważne.

— Kiedyś był kodeks honorowy. Wziął forsę, ale te tam, rzeczy, oddałby.
A teraz?

— Teraz? Spali albo sprzeda wszystko za grosze. Kutasy durne! Nie goni nas?
— Trwożliwie spojrzałam za siebie.

Lochy nie było i, szczerze mówiąc, poczułam się ciut rozczarowana. Takie
byłyby emocje!

W domu rozluźniłyśmy się nieco. Mama napaliła w piecu, wstawiła wodę,
a ja przypomniałam sobie o odruchu Pawłowa.

— Mamo, mogę zajrzeć do mojej skrzynki e–mailowej?

— Proszę, kochanie! Jasne!

Widziałam przelotnie mamy pokój, jak pokazywała mi dom. Taki ciepły,
maminy, z mnóstwem fotografii na ścianach. W dość ciemnym kącie stał sobie
komputer, wcale nie „na korbę". Dość nowy model, średnia klasa. O, i drukarka
jest.

W poczcie — same duperele. Jakieś dowcipy od kolegi z telewizyjnego biura
reklamy, kilka pozdrowień, spamy… Nic… nic… O! Moje wydawnictwo. Przypomina, że od stycznia możemy wznowić współpracę. OK. Wszystko. Skasowa-
łam, wylogowałam się i poczułam się dziwnie.

Nie wrócę do firmy. Nie jestem potrzebna. I co? Tak już do końca życia?
Znów mną szarpnęło, do oczu napłynęły łzy i poryczałam się. Miałam taki napęd
życiowy! Taka byłam potrzebna! Co ja teraz zrobię ze sobą?! Nikt nigdzie mnie
nie chce. Rynek jest nasycony. Młodzieży po szkołach, jak ulęgałek. Wszystko
to dzieci cywilizacji i sukcesu i w wyścigu szczurów zaprawieni. A ja? Smętna
idiotka.

Weszła mama.

— Co się stało, Goniu?

— Czuję się okropnie. Taka wyautowana.

— Moja maleńka — powiedziała i przytuliła mnie.

Czułam, jak mnie głaszcze po głowie i ryczałam w najlepsze, bo strasznie chciało mi się beczeć i beczeć, i żeby mama mnie pocieszała.

— Ale ty masz taki, Gosiu, potencjał w sobie, że wystarczy trochę pomyśleć i znajdziesz swoje miejsce! Rób to, co chcesz robić!

Fakt. Przecież obiecałam sobie, że będę robiła coś mądrego, ciekawego i potrzebnego. Już nic na siłę. Nie wiem jeszcze co, ale na pewno nic związanego z reklamą.

Obiad robiłyśmy sennie i milcząco. Ciśnienie spadło i było już ciemno. Niebo się rozgwieździło.

— Nie lubię grudnia, przez te krótkie dni! — powiedziała mama gniewnie. — Mam gorszy wzrok, a te wieczne ciemności są dołujące! No i Kaśki nie ma…

— Wybacz, że wrócę do naszej rozmowy, mamo. Czy mogłabym przyjechać tu jak tylko jakoś… Jak uporządkuję bieżące sprawy w Warszawie?

— Pewnie! Bardzo mi na tym zależy. Udałaś się, Gonisiu! (Tak mówiła mama na mnie w dzieciństwie!) Wiesz, była we mnie obawa, jaka jesteś. Czy złapiemy wspólny język, jak ukształtowało cię życie. Mogłaś przecież być jakąś pańcią z pretensjami czy coś…

— Po takich rodzicach? Po pracy druhny Ani? Po genach babci Broni? Ano tak! Świetna jestem, mamo! Pojadę do Warszawy. Zrobię im te nudne święta, „pozamiatam" po sobie i przyjadę. Dam ci znać. Bardzo chcę tu wrócić i pomyśleć. Tu się dobrze myśli.

— Zrobię sos do sałatki i otworzę buraczki. Naturalnie, że wracaj! Jeśli to nie koliduje z twoim życiem, pracą… Po co masz tam tkwić w stresie? Masz, Funiu, ochłapek i idź, zawołaj Blankę. Idź!

Nachyliła się śmiesznie nad psem. Śmieszny Gnom.

Znów byłyśmy w oborze u Buśki, tym razem dała się pogłaskać w czasie dojenia. Lubiła czochranie między rogami, nadstawiała wielki łeb i spoglądała na mnie badawczo ogromnymi oczami.

— Muszę jutro wywalić gnój — powiedziała mama zwyczajnie, jakby nigdy nic.

Wyobraziłam sobie cipcie z mojej agencji, gdyby to usłyszały. Jakie byłoby marszczenie nosa i wzdryganie się! A dla mamy i Kaśki to taka zwyczajna czynność, jak dla wszystkich tu.

— Pomogę ci, tylko nie mam gumiaków.

— Kaśkowe będą za duże… — Zasępiła się.

— Poradzimy sobie! Muszę tu u ciebie mieć swoje, więc kupię gumiaki i szczoteczkę do zębów, żeby już tu były! O, a kiedy odbieramy Kaśkę?

— Podobno mogłabym jutro.

— To wywalmy gnój dzisiaj, a jutro przywieziemy Kaśkę i po południu pojadę.

Właśnie w tej chwili Buśka z niezmąconym spokojem zrobiła wielką, plackatą, zieloną kupę. Zemdliło mnie, ale jestem dzielna, więc tylko roześmiałam się, choć nie byłam taka pewna, że sobie z tym gnojem poradzę.

Kaśki gumiaki spadały mi z pięt, widły nie układały się w dłoni, ale byłam zaciekła i nie dałam się! Gnój był na kupie, Buśka ma świeżo podścieloną słomę, napojona i nawet wyszczotkowana! Byłyśmy z siebie dumne. A ja to już jak paw!

Po takiej pracy obiad bardzo mi smakował i znów jadłam rzeczy tuczące, niezdrowe i pyszne. Te wszystkie diety, wyliczanki kaloryczne i zdrowe jedzenie wydało mi się nagle jedną wielka bzdurą. Po wywalaniu gnoju, po szczotkowaniu Buśki, po myciu jej cycków wodą z mydłem i odkażaczem, najlepszy był mielony, ziemniaki z surówką i buraczki mojej mamy, a nie żadne tam sałaty, makarony ryżowe i serki tofu. Nie, żebym specjalnie jadała takie bzdetki, ale dziewczyny z firmy, mające rozmiar 36, takie właśnie wspaniałości zamawiały w firmie cateringowej. To już lepiej jeść styropian.

Pod wieczór postanowiłyśmy leniuchować w salonie. Naniosłyśmy mnóstwo drewna pod piec w drugiej części domu, otworzyłyśmy wielki szyber i rozhajcowałyśmy ogień. Mama mi mówiła, co mam robić, a mnie bawiło to rozpalanie, jakbym znów była harcerką. Potem włożyłyśmy do pieca kostki sprasowanych trocin i wróciłyśmy do kuchni.

— Wiesz, mamo, chyba umiałabym załapać jakoś te rytmy.

— Jakie?

— No, palenie w piecu, noszenie drewna, gnój w oborze. To wszystko jest takie potrzebne, prawdziwe, konieczne, logiczne, że aż przyjemnie się to robi.

— A to takie zwykłe życie, prawda? Kampania reklamowa nowego proszku wydaje się przy tym nieistotna, głupia. Wiesz co? Może tak Marysia, ty, Kuba i kogo tam jeszcze chcesz, przyjechalibyście na Wielkanoc? Dowiedz się, ile przerwy ma Marysia i już! Przyjeżdżajcie. Miejsc sypialnych mam dużo.

Wracałam do Warszawy pełna przeżyć i nowych planów. Tak, Wielkanoc tu, u mamy, to niezły pomysł. Co na to Konrad? Marysia? Teściowa? Wszystko nakładało mi się w jeden wielki bałagan. To było takie przyjemne! Mam nowe pomysły i plany i wszystko do poukładania!

Jechałam już o zmroku. W radiu znów coś przyjemnie grało, a ja myślałam i myślałam. Zupełnie nie zauważyłam, kiedy byłam pod domem.

Piwo, parówki i Kuba, i świąteczna paranoja

W domu przyglądano mi się badawczo. Nie stwierdzono oznak poprzedniego załamania. Byłam zadowolona i pełna wrażeń.

— Mamcik, o dwudziestej mniej więcej wpadnie Kuba. Nie będzie ci to przeszkadzało?

— Co ty, Mania! Jest mnie tak samo ciekaw, jak ja jego. Wszyscy, i ty, i babcia, i tato, znacie go już dobrze, a ja tylko tak sobie.

— Ale ja chciałam też usłyszeć o twojej wyprawie.

— No to co? Myślisz, że Kuba umrze z nudów?

— Nie, to dziwak. Sama zobaczysz. Lubi rodzinne opowiastki, tajemnice. Czyta biografie różnych starych ludzi. Sama mówiłaś, że biografie czyta się po pięćdziesiątce!

— To może on ma pięćdziesiąt, tylko tak młodo wygląda?

— Mamo!

Zrobiliśmy kolację we trójkę. Mama Zosia, Konrad i ja. Chciałam, żeby było jakoś tak uroczyściej, rodzinnie. Muszę im opowiedzieć o mamie Basi, Kaśce, wszystkim. To dla mnie, dla nas ważne. Tak czułam.

Zrobiliśmy bardzo klasyczną kolację: jajka w majonezie z groszkiem, parówki na gorąco z chrzanem (teściowa uniosła brwi, ale bez komentarza), śledzia w oliwie z cebulką. Kupiłam na stacji benzynowej piwo i białe wino. Konrad uwijał się, przepasany fartuchem i kroił drobno cebulę. Mama siedziała z kieliszkiem wina i patrzyła. Źle się czuła. Ma ostatnio problemy z sercem, ciśnieniem.

— Wybaczcie mi te parówki, ale tak mi tam zasmakowały. Cały szpital nimi pachniał, a ja miałam ślinotok. Nie są odtłuszczone ani cielęce, wybacz, mamo, ale poprosiłam Marysię, żeby takie właśnie „przedwojenne" kupiła.

— A gdzież ona trafi przedwojenne? — spytała teściowa z zadumą i chyba melancholią.

— Na naszym, mamo, bazarku. Jest tam taka buda (oby trwała wiecznie), w której są wędliny „prosto z wojska". Pamiętasz? Jest tam, od kiedy pamiętam.

Mają pyszne kaszanki, parówki, kiełbasę taką zwykłą. Tam jest taki szyld: „Wędliny z wojskowej kantyny", a Marysi, jak była mała, pomerdało się i mówiła: „Wędliny z wojskowej latryny".

— No, świetna reklama — powiedziała moja teściowa, bez cienia uśmiechu.

Nie, żeby była gburowata, ale ona tak ma. Jej poczucie humoru polega właśnie na „minie pokerzysty". Zawsze taka była i zdarzało jej się coś tak skomentować, że wszyscy padali ze śmiechu, a ona, jak Mary Poppins, zachowywała spokój. O, tak, Mary Poppins! No, jasne! Mama Zosia, to Mary na emeryturze. Że też wcześniej mi się tak nie skojarzyła!

Konrad polewał jajka majonezem i gwizdał jakąś melodię.

— Dawno już nie gwizdałeś.

W odpowiedzi uśmiechnął się tylko.

Kuba przyszedł punktualnie. Dla każdej z nas miał różę. Każda innego koloru.

— Cześć — podałam mu rękę, gdy już powitał Marysię i ucałował dłoń mamy. Trzeba przyznać, że kindersztubę to chłopak ma!

Początkowo było troszkę drętwo, choć widziałam, że swobodniej mu się rozmawia z Konradem i mamą. No tak. Ja byłam „wielka nieobecna". Najpierw zajęta moim wylaniem z pracy, potem ronieniem łez, a teraz wyjazdem do mamy Basi.

— A piwo? — zawołałam, jak Konrad nalewał Marysi wina. — Kuba, może napijesz się piwa?

— Najchętniej, jeśli można, bo ja, jeśli wino, to raczej czerwone. A piwo to tak... Jak wszyscy teraz.

— ...bo będą gorące parówki — powiedziała Mania z lisią minką. — Ostatnia miłość kulinarna mojej mamy!

— A, oczywiście! Do parówek piwo poproszę! — kontynuował Kuba.

Spodobała mi się bardzo jego swoboda. Miał takt i nikogo nie udawał. Chyba. A może za wcześnie na oceny?

Kiedy zaczęłam im zdawać relację ze spotkania z mamą Basią, Kuba słuchał z niekłamanym zainteresowaniem.

Marysia z Kubą poszli pozmywać po kolacji. Mama położyła się wcześniej spać, bo kiepsko się czuła. Ja z Konradem siedzieliśmy w saloniku. Wieczór był udany jak nigdy dotąd. No, jak dawno. Konrad był refleksyjny i milczący, choć miły. Znam go. Wyczuwałam napięcie.

— Chcesz mi coś powiedzieć? — spytałam.

— Nie wiem, jakoś nie umiem pozbierać myśli. Cieszę się, że wróciłaś w tak dobrej kondycji. — Zmienił temat. — Na dobre ci wyszedł ten wyjazd. Bałem się, że mogłaś wpaść w jeszcze większy dół.

— Mama Zosia miała dobry pomysł.

— Czemu zaczęłaś nagle mówić: „mama Zosia"? „Mama Basia"?

— Bo wszystkieśmy mamy. Wiesz? Świat jest pełen mam. Trzeba je porozróżniać. Tam spotkałam tyle kobiet. Na wsi to one są wciąż ważniejsze, choć mniej doceniane.

— Co masz na myśli, Gosiu?

— Tu, w miastach, mężczyźni są na eksponowanych stanowiskach. Jest was wielu. Mnóstwo facetów i kobiety w tle. Jednak, Konrad, w tle. Tam też w urzędach i na ulicach widać chłopów, ale to kobiety nadają życiu bardzo widoczny, biologiczny rytm. To one cicho, ale skutecznie, opanowały te wszystkie biologiczno–hodowlane aspekty życia. W miastach się tego nie czuje. Nie umiem lepiej tego wytłumaczyć, ale świat, teraz to widzę, pełen jest mam. Nas.

— Zebrało ci się na filozofię. — Uśmiechnął się smutno.

— Czy ja wiem? Coś mi się w środku zmienia. Położę się. Dobranoc.

— Pa.

Poszłam spać. Nie wiem, kiedy Kuba pojechał do domu.

Poszłam z Marysią na zakupy. Pojechałam. Tak, my już prawie nie chodzimy. Chodzi się po centrum handlowym, po mieszkaniu, po firmie… Marysia jeszcze korzysta z nóg i środków miejskiej lokomocji. Naturalnie ma swoje sposoby na kieszonkowców, wie, co jej grozi, i nie prowokuje losu.

— To jakaś paranoja! — mówiłam do Konrada. — Myśmy w ogóle nie myśleli, że trzeba inaczej nosić dokumenty, inaczej forsę, inaczej karty płatnicze, a inaczej komórkę. Że po południu dziewczyna samotnie chodząca po mieście ubiera się „okropnie klocowato" (to nazewnictwo Marysi), żeby nie prowokować agresywnych chłystków.

— Takie czasy — mówił spokojnie Konrad, trochę zły, że burzę mu jego wewnętrzny spokój.

— Nie można wszystkiego tłumaczyć… Odłóż tę gazetę! Pogadajmy! To przecież dotyczy twojej córki!

Żałowałam, że w ogóle zaczęłam.

Tak więc nazajutrz pojechałyśmy do centrum, zaparkowałyśmy w podziemiach samochód i zanotowałyśmy numer postoju, bo już raz krążyłyśmy jak te głupie w poszukiwaniu auta. Wyszłyśmy innym wejściem czy wyjściem, i klops! Parking wielki jak boisko piłkarskie, pełniutkie samochodów. Mój był standardowy: granatowy seat toledo. No i gdzie on? Szukałyśmy z pół godziny! To był obciach, bo parkingowi czy ochroniarze, już byli bardzo nami zainteresowani.

Tak, kiedyś nawet lubiłam shopping. Teraz zmusiłam się do pójścia z Manią. Lubimy swoje towarzystwo. Lubię to, co mówi, jak reaguje, co wybiera dla najbliższych, ale reszta... Otacza nas sama reklama. Wszystko, od wystaw, przez świąteczne obniżki, po muzykę lecącą w sklepach (w każdym inną) woła do mojego portfela. Jestem frajerem, na którego się poluje, do którego modlą się ceny, kolory, ekspedientki. Mam wyłożyć kasę, kupić i spadać.

— Mania, proszę cię. Walnę lufę i jakoś to przeżyję. Dobrze?

Mańka zaśmiewa się i mówi do mnie:

— Dobrze, chodź menelu na jednego.

W małym bistro wypijam dwudziestkę piątkę koniaku. Za dwie godziny nawet śladu nie będzie po nim w moim krwiobiegu.

Ruszamy. Mija nas z pięciu Mikołajów. Stary z workiem i puszką z datkami na jakieś chore dzieci, młode Mikołajki z ulotkami czegoś tam i panna Mikołajka tylko z cukierkami, ale za to na plecach ma logo swojej firmy. Już nic świętego, magicznego nie zostało. Sam żywy marketing.

Mimo że jest przedpołudnie, w centrum są nieprzebrane tłumy. Oglądamy setki dupereli, kompletnie niepotrzebnych nikomu. Szukamy czegoś specjalnego dla naszych bliskich. W takim natłoku zupełnie nie mam pomysłu na prezenty. Mamy wszystko z rzeczy materialnych, więc nie spełniamy marzeń tak, jak to powinno być. Staramy się dla Marysi, ale sobie to już tak... Na szczęście nie koperty z forsą, jak u naszej firmowej koleżanki. Paranoja.

— Marysiu, nie masz wrażenia, że brniemy w głupotę jakąś? Masz myśl, wiedzę, co masz komu kupić?

— Średnio, mamcik. Sądziłam, że jak zobaczę, to jakoś załapię co komu. W tym roku jestem „nieprzygotowana do lekcji". Zawsze was obserwowałam i coś tam kombinowałam, a teraz klops!

— Ustalmy coś. Kupmy rzeczy niedrogie, ale cieszące obdarowanego, co?

— No, aleś się popisała! Super! A o co ci właściwie chodzi?

— Wiesz, nam, znaczy babci, mnie, ojcu to książki albo muzykę. Żadnych gadżetów, łachów, bo już rzygam ciuchami.

— No, proszę. Przesyt cywilizacyjny... Westchnęła moja Wszechwiedząca. Ty z tej wsi taka wróciłaś. Może kupić ci filcokalosze? — prychnęła.

— Tak! Tak! Mańka! Opowiem ci, jak wygarniałam z mamą gnój spod krowy!

— Już się boję.

— Mańka. Tak! Dla mnie — kalosze „gówniaki". Święty Mikołaju! Proszę!
W eleganckim centrum kaloszków gówniaków jak na lekarstwo. Za to piękna koszula dla Kuby, koncert skrzypcowy na płycie dla babci, dla Konrada *Mosty w obiektywach reporterów National Geografic*. O! Jest sklep z nalewkami. Ładne butelki, ręcznie pisane naklejki...

— Jakie „ręcznie"? Proszę pani! — tłumaczę młodej ekspedientce. — Komputerowa robota!

— O, ale przecież różne są! — laleczka pokazuje ręczne pismo, różne na dwóch butelkach.

— Bo robi się kilka plansz z jakby innym charakterem pisma. Jak pieczątki z faksymilką. Rozumie pani?

— Czym? — pyta panienka.

— Mamo, chodź, nie rób wiochy. Mama pracuje w reklamie i ma skrzywienie zawodowe! — tłumaczy Mania moje zachowanie.

— Wszystko to kłamstwo — burczę przepraszająco.

— Ty się robisz społecznie niedostosowana! — śmieje się Mania.

— No, odbija mi. Widzę to.

Zaliczyłyśmy prawie wszystkie sklepy. Nic mi nie pasowało. Trwało to wszystko trzy godziny. Kolejki, marudni kupujący, leniwie pakujące ekspedientki. Wszędzie lampki, kolędy, Mikołaje, choinki, kolędy, lampki... I tak w kółko. Aurę świąt zastąpiła aura szaleństwa wydawanej kasy.

— Wiesz, że kiedyś druhna Anna zaproponowała nam święta bez wydawania forsy? No, prawie. Sami robiliśmy prezenty. Rodzicom i babciom wybraliśmy po jednym pięknym wierszu. Musieliśmy przepisać go kaligraficznie na kartkę papieru czerpanego, który druhna załatwiła w fabryce w Kostancinie. Potem trzeba było ponaklejać suszki, ozdoby z kolorowego papieru, cekiny... Z innego kawałka druhna pokazała nam, jak zrobić kolorową okładkę. I już! Byliśmy bardzo zaangażowani w te prezenty. Mój kolega, Piotruś, pięć razy przepisywał tekst i w końcu popłakał się, bo ciągle coś mu nie wychodziło. Ostatni tekst był już, już całkiem śliczny i podpisał się „Pitruś". Zjadł literkę. Przepisałam mu w tajemnicy.

— Czemu w tajemnicy?

— Bo druhna była pryncypialna i nie pozwalała. Miał pisać aż do skutku.

— A ty byłaś dobrą koleżanką.

— Chodź, bo zacznę wrzeszczeć. Mam już kategorycznie dość. Kulinaria załatwiamy na bazarku!

— Tak! W „wojskowej latrynie"! W naszym rybnym u pani Kazi i u pana Wieśka — warzywka. Tak! Centrum — precz!

Będę musiała coś wymyślić dla Mani, dla wszystkich i sama to znaleźć... Czeka mnie jeszcze jedna wyprawa. Jak ja to zniosę?!

Wracałyśmy do domu. Opowiadała o Kubie. Co lubi, co czyta, czym się interesuje i że najbardziej kumpluje się z dziadkiem. Kocha go. To jasne! Mój Boże! Kiedy to moje dziecko tak urosło? Siedzi obok mnie zakochana kobieta.

— On, mamo, ma ten typ wrażliwości, jaki lubisz. Jest ciekawy świata i nie wstydzi się uczuć. No i słodziak jest...

— Mańka, a ty... wy... Czy wy już...? — Jakoś mi nie idzie ta indagacja.

— No, wysil się! (Podpuszcza mnie?) Mamo, nie zamierzamy jeszcze mieć dziecka. Twoje nauki nie poszły w las. Zresztą porobiliśmy sobie różne badania i Kuba też został dawcą szpiku. Spodobało mu się.

— Oj! Maniuśka! Poważnie?

Cała taka mądra. Moja Mańka.

Z tym szpikiem, to tak wyszło przy okazji. Naszej koleżanki córeczka, maleńka taka, trzylatka, okazała się dobrym dawcą dla starszego brata. Ciotecznego. Ich matki były bliźniaczkami, czy coś... Uratowała mu życie. Cała firma zabrała się wtedy za to dawstwo. Niektórzy tak dla szpanu. Inni z wewnętrznej potrzeby. Nosiliśmy w dowodach nasze karty dawców. Deklaracje przeszczepu narządów, w razie czego, też.

— Pozytywnie wykręceni. Bardzo ładnie! — pochwaliła wtedy Mania, a potem rozniosła ten pomysł w swojej szkole.

Cóż... Pozytywnie wykręcona! Po mamusi!

Na Moście Grota korek jak cholera. Wszyscy złośliwie trąbią, zajeżdżają sobie drogę. Pod kołami rozjeżdżona „glajcha". Był jakiś wypadek. Jeden pas zatkany. Wlokłyśmy się z godzinę. Jakaś paranoja!

A droga do mamy, ta koło trzech brzózek, puściutka...

Święta. Zosia odchodzi

Do świąt już bliziutko.

Dzwoniłam do mamy Basi. Kaśka już dobrze się czuje. Przyjemnie było wypytywać o nowych znajomych. Pogadałyśmy tak normalnie, jak powinnyśmy rozmawiać całe życie. Piernasio przywiózł im uhodowaną przez siebie perliczkę.

Co parę lat zmienia upodobania, opowiadała mama. Hodował już indyki, bażanty dla leśnictwa i kuropatwy, gęsi. Teraz ma i gęsi, i perliczki. „Pozytywnie wykręcony" — pomyślałam słowami Marysi i poszłam na zakupy. Nic prawie nie kupiłam, bo spacerowałam po Saskiej Kępie, rozmyślając spokojnie o życiu.

Cudowna moja Saska, z ogródkiem jordanowskim! Walecznych — taka swoja, ze sklepikami i starymi krzewami. Niekłańska — szpitalna i ciut nerwowa, ze starymi willami. Niektóre ładne, inne brzydkie, jak nasza. Taka „prywatna" Londyńska, Angorska z podwóreczkami… A teraz Waszyngtona. Bez charakteru. Oddała się nowoczesnej manierze.

Nie lubię miasta coraz bardziej.

Mama powiedziała, że u niej, tam, koło Pasymia, znalazłabym sobie mój świat? Czy to możliwe? „Starych drzew się nie przesadza". Czy ja jestem starym drzewem? Czy można jeszcze przesadzić mnie na nowe miejsce, żebym nie zmarniała tu, w mieście, którego już nie akceptuję?

Dawno tak nie spacerowałam. „Przyrosła dupa do samochodu" — pomyślałam szczerze.

Po południu poszłyśmy z Marysią na bazarek.

— Z babcią coś kiepsko, prawda?

— Pytałam, Maniu, ale ona, wiesz, z tych twardych. Może ty ją podpytaj? I tak myślę, że to serce.

Martwimy się o nią, ale wiemy, że chociaż jest pod dobrą opieką lekarską, to czasu wojny, okupacji i w ogóle przeżyć z tym związanych nikt nie cofnie. Możemy tylko troszczyć się o nią. To wszystko. Kupimy jej grejpfrutów, tych zielonych słodkich. Tak je lubi…

My za to bardzo lubimy nasz bazarek. Tam jest jakoś tak prywatnie, mniej anonimowo. Znamy się ze sprzedawcami, rozmawiamy, plotkujemy.

— Dzień dobry pani! A gdzież to pani Zofia?

— Mama źle się czuje.

— No, widzę, od paru dni jej nie ma. A co to, grypka?

— Nie, panie Wiesiu, serce. Poproszę dwa kilo cytryn, dwie włoszczyzny…

— Selerka jeszcze dołożę, bo pani tak lubi, a tu we włoszczyźnie malutkie kawałki są. Co jeszcze?

Nabrałyśmy mnóstwo warzyw, bo u pana Wieśka są piękne, świeże i dobre. Na koniec podał nam słoiczek ciemnego miodu.

— Nie, dziękuję!

— To ode mnie, dla pani starszej. Proszę dać, bo na serduszko nic lepszego nie ma!

— Wesołych świąt, panie Wieśku!

— Jeszcze do mnie wpadniecie, bo na pewno zapomniałyście o czymś, ale wesołych! Kłaniam się!

W rybnym jest pani Kazia z mężem. O! Będzie duży utarg, bo kolejka jak cholera!

— Chce ci się stać? — pytam Marysię.

— Śpieszy ci się?

— Nie.

— To postoimy.

Ma rację. I tak stoimy i gadamy sobie leniwie, planując potrawy. Marynia ma nowe przepisy i chce je wypróbować. Kupujemy ryby, prawie nie gadając z panią Kazią, bo tyle ludzi... Ale i tak uśmiechamy się do siebie. Znamy się tyle lat!

Wieczorem, w kuchni same rządzimy, bo mama jest w kiepskim stanie i dała się uprosić, by odpoczęła. Konrada nie ma. Z pewnością ma „papierologię" przed końcem roku. Mania paple o nowych potrawach i przygotowuje wszystko na jutro, bo jutro — gotujemy! Dzisiaj tylko przygotowania. Skrobanie, obieranie, takie tam... Jutro Wielki Dzień Pitraszenia! Marysia się cieszy. Ona lubi kuchnię. Koleżanki co roku wymieniają się przepisami i na naszym stole pojawiają się różne odmiany wigilijnych potraw. Raz ryba po żydowsku ma migdały, a raz rodzynki, raz w rybie po grecku pojawiają się strużki papryki, raz nie...

— Dziadek Kuby wychował się w ruskim majątku, u popa, i on lubi w wigilię bliny z kawiorem. A jak ich nie stać było na kawior, to była to śledziowa śmietana.

— Śledziowa?

— Wyjmuje się mlecz z solonego śledzia i rozciera ze śmietaną, cebulką i już masz!

— No! To musi być pycha! — Konrad wszedł do kuchni, uśmiechnięty. — Zrobimy?

— Na Wigilię? — pytam.

— No, nie. Teraz, bo zgłodniałem. Macie śledzie?

— O Jezu! Nie! Zapomniałyśmy śledzi! Polecę jutro rano. I nie wzięłyśmy jabłka do sałatek. Pan Wiesio się uśmieje.

Konrad zrobił naleśniki w zastępstwie blinów i zjedliśmy je ze śmietaną, „po pańsku".

— Co będzie z ciastami? — pytam. — Ja nie umiem, a mama chora.

— My z tatą zrobimy! Babcia będzie dyrygować z fotela!

— Konrad, kup choinkę. Zawsze takie ładne przywozisz.

Mamie Basi choinkę prawdziwą, z hodowli, przywiezie leśniczy. Mówiła mi. Oprócz takich „do handlu" zasadził śliczne kanadyjskie jodełki szybko rosnące. No, oczywiście nie rosną w tydzień, ale są ładne, gęste i tak posadzone, że co roku jest kilka dla sąsiadów. Próbowałyśmy z Marysią kupować te w kuble i przesadzać do ogródka, ale to jakaś lipa. One się w święta rozhartowują w cieple i potem, w ogródku giną. „Kit, pic i fotomontaż", jak mówił tato…

Pojechałam do wielkiego sklepu. Do sieciówki z działem ogrodniczym. Zasięgnęłam języka i tam właśnie kupiłam prezenty moim wszystkim! Nawet Pauli (przyjaciółka Mani) i Kubie, skoro ma być nasz. Tylko Zosi, mamie Zosi, muszę jeszcze znaleźć coś miłego, dobrego… Tak mi jej szkoda, bo bardzo zmarniała, a EKG nie wyszło ładnie.

Po południu znów pracowaliśmy wszyscy w kuchni. Konrad obierał, kroił i siekał. Robi to zawsze z matematyczną precyzją, powoli. Mania wyczyniała nowe cudo z ryby, ja jak zwykle robiłam to, co umiem, i biegałam co chwila do pokoju pytać mamę, aż wpadłam na pomysł i przytaszczyłam jej fotel do kuchni. Zosia siedziała teraz z nami i dyrygowała. Piła ciepłą wodę z miodem od pana Wiesia, bo lekarz potwierdził dobroczynne działanie miodu i zgromił mamę za to, że mało pije płynów.

— Krew za gęsta i za lepka. Gorzej idzie, serce się męczy — tłumaczy nam Zosia to, co zrozumiała.

Grunt, że wierzy i dzielnie popija ten miód z wodą.

— Wiecie, jak tak na was patrzę, przypominają mi się święta w czasie okupacji. Też tak pracowaliśmy w kuchni, robiliśmy coś z niczego… A jakie byłyśmy pomysłowe! Nawet stinki zasoliłyśmy. Takie rybki maleńkie. Musiały udawać śledzie, bo tych nie mogłyśmy nigdzie kupić. Zmielone, były dobre na kotlety rybne, z marchwią i cebulą, były rybą po grecku. Były też kluski z makiem i glukozą, bo ktoś nam przyniósł glukozę. Całe trzy kilo! Bimber ze wsi był pyszny, bo taki z bazaru na Kole śmierdział fuzlem… Nastrój był przecudowny! Bardzo, bardzo prawdziwy, serdeczny. Prezenty były dość zaskakujące… Każdy dostał po siedem guzików! Stary sąsiad zlikwidował sklep i miał w piwnicy te guziki. Dał nam. Poczciwe Żydzisko. Zginął w getcie…

— Mamo…

Jej łza była taka duża. Przytuliliśmy ją, wszyscy.

Wieczorem ubieraliśmy choinkę. Puściliśmy płytę z kolędami z całego świata. Jest tyle ładnych! Mama się uśmiechała i chyba lepiej poczuła. Szczególnie jak przyszedł Kuba, wycałował ją po rękach i siedział obok jak paź. Rzeczywiście, jak mówi Mania — „słodziak".

Piliśmy wino, jedliśmy orzechy, dzieci gadały, a telewizję mieliśmy gdzieś. Już dawno tak nie było.

Te święta były inne niż zwykle. Gdy teraz to analizuję, myślę, że to choroba mamy, moje zwolnienie z pracy i przy okazji, zwolnienie obrotów, zakochana Marysia i Kuba. Inny niż jej dotychczasowi absztyfikanci. Zawsze to mama Konrada była niekwestionowanym przywódcą świąt. Nadawała im ton, przebieg i charakter. Teraz jakoś wszyscy po trochu udzielaliśmy się w domu i każdy starał się, żeby było miło. Wyhamowaliśmy. Martwimy się o Zosię.

Naturalnie, wszyscy uśmiali się, gdy w Wigilię rozpakowali „moje" Mikołajowe prezenty. Każdy dostał parę kolorowych gumofilców. Takie ładne były w tym ogrodniczym dziale wielkiej sieciówki! Różnobarwne, ładnie wykończone, ciepłe.

— Mamo! — zawołała Marysia. — Sorry, jakiś opis, legenda…? No, i: Co autor chciał przez to powiedzieć?

Zosia i Konrad też byli osłupiali.

— To dla was, jak pojedziemy do mamy Basi. Pod Pasym. Tam są podmokłe łąki, rowy z wodą, las…

— I gnój! — krzyknęła Marysia triumfalnie.

— Tak, gnój też!

Mama Zosia uśmiechnęła się rozbawiona.

— Dawno, Gosiu, nie byłam na wsi. Dziękuję ci, kochanie. Jak doczekam, pojadę. Lubiłam zawsze zapach obory.

— Mamo, to kwestia wiary, podleczenia się. Pojedziesz na pewno!

Nie pojechała. Zmarła pod koniec lutego.

Nie zdawałam sobie sprawy, jak była mi bliska. Czuła, że jest z nią kiepsko. Coraz częściej leżała, słabła. Dużo rozmawiałyśmy. Wiedziałam już, że ona przygotowuje się do odejścia. Robiła to z klasą, dyskretnie. Znacznie wcześniej rozdysponowała przy pomocy Konrada swój majątek. Kiedy ja walczyłam z załamaniem po wywaleniu mnie z Agencji, kiedy byłam u mamy, oni jeździli do notariusza porządkować sprawy doczesne. Zabroniła Konradowi rozmawiać o tym z nami. Pewnie dlatego był taki refleksyjny, nieswój. Ja bym nie wytrzymała. Wypaplałabym Marysi. Wszystkim! To takie kobiece, w razie nieszczęścia rozmawiać, dzielić się niepokojem, bólem, szukać pocieszenia, pomocy…

Zrozumiałam, załapałam, o co chodzi, jak mama poprosiła mnie do swojego pokoju. To był jakoś koniec stycznia.

— Usiądź, kochanie, i bądź tak miła, nie przerywaj mi. Dom i ogród, całość posesji, zdecydowaliśmy z Konradem zapisać na Marysię. Wiesz, nie młodniejemy, a sądy są okropne, bezduszne i opieszałe. Tak będzie najprościej. Oczywiście nic to nie zmienia, poza tym, że „w razie, jakby co", to wiesz. Nie będzie tych tam… postępowań spadkowych, od których płacisz, Bóg wie ile i po co. Konrad dostaje po ojcu jego woluminy i wartościowe przedmioty z ojca warsztatu, obrazy z mojego pokoju… To spory majątek, zważywszy na jego wartość muzealną. Ciebie też chcę wyposażyć, bo jesteś mi bliska, bo dałaś mi Marysię, choć nie byłam może wobec ciebie tak czuła, jak na to zasługiwałaś wtedy, po śmierci twojego ojca.

— Nie mów tak — przerwałam jej wreszcie. — Nie mów…!

I pobeczałam się. Trzymała mnie za rękę. To ona mnie pocieszała. Jakiś absurd! To ona dodawała mi odwagi do prowadzenia takiej rozmowy!

— Tobie zostawiam biżuterię. Sporo jej, bo mój mąż zasypywał mnie, kiedy tylko mógł. Nigdy tego nie nosiłam. Wiesz, jak nie lubię świecideł. To ładne, zabytkowe jednostki, niektóre stare i mające sporą wartość. Sprzedaj je, jak będzie trzeba. Nie mają dla mnie wartości ckliwej, a nie miałam potrzeby pozbywania się ich. Oprócz tego, tam, za szafą, stoją dwa obrazy do sprzedania. Oddaj je na dobrą aukcję. Są sporo warte. Oddaję ci też… na jaki cel, bo ja wiem? Wielką wyprawę, dom na wsi czy coś takiego — kapitalik. Uzbieraliśmy z tatą. Podzieliłam to na pół. Konrad zrzekł się na rzecz Marysi, więc nie miej skrupułów. Teraz najważniejsze: o tym akurat nie mogłam rozmawiać z Konradem. Ja, Gosiu, nienawidzę wilgoci, więc proszę, spalcie mnie. Bardzo proszę! Nie becz. To normalna kolej rzeczy.

Usiadłam obok mamy na kanapie, przytuliłam się mocno i ryczałam, pełna niemocy. Jak, jak? Przyjmować takie słowa? Jak rozmawiać z kimś o jego śmierci?! Tak rzeczowo, spokojnie…?

Tak. Zaczęłam ją w pełni doceniać teraz dopiero. Teraz chciałam, by poznała moją mamę. Zaprzyjaźniłyby się. Moje dwie mamy… Teraz miałam dla nich czas! Chciałam teraz z nią rozmawiać, słuchać opowieści o rodzinie, a ona mi oświadcza, że właśnie odchodzi! To niesprawiedliwe! Jeszcze trochę! Proszę!

— Mamo, wysil się. Pozbieraj do kupy — chlipałam w jej rękaw. — Wiosną u mamy Basi kwitną kaczeńce, dzikie kosaćce, pachnie prawdziwa czeremcha. Wiesz? Jest ogromna, stara i wielka. Na rozlewisku kwitną grążele… Będziesz oczarowana! Piernacki będzie cię woził bryczką, będzie zalecał się do ciebie… Zobaczysz! Mamo!

Niedługo po tym trafiła do szpitala. Bywałam u niej codziennie. Dzieci — Marynia z Kubą i Konrad też starali się być jak najczęściej. Czasem aż za dużo nas tam siedziało.

Leżała w pokoiku zaraz po prawej stronie, przy drzwiach. Miała taką rurkę z tlenem, do nosa. Lubiła to, bo lepiej się jej oddychało.

Słabła z dnia na dzień. Jej skóra zrobiła się taka cieniutka. Na wychudzonych dłoniach widać było niebieskie rzeczki żyłek. Trzymałam jej ręce tak, jakbym zatrzymywała ją... Były zawsze takie mocne, zadbane. Teraz kruche, delikatne. Nie chciała jeść. Karmiłam ją jogurtami, cielęciną miksowaną na papkę z warzywami, poiłam wodą z miodem od pana Wieśka. Nacierałam balsamami na odleżyny.

Wkrótce fizjologia dała znać o sobie. Rozregulował się przewód pokarmowy. Próbowałam sobie poradzić, bo Zosia już nie wstawała, ale rzygałam jak kot, gdy tylko odwinęłam kołdrę, żeby ją zdjąć z basenu. Pomagała mi miła, dobrotliwa salowa.

— Idzie pani na papieroska, ja to załatwię. Idzie pani!

— Ja nie palę — plotłam bez sensu.

— To potelefonuje pani, czy coś, a my tu się umyjemy. Będzie dobrze. Idzie pani.

— Idź... — mówiła Zosia.

Wkrótce podłączono jej cewnik, bo wołanie o basen albo „damską" kaczkę było już uciążliwe. Leżenie na tych wynalazkach też zrobiło się wysiłkiem nie do pokonania.

— Gosiu — szeptała. — Daj tej salowej grosik, a mi kupuj pampersy. Tak jest wygodniej, jej i mnie.

Była taka... godna, spokojna. Pogodzona.

Gdy czytałam jej na głos *Sagę rodu Forsythe'ów*, panie w pokoju zasłuchiwały się i syczały, jak tylko ktoś wchodził. Wszystkie leżały cichutko. Przynosiłam soki wyciskane z pomarańczy, jabłek i mandarynek, z buraków, pomidorów i marchwi, w wielkich ilościach. Obdzielałam nimi wszystkie panie. Były wśród nich biedne babcie, do których nikt nie przychodził. Znów czułam się potrzebna.

— Idź już... — szeptała Zosia, gdy wracałam z korytarza.

— Doczytam rozdział, ale najpierw jogurt.

— Nie męcz mnie, Gosiu. Po co?

— Bo ty się skazałaś. Możesz przecież wyzdrowieć. Możesz!

— Nie bądź dzieckiem... Moja kochana.

— Zabieram cię do domu, mamo. Tam odzyskasz siły!

Była mi taka bliska! Chciałam wziąć ją w ramiona i zabrać ze szpitala, od śmierci... Poszłam do lekarza.

— Rozumiem panią. Cóż, na tym etapie nie będę państwa oszukiwał. Można wypożyczyć zestaw tlenowy. Proszę porozmawiać z pielęgniarkami. Każda się zgodzi przychodzić do pomocy. One tak mało zarabiają...

Urządziliśmy pokój mamy tak, że wszystko było po królewsku. Pojechałam po nią, taka szczęśliwa! Zmarła podobno o piątej trzydzieści nad ranem. Nie zaczekała na mnie. Przyszłam, przybiegłam wcześniej niż zwykle. Jej łóżko było puste. Panie patrzyły na mnie z bólem w oczach.

Usiadłam i płakałam.

Wtedy odezwała się pani Zuzia, co to umiera już od dwóch miesięcy:

— Anieli z nieba tu byli i zabrali ją. Umarła lekutko, we śnie. Tylko tak westchnęła głośno i już. Zmówiłyśmy różaniec w intencji pani Zosi. Nie płacz, kochaneczko.

Z kremacją oczywiście było trochę problemu, bo warszawski piec się znów zepsuł. Konrad załatwił transport do Częstochowy. Pojechał sam. Tak chciał. Wybrał piękną urnę, w kształcie kuli, z tworzywa przypominającego zielony jaspis. Ukochany kamień mamy. Ja napisałam ładny nekrolog do gazety, a Marysia dzwoniła do wszystkich znajomych. Nie chciała słyszeć o czerni. „Babcia nie była taka. Lubiła mnie w buraczkowym. Tak wystąpię".

Ja, czekając na powrót Konrada z Częstochowy, poszłam na zakupy i w przypływie rozmyślań o Zosi, jej opowieści o przedwojennych obyczajach, kupiłam sobie... kapelusz! Czarny, z kokardą, piękny. Taki, jaki pewnie ona włożyłaby na mój pogrzeb. Zosia miała kapelusze. Nakładała je na różne okazje — pogrzeby, śluby... Miała mniejszą głowę od mojej, więc żaden nie pasuje, ale będę kontynuowała jej tradycję. Tak! Będę nosiła kapelusze na okazje!

Pogrzeb był spokojny, dostojny. Cały w wirujących powoli płatkach śniegu. Konrad miał swoje grafitowe borsalino. Ładnie mu było. Postarzał się. Skronie mu posiwiały... Mnóstwo różnych pań wystąpiło w kapeluszach. Dopiero teraz zwróciłam na to uwagę, że kobiety wciąż je noszą! Szczególnie jedna wyglądała pięknie. Wysoka, szpakowata, w śliwkowym płaszczu i kapeluszu z wywiniętym z przodu rondem. Nie miałam pojęcia, kto to jest, ale wyglądała po królewsku.

Prosiliśmy o nieskładanie kondolencji, więc nie marzliśmy długo i pojechaliśmy na obiad do domu. Śliwkowa lady przyglądała nam się badawczo, a gdy złowiła nasz wzrok, skłoniła głową pośpiesznie i poszła.

Marysią ewidentnie „trzepnęła" śmierć babci. Na cmentarzu bardzo płakała, a Kuba pocieszał ją pięknie. Za to w domu Mania zajęła Zosi miejsce w dyrygowaniu wszystkim. Perfekcyjnie zrobiła obiad, decydując o wszystkim. Chętnie się jej podporządkowałam, udając niezborność. Obserwowałam, jak sytuacja wywołuje u niej poczucie porządku, potrzebę ogarnięcia wszystkiego. To dobra cecha. Zosina.

Konrad zamknął się w sobie absolutnie. Ma prawo. Przy obiedzie dotknęłam jego dłoni. Zdziwiony lekko, pocałował mnie w rękę i uśmiechnął się nostalgicznie.

Niełatwo nam było odnaleźć się w domu, pozbawionym nagle obecności Zofii. Umówiłam się z Konradem, że sprawę ubrań przejmie Marysia i odda je do PCK. Potem ona i Kuba zajmą się pokojem mamy i gabinetem taty, który stał latami pusty. Mają ferie, więc akurat…

Koniak, róże i pierścionek. Era nowożytna

— Mamo, pogadajmy — powiedziała pewnego wieczoru Mańka.

— Co, kochanie?

— Mamo, my jesteśmy z Kubą dorośli. Jest nam ze sobą dobrze i chyba widzisz, że to nie żaden głupek.

— Widzę.

— No, to… Wiesz, pokój babci stoi pusty, więc czy Kuba mógłby czasami zanocować?

— „Skądinąd, mógłby…" — zmałpowałam Wańkowicza.

— Mamo! Ja poważnie!

— No, ale wiesz…

— Co? Mówiłam ci, mamcik, że…

— „Mania, nie nerwujsia". Może tak jakoś oficjalnie?

— No, coś ty? Żartujesz?

— Nie. Fajniej było z takimi tam, korowodami, a Kuba wygląda mi na takiego, co to by „wszedł w ten temat".

— …ale numer… — wyszeptała Manieczka i roześmiała się.

W piątek uprzedziła nas, że mamy się spodziewać wizyty Kuby.

— Bądź w domu najpóźniej o osiemnastej — poprosiłam Konrada.

— Coś się stało?

— Tak. Będzie elegancka kolacja z Kubą.

— Ale… eee… A coś? No… Dobrze. Pa.

Przyjemnie mi było robić tę kolacyjkę. W ultranowoczesnym świecie, pełnym trendów i mód na „nowe", u nas w domu zagości na chwilę „stare".

Konrad przyszedł o czasie i wcale nie dopytywał się, o co chodzi. Zdał się na nas, zresztą był ciut zajęty, bo odpływ od pralki trzeba było przeczyścić. Od kiedy nauczyłam go, jak to się robi, jest świetnym czyścicielem! Włączyłam miłą wiązankę miniatur fortepianowych, układałam sztućce i nuciłam razem z Mozartem *Elvirę Madigan*. Kuba przyszedł punktualnie, przywitał się, pochwalił muzykę, na co Mania sarknęła:

— Lizus!

— Sama taką lubisz!

— Lizus!

Potem czulili się i przedrzeźniali.

Kiedy siedliśmy do stołu, Konrad nalał wina do kieliszków, a Kuba poprosił o chwilkę. Wyszedł. Wrócił z wielkim bukietem róż, który wręczył mi i stremowany nieco, ale trzymając fason, rzekł do mnie i do Konrada:

— Szanowni… Nie, to jakoś tak głupio. Kochani państwo! Chciałbym w imieniu własnym, jak najbardziej… prosić o rękę Marysi. Moi starzy, a zwłaszcza dziadek, też dołączają się do prośby. Tym bardziej że Mańka podbiła dziadkowe serce i na żadną inną babę dziadek mi nie pozwoli!

Konrad zgłupiał kompletnie i patrzył na mnie tak, jakby rozlał barszcz na dywan.

— Proszę, to dla pana — powiedział Kuba, wręczając Konradowi butelkę koniaku.

— Co… ja…? Gosiu, powiedz coś!

— Bierz ją, Kuba, sobie i dziadkowi na chwałę! — powiedziałam poważnie i wzięłam do ręki kieliszek.

— Jeszcze chwilę — uprzedził Kuba i zwrócił się do Marysi: — Marysiu, nie udawaj, że nic nie wiesz. Daj łapę. Oto dowód moich poważnych zamiarów. No, a jak nie moich, to dziadka na pewno!

Wyjął z kieszeni pudełko i włożył jej na palec pierścionek. Mania od razu nam go pokazała.

— To po babci Kuby!

— Mmmm, co za cacko! — powiedział Konrad z uznaniem. — Stara wenecka robota!

— Pokaż. Ładny. Nie masz drugiego?

— Mamo!

Wypiliśmy wino i już było po zaręczynach! Czułam się lekko. Wiedziałam, że Mania i Kuba są mądrzy i odpowiedzialni i mogę im zostawić dom, ogród i Konrada. Tak. Już myślałam o wyjeździe do mamy Basi. Na dłużej.

— Kochani. Trzeba byłoby zaprosić rodziców Kuby do nas na obiad. Konrad? — zaproponowałam.

— Oczywiście… Tak. (Nieobecny, zamyślony.)

— To co, w niedzielę za tydzień?

Mania spisała się świetnie. Zdjęła mi z głowy cały ciężar przygotowań do tego obiadu. Ona zna rodziców Kuby. Jej łatwiej, bo zna ich zapatrywania, bo ja wiem? „Ogólny klimat". Ja byłam tylko podkuchenną. Zarządziła tatara z łososia na zakąskę, zupę krem marchewkowo–bazyliowo–pomidorowy z groszkiem ptysiowym i mielony befsztyk z pieprzem, w szpinakowym atolu. Ładna nazwa. Żarcie też, bo zdążyłyśmy zrobić próbę generalną. Ugotowany, mielony szpinak Marynia miesza z purée ziemniaczanym — na gorąco, i wyciska przez wyciskacz do kremów w „atol".

Dała mi przepisy:

Tatar z łososia
Surowego łososia, jakieś ćwierć kilo, mieli się albo drobno sieka. Dodaje drobno pokrojoną cebulkę, usiekane kapary, korniszonka i świeży koperek. Sok z połówki cytryny. Dobrze jest to wszystko przesiekać z maślanym miąższem avokado i napełnić tym jego połówki. Ładnie ubrać gałązkami kopru.

Befsztyk mielony z pieprzem
Wołowinę, najlepiej polędwicę, ale może być też „pierwsza zrazowa" lub inna miękka i bezwłóknista jej część — zemleć, jak na tatara. Doprawić solą, pieprzem i ciutką tymianku. Uformować kule i spłaszczyć je lekko, by powstały grubiutkie walce. Oprószyć mąką i smażyć na rumiano z każdej strony, najlepiej w smalcu i oleju (dwie łyżki oleju i łyżka smalcu). Mieszanka ma wyższą temperaturę wrzenia. Po usmażeniu skropić czerwonym winem i poddusić dwie minuty. Posypać grubo mielonym, kolorowym pieprzem.

Atol ze szpinaku
Rozmrozić rozdrobniony szpinak lub zmiksować surowy. Na sześć osób — pół kilo. Zagotować go z solą (szpinak wchłania sól, więc nie sypać za dużo)

w wodzie z mlekiem lub wmiksować jajo. Do gorącego, rzadkiego jak śmietana szpinaku, dosypać suchego purée ziemniaczanego Knorra lub innej firmy tak, by stał się gęsty jak budyń. Wyciskać przez ozdobną nasadkę do tortów wokół befsztyka.

Kolacja była udana, rodzice i dziadek Kuby — sympatyczni, a ja postanowiłam zbierać przepisy. A nuż mi się przydadzą?

Gdyby nie przyjaciółka Mani, Paula, całkiem nowy nabytek od roku, sądziłabym, że z moimi dziećmi — Manią i Kubą — jest coś nie tak. Kuba, wiem już po jego rodzicach, to kompilacja wielce dziwna i zabawna. Trochę starych manier, zamiłowanie do sztuki, wielka wiedza o świecie i wielka jego ciekawość. Bardzo autonomiczny. Marysia odnalazła się przy Kubie, bo stoicyzm i miłość do klasyki i jazzu nie przysparzały jej wielkiego grona przyjaciół. Kuba natychmiast zaaprobował ją z całym inwentarzem.

Paulę, obecną siostro–przyjaciółkę, poznała przez Kubę. Bardzo między nimi zaiskrzyło. Poczuły silną, siostrzaną niemal więź, mimo że są ogromnie różne. Marysia ukokosiła się w artyzmie, ale posortowanym i ułożonym. Ona cała jest poukładana. Uwielbia modę dwudziestolecia międzywojennego. Nosi długawe kiecki, ale i jeansy. Sznury korali i wisiory własnej roboty. Koronki i chustki wiązane fantazyjnie. Kocha maleńkie czapeczki. Z Koniakowa przywiozła sobie koronkowe cacka, które nosi nasunięte aż na brwi. Ma ładne, długie włosy, więc ciekawie wygląda i inaczej niż wszyscy. Oczy też lubi na wyjście pomalować jak Hanka Ordonówna. Zawsze budzi zainteresowanie, bo ma swój styl i konsekwentnie się go trzyma.

Paula jest ultranowoczesna. Wygląda jak młoda Japonka. Papuzia, krzykliwa, pofarbowana, poprzebierana po wariacku. Tylko oczy robią sobie tak samo. Ciemnymi pudrami, zatopione w czarnych otoczkach, oprószone złotymi drobinami. Jak z Gustava Klimta.

Bardzo lubię na nie patrzeć. Są takie młode i takie… świadome siebie. Jaka ja byłam w ich wieku? Inna. Bałam się świata, ludzi, gadania.

Mama Pauli mieszka samotnie w Reims. Francuz, szaleniec–artysta zawlókł ją do Paryża, jak tylko Paula zdała do liceum. Potem mu przeszło i poszedł do innej, a mama Pauli, Polka na obczyźnie, pojechała do Reims i tam osiadła. Okazało się, że ma nos do interesów. Prowadzi mały biznes. Bardzo egoistyczna i histeryczna osoba, ale to moje zdanie. Paula lubi nasz dom, bo przypomina jej dzieciństwo, kiedy w domu było normalnie i rządziła babcia.

Przedwczoraj wparadowała do nas z naręczem szmatek z ciuchlandu. Do wieczora już pofastrygowały jakieś kiecki, pełne koronek, wstawek z jeansu, rękawów z jedwabiu.

— Ależ ona ma fantazję! — mówiłam do Konrada przy wieczornej lampce wina.

— Uhmmm — odparł pogrążony w swoich papierach.

No, tak. Tośmy sobie pogadali. Niby tak fajnie jest. Wieczór, wino, spokój… Już się nie żremy, nie ma pyskówek, pretensji. Tylko on jakby zapada się w siebie. Siwieje, pije wino, czyta i zatraca się w milczeniu.

— Konrad!

— Co?

Senny, nieobecny wzrok.

— Mówię o Pauli. Niesamowita jest — prawda?

— Tak. Zwariowana. (Wreszcie jest reakcja!) Normalnie, to bałbym się jej.

— Tej dziewczynki? No coś ty? Czemu?

— Że narkomanka jakaś i jeszcze Marysię nauczy.

— Konrad, one wiedzą, że to złe, a spróbować i tak muszą.

— Muszą? Mówisz: „Muszą"?! Jak to muszą?!

— To normalne. Jak mówiliśmy Mani, że ogień parzy, to i tak włożyła palec do świeczki. Pamiętasz?

— Narkotyki to nie świeczka.

— Mądra jest. Pewnie napalą się marychy i porzygają.

— A jak im się spodoba?

— To zasieją w doniczce!

— Widzisz! — krzyknął wzburzony. — Ty wszystko trywializujesz!

— Przepraszam, ale nie mam pojęcia, co się stanie. Może już próbowały?

— Paula na pewno.

— Tego nie wiesz.

— Ona wszystkiego próbowała, popatrz na nią. Niczego się nie boi. Taki rekinek.

— Nie wydaje mi się. To raczej mimikra.

— Co?

— Dostosowanie się. W takim kostiumie, nawet ty się jej boisz. W środku to dobra i pogubiona dziewczyna. Zobacz, jakie sukienki uszyły razem.

— Sukienki świadczą, że ona taka delikatna?! Czy ty już całkiem oszalałaś? Gosiu! Taka się robisz…

— No?

— ...luzacka. Nie wierzę, że tak myślisz.

— Konrad, Marysia to już inna rzeka. Daliśmy jej wszyscy, ja, ty, Zosia, to, co najlepsze, ale ona teraz płynie swoim korytem. Nie zawrócisz jej, nie pokierujesz nią. Możesz stać i patrzeć, jak płynie.

Nagle zdałam sobie sprawę, że to nie narkotyki tak niepokoją Konrada. Cierpi, bo Marysia dorośleje. Kto inny już jest autorytetem, przyjacielem... No, i przyjechał książę i mu ją zabrał... Stary król — ojciec cierpi.

Żal mi się go zrobiło. Chciałam go pogłaskać po głowie, ale tylko w myślach moja ręka dotknęła jego skroni. Mam jakiś opór. Od tak dawna unikamy ciepłych gestów. Konrad właściwie nigdy ich nie miał. Wstydził się. Lubił, gdy ja kiedyś byłam ciepła, wylewna. Szukałam bezpieczeństwa w jego ramionach. Bałam się życia... Nie umiał mnie przytulać. Taki był sztywny. Klepał mnie po plecach albo ramieniu i mówił: „No, no". Kiedyś mi to wystarczało.

Kuba wpadał jak dawniej i czasem zostawał. Podobało mi się to, bo było takie niewymuszone, dyskretne. Czasem był, czasem nie...

Porządkowali ciuchy po Zofii, urządzali gabinet dziadka tak, że wyszło z tego studio komputerowe w pięknym, eklektycznym stylu. Zostawili stare meble, zamiast zasłon zrobili rolety i bardzo nowoczesne oświetlenie. Piękną secesyjną lampę postawili koło stoliczka kawowego. Obok nowoczesny, japoński warnik do wody. Zdolne dzieci!

W domu zrobiło się przyjemniej i weselej. Paula wpadała jak zawsze zakręcona i „szumiąca". Też często zostawała na noc, chociaż miała swoje mieszkanie, ale daleko. Na Chomiczówce. W okropnym blokowisku.

Ja i Konrad w ogóle nie musieliśmy myśleć o posiłkach. Dzieci miały wspólną pasję — gotowanie, jako formę życia towarzyskiego. Wkrótce przerobili kuchnię, poprzestawiali sprzęty, by zyskać miejsce na „wyspę". „Wyspa" jest modna, jeździ na kółkach i jest świetna, bo wjeżdża do pokoju jako stolik kelnerski. Zdolne dzieci!

Ja musiałam pamiętać o zaopatrzeniu. Bardzo dużo warzyw: chlorofilowych, karotenowych i tak dalej, ryże dzikie i paraboliczne, czasem jaśminowe do sushi. Makarony wyłącznie z mąki semoliny, z pszenicy durum — tak mnie wyedukował Kuba. Sosy sojowe łagodne, świeży imbir, jabłka renety, cebula cukrowa i szalotka, ryby świeże — wyłącznie, oliwa zielona lub olej na zimno tłoczony ze słonecznika. Taaak. Rewolucja w naszej kuchni była rewolucją aksamitną. Cichuteńko, skutecznie i zdecydowanie kuchnia Zosina, stara i taka ni miejska, ni wiejska została wyparta przez cudowne wynalazki kuchni światowych. Paula świrowała na punkcie kuchni hinduskiej, Mania włoskiej, Kuba kochał Japonię, Chiny i bliny ze śmietaną śledziową dziadka Stasia. Zdolne dzieci!

Ja i Konrad byliśmy wdzięcznymi zjadaczami tych rewelacji, choć Konrad często „jadł już na mieście".

— Konrad, wyjechałabym do mamy...

— Uhmmm.

— Konrad!

— Co, kochanie?

— Wyjeżdżam do mamy.

— No, przecież powiedziałem, że dobrze. Jedź. Odpocznij. Zrobiłaś badania?

Cholera! Skąd on wie? Jak pamięta, skoro prawie o tym nie mówiliśmy?

— Zrobiłam.

— I...

Czyta gazetę i pyta mnie o badania! Nawet nie podnosi wzroku. Nienawidzę tego.

— Muszą mnie przeciąć na pół i posolić...

— Pytam poważnie.

Teraz podniósł wzrok, nałożył okulary na czoło. Widzi mnie. Patrzy całkiem przytomnie. Chce wiedzieć, czy mam raka piersi czy nie.

— Przy pierwszym zdjęciu wyszedł taki maleńki zgrubiasek, ale jak potem pielęgniarka docisnęła mocniej i zrobiła mi z cycka taki cienki naleśnik...

— Gosiu, proszę bez tych ekshibicjonizmów! Wszystko trywializujesz! Konkrety!

Jaki delikatny! A tak, to czytał gazetę!

— Nic. Taki tam, „echogeniczny" guzek. Mam go mieć na oku. To znaczy w piersi, ale...

Roześmiałam się.

— To uważaj, proszę cię, i nie lekceważ. Załatwić ci może konsultację u profesora Jarzębowskiego?

— Nie, dziękuję. Jestem pod dobrą opieką, a takich guzków kobiety mają na potęgę.

— ...a potem na potęgę ucinają im piersi — powiedział Konrad, pakując się znów w „Bussinnes Magazine".

Przejmuje się mną. Na swój sposób, oczywiście. Trudno to nazwać Ciepłym Monsunem, ale pytał...

Pożegnałam wszystkie dzieciaki. Marysię, Paulę, do której przekonałam się zupełnie, Kubę, mojego „prawie zięcia". Konrada — przez telefon.

— Jedź ostrożnie — poprosił.

Matko Święta! Co to znaczy?! Czy ja jeżdżę otępiała narkotykami? Absyntem? Szarżuję? Nie uważam? Wiem, ile kosztuje klepanie zderzaków czy prostowanie felg, lakierowanie, szukanie nowego silnika, łażenie do zakładów ubezpieczających, rzeczoznawców. Normalny gość, czy to wyglądający na trampka, bufona, nadętego balona czy zastraszonego kapcia, zawsze w punkcie zgłaszania szkód jest traktowany normalnie: „Oj! Stała się krzywda! Chodź pan, pomożemy! No, kto panu to zrobił?". Jak przychodzi kobieta, to nawet kobiety–urzędniczki mają nieme pytanie w oczkach: „No i coś ty, kochana, nawywijała?".

Zakłada się, że to my — kobiety, tworzymy karambole, wypadki, stłuczki, bo malujemy się podczas jazdy, zmieniamy bieliznę lub pieczemy ciasto. Faceci tylko biorą udział w wypadku, który im się „przytrafił". Jakiś krasnolud, co szczy do mleka, zrobił im to świństwo i proszę: cały przód skasowany!

Konrad raz jeden był ze mną w takim miejscu, po tym, jak ich wszystkich ustawiłam do pionu, gdy pan zwrócił się do mnie:

— No, kochana, co tam się narobiło?

— Proszę?

— Pytam, co pani zmalowała! Mąż będzie wściekły, co?

— Poproszę pana szefa.

Konrad syknął, zrobił się maleńki i udawał, że mnie nie zna, kiedy spokojnie sztorcowałam jakiegoś bubka, mówiąc mu o szacunku i kindersztubie.

— Gdyby pan lub pana personel był w mojej firmie i zamawiał reklamę, nie przyszłoby mi do głowy poniżanie kogokolwiek, bo pan jest klientem. Rozumie pan? U mnie pan ma się czuć potraktowany po królewsku, bo to ja pana obsługuję. U pana w firmie ja mam się poczuć po królewsku, ponieważ przez jakiegoś zidiociałego posiadacza volkswagena golfa mam rozwalony tył! To Golfiarz był nafaszerowany dragami. Nie ja! Proszę przeszkolić personel.

Przypomniała mi się jeszcze jedna historia. Z psującym się maluchem pojechałam do pobliskiego zakładu naprawczego pana Darka. Pan Darek prowadził warsztat od niedawna i był dobrze oceniany. Był to facet w moim wieku wówczas. Młody, ciut zatuczony. Złoty łańcuch na szyi, dopasowana i rozpięta aż do pępka koszula. Fartuch. Rozpięty, by widać było okłaczony tors. Macho z Pragi Południe!

— Kochana! — rzekł po gmyrnięciu mi w silniku. — Remoncik się szykuje!

— Czego remoncik?

— Silniczka, złociutka! Na kiedy zapisać?

— Na środę?

Tknięta złym przeczuciem i tym protekcjonalizmem (złociutka), pojechałam do kolegi prowadzącego stację diagnostyczną Hondy.

— Cześć, Robert. Pan Darek — znawca, zarządził remont silnika. Spójrz swoim okiem. Polegam na tobie, bo coś mi tu leci naciąganiem.

Robert poprosił mnie na kawę, do biura. Po chwili przyszedł jego pracownik.

— Zobacz, Gosiu — powiedział Robert. — Tu masz wykres ciśnienia na cylindrach. Tu, w książce, masz podobny. Prawie żadnej różnicy. Po prostu trzeba wymienić uszczelkę na głowicy i jeszcze takie dwie małe. Pokażę ci które.

Pojechałam do pana Darka. W środę.

— No i co, kochana? Remontujemy?

— To remontujcie. Co tylko i komu chcecie. Ja poproszę o wymianę uszczelki pod głowicą i tych tu, dwóch. Do tego wymiana oleju i tyle!

— No, co pani! Złociutka! Umówiliśmy się na remont silnika! Taka była diagnoza.

— Proszę. To wykres ciśnienia w silniku. To panu coś mówi?

Pan Darek miał wyraźnie zgrubiałą żyłę na szyi i drugą taką pewnie z tyłu, niżej.

— A przy okazji — zapytałam głośno faceta od wypasionego BMW. — Czy to pana wóz?

— Tak.

— Czy pan Darek też mówi do pana „złociutki" i „kochany"?

Olbrzym w skórze roześmiał się głośno, rozumiejąc już, o czym myślę.

— Niechby, kurwa, spróbował! Widzisz, Daruś? Wkurzyłeś panią!!! Mnie już moje kobiety wytresowały. Od złości damskiej ratuj nas, panie! Ha, ha! — zaśmiała się Skórzana Góra.

— Tak więc, panie Darku. Złociutki. Zostawiam samochód w pańskich rękach. Zmieniam go niedługo. Może na taką beemkę? Pan tego nie wie... Mam nadal być pana klientką?

Do dziś pan Darek czasem przypomina sobie naszą scysję i mówi:

— Ależ mnie pani wtedy przeciągnęła przez zęby! Dobrze, że szwagier wtedy był. Wstyd mniejszy.

— Ale co? Przydało się?

— Jasne. Kobiety mnie lubią! Umiem je traktować! Ile to już lat, pani Gosiu?

— Za dużo, kochany. Złociutki — odpowiadam, uśmiecham się i odpływam.

Matko! Jak on się zatuczył! I wyłysiał. Stary lowelas.

Dobrze, Konrad, będę jechała ostrożnie!

Rozdział 3

O tym, że nawet w błocie można się fajnie zakopać

Drogę już znam. Jadę pewnie i szybciej niż poprzednio. Spieszy mi się. Tęsknię za mamą, Kaśką, Piernackim. Chcę szybko zobaczyć znajome kąty. Usłyszeć Funia, poczuć zapach mojego pokoju. Tam mama hoduje geranium, bo jak twierdzi, świetnie robi na gardło. Nic nigdy tragicznego nie działo się z moim gardłem, oprócz pospolitych zaziębień, ale geranium tak irytująco pachnie pomarańczą, kamforą, goździkami, bergamotką, że chcę, by mi dalej pachniało. Jak się go nie dotyka, prawie nic nie czuć, jak tylko potrząśnie się rośliną, geranium eksploduje zapachem.

Pościel mamy inaczej pachnie, kuchnia też i łazienka, i obejście…

Dobrze, że już Nidzica. Za nią wielki tartak w Napiwodzie, lasy, lasy, lasy i już Jedwabno, Butryny, Naterki i Pasym z drewnianą, wielką, starą i piękną wieżą kościoła ewangelickiego.

Wypełnia mnie coś wielkiego i radosnego. Wzruszenie? To nowe miejsce w moim życiu, a czuję się tak, jakbym wracała po latach na jakieś stare śmiecie. Nostalgia?

Mijam trzy brzozy, skręcam i wjeżdżam w mokre bagnisko. Zapadam się w błotnistej mazi i cholera mną telepie. Psiakrew! Koła buksują w błocku, wzbijają fontanny brunatnej mazi. Mam ją już na szybach, wszędzie!

— Mamo! — wołam do komórki ze skargą w głosie. — Zapadłam się tu w błoto!

— Dobrze, zaraz po ciebie jadę. Zaczekaj.

Po paru minutach słyszę turkot. Zza pagórka wyłania się czarne cudo mamy. Też uświnione błotem. Aha! Stało to u pana Pawła w warsztacie! No, fajny terenowiec!

Mama wyskakuje w dresie i kaloszach.

— Dzień dobry, kochanie!

Wita mnie wylewnie. Mocno przytula i uśmiecha się… Liz Taylor niech spada! Liz nie wywala gnoju spod Buśki i nie jeździ terenowcem po błocie.

— Właśnie wywalałyśmy z Kaśką gnój z obory — mówi to z tym swoim pięknym uśmiechem. — Wsiadaj. Zaraz poprosimy Bartka z tartaku. Przyjedzie z bratem albo synem i wyciągną cię.

— Mam tu zostawić samochód?

— No, a jak?

— A jak ktoś będzie jechał?

— To zobaczy, że ma problem. Zresztą miejscowi jeżdżą teraz ciągnikami, Piernacki bryczką… aha! masz pozdrowienia… to cię ominą. (Wszystko jednym tchem, jak Marysia.) Inni, jeśli w ogóle tacy są, to poczekają. Widzą, co jest grane.

— A leśniczy?

— Ma jeszcze lepszego terenowca niż mój. Przejedzie bokiem. Swoją drogą, nie zmieniłabyś samochodu? Ten jest za delikatny… No, ale w mieście sprawuje się pewnie wspaniale?

— Nie do końca. Ginie mi z oczu na wielkich parkingach przy supermarketach. Terenowca byłoby widać od razu. A jeszcze takiego ubłoconego? Pomyślę o tym! Jedziemy, tylko wezmę torby i zamknę wóz.

Przepakowałyśmy mnie do mamy. Walizkę, torbę, pudełka… Wywalała gnój! Dobre! Mam dla niej i Kaśki kolorowe kaloszki.

— Sporo rzeczy wzięłaś. Zostaniesz na dłużej?

— Jak ci się nie znudzę, zostanę.

— To cudownie. Tak się cieszę! Oj! Gośka!

Funio szalał. Najpierw groźnie, a potem zmitygował się i udawał, że on wcale mnie nie zapomniał, tylko tak sobie — ćwiczył „złego psa". Rozmerdał się całym sobą.

— Tyłek ci odleci, Funiu!

— Dzień dobry! — zabuczała Kaśka.

Stała z przekrzywioną głową i niepewnym uśmiechem.

— Kasiu! — objęłam ją, taką wielką Małą Dziewczynkę, z jakąś niewytłumaczalną tkliwością.

Kaśka niezdarnie odwzajemniła mi moje karesy. Ciągle jeszcze była onieśmielona moim pojawieniem się w ich życiu. Mama z pewnością dużo jej natłumaczyła, że ja jej nie zagrażam, że jestem jej, Basi, córką, że właśnie wróciłam z daleka i trzeba mi okazać dobro. Więc Kaśka się stara i okazuje. W kuchni dokłada do pieca. Siada obok i głaszcze mnie po ręce.

— Długa droga była… Taaak — mówi grubym głosem, uprzejmie, ze zrozumieniem.

— O tak, Kaśko. Dasz mi pić?

Kaśka zrywa się. Jest potrzebna! Wie, gdzie stoi picie, i mi da!

Dostaję wodę z sokiem żurawinowym.

— Już, Gosiu, chłopcy jadą. Daj kluczyki. — Mama wchodzi do kuchni, zdejmuje kurtkę i też woła o picie.

Jest świetnie. Tak właśnie, jak ma być. Po półgodzinie na podwórko mamy zajechał ciągnik z tartaku i mój ufajdany po uszy samochodzik. Z samochodziku wysiadł chłopczyk, na oko dwunastoletni. Podał mi kluczyki.

— Proszę.

— Krzysiu, przedstaw się! — Tato Krzysia uśmiechnął się i podał mi rękę.

— Ja jestem Bartek Karolak, a to mój syn, Krzysiu. Zeszło nam, bo zahaczyć nie było o co. Pani wozik taki, jak pantofelek jakiś! Delikatny! Ale poradzilim sobie. Nie uszkodziło się nic, tylko ubrudził się.

— Dziękuję panom.

Krzyś uśmiechnął się, marszcząc piegowaty nos. Bardzo piegowaty.

— Bartek to brat Czarka — powiedziała mama, jak już chłopaki pojechali do siebie. — Krzysiu to jego synek. Matka go zostawiła Bartkowi, a sama pojechała do Niemiec i tyle ją widzieli! Bardzo fajny chłopaczek. Zmyślny taki, ma serce do samochodów. Widziałaś, jaki piegusek? Co zjesz?

— Miękkie jajo, poproszę. Albo dwa.

Kaśka roześmiała się, słysząc „miękkie jajo".

— Ale tu obiad już niedługo! Dobrze — mówi Basia — zrobimy sadzone jajka i bukiet z jarzyn. Kaśko, zrób buraczki.

Po chwili już stałyśmy we trzy koło stołu. Kaśka siekała cebulkę do surówki z buraków przyniesionych z sieni w małym słoiczku. Ja kroiłam szklarniowego ogórka, a mama obierała ziemniaki.

— Ach! Dziewczynki! Mam dla was prezenty od Mikołaja! — zawołałam nagle.

— Nie ma już Mikołaja! Już po choince! — zaśmiała się Kaśka.

— Ale prezenty mi zostawił. O, proszę, to dla mamy, a to dla ciebie, Kasiu.

Kolorowe kaloszki z filcem uradowały je. Kaśka ma fioletowe, mama żółte, a ja czerwone.

— Jak tu moi wszyscy przyjadą, to będzie festiwal walonek, bo wszyscy takie dostali!

Kaśka już siedziała w swoich, dumna i zadowolona. Ja w swoich pójdę na wieczorny udój. Wszystkie pójdziemy po świeże mleko do Buśki.

Marzyłam o spacerze polnymi drogami, ale jest tak okropnie mokro i zimno, że z mety mi przeszło. Popołudnie wlokło się leniwie i przyjemnie. W pokoju zrobiłam sobie miejsce na laptopa, poukładałam wszystko, co moje — ciuchy, skarpety, które tu zdecydowanie wyparły moje miejskie pończochy. Tu jest „Rzeczpospolita Skarpetowa". Jakoś nie tęsknię za pończoszkami. Świadoma tego, jak chodzi się tu ubranym, kupiłam petardę ciepłych skarpetek i kapcie. Marysia umierała ze śmiechu.

— Zwariowałaś?! Takie papucie?! Nie żartuj!

— Mańka, to wiejski dom. Bywa, że ciągnie po nogach. To nie Warszawa z centralnym ogrzewaniem! Mama pali w piecach. Teraz ja muszę pamiętać o swoim.

No, trochę to udramatyzowałam, bo istotnie w mojej części domu, tam gdzie mam teraz swój pokój, jest drugi piec i Kaśka pamięta, żeby w nim było napalone. Na razie. Później ja wejdę w tryb i będziemy się zmieniać. Zresztą już czuć wiosnę i palenia będzie mniej.

Położyłam na blacie biurka ryzę papieru, długopisy i moje pióro. Lubię pisać wiecznym piórem. Jak kiedyś w szkole.

Dom mamy jest duży. Kiedyś, jak go kupiła, to, co było za sienią po prawej, stanowiło skład. Takie zbiorowisko wszystkiego. Po lewej stronie sieni jest duża kuchnia z wielkim, kremowym piecem. Z kuchni wchodzi się do trzech pokoi. Po prawej — mamy, na wprost — Kaśki, a ten z brzeżku jest w zimie gościnny. Teraz to taka prasowalnia, bo jak nie ma gościa (mnie), to stoi tam suszarka do bielizny i deska z żelazkiem.

Teraz jednak dostałam swój pokój na prawo z sieni. Pierwsze drzwi to łazienka, a za nimi drugie do mojego pokoju. Jest dość duży i w amfiladzie dalej jest mniejszy, sypialniany. Całe mieszkanie jest ciut niesymetryczne.

Do mojego pokoju przylega ściana pieca. Jest nowy, z wbudowanym wkładem kominowym. Jest tak zrobiony, że grzeje też pomieszczenia na górze. Po ostatnim remoncie mama zarządziła rozprowadzenie ciepła. Drogie to, ale lepsze niż grzanie prądem całej góry czy nawet pojedynczych pokoi.

Mama przeniosła do mojego pokoju regał z książkami, no i geranium. Gdy poruszę znienacka doniczką, zapach wybucha mi prosto w twarz. Wiem, że kiedyś krzyknie na mnie albo ugryzie. Jak na filmie science fiction.

Wydawnictwo, z którym pracuję od lat, odnowiło ze mną współpracę. Jak dotąd robiłam im jakieś opracowania, broszury, streszczenia na zlecenie. Teraz poprosiłam o etat. No, połówkę. Marudzą, cmokają, myślą. Czekam na odpowiedź.

Wieczorem doczytuję głupawą powieść i piszę opracowanie, na skrzydełko. Tym właśnie będę się teraz zajmować. Muszę przydusić wydawnictwo. Koniecznie.

Ziewam upojona tutejszym powietrzem. Kaśka hałasuje w pokoju obok. Znów zapomniałam dołożyć do mojego pieca! Zagląda do mnie ciekawie.

— Taaak. Poleż se, tak! — mówi roztropnie i wychodzi cicho.

Za oknem zmrok. W domu cisza. Nie byłam u Buśki. Nic mi się nie chce. Nikt mnie o nic nie pyta. Mama dała mi pełną autonomię. Ziewam okropnie. Spać…

Co się zdarzyło Karolinie
i słówko o leśniczym Tomaszu

Rano słyszałam przez sen, jak dziewczyny korzystają z łazienki. Huczał piecyk, leciała woda… Zasnęłam ponownie. Nigdzie nie muszę się spieszyć. Łóżko mam jak kajutę. Stare, drewniane, z wysokimi burtami. Czuję się w nim ukołysana. Sen sam przychodzi i trzyma mnie mocno aż do rana. Budzi mnie dopiero pęcherz.

Wkładam gruby szlafrok, papcie i idę do łazienki. Dotykam pieca. Ciepły od wieczora, bo nie słyszałam Kaśki, żeby dokładała.

— Co chcesz na śniadanie? Bo mam omlet!

— Mamo, a cholesterol? Sprawdzałaś swój cholesterol? Tyle jecie z Kaśką jajek, ja zresztą tu u was też…

— Ja nie wierzę w cholesterol! Kaśka nie je jajek, bo nie ma woreczka! A ty?

— Co ja? Ja jestem w normie.

— No to co marudzisz! Zobacz, jaki omlet! Chcesz na słono czy słodko?

Jem cudowny omlet ze śmietaną i solą. Wszystko obrzydliwie niezdrowe. Tłusta śmietana, z mleka od Buśki, jajka z kurnika, sól z… Wieliczki.

— Mam to w dupie — powiedziałam głośno do siebie.

— Co?

— Zdrowe żarcie. Roztyję się tu, u ciebie, a potem umrę zatruta cholesterolem, solą, mąką, cukrem… Piwem i wódką! Jaka to będzie cudna śmierć!

— Kogo obchodzi jakiś głupi cholesterol? — wzruszył ramionami Gnom i zaczął zmywać. — I nie mów: „w dupie", to nieładnie.

— Dobrze, mamusiu. W pupie — udaję grzeczne dziecko.

— Jeszcze gorzej.

— No to jak?

— No, dobrze. Niech będzie: …w dupie — chichocze Gnom.

— Muszę umyć ten mój samochód, mamo. Zobacz, wygląda jak po rajdzie.

— Poczekajmy. Idzie ocieplenie. Jutro ma być plus dwanaście stopni i coraz cieplej. Kaśka wyciągnie szlauch i umyjemy go razem.

Upaprałyśmy się trochę, ale przyjemnie było szorować moje toledo razem. Najbardziej była przejęta Kasia i Funio, któremu szalenie imponowała tryskająca z węża woda. Trochę się jej bał, chciał ją łapać zębami. Wreszcie było po wszystkim. Zainaugurowałyśmy odkręcenie podwórzowej wody po zimie i mama wymyśliła, że po obiedzie umyjemy jej samochód. Kiedy wróciłyśmy do domu, zadzwonił telefon.

Mama rozmawiała z kimś, dość dramatycznym głosem. Ja poszłam się przebrać. Kaśka była w obejściu.

— O Matko! — powiedziała Basia, odkładając słuchawkę. — Zaginęła dziewczynka. Tu, z Pasymia. Wracała wczoraj po południu od koleżanki. Mieszka na kolonii, za jeziorem. Nie ma jej w domu.

— Wczoraj nikt się nie zorientował?

— Wczoraj to u niej w domu wszyscy byli pijani. Taka rodzina. Dziewczynka miła taka. Chuda trzcinka. Karolinka. Chodzi do gimnazjum pierwszy rok. Leśniczy zwołuje poszukiwaczy. Policja już szuka…

Ubrałyśmy się ciepło. Mama wyprowadziła samochód i pojechałyśmy.

Pod figurką koło rozjazdu stało już dużo ludzi.

— Może została na noc? Kasia, nie ma jej u którejś z was? — pyta mężczyzna w kurtce moro dziewczynkę o wystraszonej buzi.

— Nie, uczyłyśmy się u mnie, potem poszła do domu. Dzwoniłam już do Dominiki i Hanki, i do Jolki Weissów. Tylko tam mogła pójść, ale jej tam nie ma. O! Rodzice Hani przyjechali! — odpowiedziała.

Tłum falował, spekulowali wszyscy, co się mogło stać. Wszyscy też unikali jednego — miała do domu skrót przez jezioro. To mama mi powiedziała.

Patrzyłam na nich, przejętych i zdenerwowanych.

— Kto to, ten w moro? — spytałam mamę.

— Nie poznałam was ze sobą? Przepraszam. To… nasz leśniczy. Tomasz Zawoja. Później, dobrze?

Wkrótce pan Tomek podzielił nas na grupy penetracyjne i powiedział, jak szukać, na co zwracać uwagę. Byłam ogromnie przejęta. Pierwszy raz w życiu brałam udział w takiej akcji.

Raz, w dzieciństwie, widziałam topielca. Mnóstwo ludzi stało nad sinym ciałem chłopaka. Dziewczynki z obozu płakały, to i ja z nimi… Był „całkiem umarły".

Szukaliśmy piechotą, nad jeziorem. Krok po kroku. Ślady na tafli były pozacierane. Przy brzegach lód już stopniał, a na starym śniegu było mnóstwo śladów ludzkich i zwierzęcych… Po prostu szłam, rozglądając się uważnie.

— Jakby nie pili tak i dbali o dzieciaka, to nieszczęścia by nie było… — mówiła niby do siebie jakaś kobieta obok nas.

— Tak, pić to mogliby mniej. Dobry ojciec to po córkę by poszedł… A ten zatracieniec, aby do wódy!

— A ona też nie gorsza! Kiedyś tyle nie piła. Teraz się tak stoczyła. Przy nim! Żeby dziewczynki nie upilnować, nie zadbać! Jak ona się z naszą uczy, to zawsze je karmię. Ile ten dzieciak umie zjeść! Ona po prostu głodna chodzi, jak oni wszystko na te wódę dajo…

Tak oto, szukając Karolinki, usłyszałam historię jej, jej rodziny i picia. Okropne.

Szukaliśmy cały dzień prawie. Nic. Stanęło, że się utopiła, ale trzeba znaleźć ciało. Gdzie szukać? Jezioro duże. Wracałyśmy milczące i złe. Na los, na rodziców Karoliny, na to, że nie ma jej ciała. Jej — całej i zdrowej.

Mama wstawiła ziemniaki obrane przez Kaśkę. Poczułam nagle wilczy głód. Cały dzień piłyśmy tylko herbatę z termosu, zagryzając suchą bułką.

Wyjęłam koniak.

— Napijemy się, mamo?

— Tak, nalej. Zrobię kiełbasę z patelni i podgrzeję bigos. Mam zamrożony w lodówce.

Zaszczekał Funio. Rozjazgotał się. Do drzwi ktoś mocno zapukał. Po męsku. Mama poszła otworzyć i wróciła, prowadząc Tomasza, leśnika. Nieogolony, z siwawym zarostem, duży chłop, tak po pięćdziesiątce. Rysy twarzy góralskie, ostre. A może indiańskie? Ma duży nochal i bruzdy wzdłuż niego, aż do ust. Długie, proste, szpakowate włosy, zawinięte za ucho. Oryginał. Spostrzegłam to już w czasie akcji.

— Dzień dobry pani — zagrzmiał, podając mi rękę. — Tomasz.

— Małgorzata.

— Nie mam dobrych wieści, kobiety…

— O Matko — szepnęła Basia. — Napijmy się, zanim powiesz.

— Znaleźli ją w komórce, koło domu. Jak pogotowie ją zabierało, jeszcze żyła. Wygląda na to, że ktoś ją… zgwałcił. Albo chciał. Pobita jest. Leżała w poszarpanym ubraniu. Podrapana. Zmarznięta. Kurteczkę na zewnątrz znaleźli. Koło krzaków. Tam też ślady, jakby walki. Szarpali się. Podejrzewają kompana tatusia. Tego drwala, Walka. Razem pili, potem tamten poszedł pijany do domu. Już go pewnie przesłuchują.

— Ale mała żyje? — spytała mama.

— Umarła, Basiu, potwornie. Ledwo zipała. Reanimować ją mieli w karetce.

— O mój Boże! — Po twarzy mamy ciekły łzy.

Po mojej też, jak wtedy, nad rzeką, przy nieznajomym topielcu. Nie znałam Karolinki, ale opowieść ludzi już mi ją przybliżyła, wywołała uczucie bliskości, współczucia wobec zaniedbanej dziewczynki. Jak strasznie musiało być jej tam samej, tak blisko domu i znikąd pomocy, przed pijanym dziadem…

— Zabiłabym — powiedziałam cicho.

— Nie pani jedna. Pójdę, Basiu. Dobranoc paniom.

Mama poszła odprowadzić do drzwi leśniczego. Kiedy odnosiłam jego kieliszek do zlewu, zerknęłam w głąb sieni. Leśniczy trzymał rękę na policzku mamy i mówił:

— Pa, kochana, i nie denerwuj się. Pa.

Patrzyłam zdumiona. Wielki Winnetou na emeryturze albo podstarzały Janosik — leśniczy tkliwie mówi do mamy: „kochana". Hmmm.

Gdy mama weszła do kuchni, spytałam:

— Mamo, ile to chłopisko ma lat?

— Czemu pytasz?

— Bo jest w wieku nieokreślonym. Widać tylko, że jest pełnoletni. Ile ma?

— Sześćdziesiąt trzy.

— Żartujesz! Wygląda czerstwo jak cholera!

— No, tak. Wciąż jednak czynny zawodowo, na pół etatu. Mój Boże. Biedna Karolina. Biedna dziewczynka.

Kolację jadłyśmy w milczeniu. Kaśka czuła ciężar w powietrzu i nic nie mówiła.

Parę dni później Karolinka zmarła. Organizm, zaniedbany, słaby, zabiedzony, nie poradził sobie z rozległym zapaleniem płuc, wystudzeniem i pobiciem. Nie była zgwałcona, ale pobita solidnie. Broniła się zaciekle, a dziadowi męskich sił nie wystarczyło na dokonanie dzieła, jak tłumaczył się na policji. Najpierw twierdził, że nic nie pamięta, ale dociśnięty opowiedział wszystko. Pracownik leśny, drwal. Kumpel taty Karoliny. Cham i prostak, chlejący od lat. Walek. Mieszka sam w starej stolarni. Blisko tej figurki, gdzie zebraliśmy się na poszukiwania Karoliny. Spał wtedy pijackim snem. Ledwie parę metrów od nas — poszukujących jej. Skurwiel! Zwolnili go po przesłuchaniu do czasu wznowienia śledztwa. Od razu poszedł do lasu.

Pogrzeb był okropny. Wszystko takie przesadzone! Naturalnie straszna rzecz się stała, ale te rozmamłane baby, zawodzące i pomstujące w kruchcie… Niedobrze mi się robiło. Takie tanie sensatki.

Szkoła calutka w komplecie, to dobrze, ale smutno, że dopiero teraz wszyscy są. A wtedy, gdy bywała głodna, samotna, mało kto jej pomógł. Nauczycielki wystrojone w czarną krepę, jak krewne, milczały zawsze i nie wtrącały się, bo to sprawa rodzinna, zresztą tu większość pije. Nawet ich mężowie.

Na białej trumnie białe kwiaty z czarnymi szarfami ze złotą lamówką. Okropnie pretensjonalne, ale oni tu tak lubią. Trwa nieme przedstawienie.

Wchodzą rodzice Karoliny. Kościół milknie. Cisza chlaszcze ich boleśniej od bata. Ojciec — trzeźwy, szary, zgarbiony, jakby się bał, że oberwie. Chowa głowę w kołnierz. Mama malutka. Chuchro owinięte w jakiś czarny płaszczyk i chustkę też czarną, na wpół omdlała z rozpaczy. Widać, że jest na prochach uspokajających. Siada skulona przed trumną i tylko jej plecy szarpie cichy szloch. Cisza gęstnieje do niemożliwości.

Dostojnie wchodzi ksiądz. Dzwoni dzwonek na mszę. Wreszcie jakiś szum, ludzie wstają, szepczą. Msza okropna. Tak straszna, że wychodzę pod koniec zgorszona. Ciągnę za sobą Kaśkę. Ona lubi msze, nie rozumie mojego pośpiechu, ale wykręcam się, że chcę siusiać.

Jedziemy do domu. Trzęsie mną z oburzenia.

— Mamo! — Wpadam do kuchni zła jak osa. — To jakaś paranoja! Ona leży, tam, w tej białej trumnie, ta Karolinka. Zamęczona dziewczyneczka, koleżanka, parafianka, a on, ksiądz, tylko raz wymówił jej imię i to tak... oficjalnie! Bez uczucia, jakby czytał listę obecności! „Żegnamy siostrę naszą, Karolinę". A cały czas to ta msza była o wierze, Jezusie, Kościele i papieżu. Cholera jasna, nic nie powiedział o Karolinie ciepłego! Nie wspomniał jej jako człowieka, dziewczynki i jej podłego i smutnego życia! Tylko: Jezus, Kościół, wiara i... dajcie na tacę. Miał taką widownię! Mógł polecieć po ich sumieniach! Napiętnować wódę, nieczułość na ludzkie problemy! Mamo! Jak tak można?! Przecież to instytucja miłosierdzia, miejsce, w którym można poruszać ludzkie sumienia! Szlag!

Ciężko nam było jeszcze długo. Aż do następnego tygodnia, gdy policja zaczęła szukać Walka, bo w starej stolarni go nie było. Za to mama Karoliny, całe dnie — jak nie w kościele, to na cmentarzu. Trzeźwa, złamana wpół. Na nikogo nie podnosiła oczu. Milczała. Modliła się i płakała na zmianę.

Wreszcie buchnęła sensacja. Znaleźli Walka na dalekim wyrębie. W spalonym szałasie. Ręce miał drutem przywiązane do legowiska. Obok pusta flaszka. Szałas spalił się szybko. Walka tylko przypiekło, a reszty dokonała zgłodniała zwierzyna. Podobno widok był okropny.

Przesłuchania nic nie dały. Rodzice Karoliny byli bez przerwy na ludzkich oczach. On pił jak zwykle albo jeszcze gorzej, leżał gdzieś pod płotem albo przy starej stolarni. Ona modliła się w kościele albo nad grobem córki. Sąsiedzi poświadczyli, że wieczorami dym szedł z komina ich domostwa i światło się paliło. Nie było żadnych dowodów przeciw nim, a i tak wszyscy wiedzieli, że mama Karoliny musiała maczać w tym palce. Po przesłuchaniach inaczej się nosiła, podniosła wyżej głowę. Nie piła już wcale. Była taka... spokojna, choć zacięta w żałobie.

Walka pochował pastor na starym cmentarzu, bo stwierdził, że jego rodzice byli ewangelikami. On, Walek, nigdy do żadnego kościoła nie chodził. Spoczął w metalowym pudełku, w jakimś starym grobie, z tabliczką: „Walenty Walczak. Urodzony… zmarł…", takie tam.

Ja w tym czasie zrobiłam piętnaście opracowań i dogadałam się z wydawnictwem. Internet mamy chodził możliwie, choć nie był to ten najszybszy. Umówiłyśmy się, że po okresie próbnym podzielimy się kosztami, a w perspektywie wymyśliłam sobie wizytę w Szczytnie w sprawie jakiegoś szybszego łącza.

Już nie czułam się gościem u mamy. Kaśka też zachowywała się normalnie. Nie była taka ciekawa każdego mojego kroku, gestu. Bardzo lubiła, gdy przechodząc lub stojąc obok niej, kładłam głowę na jej ramieniu i wzdychałam:

— Oj, Kaśko, Kaśko…

Ona zaś buczała rozbawiona:

— Oj, Gosiu, Gosiu…

Mama Gnom gdzieś znikała w swoich sprawach i życie toczyło się tutejszym rytmem.

Na moich oczach pozieleniały łąki. Brzozy pokryły się maleńkimi pączkami, bzy u mamy też miały pąki i wszystko, wszystko szykowało się do corocznego wybuchu wiosny.

Kaśka i ja coraz rzadziej dokładałyśmy do pieców, coraz częściej otwierałyśmy okna, nie bojąc się wystudzenia domu. Powietrze pachniało… W miasteczku z ogrodów i zagród czuć było palone śmiecie, suche pozostałości jesieni: marcinki, słoneczniki z wyjedzonymi środkami, malwy, osty, gałęzie, resztki słomy, choć róż jeszcze nikt nie odkrył z chochołów. Ten dym, snujący się leniwie po okolicy, zanosi do zagród taką zapachową wiadomość, że oto już pora na sprzątanie po zimie. I wszyscy sprzątają. Lubię ten zapach. Podobny był w Parku Paderewskiego wiosną.

Zosia zawsze nakładała skórzane rękawiczki, kurtkę i chustkę na głowę. Brała sekator i szła do ogródka. Jak wracałam z pracy, ogródek był już „odczarowany" po zimie i paliło się ognisko z badyli. Marysia, jak była mała, piekła w nim ziemniaczki, uszczęśliwiona, brudna i radosna. Zawsze mi zostawiała kilka…

— Kasiu! — wołam na cały dom. — Mamy ziemniaki?

Wiosna i wronia pokuta

Był już koniec kwietnia. Na moich oczach wszystko budziło się do życia ładniej i intensywniej niż w mieście. Bielutka kaczka, prezent od Piernackiego, chodziła dumnie z szarymi kulkami, zabawnie kuśtykającymi za nią trop w trop. Piernasio przyniósł nam tę kaczkę razem z jajkami. Posadził ją w koszu, w słomie, obok Buśki. Mówił, że to bardzo towarzyska odmiana i nie lubi się z kurami, więc w kurniku nie zechce mieszkać. Rzeczywiście. Kaczka bielusieńka jak z bielinki, miała na głowie i na nogach trochę czarnych plamek. Reszta nadawała się do reklamy proszku z wybielaczem. Rozkokosiła się obok stanowiska Buśki, w słomie. Tam wylęgły się jej kaczuszki, ostrożnie ucząc się życia między kopytami zdziwionej krowy. Kiedy Buśka polegiwała, żując, one siedziały na niej cieplej, jak na grzędzie. Powolutku zaczęły wychodzić na podwórko i zawierać znajomości. Funio rzucił się do nich, choć znał je już z obory i gwałtownie wyhamował. Kaczka — matka kwaknęła ostrzegawczo i rozpostarła skrzydła. Potem znalazły sobie miejsce na czubku kostek słomy. Tam siedziały w słońcu prawie cały dzień.

Ja odbierałam maile, wysyłałam maile i wyglądałam przez uchylone okno, patrząc na kaczuchy, Kaśkę idącą z wiadrem, Blankę leniwie obserwującą mnie z poręczy letniej werandy. Już dawno nie czułam się tak wspaniale. Normalnie. Spokojnie.

Mama na przygórku robi do skrzynek wysiew kwiatków letnich do ogrodu. To takie miejsce na stryszku, gdzie przy małym okienku stoi komin i rozsiewa ciepło. Tam, na ławce jest rozsadnik.

Ja i Zosia, jeszcze w Warszawie, jechałyśmy po prostu po flance na Plac Szembeka. Tam, wiosną, już nawet przed Ogrodnikami hodowcy przywozili sadzonki. Każdy zapewniał, że mrozów nie będzie i można sadzić. No, nie wszyscy. Była taka „nasza pani", która marszczyła nos, jak kupowałyśmy coś przed dwunastym maja, i przestrzegała:

— Pani poczeka! Toć jeszcze Bonifacy i Zimna Zośka!

— Ano, prawda — mówiła pojednawczo Zosia. — To da pani bratków ze dwadzieścia. Te nie umarzną.

— Nie umarzną! — powtarzała nasza pani i pakowała w gazetę dwadzieścia dwa bratki, „żeby krzywdy nie było".

Dostałam propozycję od koleżanki, żebym podredagowała pracę magisterską jej córki. Oczywiście, jak napisała: „za pieniążek". W końcu jak nie ja, to i tak ktoś to jej zrobi. I tak ładnie, że samo dziewczę napisało, a nie ściągnęło z internetu. Praca była na temat intensywnego chowu kaczek. W części statystycznej nudna, choć pisana ładnym językiem, sprawnie. Podobno promotor chciał ją przetłumaczyć i gdzieś słać... Po tej lekturze patrzyłam na naszą białą kaczusię i mówiłam do niej, siedząc na snopku:

— Czy ty wiesz, kochana, jaki masz fajny los? Wiesz, co tam w świecie powymyślali w sprawie hodowli?! Nawet ci nie powiem, bo się zdenerwujesz...

Kaczka nakwakała mi coś głośno, zabrała kaczaki i poszła z nimi za furtkę.

Po tym wszystkim opisałam magistrantce żywot naszej kaczusi i ze zdjęciami wysłałam mailem. Odpowiedziała, że wmontuje naszą kaczkę do swojej pracy. Jako żarcik. Było miło. Chce mi podesłać jeszcze inne magistrantki, do redagowania. OK. Pieniążek mile widziany!

Rano mama poprosiła mnie, żebym oderwała się od roboty i poszła z nią do sklepów.

— Nudno mi samej — tak to wyjaśniła. Jak Marysia, której nudno było iść na bazarek, więc zawsze mnie wyciągała ze sobą.

Przy kasie mama zagadała się z miłą, dystyngowaną panią.

— Przepraszam, to moja córka. Gosiu, to pani Karolina, mama naszego proboszcza.

— Miło mi.

— Pani Basiu, przyjdziecie dziś panie na plebanię, na herbatę? Porozmawiamy sobie, sernik mam świeży...

Tak oto zaplanowane zostało popołudnie, choć bez mojego entuzjazmu. Po mszy pogrzebowej Karolinki nie byłam dobrze usposobiona do księdza ani nikogo, kto z nim trzyma...

W samochodzie mama mnie uświadomiła:

— Pani Karolina nastała tu z synem jakieś dziesięć lat temu. Wychowywała go sama. No, wiesz, bez męża. Jakby mogła, wmówiłaby sobie i światu swoje niepokalane poczęcie. Karolka od początku wychowywała na księdza. Ród kobiecy zohydzała mu jak mogła, żeby, jak twierdzi, miał łatwiej z celibatem. To typowy toksyczny związek, jakby to powiedzieli znawcy. Mamusia nie dała przeciąć pępowiny. Trzyma go na podwójnej uwięzi — matczynej i religijnej, bo ona jest większą bigotką od niego. Właściwie to ona jest proboszczem na plebanii. Na mszach słucha go z uwielbieniem, bo słyszałaś, jaki on ma głos? Jaką modulację, dramatyzm...? Aktor! Zobaczysz, jak ona o nim mówi. To jego imię (Karol), ta gra aktorska w teatrze, w seminarium, „No, czyż porównanie nie ciśnie się samo? Pani Basiu?" Tak mi mówiła. On podobno pisze wiersze. No, mówię ci, Gośka, papież bis! Ale... madame Karolina jest też miła, ma klasę, wiedzę. Jest super ogrodniczką. Ma piękne gospodarstwo. Szklarnie staroświeckie, z drewna i szkła, sad, warzywnik i zbiór cudowności kwietnych, jakiego tu nie znajdziesz! Pójdźmy, co ci szkodzi?

— Dobra. Może być ciekawie.

Po południu, ładnie ubrane, uczesane i uperfumowane, pojechałyśmy na plebanię. Za nią, za sadem stał piękny, mały domek pani Karoliny, a dalej rozciągał się, aż do odległych sosen i do samego jeziora, wielki ogród. Salonik jak z żurnala, elegancki i dostojny, czekał już z sernikiem i kawą w pięknej zastawie.

Konwersacja perliła się bzdurkami, zanim pani Karolina nie uchyliła rąbka tajemnicy.

— Pani Basiu. Ja muszę się z panią naradzić. Właściwie poprosić o zdanie, bo decyzję już i tak podjęłam. Pani świętej pamięci mama... i pani, macie tu estymę i szacunek, więc mimo że pani jest ewangeliczką, to jednak ogromnie zależy mi na pani... waszym — poprawiła się — zdaniu.

— Ja, pani Karolino, może rozczaruję panią — mówiłam pięknym językiem, starannie cedząc sylaby. — Ale ja jestem agnostyczką...

— Proszę? — nie uwierzyła. Zamrugała powiekami jak kura, która nie wie, co robić. — Proszę? — powtórzyła.

— No, obywam się bez kościoła... Moja religia, jeśli już używać tego sposobu myślenia, jest inna. Bliższa szintoizmowi... Jakoś tak. Czy mimo wszystko chce pani, bym wam towarzyszyła?

— Proszę mnie nie brać za jakąś bigotkę! Zaskoczyło mnie to, bo pierwszy raz widzę kogoś, kto żyje bez wiary...

— Po pierwsze, wiarę to ja mam, nie mam tylko Kościoła jako instytucji. Po drugie, pani Karolino, zapewne ma pani na co dzień kontakt z ludźmi bez wiary, tylko oni nie się przyznają. Czyż nie tak? Połowa wiernych, w niedzielę modlących się w kościele, nie ma Boga w sercu...

— Tak... — powiedziała pani Karolina, zamykając oczy dramatycznie. — Tak. To wielkie pole do działania dla mojego syna: obudzić te owieczki. Ale ja poprosiłam panie w podobnej sprawie. Otóż, moje drogie, podjęłam się eksperymentu. Biedna matka tej zamordowanej dziewczynki przyszła po pociechę duchową do mojego syna. On zaś w swej przenikliwości uznał, że dalszą pociechę mogę dać jej ja! Modlitwa i pokuta mogą tej kobiecie uchylić bram przebaczenia. Jednakowoż nie ma ona wsparcia u ludzi. U męża... Wiecie, panie. Dwa tygodnie temu przyjęłam ją do pracy. Dałam dach nad głową, bo odeszła z domu i wracać tam nie chce, a z głodu, biedaczka, zemdlała w kościele. Oni wszystko przepili! Wszystko! Ona chciała do klasztoru, ale wybiłam jej z głowy ten zamysł. Nie ma tak łatwo! Tu, na ziemi wśród ludzi trzeba odkupić grzech zaniedbania i ten, który ona nosi w sercu, a o którym tylko Bóg i mój syn wiedzą! Mieszka teraz za kuchnią, w pokoiku dla służby. Ma tam ciepło, dostaje jedzenie, pomaga mi. Pracuje w ogrodzie i na cmentarzu, pomaga kościelnemu. Jest już stary i słaby. Ona sama powiedziała mi wszystko z własnej woli, mówiąc, że jej już nie ma.

— Jak to nie ma?

— Tak powiedziała. Że jest jak czarna wrona. Zła, niedobra i nikomu niepotrzebna. Teraz chce żyć na chwałę Pana i czcić pamięć córki. W kościele złożyła ślub milczenia i każe nazywać się Wroną.

— Proszę?! — zapytałam, nie dowierzając.

— Chce zapomnieć o swoim istnieniu. Odrzuca wszystko, co doczesne. Nawet męża, dom i własne imię. Nie reaguje na nie, jak ją zawołam. A jak powiem: „Wrona! Spal liście spod akacji" — reaguje. Dziwnie z tą Wroną...

— To rodzaj popiołu na głowę — powiedziała mama.

Ta to wie, co powiedzieć! A pani Karolina aż uniosła się w zachwycie:

— Pani też tak pomyślała? Pani Basiu! Co za przenikliwość umysłu! Tak! To rodzaj pokuty. Może jeszcze sernika?

— W każdym razie — powiedziałam uprzejmie — to pięknie z pani strony, że dała jej pani dach i opiekę.

— To moja chrześcijańska powinność — powiedziała madame Karolina, spuszczając wzrok. — Czyli mam pań akceptację?

— Naturaaalnie — powiedziała mama i wstała. — Musimy już iść, pani Karolino. Kaśka nie lubi być sama.

— Ach tak! Słyszałam tę piękną historię od starego proboszcza. To heroiczne ze strony pani, że troszczy się pani o tę biedną istotę!

Po licznych pożegnaniach wreszcie szłyśmy w stronę furtki.

— Pani Małgorzato! (To do mnie!) Zechce mnie pani jeszcze odwiedzić z mamą. Chętnie porozmawiam z panią i dowiem się, jak też radzi sobie pani bez Boga i Kościoła.

— Dziękuję. Nie omieszkam przyjść, w miarę wolnego czasu!

Po tych wersalach i lansadach wsiadłyśmy do maminej terenówy.

— Jaka cwana! — powiedział Gnom. — Jak lisica!

— Czemu?! No, a kto wyciągnął rękę do tej... Wrony? Czy ktoś zainteresował się nią?

— Niby masz rację, ale ja znam Karolinę. Ona kocha tylko Kościół, syna i wierz mi, nigdy nikomu nie okazała „miłosierdzia". Jest znana z mocnej ręki, głowy do interesów, ostrych sądów. Ma jęzor, który może zabić. Truciznę podaje umaczaną w miodzie.

— Nie przesadzasz?

— U niej w ogrodzie pracowało już parę osób. Jest skąpa, piekielnie wymagająca i nie lituje się nad nikim. Kościelnemu nawet w deszcz kazała pracować. No, to wylądował na zapalenie płuc w szpitalu i dopiero stary proboszcz zakazał jej wykorzystywania go do pracy. Inni pracownicy też pracują w deszcz, śnieg, ziąb. Jej to nie obchodzi. Mają jedną, maleńką przerwę na śniadanie. Gdy piją wodę w upał i chcą odsapnąć trochę, wykrzykuje im od darmozjadów. Nie taka z niej święta!

— No, ale Wronę wzięła do domu...

— I ma służącą za frajer, bo Wrona chce pokuty. Jest załamana i wierzy, że w taki sposób, na służbie u matki księdza, odbębni winę.

— Wierzysz, że to ona spaliła Walka?

— Jasne! A kto? Miał wielu wrogów, to fakt. Kradzieże, kłusowanie i mordobicia nie przysporzyły mu sympatii, ale kto znał jego „gawrę" w lesie? Tylko jej mąż i ona.

— To może on?

— Coś ty! Za słaby psychicznie. Nie chciałby podnosić ręki na kompana. Nie raz za flaszkę pozwalał mu używać jej, półpijanej. Pamiętała to.

— Okropne!

— Okropne, Gosiu. Oni mieli ładną gospodarkę. Wszystko posprzedawali. Nie mają nic. Dobrze, że go rzuciła, ale lekko u Karoliny to jej nie będzie.

— Pewnie nawet chce, żeby lekko nie było.

— Pewnie tak...

Zajechałyśmy do domu. Kaśka właśnie wychodziła z obory z wiadrem mleka od Buśki. Była wystrojona w nowe kalosze. Fioletowe.

O tym, jak byłyśmy na rybach

Mail do Mani:
No, kochana! Tak się nie robi! Cisza taka, że zupełnie nie wiem — żyjesz czy nie? Kochasz czy nie? Jak tatko? Robisz coś w ogródku, czy zarósł chaszczami?

U mnie spokój taki, jakiego pragnęłam. Uczę się wszystkiego — palenia w piecu, karmienia kaczki i krowy... życia się uczę i dobrze mi. Całuję Twój ryjek. Mamcia

Mail od Mani:
Oj, wieśniaku Ty mój! Nie zaniedbałam ogródka. Był dziadek Kuby i razem wygrabiliśmy pozimowe brudy. Odwinęliśmy róże babci Zosi z chochołów, zrobiliśmy ognisko i piliśmy wino! Tata ma się dobrze. Trochę pokasłał, ale wcisnęłam w niego mleko z miodem i aspirynę, przyniosłam z wypożyczalni długaśny, niemiecki film Das boot *— o łodzi podwodnej (rzecz dzieje się w czasie drugiej wojny) i kazałam Mu się degenerować (!). Lubi, jak się koło Niego skacze. Wpadł wujek Marian na szachy i obaj się świetnie bawili.*
W indeksie porządek. W domu też.
Całujemy Cię wszyscy — Mania

Postanowiłam sprawdzić, jak jest na łąkach koło rozlewiska. Słońce było już coraz cieplejsze, a powietrze zapełniło się nagle bzykającą zawartością. Późny ranek był świetlisty niby lato, łagodny i pachnący świeżą zielenią. Nie, to nie jest zieleń. Właściwie pachnie dookoła rozmokłą ziemią i dżdżownicami.

Jak byłam mała, to wiosną tato zabierał mnie na ryby, nad Wisłę. Najpierw kopaliśmy dżdżownice nad kanałkiem i to właśnie ten zapach czułam teraz na łąkach. Szłam w moich kaloszach „gówniaczkach" po zeszłorocznej trawie, przez którą przebiły się już nowe, tegoroczne odrosty. Brzydko to wygląda. Niby taki dywan ze świeżutkiej trawki, a jednak na wierzchu kożuchy starej, suchej okrywy, jeszcze z jesieni. Tam, gdzie wypalają łąki, jest pięknie. Zieleń rośnie bujnie i czysto. Ale i tak nie znoszę wypalania, bo jest bezduszne i złe. Jak widzę płonące łąki, zaraz dzwonię do straży, bo niszczy się cały żywy świat łąk, niemający szans na ucieczkę. Prymitywne i złe!

Rozdeptywałam kretowiska. Tak troszkę. Tyle ich tutaj! Szłam wilgotnymi koleinami, pełnymi błota… Miałam na sobie lekką kurtkę i tak przyjemnie było już nie chować głowy w kołnierz. Spod nóg z furkotem śmignęły mi kuropatwy. Wystraszyłam je, a one mnie. Mijałam wyższe trawy. Suche, z pióropuszami porwanymi zimą przez wiatr. Pewnie chciały tam wić gniazda… Biedne ptaszyska! Blisko rozlewiska trawa zamieniła się w kiełkujące szpady pałki wodnej i dzikich kosaćców. Ile ich! Ale będzie żółto!

Podeszłam do lustra wody. Rzeczywiście, płytko tu. W ciepłej wodzie, w zastoinie zobaczyłam plankton, jak żywą kaszę. Kłaczki zielenic i żabi skrzek! Daleko, pod lasem, na wodzie pływa para łabędzi. Z wody wystają suche, stare gałęzie, jak zatopiony las… Tam właśnie mają gniazdo. Piękne są. Pływające znaki zapytania, jak już powiedział poeta.

Słońce odbijało się w małym lusterku zastoiny wodnej, stokrotnie rażąc mnie i bawiąc. Tak obserwowałam wodę w harcerstwie... To wtedy, jak druhna Anna zabrała nas na biwak w sobotę, przed Pierwszym Maja. Znaleźliśmy małe, leśne jeziorko. Wszyscy zbierali chrust na ognisko, a ja schowałam się w trzcinach i gapiłam na wodę. Było zimno i spaliśmy w stodole u chłopa, zagrzebani w słomę po uszy. Rano wyglądaliśmy jak chochoły z *Wesela*. Na obiad chłop zrobił nam żurku na kiełbasie, a na kolację, przy ognisku — rybki z patelni. Mnóstwo niewielkich płotek i karasków usmażonych na smalcu. Jedliśmy je z wielkimi pajdami wiejskiego chleba. Cudowności!

— Mamo, jak byłam na rozlewisku, zamarzyły mi się rybki z patelni. Przecież to Mazury. Tu są ryby?

— No jasne! Można zadzwonić do tartaku i poprosić Krzysia, ale to potrwa. Możemy też zaraz iść na ryby. Co to dziś? Wtorek? Akurat!

— Mamy iść na ryby? My? Żartujesz, prawda?

— Nie. Wcale. Jest jedenasta. Zdążymy. Ubieraj się.

Ale ja głupia jestem! Naturalnie, że pojechałyśmy na ryby! Na targ, do Szczytna, mamy terenówką. Zaparkowałyśmy na parkingu strzeżonym. Od mojej strony, bo ja prowadziłam, podszedł do mnie leśny dziadek, szef parkingu, w gumofilcach i czapce z daszkiem.

— Za taki wóz to dwa złote!

— Zawsze płacę złotówkę — powiedziała mama.

Chłopisko spojrzało w głąb auta.

— A, witam panią! Nie poznałem! Złotówka!

I podał mi kwit parkingowy, drukowany na domowej drukarence, z napisem: „Parking płatny".

Potem poszłyśmy do rybnych budek. Przed każdą stały pojemniki z rybami. Dużymi i małymi, patroszonymi i nie.

— Pani Basiu! Dzień dobry! Ale pani dawno nie było!

Czemu mnie nie dziwi ta radość? Ta zażyłość?

— Co świeżego i pysznego jest dziś, pani Małgosiu? — mama pyta miłą ekspedientkę.

— Sandaczyk jest, jak świeży, płoteczki dla kotki, okonki małe, ale zgrabne, pstrągi, jak zwykle, i kergulenkę mam! Pani lubi taką w masełku!

— Dziś córka wybiera, a płotek dla kotki poproszę.

— To ja też — zadecydowałam.

— Dla kotki?

— Nie, dla mnie. Dużo, poproszę.

W domu Kaśka westchnęła tylko, jak wysypałam na stół kilogram rybnego drobiazgu.

— Pomogę ci, szefowo! — obiecałam.

Kaśka roześmiała się z tej „szefowej" i poszła po gazety. Skrobałyśmy te ryby z uporem godnym lepszej sprawy. Mama urwała się gdzieś. Czasem tak znika po południu, czasem wieczorem. Nie wiem, kiedy wraca, i nie pytam jej o to. Uważam, że nie powinnam. Ma swoje życie. Nikt jej nigdy nie indagował, więc jakim prawem ja, teraz?

— Kasiu, dokąd mama poszła?

— Pojechała. Samochodem. Tak.

— No to dokąd pojechała?

— Do Tomka, chyba. Taaak.

— Do leśniczego?!

Kaśka wie, że zdradza jakąś maminą tajemnicę, bo chowa wzrok i patroszy rybę aż za starannie.

No, proszę! „Do Tomka"! Co ich łączy? „Przyjaźń czy kochanie?". Żarła mnie ciekawość. O, jak żarła!

Nabrudziłyśmy z Kaśką tymi rybami. Łuski z płotek były nawet na piecu. Na szczęście flaki pozawijałyśmy w gazetę i Kaśka wyniosła je dla Blanki. Kocica teraz prawie w ogóle nie przychodziła do domu. Czasem na noc... Łaziła po polach pełnych życia i zbierała — jak ze szwedzkiego stołu — żaby, ptaszki, myszki... Lubiła ryby, bo zaraz wskoczyła na schodek, jak tylko Kasia wywaliła na miseczkę zawartość gazety.

Teraz smażenie, więc mąka jest wszędzie! Na podłodze, na stole i na naszych nosach. Kaśka śmieje się jak syrena na statku — bucząc. Smalec pryska dookoła, ryby pachną już jak w moim dzieciństwie. Znów zjem okropnie niezdrowe, smażone na smalcu jedzenie. No i super! Mamy już tych rybnych chipsów całą michę.

— Kto to zje? — pytam na głos

— No, kto? — dopytuje się Kaśka.

Właśnie nadeszła pomoc. Weszła mama, prowadząc pana Tomasza.

— Czy jesteście głodni? — wołam od progu. — Bo jak nie, to idźcie sobie!

Kaśka zaśmiewa się z mojej gościnności i szybko sprząta ślady naszego urzędowania.

— Nie tylko głodni, ale i spragnieni! — dudni pan Tomasz od progu i stawia na stole sześciopak dobrego, czeskiego piwa.

Mama z uśmiechem przygotowuje stół do biesiady i rozstawia talerze, szklan-ki. Jeden kufel. Dla Tomasza. Widać, on tak lubi. Widać, częsty bywalec, zado-mowiony…

Zajadamy się rybkami, choć leśniczy śmieje się z moich upodobań do „ko-ciego żarcia" — jak mówi.

— Pani Gosiu, ryba to powinna być jak befsztyk — duża, no i smaczna! O, na przykład sandacz, węgorz, lin w śmietanie, karp po seczuańsku.

— Czemu po seczuańsku? A nie jakoś po polsku?

— Bo my, Polacy, karpia robimy jakoś bez polotu. Byłem kiedyś w Warsza-wie i kolega zaprosił mnie do knajpy z chińską kuchnią. Tam podano mi tego karpia. Cudo! Nie zdradzę, ale zapraszam do mojej gawry. Na karpia po seczu-ańsku. Na Mazurach smakuje lepiej, bo zamiast oleju ja używam smalcu. Dalej — cisza! Nie zdradzę receptury!

— Wie pan, sądzę, że nie powinniśmy sobie tak „panować", skoro jest pan… przyjacielem domu, jakby rodziną? Tak? Więc proszę mi mówić po imieniu!

— No i świetnie! — uśmiechnął się Tomasz. — Ale przepijemy do siebie u mnie porządnym bimberkiem. Dobrze? Basia mówiła, jaki mam dobry bim-berek? Aż z Kurpi. Spod Piasutna!

— Basia to nic nie mówiła! — spojrzałam na mamę, która uśmiechała się tylko rozbawiona naszą bezpośredniością.

— Nasi rodzice znali się dość dobrze. Mój ojciec od razu zaakceptował pana Michała i Bronisławę, choć oni lekko nie mieli, bo przyjezdni i w dodatku, wiesz, „przedwojenne hrabiostwo". Mało kto o tym wiedział, ale jednak. Mają-tek im władza odebrała, więc dano im spokój. Moi rodzice też mieli arystokra-tyczne, przedwojenne pochodzenie. Właściwie tylko mama, ale ojciec zawsze powtarzał, że cywilizację tworzą elity, a nie motłoch.

— O, to ładne! Ale nie głosił tego wprost. Prawda?

— Nie. Tylko przy stole, z przyjaciółmi. Takie były czasy. Rządził motłoch wła-śnie. Zawsze popatrywałem na Basię z uwielbieniem. Cóż jednak. Byłem młodszy i bardzo nieśmiały. Co taka panna mogła powiedzieć takiemu smarkaczowi? Że-bym sobie nos wytarł? Basia pojechała uczyć się do Torunia. Rozpaczałem. Do-rastałem też. Jakoś tak później zapomniałem, zająłem się nauką. Na pogrzebie starego pana Michała znów zobaczyłem moją Baśkę. Znów nie miałem odwagi. Znów zapominałem. Z trudem. Dowiedziałem się, że w Warszawie wyszła za mąż i urodziła dziecko. Ciebie. Szalałem z rozpaczy. Byłem taki werterowski dureń!

— Czemu zaraz dureń? — zapytała z oburzeniem mama. — Po prostu ro-mantyczny… Ten… no…

— Dureń! — dokończył Tomek, ze śmiechem. — Boże, jak ja wyłem z zazdrości i rozpaczy! Dziś łatwo o tym mówić, ale jak się ma ...dzieścia lat, to boli jak cholera! Zacząłem się zapijać na śmierć. To było już na studiach. Jak się ojciec dowiedział, przyjechał do bursy i tak mi dupę złoił, że siadać nie mogłem. Pasem leśniczego! Bolało. Dupsko i serce. Koledzy podpowiedzieli mi starą metodę, klin klinem. No to ożeniłem się z pierwszą, która była w miarę podobna do Basi. To była bardzo dobra dziewczyna. Lidka. Nic nie podejrzewała. Czasem przez sen mówiłem: „Baśko, Baśko", ale tłumaczyłem się *Panem Wołodyjowskim*, że niby tak ten wątek lubię. Objęliśmy leśniczówkę po ojcu. Tu właśnie. Ja byłem po olsztyńskim WSR. Ona też. Basia mieszkała w Warszawie i nic nie wskazywało na to, że tu przyjedzie się osiedlić... Nie mieliśmy z żoną dzieci. Lidka rozpaczała, leczyła się, ale nie dane nam było. W końcu pogodziła się, ale zamilkła jakoś. Zamknęła się w sobie. Dziś wiem, że to nazywa się „depresja". Wtedy jednak nikt nie kierował smutnych ludzi do psychiatry. Pewnego dnia jechałem przez Pasym i mało nie rozbiłem samochodu. Zobaczyłem Basię i wtedy dowiedziałem się, że zmarła pani Bronia. Nawet nie pogadaliśmy na pogrzebie... A później Baśka była zajęta Kaśką.

— Mną? Tak? — wtrąciła się Kaśka, która niedawno skończyła zmywanie i dosiadła się do nas ponownie.

Lubiła słuchać opowieści, których bohaterów znała. Uwielbiała słuchać o sobie.

—Tak, Kaśko. Tobą byłam zajęta, jak umarła Bronia. Mama Bronia. Pamiętasz, kochanie? — spytał Gnom.

—Tak. Tak. — Kaśka potrząsała głową. —Tak.

— Nawet nie umiałem się odezwać do Basi na ulicy. Milczałem. Często jeździłem po tych dróżkach w tę i z powrotem, byle tylko przejechać obok jej zagrody. Byłem taki zadowolony, jak Basia zajechała przed ponownym wyjazdem do nas, do leśniczówki! Przyjechała zamówić drewno na opał. Tak poznały się z Lidką. Minęło jeszcze trochę czasu i znów mną trzasnęło. Basia sprowadziła się na stałe! Pół miasta huczało, że Baśka wraca. Karolakowa z tartaku powiedziała komuś. Ktoś rozgadał wszystkim. Wiesz, jak to jest. Ona, znaczy Karolakowa, po śmierci pani Broni opiekowała się Kaśką i zagrodą.

— Mama Czarka. Taaak — wtrąciła Kaśka.

— Basia zamieszkała tu, w tym domu, który prawie codziennie mogłem mijać, gdybym wybierał dłuższą trasę do Pasymia. Z leśniczówki mamy niestety skrót do miasta... O mój Boże! Męka Pańska! Najgorsze było to, że Lidka i Basia polubiły się. Lidzia zaczęła wyłazić ze swojej skorupy, bo obecność Basi dobrze na nią wpływała. Często zastawałem panie na herbatce, wspólnym obieraniu zebranych grzybów, smażeniu konfitur...

— No, to cudnie! Miałeś je obie!

— Niby tak, tyle, że spałem nie z tą, do której się rwałem...

Zapadła cisza, aż mama parsknęła pierwsza.

— No, wiesz...

— Tomek, dalej! — domagałam się dalszego ciągu.

— Dalej? Nic takiego. Tak jakoś to się ciągnęło, aż Lidka odeszła. Poznała listownie jakiegoś pana, który ogłosił się w matrymonialnym dziale czasopisma, bodajże... „Zarzewie", czy coś takiego, i ta korespondencja ją uskrzydliła. On był taki romantyczny, ona spragniona miłości, której, prawdę mówiąc, jej nie dałem... Moja wina. Wyjechała niby do rodziców. Poznali się i trzeba było dać jej rozwód. Rozstaliśmy się bez żalu.

— Miałeś czyste pole!

— Tak ci się tylko wydaje, bo przecież Basia nie wiedziała, że pisałem do niej wiersze, że była, no...

— Dobrze, daruj sobie — zaśmiała się mama. — Komu piwa? Bo otwieram nowe!

— Teraz będzie najlepsze, mamo. Jak ci nie na rękę, idź wydoić Buśkę!

— Ty chcesz tak... wszystko? Kawa na ławę? — spytała Tomka.

— Basinko, kochanie. Jesteś taka zabawna, jak się złościsz!

— Nie złoszczę się, tylko ostatnio nie można namówić cię na gadanie, a teraz proszę, orator!

— Bo to dobre piwo, Basinko.

„Basinek" zrobił swoje i mama złagodniała. Ale i tak zabrała Kaśkę do obory, bo było późno jak na dojenie.

— Kontynuuj — powiedziałam.

— Wybrałem dobrą strategię.

— Zaprzyjaźniłeś się?

— Tak.

— I że: „Taki biedny z ciebie miś"?

— Nie! Wtedy byłbym za mazgaja. Postarałem się być najlepszym kumplem. Uzależnić ją od siebie. Żeby chciała ze mną być jak najczęściej.

— Udało się?

— Tak.

— A reszta?

— Byłem absolutnie „od tych spraw" z dala. Zaczęło ją to intrygować, dlaczego jesteśmy takimi dobrymi kumplami, bratnimi duszami, a ja nie ciągnę jej do łóżka?

— Szczegóły! Klimat! Dawaj! — domagałam się.

— Kiedyś, wieczorem była u mnie na herbacie. Cudowna rozmowa, ciepełko, zrozumienie i intymność. Już, już chciałem jakoś... ale zwyczajnie bałem się. Nie byłem pewien. Wyszliśmy, bo odprowadzałem ją zawsze do domu. Wiesz, „ciemno, głucho i wilcy na drodze". Wskoczyła na powalone drzewo, poślizgnęła się i... już miałem ją w ramionach! Śmiała się! Ewidentnie tego chciała! Pocałowałem ją. Była taka namiętna... Do dziś pamiętam, co czułem. Jaka eksplozja szczęścia nastąpiła we mnie, gdy nie oponując, zarzuciła mi ręce na szyję! Zawróciliśmy do leśniczówki.

— Czemu nie jesteście razem?

— Jesteśmy.

— Mieszkacie osobno...

— Rozstawaliśmy się parę razy, bo nasz związek był dość burzliwy. Wracaliśmy, bo nie możemy bez siebie żyć. Ja nie mogę bez Basi. Zadecydowaliśmy, że tak jest dobrze. Ja potrzebuję odrobiny niezależności. Męskiego życia. Nie, nigdy inna baba. Nie, to nie to. Jesteśmy różni. Ja nie mógłbym żyć tak, jak wy tu żyjecie. Jestem dzikim człowiekiem. Nie lubię zegarka. Tak zadecydowała Basia, że jesteśmy ze sobą, ale „czasami bardziej". Między nami mówiąc, to Basia ma obawę, że skoro jest siwa i ma zmarszczki, i jest starsza, to mi przejdzie.

— A przejdzie?

— W życiu! To moja Baśka! Będę ją kochał nawet dementywną!

— Pleciesz. Ją trzeba kochać razem z Kaśką, mną...

— To też niełatwe. Ale, Gosiu. Jest dobrze. Tak, jest dobrze.

— Czyli jesteś chłopakiem mojej mamy?

Roześmiał się. Jest w nim coś urzekającego. Może prostota, z jaką mówi o uczuciach? Faceci tego zazwyczaj nie umieją. Powiedziałam mu to.

— Basia mnie nauczyła. Też nie umiałem. Całe życie coś ukrywałem. Mówienie jest trudne. Starzejąc się, nabieramy mądrości. Może nabrałem jej od Basi?

Weszły obie z mlekiem. Tomek wstał i pożegnał się. Mama odprowadziła go do furtki.

— Widziałam przez okno. Pocałował cię!

— A chcesz ścierką?

— Mamo, ale to piękne! Nie spotkałam siedemdziesiątki, która całowałaby się pod płotem ze swoim chłopakiem.

— Nie mam jeszcze siedemdziesięciu!

I dostałam ścierką.

— Co robicie? — zabuczała Kaśka w swoich fioletowych kaloszach.

— Wychowuję córkę! — powiedział Gnom.

Mój heroiczny czyn

Zadzwoniła do mnie Paula. Zdumiało mnie to, bo mało się znamy.

— Pani Goniu! Mam taką zwiechę, że chyba strzelę sobie w kolano! Mama całkiem ocipiała dla jakiegoś kolejnego dupka. Wymyśliła sobie, że ja tam do niej, do Reims pojadę, a mieszkanie na Chomiczówce sprzedamy. Jak powierciłam, okazało się, że ta idiotka jest w ciąży z jakimś harleyowcem. Chce sprzedać moje mieszkanie, bo mówi: „rodzina powinna być razem". Tere–fere! Ma problemy z kasą i potrzebuje niańki. Co ja mam robić?

— Paula, przyjedź tu, do mnie. Możesz?

— Nie. Mam zajęcia — chlipie w słuchawkę.

— Czyje jest mieszkanie? Znaczy, na kogo?

— Na mnie, ale ona dała kasę.

— Dam ci numer kolegi — prawnika od nieruchomości. Wszystko ci powie. Nie weźmie forsy za poradę. Nie becz, Paula. Nie musisz płacić za głupoty dorosłej matki.

— Głupio tak, to jej forsa…

— Paula, słuchaj mnie. Rodzice płacą dzieciom alimenty, kiedy je zaniedbują. Twoja mama, wybacz, już od dawna ma cię w głębokim poważaniu. Zostawiła cię nieletnią. Pracowałaś w czasie wakacji, żeby wyjechać na obóz? Żeby mieć na czynsz, bo ona zapominała miesiącami dosłać ci kasę? Paula, dziecko, obudź się. Ciebie stać na sentymenty. A ją? Na podstawowe uczucia?

— Ona teraz gada jak święta Maryjka. Kocha to dziecko miłości. Chce dla niego rodziny, a temu głupkowi na motorze chce pokazać, jak wygląda polska rodzina.

— Bądź dorosła. Wierzysz w to?

— Nie.

— No, to twarda bądź, nie miękka!

— Mogę tak? Wobec matki?

147

— A ona może tak, wobec ciebie?! Jesteś dorosła! Nie musisz jej zapewniać komfortu uczuciowego. Zadbaj o siebie. Jak miałaś zapalenie płuc i wyrostek, kto cię dopieszczał?

— Pani.

— Nie. Ja pracowałam. Zosia, Marysia… Fakt, nacierałam ci stopy kamforą. Ale bańki, Zosia ci postawiła! Pamiętasz? Nawet na leki nie wysłała ci kasy. Poradzi sobie. Zresztą uważam, że sobie zasłużyła. Wybacz, ale taka jest prawda.

— Kocham was… — wychlipała Paula.

— Cicho, wiem! Jak znajdziesz czas, wpadnij tu. Teraz notuj…

„Nieodpowiedzialna idiotka!" — pomyślałam o matce Pauli. Swoją drogą ma tupet, żeby tak manipulować dzieckiem dla własnych celów.

Przypomniały mi się krótkie święta wielkanocne sprzed paru tygodni. Wszyscy mieli być tu… Jednak pojechałam do Warszawy. Oczywiście, ta sama parada nonsensu, co w „Christmas", ta sama paranoja, szaleństwo reklamy, tyle że z królikami i jajami w roli głównej. Żadnej duchowości, radosnego nastroju, czekania na bazie i malowanie pisanek w domach. Wszystko już gotowe, a radosny nastrój to po prostu radosne odurzenie sprzedawców, że przyjdzie fala głupków i kupią. Wszystko. Jajka, bazie, króliczki i nastrój. Paranoja.

Dzieciaki stworzyły niesamowitą galerię jajek. Takie cudne, artystyczne i komiczne! Paula powkładała swoje do kolorowych i z wypustkami prezerwatyw. Wyglądały jak na wystawie sztuki współczesnej. Ja ledwo zdążyłam, więc poszłam na łatwiznę. Kupiłam sobie i Konradowi po gęsim jajku. Zrobiliśmy otwory, a jakże, i wydmuchaliśmy z trudem zawartość na miseczkę. Nanizałam jajka na sznurek i wysprayowałam na kolorowo. Złotym flamastrem namalowałam bazie. I już!

W Wielką Sobotę dzieci zrobiły piękną kolację, bo rano jechały do rodziców Kuby, a z nimi do Koniakowa, na świąteczny obiad do rodziców mamy Kuby — góralki. Konrad miał bóle w krzyżu, więc poszedł do siebie. Pożegnałam go, pytając trzy razy, czy mu nie będzie smutno, i pojechałam z powrotem do mamy. Spytałam, czy chce jechać ze mną. Nie chciał. Twierdził, że nie jest jeszcze gotowy. Absurd.

Jakoś tak lekko olałam te święta. Wolałam mamę i Kaśkę. Konrad zapewnił mnie, że nic mu nie jest i na pewno przyjedzie z dzieciakami na dłuższy weekend w maju. Uspokojona, wróciłam do mojego nowego domu. Jeszcze nie do końca tak to czułam, ale byłam pewna, że tu chcę żyć i pracować dalej, że Warszawa nie stanowi już dla mnie żadnej atrakcji, że dzieciaki same sobie nieźle radzą, a z Konradem… Nasze światy rozjechały się. Można popracować nad tym, by zachować dobry układ. Naturalnie, tak to wygląda z mojej strony. Ponieważ nie rozmawiamy na temat naszych emocji, stanu ducha i uczuć, nie wiem, co on naprawdę czuje, czego by chciał…

Zadzwoniłam do niego impulsywnie, pełna poczucia egoizmu i chęci pogadania.

— Konrad?

— Tak? Stało się coś?

— Nie… Tak. To znaczy, chciałabym, żebyś przyjechał… Co?

— Przecież ustaliliśmy, że przyjadę z dziećmi w długi weekend maja.

— Ale, wiesz, myślę, że musimy pogadać, bo ja tu tak zapuszczam korzenie i jakieś mamy chyba… niedomówienia.

— Gosiu. Proszę cię, przestań. Chcesz przez telefon rozwiązać swój problem? Mam ci w tym pomóc? Czy nie dość już ustępstw z mojej strony?

— Przepraszam. Masz rację. To nie na telefon i chciałabym, żebyś…

— Ty też mogłabyś przyjechać, jeśli to dla ciebie konieczne, choć ja uważam, że wszystko jest w miarę jasne.

— Dobrze. Dbaj o siebie.

— Do widzenia. Trzymaj się.

Otworzyłam okno. Świeże powietrze owiało mnie przyjemnie. Byłam spocona, czerwona na twarzy. „Klimaterium, czy zwykłe nerwy?" — zastanawiałam się.

Poryczałam się.

Mimo wszystko, zamykam jakiś etap w życiu. Spędziliśmy ze sobą te parę lat… Właśnie. Ze sobą czy obok siebie? Żal mi się zrobiło Konrada. Szkoda, że nie umiemy rozmawiać. Zawsze się mijamy. Kiedy on wyciągał rękę, ja uciekałam, kiedy ja teraz pogadałabym, on ma „odwrót". Mijanka. Zawsze tak jest. Uciekamy od prawdy. Nie jesteśmy już razem. Od dawna. Mnie jest łatwiej, odnalazłam mamę i jakoś tak przeskoczyłam do innego życia. A on?

Głupio mi. Nie mogłam się na niczym skupić. Niby czytam książkę, ale można mnie pokroić — nie mam pojęcia, o czym czytałam. Czytam maile i nie wiem od kogo, jaka treść. Lepiej nie udawać, więc poszłam na podwórze. Kaczka gdzieś łaziła, Blanka przepadła wieczorem i nawet na śniadaniu jej nie było. Mama na swoich orbitach. Kaśkę znalazłam w oborze. Głaskała Buśkę.

— Kasiu, czemu Buśka tak utyła? Może trzeba ją częściej wyprowadzać na łąkę?

— No, Buśka ma cielaczka w brzuchu! — wyjaśnia mi Kaśka. — Nie lubi coś chodzić. Za dużo stoi. Taaak… Tak.

— Tak?! A ja nic nie wiedziałam! Kiedy będzie rodzić?

— Cielić — poprawia Kaśka. — Niedługo. Doktor mówił, niedługo. Tak. Nic nie wiem o naturze. Nic! Nawet nie zauważyłam, że krowa jest... cielna. Przypomniał mi się odpowiedni termin i powiedzonko mojego kolegi: „Masz maturę? To sobie poradzisz!". Jasne. Skoro tu jestem, muszę sobie poradzić. W końcu stałam się wieśniaczką!

— Wieśniaczka! — powiedziałam głośno i uśmiechnęłam się do siebie.

— Co? — pyta Kaśka.

— Nic, kochana moja. Tak sobie plotę. O której wróci mama?

— Nie mówiła, ale wróci. Tak.

Głupia jestem! Kaśka ma problem z zegarkiem, jak go nie widzi. Obie, na swój wzajemny użytek, operują terminami łagodnymi: „za godzinę" — czyli niedługo; „po południu" — czyli za długo; „jutro rano" — czyli zamknij na noc zasuwę i weź Funia do pokoju.

Kaśka nie lubi zostawać sama, więc mama stara się zawsze być na noc w domu. Jak zostawała na noc u Tomasza, pokazywała Kaśce palcem las i mówiła:

— Zobacz, jak blisko jestem. U Tomasza. Zamknij zasuwę.

Wtedy Kaśka śpi spokojnie. Z Funiem w pokoju.

Gdy mama musi wyjechać, Kaśka tego nie lubi i bierze na noc łyżkę syropu z melisy. Drepcze po kuchni długo i mówi do siebie. Włącza radio, znów drepcze... Wiem, bo kiedyś wróciłam z Warszawy wcześniej. Mama była w Toruniu i zobaczyłam ją, Kaśkę, w świetle kuchennym. Nie słyszała, jak podjechałam. Była taka biedna! To dreptanie było pokazem nieporadności. Kiedy Funio mnie wyczuł i rozjazgotał się bardzo, podeszła do okna, pełna niepokoju. A jak już mnie zobaczyła, machała ręką jak dziecko z okna szpitala do rodziców... Uściskała mnie mocno i radośnie. Ja ją też. Kochana Kaśka. Duża mała dziewczynka.

Na łące koło lasu znalazłam podczas wiosennego spaceru mnóstwo podbiału, a w samym lesie białe zawilce. Fioletowych przylaszczek jest tutaj tyle, że wspominać nie warto. Fioletowe zagłębie.

Nigdy w życiu nie widziałam tak fantastycznie porośniętych brzegów lasów. Fioletowe plamy, jak rozrzucone chustki, ubarwiają wczesnowiosenną, burą ściółkę. Listki mają nikłe, za to kwiaty, w masie — intensywne i robiące wrażenie. Najpiękniejsze zjawisko, wręcz szokujące, to stare niemieckie cmentarze. Ten przed Pasymiem i ten za, jak się jedzie w stronę Dźwierzut. Pierwszy raz, gdy to zobaczyłam, myślałam, że ktoś rozlał niebieską farbę. Pięknie. Listki małe, jeszcze nierozszalałe w rozwoju, za to kwiaty, nie rozdeptane, nie zrywane, pokrywają dywanowo powierzchnię między grobami. Kiedy jeszcze świeci ostre, wiosenne słońce i przedziera się przez konary starych drzew, przypomina to twórczość impresjonistów.

Taka właśnie ukwiecona i zachwycona tymi kolorami wiosny jechałam z Olsztyna do domu koło trzech brzóz. Smutne takie, trzy siostry. Może koło białego pnia brzozy posadzić krzew irgi? Rokitnika, może? Byłaby taka mazurska ikebana. Po prawej stronie drogi, jakieś sto metrów, pośrodku pola, kulisty krzak wierzby, pokryty resztkami kotków i listkami. Cudo!

Kiedy zobaczyłam Kaśkę na werandzie, już wiedziałam, że coś jest nie tak.

— Kaśko! Co się dzieje?

Kaśka nerwowo przestępowała z nogi na nogę. Robi to tylko w chwili najwyższego lęku lub wzburzenia. Dodatkowo skubała włosy. Oj! Źle!

— Kasiu! Kasiu, kochanie, no powiedz, co się stało?

— Nie ma Basi, a tu kłopot straszny... eee... Buśka... eee, leży. Nie chce wstać! Z tyłka krew jej idzie... i cielaczek chce chyba wyjść, a tu nic! I Buśka taka słaba... eee... Tak. Źle... Ojej! Ojej!

— Zaraz zadzwonimy po doktora. Dzwoniłaś?

— Nieeee. Zgubiły się okulary. Mi. Tak... Tak.

No, tak, Kaśka jest stara i numery ma powieszone koło telefonu. Czyta je w okularach. Bidula.

Po telefonie do doktora poszłyśmy do Buśki. No, nie widzę nic złego. Krówka sobie leży i czeka na poród. To chyba normalne. Patrzy na nas, odwracając łeb, gdy wchodzimy. Kaśka przypada do Buśki.

— Co tam? Co tam? — buczy przejęta.

Przykłada ucho do brzucha krowy.

— Słyszysz coś? — pytam.

— Dwa serduszka. Tak. Tak, biją dwa.

Słyszy, czy wyobraża sobie? Głaszczę Buśkę między rogami i po mordzie. Ma smutne oczy i kładzie łeb na słomie. O, to źle. Chyba. Może leżeć, ale chciałabym, żeby głowę miała tak, jak na łące, gdy leżąc, przeżuwa. Wysoko. Na słomie ta głowa znamionuje ciche cierpienie.

Chyba darłaby się, jakby cierpiała? Muczała? Jezu! Nie wiem! Doktorku, szybko! To Kaśki krowa. Kaśka cierpi razem z nią!

Wreszcie jest!

— Kubiaczyk. Zdzisław. Pani to ta córka Basi?

— Tak. Małgorzata. Z tą krową nie najlepiej, prawda?

— Zaraz, droga pani.

Badanie krowy to nie byłoby moje ulubione zajęcie. Szczególnie per rectum. Upaprana rękawica wyjeżdża z tyłka Buśki.

— No, tak. Akcja porodowa w rozkwicie, a krowa leży i ledwo zipie. Pomóżcie mi, dziewczyny. Trzeba ją podnieść.

— Czemu?

— Droga pani, tylko Europejki rodzą na leżąco. U zwierząt — suki, kotki… a kopytne robią to, stojąc. No! Mocno! Rrrrazem! Jasna cholera! Jeszcze raz! No! Nasze wysiłki zdały się na nic. Kaśka skubie włosy. To źle.

— Doktorze, ma pan hydroksyzynę w tabletkach? Syropie?

— Po co?

Pokazałam wzrokiem Kaśkę, kiwającą się na boki, bliską płaczu.

— Pani Kasiu. Proszę to łyknąć. Szybciutko, to pomoże pani Buśce.

Kaśka łyka słodkawy syrop. Tymczasem doktor osłuchuje dokładnie krowę.

— Źle z nią. Bardzo słabe serce. Układ krążenia… osłabienie. Nic z niej nie będzie — szepcze mi do ucha. — Trzeba cesarskie, żeby ratować cielaka.

— Tutaj?! — pytam zdumiona.

— No, do szpitala raczej jej nie przyjmą.

— Przepraszam. Rzeczywiście. Niech pan dowodzi.

— Proszę pani. To zła, najgorsza pozycja do cesarskiego. Jak natnę bok, wyjdą trzewia. Pani musi je zatrzymać w jamie. Ja natnę macicę i wyjmę płód. Ma pani wódkę?

— Dla pana, do dezynfekcji czy dla Buśki?

— Myślałem raczej o pani.

— Kaśko, przynieś mi koniak z kuchni! Tę zieloną butelkę, co stoi na kredensie. Tak? I napij się wody. Dobrze?

Kaśka pobiegła wypełniać misję. Ja brałam lekcję.

— Czemu ona nie wierzga, nie ryczy? Skoro cierpi?

— Krowy tak mają. Rodzą szalenie dostojnie. No, maleńka! Jeszcze cię zbadam. O, serduszko jak motyl. Ledwo, ledwo. Nie uratujemy jej, kochana. I dodatkowo mam tylko jedne długie rękawice. Nie oczekiwałem pomocnika ani takiej sytuacji. Normalnie, proszę pani, to krowa rodzi, stojąc. Cesarskie robi się jej też na stojaka.

— Stoi w narkozie?!

— Nie ma żadnej narkozy! Miejscowe znieczulenie. Ktoś trzyma ją za nozdrza takimi jakby obcęgami, zakończonymi kulkami. Po prostu musi mieć głowę odwróconą do drugiego boku. To ją uwiera, denerwuje, więc bardziej skupia się na tym niż na cięciu.

— Co pan mówi?! Nie wiedziałam!

— Tu każdy o tym wie... Pani Kasiu, daj pani... Małgosi butelkę. No i pokaż mi swoje oczy. Spokojniejsza już jesteś? Tak? Dobrze jest?

Kaśka kiwa głową żarliwie. Jest przejęta. Wie, że coś się święci.

Machnęłam haust koniaku. Jak chłop.

— O! Bułgarski! Też lubię. Troszeczkę. Mogę z butelki?

— Jasne. Co mam robić? — pytam.

— Stanie pani nad krową, o tak, i jak tylko natnę skórę, patrzy pani jak sroka, bo zacznę nacinać kolejną warstwę. Pokażę, gdzie włożyć ręce. Palce rozcapierzone jak sieć — łapią, tamują wypływ trzewi. Dobrze? Ten brzuch wypełnia ogromna macica, a krowa leży na boku. Siłą rzeczy, wypycha flaczyska. No, jak?

— Dobra.

— No to tniemy. Pani Kasiu, głaszcz krówkę. Tak? Mów do niej coś miłego, kochana.

Doktor nawstrzykiwał czegoś w okolicę cięcia i za chwilę już wziął nóż. Lancet. Byłam czerwona z nerwów i koniaku.

— Zaraz! — krzyknęłam.

W słomie obok mnie leżały okulary Kaśki.

— Śpieszmy się — powiedział doktor i naciął skórę.

Rozlazła się, jak się spodziewałam. Wstrzyknięty lek zawierał też coś, co obkurczyło naczynia krwionośne. Spodziewałam się morza krwi, ale nie. Prawie jej nie było. Wkrótce nacięcie rozwarło się na dobre i lekarz kazał wsunąć mi łapy do ciepłego wnętrza. Byłam tak przejęta swoją rolą, że nawet nie wzdrygnęłam się. Ratowałam życie cielakowi, a może też Buśce? Flaki rzeczywiście napierały do wyjścia. Pojawiła się krew, płyn i śluz jakiś. Doktor rozcinał macicę i szybkim ruchem uwolnił z niej cielę. Kawałkiem wiechcia roztarł cielaka, aż ten otworzył pysk i złapał haust powietrza. Potem doktor podwiązał pępowinę, a ja klęczałam i gapiłam się, trzymając ręce po łokcie zanurzone w brzuchu Buśki.

Oddychała ciężko. Kaśka dzielnie trzymała ją za łeb i coś szeptała.

— No, kobiety, łożysko w porządku, szyjemy!

Sprawnie wyjęłam ręce, jak tylko doktor założył na macicy kilka szwów i zaszył powłoki skórne.

Krowa miała zamknięte oczy i nie ruszała się. Słabła, gdy doktor badał cielaczka.

— Ile to potrwa?

— Nie wiem. Krótko. Ma chore serce i nie wytrzyma wysiłku.

— Co mamy z nią zrobić, jak już umrze?

— Ależ pani ma literacki język! Można zadzwonić do takiej firmy w Olsztynie, to przyjadą. Można też do takiego jednego, co dopłaci. Hoduje lisy chyba i chętnie weźmie ścier… No, tę krowę, co to już umarła — sparodiował mnie.

— Wie pan, że Buśka jest członkiem rodziny.

— Wiem, dziwaczki wy moje. Wiem. Niektórzy chcieliby być traktowani, jak ta wasza Buśka. Pani Kasiu, pani go ładnie wytrze i nadoi mleczka, póki można. Trzeba kupić mleko i robić je tak, jak zapiszę. Żadnych kaszek ani pampersów!

Kaśka zabuczała swoim śmiechem i głaskała ręcznikiem cielaka. Klęczał sobie taki mały, prawie biały, tylko z łatą na czole i tyłku. Słodziak.

— A to krówka czy… chłopczyk? — spytałam inteligentnie.

— Byczek. Na chłopca nie wygląda.

— No, to wypijmy zdrowie byczka!

Wychyliliśmy koniak do końca, gdy właśnie weszła mama. Uklękła przy Buśce.

— Biedo ty, biedo — powiedziała bardzo czule do umierającej Buśki.

Krowie oczy otworzyły się z wysiłkiem i jasne, proste rzęsy odsłoniły oko. Wielkie, smutne, wilgotne, patrzące z bólem i jakimś zrozumieniem. Powoli zamknęło się. Buśka westchnęła, jakby uspokojona widokiem mamy, i umarła.

Poryczałam się. Dużo płaczę ostatnio. Widać teraz tak mam.

Długi weekend. Czary, spacer, czyli: „Jak wam się podoba?"

Kiedy te wszystkie święta się zejdą w maju, to Polska na tydzień zamiera. Jak długa i szeroka. Każdy kolejny ustrój dodał coś od siebie i proszę! Bieda aż piszczy, a my pozwalamy sobie na tydzień wolnego. Całe to odrabianie, odpracowywanie to kit, pic i fotomontaż, jak mówił mój tata. Leży on sobie teraz na chmurce niebieskiej i zrzędzi:

— Kto to widział? Święty Piotrze! Oni tam wczasy mają: grillują, aż tu czuć, piją, leżą w łóżkach do południa… A państwo w zapaści! Czy nikt tu nie może spuścić nogi i dać im kopa na rozpęd? Toż to lenistwo, sarmacka rozpusta i paranoja! Co? Święty Piotrze?

A Piotr na to:

— Sami chcieli…

Oj! Tato! Nawet tam nie znajdujesz zrozumienia dla swoich ideałów. Mnie też to razi. No, ale coś za coś. Akurat jest tyle dni wolnych, że przyjadą wszyscy moi.

Posprzątałyśmy cały przygórek, nawlokłyśmy im świeżą pościel, a ja postawiłam w pokojach wodę, soczki i piwo. Bo taka fajna mamusia jestem! W wazonach gałęzie wierzby i poobcinane z sadziku wiśniowe. Z kwieciem. Zapomniała mama poobcinać gałęzie w marcu, obcinałyśmy je więc teraz, niedawno. Pomagałam jej smarować ranki po obcięciu fungicydem i maścią. O fungicydach wiedziałam z krzyżówek.

Bez wygląda ślicznie. Zaraz wybuchnie kwiatami i zapachem. Żonkile szaleją w ogródku, a między nimi kępki fioletowych bratków. Powiewa kolorowa krepina na drzewku orzecha, bo jak Kaśka tęskni za wiosną, to ją wywołuje. Wiesza i upina na gołych gałęziach kolorowe ścinki z krepiny. Czarownica.

Zakupy zrobiłyśmy ogromne. Postawiłyśmy na piękną pogodę i werandę. Stanowczo będziemy jadać na werandzie! Za to na ryby mama zawiozła mnie do pobliskiej wsi. Tam weszłyśmy na teren zagrody i od razu powitał nas sympatyczny grubas.

— Witam! Witam! O! Zapomniała pani o mnie! Co podać, pani Basiu?

— Dzień dobry!

Moja Liz Taylor uśmiecha się ślicznie, a siwe kosmyki powiewają jej koło koczka.

— A co pan ma?

— Pani Basiu, wszystko! Pani wie, jak jest okres tarła, to ja mam w lodówkach, od dawna — wszystko. Przez zimę też co nieco się uchowało w lodówce. Głębokie mrożenie i rybka jak świeża! Liny mam, sandacze, węgorze, sumy… No?

— A wędzone?

— No, mało mam, ale na pojutrze uwędzę! Tylko jak? Na zimno, na ciepło?

— Wszystkiego po trochu! Tak, po kilogramie lina, sandacza to ze dwa, węgorza i jednego suma. Wędzonych na zimno też tak po trochu i węgorza wędzonego, tak ze cztery duże.

— Mamo, ja płacę. Proszę cię.

— Dobrze! Bardzo dobrze, bo poszalałam trochę, ale twoi takich ryb nie jedli!

— Pani to zawsze łaskawa dla mnie! Taka miła reklama! A pani to wczasowiczka?

— Nie, to moja córka!

Rybak stropił się nieco, ale roześmiał i poszedł ważyć towar.

— Wiesz, on jest po olsztyńskiej szkole „rybnej".

— Po czym?

— Instytut Rybactwa Śródlądowego. To magister od ryb! Nie byle kto! Ma wiedzę, doskonałe urządzenia i towar. Tańszy niż w sklepach, oczywiście, jak to u źródeł.

Lodówki zapchałyśmy dokumentnie. Jeszcze tylko ogarniemy podwórko i jutro — czekamy!

Niestety, jasna cholera, pogoda od rana zapukała mi do okna kroplami deszczu. Zasnute po horyzont niebo i deszcz!

— Szlag! Cholera! — Chyba jeszcze z dzieciństwa najbardziej lubię te właśnie przekleństwa.

W kuchni siedziałyśmy ponure i złe. No, takie Mazury mamy im pokazać?!

— Nie wściekajmy się — powiedziała mama. — Przejdzie. Która oglądała prognozę?

— Ja nie.

— Ja też nie — powiedziała Kaśka, śmiejąc się, bo posądzanie jej o oglądanie prognozy pogody było śmieszne.

— Trudno. Możemy po śniadaniu pójść na pola i próbować odczyniać.

— Proszę?

— Witkami wierzbowymi — powiedział Gnom poważnie. — No, co ty? Byłaś w harcerstwie i nie odczyniałaś pogody?

— Mamo!

— Ubierzmy się. Twoje kaloszki się przydadzą, ale tylko na początku. Odczynianie robi się na bosaka.

Mówiła to na poważnie! O Matko! Wariatka moja!

Naturalnie wywlokła nas na łąki. W ten deszcz! Nie lało już, na szczęście. Poszłyśmy do takiego wielkiego krzewu wierzby i kozikiem ucięłyśmy najdłuższe witki, jakie tylko były. Potem szłyśmy łąką, milcząc, bo mama, jako Starsza, musiała się skupić i znaleźć najodpowiedniejsze miejsce. Wreszcie stanęłyśmy na środku ogromnej przestrzeni. Patrzyłam na Kaśkę. Zachowywała się tak, jakbyśmy robiły coś całkiem naturalnego. Zdałam sobie sprawę, że to się dzieje naprawdę, a ja w tym uczestniczę tak, jakbym to robiła od zawsze.

Niebo było szare i miało nierówną fakturę. Chmury snuły się leniwie, nisko i padało znacznie mniej, ale jednak. Mama wreszcie znalazła miejsce do swojego… naszego rytuału. Stanęłyśmy w trójkącie, bo tylko tyle nas było. Zdjęłyśmy kalosze i skarpetki. Chustki z głów. Wzięłyśmy się za ręce i mama powiedziała głośno:

— Jesteśmy tu, żeby cię prosić: idź padać gdzie indziej! Możesz tu wrócić za tydzień, ale teraz padaj gdzieś dalej. Niech wróci słońce!

Rozsunęłyśmy się na bezpieczną odległość i każda z nas wyciągnęła swoją witkę najdalej ku górze. Zaczęłyśmy nimi majtać w kółko, obracając się wokół własnej osi. Jakbyśmy chciały nawinąć ciężkie chmury na nasze witki, niczym waciarz watę cukrową na patyk. W końcu stanęłyśmy twarzą w stronę lasu, zdyszane i mokre, i strząsałyśmy nasze witki, jak byśmy strząsały z nich deszcz jak najdalej.

Stałam z opuszczoną witką i śmiałam się. Mama odwróciła się w moją stronę i też się śmiała. I Kaśka…

— Wariatki! — powiedziałam.

I poszłyśmy w stronę domu. Nogi wcale mi nie zmarzły, więc kalosze trzymałam w ręku. Zosia, jeśli patrzy na mnie ze swego nieba, już pewnie ma zapalenie pęcherza. Już biegnie do Świętej Tereski po furagin. Grozi mi palcem z góry. Kochana Zosia!

Kaśka założyła swoje fioletowce, mama też, bo jednak ziemia jest jeszcze chłodna.

— Ale będziemy zdrowe! — powiedział dreprczący Gnom. — Czujecie? Krew krąży tak szybko i rozgrzewa!

— A deszcz?

— Przejdzie! — powiedziała. — Albo nie…

Po godzinie już go nie było! Nie chciałam dać wiary, gdy nad wiadrem z obierkami poczułam na policzku światło. Promień.

— Zobaczcie — wyszeptałam.

— Udało się — zabuczała Kaśka i rzuciła okiem na niebo.

Obierała ze stoickim spokojem ziemniaka, pozbawiając go zgrabnym ruchem skórki. Jej obierki są takie równe!

Mama uśmiechnęła się.

— Aha! No, proszę! — powiedziała tylko.

Moi przyjechali trochę ubłoceni.

— Padało tu?! — zapytała Marysia, wysiadając z samochodu.

— Jasne! Ale już po sprawie! Cześć, kochanie!

Nastąpiło powitanie i przedstawianie, kto jest kto.

— A Paula?

— Nie mogła. Ma zaliczenie i ma możliwość zakuwania w doborowym gronie kujonów. To szansa, bo sama to ona nie umie się uczyć.

Mama poszła pokazać gościom pokoje „na górce", a ja z Kaśką przygotowywałyśmy posiłek na werandzie.

— Mamo! Tu jest super! — krzyknęła Marysia, wchodząc do kuchni. — Mogę grzybka, pani Kasiu?

Zakłopotana Kaśka tylko kiwnęła głową, chowając wzrok.

— Kasiu, czy moja rodzina może mówić do ciebie po imieniu?

— Może mówić. Taaak — odpowiedziała cicho, ale z uśmiechem.

Kuba zszedł z góry też pod wrażeniem.

— Pięknie tu. Pójdziemy na spacer?

— Teraz? — spytała Marysia.

— Nie jesteście głodni? Może rzeczywiście pójdźcie na krótki rekonesans, a my tu wszystko przygotujemy. Weźcie może ojca ze sobą?

— Nie, dziękuję. — Za nami stał Konrad. — Ja zostanę z paniami. Jak się na nic nie przydam, to chociaż poprzeszkadzam. Poza tym, jakoś nie chce mi się. Idźcie sami.

Weszła mama z butelką koniaku i zapytała:

— Czy będzie nietaktem, jeśli poproszę pana o możliwość bycia po imieniu?

— Będzie mi bardzo miło! Pani pozwoli, ja naleję. Gdzie są kieliszki?

Tak oto staliśmy sobie z kieliszkami w ręku, w kuchni u mamy i walnęliśmy zbiorowego brudzia. Kaśka colą, bo nie lubi ani piwa, ani wina, ani nic z alkoholu. Uwielbia colę i batony.

Mama uśmiechnęła się swoim cudnym uśmiechem, zdjęła fartuch i zapytała, czy sobie poradzimy. Potem wzięła Konrada pod rękę i powiedziała zwyczajnie:

— Chodź na werandę, pogadamy, wypijemy herbatę... Przedstawię ci Blankę, jeśli łaskawie przyszła.

I poszli.

Ufff. Bałam się, że będzie gorzej!

Siedzieliśmy leniwie na werandzie. Na talerzach leżały resztki śniadania, pyszności, nad którymi „ochali" i „achali" moi. Wielkie i żółte jajka w majonezie, jajka faszerowane, ryby smażone w zalewie octowej, twarożek z ziołami i grubym szczypiorem, rzodkiewki — cała ich fura i kalarepka w plasterkach.

— Jeszcze nie tak dawno pilibyście nasze mleko od Buśki, ale jej już nie ma... — odezwałam się, żeby coś powiedzieć.

— A cielak? — spytała Marysia.

— Same byśmy go nie odchowały, więc dostała go mama Czarka, pani Karolakowa z tartaku. Byczek! Zdrowy i ładny!

— Pewnie pójdzie na cielęcinę — powiedział Kuba refleksyjnie.

— A może nie? Będzie można pójść i go zobaczyć? Mamo, dobrze?

— Dobrze, pójdziecie z Kubą do tartaku, z listami polecającymi, to nie poszczują was psami — powiedziałam i zerknęłam na chichoczącą Kaśkę.

— O! Ja chętnie się przejdę.

Konrad wstał i spojrzał na łąkę i rozlewisko.

— Ależ tu pięknie!

Rzeczywiście, z werandy widać było ścieżkę wiodącą do płotu i furtki przez mały ogródek, gustownie obsiany trawą, wysadzony prymulami w wielu kolorach. W pustych miejscach mama wsadziła już do ziemi bulwy dalii i przykryła słomą. Sama ścieżka obsadzona jest po obu stronach peoniami. Właśnie wyszły dość wysoko z ziemi, jeszcze purpurowe, ale niektóre zieleniejące i rozwijające liście jak dłonie dziecka. Pod miniaturową wierzbą, w cieniu jej gałęzi, garstka konwalii.

Od nas prowadzi wąska, polna ścieżka aż do samego lustra wody, do małej kładki. Czasem siada na niej Krzysiu albo Piernacki, jak łowią ryby, bo jednak czasem coś tam łowią. Mama mówi, że są tam miejsca głębokie, a ponadto od strony lasu wpływa do rozlewiska strumień i rowem wypływa do kanału melioracyjnego, który zasila inny rów, przechodzący pod szosą. Gdzieniegdzie, konkretnie w trzech miejscach, rosną kuliste wierzby. Rano, jak słońce wschodzi po lewej stronie, potrzeba tam koniecznie jelenia, żeby stał. Wtedy wszystko byłoby jak z obrazka.

Sprzątamy po późnym śniadaniu i umawiamy się na późną obiadokolację. Wymysł domów wczasowych, ale jakże wygodny!

— Brzuch mam jak balon! — śmieje się Mania. — Nic już tam nie zmieszczę! Chodźcie! Tu wszystko trzeba zobaczyć! Tato!

— Idź z nimi — mówi do mnie mama. — Nie izoluj się. I tak jesteś już bardziej tutejsza niż ichnia. Nie daj im tego zanadto odczuć.

— Słuchajcie! Ale ciepło się zrobiło! A jak jechaliśmy, to jeszcze za Nidzicą padało i było ohydnie, pamiętacie? Wściekli byliśmy nieludzko, a tu, tuż przed tym… no… Pasymiem, jasno i pięknie!

— Bo myśmy odczyniały.

— Słucham?

— My, Kuba, jesteśmy wiedźmy i odczyniłyśmy, po prostu. Chodź, w drodze ci opowiem.

Mama i Kaśka zostały, a my poszliśmy ścieżką na łąkę. Mańka z Kubą przodem, my z Konradem z tyłu.

— Jak ci tu? — przełamał się Konrad. — Odnalazłaś się jakoś? Wiem, że wydawnictwo ładnie się zachowało wobec ciebie. Masz tu internet, tak?

— Tak. Mam internet, poza tym to znakomite miejsce do życia. Cisza, spokój, a jak chcesz, znajdziesz tyle niepokoju, rozgardiaszu, ile dusza zapragnie.

— Nie rozumiem.

— Mogę zaszyć się u siebie i mieć spokój, jak u Pana Boga za piecem, ale jak zapragnę adrenaliny, wierz mi, nie brakuje jej tutaj.

Opowiedziałam Konradowi historię Karolinki.

— O Jezu! — skomentowała Mania, podsłuchująca chętnie.

— Tu żyje się trochę inaczej, ale chyba szczerzej i mniej anonimowo niż w dużych miastach. Wszędzie cię znają. I ma to swój urok. Ty też ich znasz! Chciałabym, żebyś mi wybaczył tę moją dezercję z domu, ale lepiej dla nas wszystkich, jak jestem tu szczęśliwa i spokojna, niż tam rozmemłana i nie na swoim. Wiem, że to dość egoistyczny punkt widzenia, ale... Konrad, sam powiedz. Rozlazło się między nami tak, że byliśmy bardziej obok siebie niż razem. (O Matko! Powiedziałam to!)

Konrad szedł zamyślony. Dzieci czuły, że powinny nas zostawić. Pobiegły do kładki oglądać wodny świat.

Czekałam na jakąś reakcję. Długo milczał, wreszcie wziął mnie za rękę i ciężko westchnął:

— Nie obwiniaj się, Gosiu. Ja też... Byłoby nieuczciwe utrzymywanie cię w przekonaniu, że ty sobie poszłaś, a ja zostałem taki, jak to ty mówisz — Biedny Miś.

— Nie rozumiem? Chcesz powiedzieć, że uznajesz swoją winę? Ale jaką, Konrad? Charakterologiczną? To nie jest twoja wina!

— Gosiu — przerwał mi stanowczo. — Gosiu... Nie układa się między nami od wielu lat. Choć było poprawnie. Długo sądziłem, że to po prostu tak jest i już. Nie rozumiałem, co cię tak uwiera, złościłem się...

Szedł, milcząc długo. Nie mówiłam nic, bo widziałam, że się do czegoś zbiera. Gryzł trawę, wzdychał... Nagle zaczął:

— Znamy się dziesięć lat i początkowo było to bliskie koleżeństwo. Pracujemy razem. Zawsze doskonale się rozumieliśmy. Jej mąż ciężko i długo chorował. SM. Stwardnienie rozsiane. Szczerze mówiąc, był strasznym egoistą i zatruwał jej życie, ale miał do tego, niejako, prawo... Dopiero po jego śmierci zbliżyliśmy się do siebie znaczniej. Przyznam, że z jej inicjatywy. Byłem w szoku, gdy… No, nie będę cię epatował szczegółami naszej przyjaźni.

— Rzeczywiście, nie musisz, ale to nic takiego… Mów.

— Otóż, dopiero jakoś od dwóch lat jesteśmy blisko. Tak naprawdę.

— Znam ją?

— To Ada, z mojego działu. Właściwie moja zwierzchniczka, z formalnego punktu widzenia. — Roześmiał się sztucznie. Z wysiłkiem.

— To molestowanie w pracy. Jest karalne — odpowiedziałam poważnie.

— Żartujesz!

— No, naturalnie! — Zaśmiałam się najlżej, jak mogłam, by mu ułatwić tę spowiedź.

Boże! Jaki to musiał być ciężar dla niego! Biedak!

Przypomniałam sobie moje spotkania z Grzesiem. „A za to ja — ladacznica!" — pomyślałam bez ekspiacji.

— Widziałaś ją na pogrzebie mamy.

— Na pogrzebie…?! — usiłowałam przypomnieć sobie. — Ach! Tak! Taka nobliwa pani w fioletach? Wysoka, szpakowata?

— Tak. To Ada, właśnie.

— No i co teraz? — spytałam.

Właściwie poczułam ulgę. To dobrze, że nie porzucam go, tylko on sam już się przekazał w dobre ręce. Mimo to poczułam jakby skurcz zaskoczenia… Zazdrość? Nie, ale coś dziwnego.

Nad nami zaświergotał ptaszek. Kuba puszczał kaczki po wodzie, a Marysi się to nie udawało. Każdy kamyk szedł pod wodę. Śmiali się i popatrywali na nas.

— Co teraz? — powtórzyłam.

— Co proponujesz, Gosiu? Ja, jakoś tak, mam pustkę w głowie. Wiesz, nie-łatwo mi było…

— Powinniśmy zawrzeć pakt o nieagresji i zaprzyjaźnić się.

— Uważasz, że to takie łatwe?

— Gdyby któreś z nas czuło się zranione, zdradzone, to byłoby trudne, a tak… Werbalizuję tylko status quo! Przecież przyjaźnimy się, tylko teraz będzie to jeszcze łatwiejsze.

— Zadziwiasz mnie i podziwiam cię. Wiesz? Twoje zdolności dostosowaw-cze, sposób myślenia taki… nieskomplikowany.

— Nie, Konrad. Ja nie jestem lekkoduchem. Też mam grzeszki na sumie-niu. Nie! Nie mam pretensji o Adę. Chyba tu, u mamy, widzę prawdziwiej, łagodniej oceniam, dążę do spokoju. A o co mamy się żreć? O to, że ratowałeś dupę przed smutkiem i goryczą, którą ci zafundowałam, nie kochając cię należycie?

— To nie była tylko twoja wina. Powinienem widzieć, czuć, że ci ze mną źle.

— To nie tak, że zaraz źle.

— Ale… W łóżku… źle — wycedził wreszcie.

A więc wie. Domyślił się!

— A wam, jak się układa?

— Wiesz, że nie lubię ekshibicjonizmu, ale w obecnych czasach tak otwarcie się mówi o tych rzeczach. Ty i Marysia tak zawsze bez skrępowania…

— No, to jak?

— …dobrze. Dobrze. I ona, i ja… Dobrze jest. Niezręcznie mi mówić o tym.

— OK. Już. Koniec. Daj buziaka. Po wszystkim. Nie bolało. Prawda? Rozwiedziemy się bezboleśnie.

— Nie żartuj — powiedział nostalgicznie i pocałował mnie w rękę.

— Idziecie z nami, do lasu? — krzyknęłam głośno do Kuby i Mańki.

— Taaak! — odkrzyknęli i zaczęli bawić się echem.

Zatoczyliśmy wielkie koło. Na takim spacerze jeszcze tu nie byłam. Przeszliśmy cały prawie las obok leśniczówki i tartaku, i wyrębu, i młodniaka i wyszliśmy z drugiej strony tak, że dom mamy widzieliśmy w oddali, taki mały. Po naszej lewej, nieopodal, mijaliśmy domostwo niemiłych sąsiadów mamy.

— Czemu są niemili? — pytała Marysia.

— Bo nie mówią: „Dzień dobry". W ogóle nic nie mówią, nic nie pożyczają i są takimi odludkami.

— To niech spadają! — krzyknęły dzieciaki i pogoniły się w berka.

— Widzisz, jacy silni? Mnie już nogi mdleją — powiedziałam. — A ty? Jak tam serducho?

— Lepiej niż zawsze. Lżejsze! — uśmiechnął się Konrad i chyba naprawdę było mu lżej na duszy.

Obiad, późny i dość obfity, ciągnął się też długo, bo dzieciaki opowiadały, jak było w Koniakowie, w górach, u babci Kuby. Potem wszyscy, zmęczeni i umajeni świeżym powietrzem, poszli wcześnie spać.

Wymieniłam jakieś uwagi z mamą w kuchni i też się rozziewałam.

— Córkę to ty masz fajną! Bardzo. Kuba też, bardzo w porządku. Pogadałaś z Konradem, jak widzę?

— Tak, mamo, mamy już czyste pole.

— To idź spać. Pa, kochanie.

— Pa, Gnomie. Pa, Kasiu!

— Pa, Gosiu — odbuczała Kaśka z tym swoim krzywym uśmiechem.

Jak świętujemy, czyli szlafroki i lenistwo na całego

Kasia poszła na cmentarz na grób swojej mamy Marianny, Czarka i pozostałych. Ja i mama siedzimy w szlafrokach przy porannej kawie, każda zatopiona w swojej gazecie. Nogi trzymamy każda na swoim taborecie.

— Potrzeba ci dłuższych rąk? — pyta mnie Gnom zza okularów.

— No, tak jakby… Zawsze miałam dobry wzrok, a teraz, jak mam o tak, normalnie, to aż boli. Muszę odsuwać, jak stara babka, i wyślepiać się.

— Powiem ci, jak to się nazywa… — szepcze mama tajemniczo — starcza nadwzroczność.

— No wiesz!

— Co? Tak jest i już! Ciesz się, że nie spierniczałaś, na to nie ma okularów.

— Czuję, że mam to po tobie.

— I fajnie. Chcesz jeszcze kawy? O której twoi wstają?

— Ja już! — Marysia weszła do kuchni w bokserkach i T–shircie.

Tak sypia. Ma skudlone włosy. Czarowniczka.

— Co ci się śniło? — pyta mama Marysię.

— Nie pamiętam! Spałam jak kamień!

— Co zjesz? — To ja, troskliwa mamusia.

— Tylko herbatkę. Zjem, jak wstaną faceci. Jestem towarzyska! I mamusia zrobi herbatkę „chorobliwą”. Tak? — łasi się moje dziewczę.

— Jaką? — pyta Basia, zsuwając okulary na czubek nosa.

— „Chorobliwą”, babciu. Mama taką mi robi, jak mam zaziębienie albo bad day. Tylko ona taką potrafi!

— Gośka! — woła mama. — Nalej mi maleńkiego koniaczku! Wnuczka powiedziała do mnie „babciu”!

— Rano?! No, dobrze.

Potem zaczęłam robić herbatę taką, jaką Marynia się pieści: musi być esencja w kubasie albo dzbanku, krążek cytryny ze skórką, wyduźdany, z cukrem. Potem esencja. Potem woda. Już.

— I to niby taki cud? — dziwi się mama. — Daj, spróbuję.

Nalewam nam wszystkim.

— Cudne! — cieszy się mama. — Wiesz, że cudne?

— Wiem. — Mania wzrusza ramionkami. — To czarodziejska herbata!

— …bo my wiedźmy jesteśmy! — szepcze mama.

Tak siedzimy sobie — cztery kobiety jednego rodu. Kaśka wyciera stół i po-patruje na Manię. Mania zaś siorbie herbatę i jakby „dochodzi". Nuci coś, kiwa stopą leżącą, oczywiście, na taborecie. Moim. Ja czytam bez okularów (jeszcze), mama też. W okularach. Jest cudownie. Blanka przyszła i ociera się nam o nogi, mimo że dostała już swoje mleko. W miseczce stoi jeszcze woda i na spodeczku garstka chrupek. To na wypadek, gdyby polowanie jej nie wyszło albo po pro-stu, tak.

— Bezczelna jesteś — mama nachyla się i mówi kocicy wprost do jej przy-mrużonych oczu. — Masz szwedzki stół, a ty jeszcze coś zmyślasz.

— Można ją podrapać? — Mania patrzy na Blankę, jakby śpiąc.

— Jest na wpół dzika, ale jak ci się da, drapcie się, ile wlezie!

Po półgodzinie schodzą chłopaki. Oni nie pozwalają sobie na szlafroki. Oni już są „porządni". Ogoleni, uczesani. Pod pachami wypryskani, ubrani w spodnie i bluzy. Konrad zapinaną, Kuba taką przez głowę, z jakąś mazają.

Rzucamy się jedna przez drugą do naszych pokoi ubrać się i „podciągnąć na urodzie" — to mamy powiedzonko. Chłopaki wiedzą już, gdzie co jest, i mają za zadanie zrobić jajka po wiedeńsku.

— Co dziś robimy? Bo zobaczcie, co się dzieje! Pogoda cud!

— Bo odczyniałyśmy — mamroczę pod nosem, wchodząc do kuchni — ale czy ktoś mnie słucha? Czy ktoś mi wierzy? Czy wszyscy już są wyzuci z wiary w wiedźmy i wierzą tylko w mikroprocesory?

— Jakie są plany pani domu? — Kuba jest szarmancki i dobrze wychowany.

— Żadne, Kubenty, wszyscy mamy się łagodnie regenerować. Pory posił-ków są płynne, bo taka rzecz, jak kotlet, nie może stać wam na przeszkodzie! — Mamy odpowiedź była jasna.

— Ja bym do lasu! A konie w tym tartaku to można by pod wierzch?

— Tak sądzę. Zadzwonię i zapytam. Kuba, ty jeździsz?

— On klepie dupę jak ja, po amatorsku, ale jest zdolny. Poradzi sobie!

Kuba tłumaczy się:

— Ja też mam za sobą taki obóz konny jak Mania. U babci w Koniakowie zawsze jeździmy z chłopakami, na oklep. Mańka, bryczesów nie wzięliśmy…

— A macie?! Z tych swoich to Marysia już dawno wyrosła! — mówię rozbawiona.

— No, właśnie… — Marysia kręci palcem loczek i patrzy za okno. Chyba ciągle śpi nad jajkiem w szklance. Merda w nim łyżeczką i ziewa.

— Włożymy dresy i już…! — rzuciła w powietrze.

— Dzwoniłam. Krzysiu się wami zajmie. Macie tam kobyłkę, spokojną i ułazdoną, i wałaszka — emeryta. Weźcie ze sobą picie, jak traperzy.

W sprzątaniu pomógł nam Konrad, więc szybko załatwiłyśmy to, czego nie lubimy. Mama poprosiła o wolne i pojechała do Tomka.

— Kto to ten Tomek? — spytał Konrad.

Aż się zdziwiłam, bo on rzadko pyta.

— Kochanek mojej mamy! — wypaliłam zadziornie.

— Proszę cię! — fuknął mój święty Franciszek.

— Poważnie. No, to jest chłopak mojej mamy. Narzeczony. Facet. Epuzer. Dochodzący.

— Dobrze, już! Zdziwiłem się. To trochę dziwne, prawda?

— Wiesz, jak się pozna moją mamę i Tomasza, to nie. Dziwi cię, że mając sześćdziesiąt parę lat, romansują sobie? I to od dawna? Nikt nie lubi być sam. Nawet Piernacki, chociaż ćwiczy wdowieństwo od niedawna, flirtuje z nami wszystkimi. Chociaż bardzo kochał żonę i strasznie cierpi bez niej.

— Skąd ty to wszystko wiesz?

— Z powietrza! Tu, Konrad, jeśli chcesz żyć pełnią życia, musisz to wszystko wiedzieć i dawać się poznać ludziom. Wtedy polubią cię i zaakceptują. To oczywiście rodzaj wścibstwa, ale takiego dobrego. Jesteś trójwymiarowy i przejrzysty. Oni też. Rozumiesz i oni rozumieją, skąd się taki wziąłeś. O, widzisz, ci pod lasem, z drugiej strony, to tacy dyskretni. Autsajderzy. Nic nie wiedzą, nikogo nie znają i tak żyją sami dla siebie.

— Może im tak pasuje?

— Może… Chodź na werandę.

Siedzieliśmy wygodnie na fotelach wyścielonych kocykami i poduchami, piliśmy kawę, sok i gadaliśmy. Głównie ja gadałam. Opowiedziałam Konradowi historię Kaśki i Marianny, poród cielaczka, mamine love story. Słuchał mnie z rosnącym zdumieniem.

— Jesteś tu tak krótko i tak już weszłaś w ich społeczność…

Zamknął oczy i wypoczywał. Zakola mu się sypnęły, posiwiał na skroniach, zdecydowanie. Rysy mu się wyostrzyły. Jest wciąż przystojny. Ma takie ładne, zadbane dłonie. Jak to pedant i czyścioszek — jest taki pachnący i zawsze elegancki.

Wyobraziłam go sobie w sytuacji intymnej z dystyngowaną Adą. Czy oni szaleją w łóżku, czy spokojnie odbywają akt płciowy? Parsknęłam.

Kaśka wróciła ze swoich wycieczek.

— Wszystko w porządku, Kaśko?

— Tak. Zrobiłam porządki na grobach. Tak. — Pokiwała głową i uśmiechnęła się do mnie.

— Co teraz będziesz robić?

— W ogródku kopać. Tak… Idę. Tak.

— Wszyscy się porozchodzili, Kasiu, więc obiad będzie później. Jesteś głodna, dziewczynko? (Kasia bardzo lubi, jak tak mówię.)

— Teraz nie. Teraz nie. — Kręci głową i idzie się przebrać.

— Konrad, jak chcesz, zapytam Piernasia, czy przyjechałby bryczką. Chcesz?

— Nie… Wiesz co? Może poszlibyśmy sobie do Pasymia? To chyba nie jest daleko?

— Jakieś dwa kilometry, trzy? Jasne. Chodź.

Po drodze rozmawialiśmy leniwie, wreszcie niespięci. Normalni. Rzeczywiście, pogoda jakby uśmiechnęła się do nas.

Szliśmy polną, piaskową drogą. Łąka rozkwitła już jaskrami i mleczami. Trawa stworzyła porządną zieloną powłokę, a nad nią fruwało wszystko, co małe i skrzydlate. Muchy, osy, motyle, nawet jakieś małe ptaszki.

— Tu, w lecie, pewnie mnóstwo komarów? Co? — spytał Konrad.

— Nie wiem. W lecie jeszcze mnie tu nie było, ale sądzę, że świat się bez nich nie obejdzie. Za piękne by to było. Nie sądzisz?

— Basia jest ewangeliczką?

— Tak. Chyba jednak nie praktykuje często. No, w niedziele rzadko. Częściej lubi w tygodniu, jak ma chwilę, wpaść na cichą mszę. Pastor jest urokliwy. Poznasz go. Ma śliczną żonę i jest pozytywnie ruszony artystycznie. Mama mi mówiła, że latem ogromnym wysiłkiem urządza w kościele koncerty muzyki poważnej. Często sakralnej, ale i perełki klasyki też się tu słyszy.

— Co ty powiesz? A wydawać by się mogło, że „takich już nie produkują", jak to ty mówisz. Cudownie pachnie to powietrze! Aż przyjemnie tak iść.

W oddali zobaczyłam Piernackiego i jego bryczkę z jakimiś ludźmi. Jechali w naszym kierunku.

— Wiesz co? Nie spodziewałem się w dzisiejszych czasach zobaczyć czegoś takiego. Ada byłaby zachwycona. Hmm. Przepraszam cię. Wyrwało mi się.

— To dobrze! Znaczy, że puściło! Może kiedyś wpadniecie tu razem?

— Gosiu! Nie przesadzaj. Nie przesadzaj! — powtórzył zmieszany.

— Witam, witam ślicznie, pani Gosiu! Co to, spacerek z narzeczonym? A my właśnie obok państwa przejedziemy i co? Nie będzie was? To państwo z Niemiec, bardzo mili. Moi agroturyści — pani Sophie i pan Peter.

Ukłoniliśmy się sobie.

— Widzi pan, poderwałam sobie takiego! To mój mąż, poznajcie się panowie.

— Jaki mąż?! Ja tu już swatów słałem! Panie kochany! Żartuję, ale fajna kobitka! Obie z panią Basią takie. Miłe, dowcipne. Jak pan ją z oka spuści, zaraz my tu zaczniemy cholewki smalić! Tak! Wio, malutka! Do zobaczenia państwu!

Konrad był wyraźnie rozbawiony.

Doszliśmy do asfaltu i uważniej już podążaliśmy w stronę Pasymia. Spotkaliśmy panią Karolinę, potem pastora z żoną w ogródku przed kościołem, jak sadzili kłącza kanny na klombie.

— Dzień dobry, pastorze! Dzień dobry pani! — powitałam ich serdecznie. — To mój mąż. Nie za wcześnie na kanny?

— A, dzień dobry, leniwa parafianko! Witam pana! W ogóle mnie pani nie odwiedza! Pani Basia choć w tygodniu wpada ponaradzać się z Panem Bogiem. A pani? Kiedy wpadnie na mszę albo ot, tak? Miło mi będzie i Panu naszemu też.

— A ja zapraszam na kawę — uśmiechnęła się żona pastora. — Mało się znamy, a tu słuchy chodzą, że pani jest bardzo interesującą kobietą! Ciekawość mnie żżera!

— Obiecuję. Jak rodzina wyjedzie!

— Zapraszamy z rodziną! Opowiem, jaki mam sposób na kanny!

— Do zobaczenia!

— Do zobaczenia, szczęść Boże!

Obeszliśmy ryneczek i uliczki.

Konrad z ciekawością zajrzał do kościoła katolickiego zobaczyć, gdzie też to Bronia zaadoptowała Kaśkę. Ja zagadałam się przed kościołem z kościelnym. Jest stareńki, zgarbiony i pamięta babcię Bronię, Basię — podlotka i w ogóle tamte czasy. Jest sympatyczny i wylewny. Miło mu, że może tak sobie pogadać.

Wracaliśmy nieśpiesznie, patrząc, jak kobiety uwijają się w ogródkach. Kopią, sadzą, pieszczą te swoje klomby, a ich mężowie bielą drzewka, reperują ogrodzenia albo rąbią drewno na opał.

Konrad założył ręce z tyłu i szedł wyprostowany, ciekaw wszystkiego, co widzi. Rzadko ostatnio bywał na wsi.

— Zobacz, Gosiu. Tyle anten satelitarnych! Co oni rozumieją z tego importowanego świata?

— Obrazki i sensacje.

— Chyba tak. Szkoda...

— Są w większości niewykształceni, nie czytają, nie interesują się. Izolują się od wiedzy, mądrości, bo nie mogą jej pojąć. Wiesz, Konrad? Ich podstawowe źródło wiedzy to, niestety, telewizja i kościół. Mówię niestety, bo żadne z tych źródeł nie odpowiada na dręczące ich pytania. Kościół podaje świątobliwą papkę i nie dba o oświatę, moralność, uczciwość. Ich uczciwość i morale to chodzenie na mszę, co niedziela. A telewizja, to wiesz. Samo najgorsze. Populizm, reklamy i tania rozrywka. Oświata czasem pojawia się w godzinach najgorszej oglądalności. No, i mamy, co mamy.

— Nie gadajmy o tym. To przygnębiające. Lepiej pochwal się, co dziś będzie na obiad. Basia miała tajemniczą minę, kiedy ją o to zahaczyłem.

— Późny obiad. A w ogóle, co ty tak nagle jesteś ciekaw jedzenia? Na ogół było ci obojętne.

— Dopóki żyła mama. Jak zaczęły rządzić dzieci, zrobiło się dziwnie. Czasem super, czasem okropnie.

— Kiedy okropnie?

— Paula wymyśliła kiedyś wegetariański gulasz na ostro. Myślałem, że się uduszę! Pierożki z soczewicą też jej nie wyszły. Za owocami morza nie przepadam... Widzisz więc, że muszę pytać, bo może powinienem wykręcić się niestrawnością?

— Basia obiecała ruskie pierogi i jeszcze takie z kaszą gryczaną i twarogiem. Do tego skwareczki z podgardla. Czysty cholesterol. Jaki masz poziom?

— Chyba 250. A ty?

— Ja nie wierzę w cholesterol, więc go nie mierzę.

— Żartujesz!

— O zdrowiu koniec. A więc! Pierogi. I co ty na to?

— A kefir jest?

— Trzy litry! Zsiadłego mleka, takiego ze wsi! Klękniesz z zachwytu.

Przyjemnie było tak zluzować. Przyjemnie było tak iść i czuć zmęczenie. Już chyba chciało mi się coś zjeść, a pić — na pewno. W maleńkim sklepiku, czynnym mimo święta, kupiliśmy po piwie i poszliśmy asfaltem w stronę domu.

— Będziemy tak to piwo pili z butelki? — spytał Konrad.

Boże! Jaki on święty! Ada z pewnością nie piłaby piwa z flaszki na spacerze. Wyglądała mi na panią z zasadami. On to lubi. Kocha konwenanse, przepisy, kodeksy. Dobrze mu z tym. Musi być okiełznany.

Otworzyłam butelki zardzewiałym gwoździem, bo ku zdumieniu mojego męża nie nosiłam w staniku otwieracza do butelek. Był trochę zdziwiony, że ma pić tak otwarte piwo, ale „jak się ma pragnienie, to nie fochy".

— Sama to wymyśliłaś, prawda?

— Tak. Ale dobre, co?

— Głupie.

— Mówiłam o piwie.

— Dobre.

Pomału, spacerem doszliśmy do domu. Tak! Byliśmy głodni i późny obiad nie wchodził w grę!

— Mamo, są dzieci? — krzyknęłam od progu.

— Nie.

— No to my jesteśmy. I to głodni nieludzko, a Konrad ślini się do pierogów.

— No to świetnie, bo gorąca woda już jest i zaraz będziemy wrzucać. Siądźcie sobie na werandzie, póki ciepło, bo jak słońce dotknie lasu — ochłodzi się.

Marysia z Kubą wrócili też głodni jak stado psów. Brudni i zziajani. Spadali z koni i było fantastycznie!

Pierogi zostały zmiecione z powierzchni ziemi, zsiadłe mleko wypite w całości, na talerzach nawet skwarka nie została. Funio, zamiast resztek dostał psią puszkę.

Pierogi z kaszą i twarogiem

Ugotować kaszę gryczaną, nie całkiem na miękko. Podstudzić i dodać twaróg — kwaśny, wiejski. Nie mieszać za bardzo. W środku, mogą być grudki.
Posolić, dodać pieprz i ciut majeranku albo suszonej mięty.
Zawijać w ciasto pierogowe. Polewać skwareczkami z cebulką.

Do kolacji każdy robił, co chciał. Ja i dzieciaki poszliśmy na drzemkę. Kaśka sprzątała w oborze. Uradziłyśmy z mamą, że wyczyścimy ją dokumentnie, że już żadnych krów, a potem coś wymyślimy. Przyjechał Krzysiu ciągniczkiem ogrodowym z przyczepą i pomagał Kasi. Zawsze dostawał za to jakiś pieniądz i zawsze bardzo się sumitował. Ale brał. Taki facet ma mnóstwo potrzeb. Błystki, muchy, haczyki...

— Idziesz do Tomka? — spytałam mamę, ziewając.

— Nie. Jest z kimś na polowaniu. Takim fotograficznym. Pokazuje gościowi jakieś unikalne ptaki, rośliny, wiesz. Zdaje się, gniazdo czarnego żurawia. To doktorant z PAN–u, wieczorem będzie pitewnie. Pośpisz trochę?

Zasnęłam lekko popołudniową drzemką, przy otwartym oknie pełnym wiosny.

Późnym popołudniem podźwigaliśmy się wszyscy. Wyraziliśmy skruchę za niedołączenie się do sprzątania i obiecaliśmy poprawę. Nikt nam nie uwierzył. Za to sprzątnęliśmy werandę, bo zrobiło się jakoś wietrznie i deszczowo. Razem też rozpoczęliśmy przygotowania do kolacji, chociaż po takim obiedzie nikt nie czuł się głodny.

— Dobrze. Zrobimy delikatną kolacyjkę opartą na herbatce i wspominkach — zaproponował Kuba.

— Kto ma wspominać? Wy, my?

— Wiem! — niemal krzyknęłam. — Mama ma w rękawie atut. Opowie historię Broni i Michała. To podobno ładne...

— Dobrze — zgodziła się mama — ale to świetnie pójdzie pod nalewkę. Do wyboru jest: ziołowa Tomasza, moja smorodinówka, orzechówka i ratafia — słodkie gówno dla kwok. Nie wiem, po co robię to co roku. Chyba tylko dla owoców z wódeczki.

— A co to ratafia? — spytał Kuba.

— Stopniowo zbierasz owoce lata i najpierw zasypujesz je cukrem, by puściły sok. Niektórzy nie cukrzą, tylko od razu — chlup! Do wódki albo spirytusu. Potem stopniowo do tego słoja dorzuca się to, co dojrzało. Ja jeszcze dodaję jesienią białe winogrona. Te początkowe owoce — truskawki, poziomki i porzeczki macerują się szybko i nie są smaczne, ale za to wiśnie, agrest, śliwki i winogrona z tej wódeczki — poemat! I tak trzeba je na zimę odcedzić. Zeszłego roku był Tomasz, no i także'śmy degustowali te owoce... Pamiętasz, Kaśko?

— Tak — zaśmiała się. — Popili się!

— No, właśnie tak robi się ratafię. W tym roku nie zacukrzę. Zrobię wytrawną. Tylko w wódeczce.

Na półmisku leżał już pleśniowy ser, w garnuszku — smalec. Czekało ciemne pieczywo i kieliszki. W karafce, zielona jak szmaragd, nalewka Tomka.

Zapaliłam lampę, bo już się ściemniało. Wieczór był chłodny i widać było, że będzie wyż.

Wyszłam na werandę. Jak fajnie, że ona jest! Usiadłam, otulając się chustą mamy. Rześkie powietrze obiecywało piękną pogodę na jutro. Gdzieniegdzie pokazały się gwiazdy na lekko tylko ciemniejącym niebie. Blanka cicho wskoczyła na poręcz i też patrzyła w przestrzeń, przed siebie. Tak, koleżeńska to ona nie jest! W domu moja rodzina robiła przygotowania do kolacji. Jeszcze rok temu byłam z nimi w Warszawie. Rok temu nie przypuszczałam, że zapragnę żyć na Mazurach i bez tych łąk i lasu nie będę chciała żyć gdzie indziej.

Opowieść nieco ckliwa o Broni i Michale

— Michał, mój ojciec, urodził się w majątku opodal Torunia — zaczęła mama. — Między Toruniem a Golubiem, obecnym Golubiem–Dobrzyniem. Jego matka, Jadwiga Lubicka, była ubogą szlachcianką. Nadto prowadziła wraz z ojcem gospodarstwo, majątczek, ze znawstwem i zamiłowaniem. Działo się tak dlatego, że jej bracia działali w tajnych stowarzyszeniach i byli poświęceni walce narodowowyzwoleńczej. Ona sama, po przebytej ospie i upadku z drzewa, miała ospowatą twarz i utykała na jedną nogę. Była starą panną, całkowicie oddaną gospodarstwu, rodzicom i Polsce.

Nadarzyła się nie lada okazja. Ich ziemie graniczyły z majątkiem starego Niemca — Franza Matza. Był bezdzietnym wdowcem i z czasem podupadł na zdrowiu. Wymyślono chytry plan. Otóż namówiono Jadwigę do zamęścia. Oprócz dziobatej twarzy miała piękne, ciemne oczy i czarujący uśmiech. Staremu hrabiemu wmówiono, że młoda żona może jeszcze przynieść mu syna, dźwignąć upadającą gospodarkę i że w ogóle z kobietą, taką kobietą — będzie mu lżej.

Tak też się stało. Patriotyzm Jadwigi kazał jej zamknąć oczy i dla dobra kraju pójść do ołtarza z majątkiem starego Niemca. Wszak pieniądze były potrzebne organizacjom patriotycznym! Hrabia okazał się nie aż tak straszny. Żyli dobrze i Jadwiga dźwignęła majątek tak, że zakwitł. I ona zakwitła. Dobrze byłoby urodzić hrabiemu zstępnego i zrobić porządny zapis, by wszystko było lege artis.

Urodził się zdrowy chłopiec i Jadwiga wyprosiła dla niego imię Michał. Hrabiemu, stareńkiemu już bardzo, uszło uwadze, że Michał po ciemnych dość rodzicach, cerę ma jasną i błękitne oczy. Grunt, że nosił nazwisko Matz! Płowa czupryna i te oczy pozostały tajemnicą Jadwigi do jej śmierci.

Mama snuła opowieść z meandrami, przeplatając ją czytaniem fragmentów pamiętnika babci Broni. Wyłoniła się z tego opowieść nadająca się na romantyczny film. Michaś wydoroślał, zdobył wykształcenie i ożenił się na życzenie rodziców z Niemką — Bertą Bucholtz. Dzięki temu cały majątek Bucholtzów przypadł Michałowi, a właściwie, po cichu, organizacji patriotycznej.

— Nie było to dobre małżeństwo, mimo że Berta urodziła Michałowi bliźnięta — Hanię i Piotrusia. Chorowała „na głowę". Była histeryczna i dziwna. Kilka lat później, na skutek nieszczęśliwego wypadku Michał owdowiał. Niemka zginęła w wypadku samochodowym z pasierbem Michała, a swoim nieślubnym synem — Julkiem. Niedobrym i schizofrenicznym typem. Michał nigdy nie lubił Julka. Julek zostawił żonę Polkę — Bronkę właśnie — waszą prababcię.

Tu mama zrobiła przerwę na siusiu.

Panowie przygotowali kilka kanapek, rozlali wódeczkę i wszyscy wypiliśmy ziołówkę Tomasza, „za miłość", i mama znów zaczęła:

— Bronia po śmierci męża poszła wypłakać się staremu kamieniowi. Szlochała tak nad jeziorem, bo nie miała dokąd wracać. Ojciec w więzieniu, za działalność, mama zmarła rok temu na sepsę w szpitalu. Nikogo więcej nie miała na świecie. I jak tu żyć? Trzęsła się z nerwów, łez i zimna. Powtarzała cicho: „Michale, Michasiu, nie zostaw mnie!". Kochała go! Żałowała, że jest jej teściem od chwili, kiedy tu przyjechali z Julkiem. Jego oczy nieraz niepokoiły jej serce, gdy spoglądał na nią znad książki. Niby przelotnie, jednak ciepło i czule. Siwe włosy, łagodnie falujące na głowie, wąsy, szczupłe dłonie, jego spokój i mądrość — wszystko to kochała cichutko.

Zobaczyła go przez łzy w oddali. Szedł taki spięty, rozglądał się i szukał jej! Pełen niepokoju wołał ją. Był już blisko, gdy wyszła zza kamienia.

Z pamiętnika Broni:

(…) Szedł w moją stronę zaniepokojony nie na żarty. Oczy mu, jego błękitne, płonęły, gdy mnie zobaczył. Przystanął zdumiony. Stał, nie wiedząc, co począć, z opuszczonymi rękami, powtarzając tylko cicho:

— Broneczko… żyjesz?

Taki był nieporadny! Skrępowany.

Podeszłam i przytuliłam się do niego. Niech się dzieje, co chce! Pachniał lawendą i dymem ze swoich cygar. Mój Michał! W mojej duszy jakby dzwony zabiły i umilkły.

Objął mnie dyskretnie, nieporadnie, lecz jak chciałam uwolnić się, nie pozwolił. Gdy podniosłam ku niemu głowę, nasze usta same się spotkały. Tak słodko nikt mnie jeszcze nie całował!

Potem nachylił się, bym usłyszała jego prośbę:

— Bądź moja, Broneczko. Bądź moja na wieki. I przed Bogiem!

— O Jezu! — jęknęła Marysia. — Jak pięknie!

— No, cukier i mniód! Dlaczego wszystkie te opowieści o dziadkach i ich sprawach sercowych są takie ckliwe? — powiedział Kuba.

— Bo tak! — Nadęła się Mania i poszła po sweter, wycierając ukradkiem oczy.

Ja też miałam mokre spojrzenie. Nasi panowie patrzyli na nas z uśmiechem zrozumienia i zaproponowali jeszcze raz — „za miłość". Wypiliśmy jeszcze po kieliszku ziółówki i zjedliśmy chleb ze smalcem.

— Teraz to takich historii nie ma! A babcia to mówi tak, jakby czytała bajkę! No i co było potem? — Marysia była żądna dalszego ciągu.

— Pobrali się! I już!

— No nie! A klimacik?

— Dobrze. Jeszcze tej samej nocy nastąpiło consummatum.

— Czyli co? — spytał Kuba, jakby obudzony z drzemki. — Bzyknęli się?

— Ale ty, chłopie, jesteś romantyczny jak kalafior! — ofuknęła go Basia.

— Dalej, proszę! — Mania ułożyła się wygodnie w fotelu.

— No, dobrze, choć to już koniec. Obydwoje, Michał i Bronia, nie mogli spać. Chodzili po swoich pokojach i jednocześnie wyszli do salonu po coś do picia.

— Dziadek na pewno chciał walnąć lufkę! — domyśliła się Marysia.

— Nie dziadek, a pradziadek, a poza tym masz rację. Chciał. A kiedy ją zobaczył, Bronię oczywiście, wziął w ramiona i znów całował. Potem poszli do jego pokoju.

— A nie mówiłem? — Kuba uśmiechnął się triumfalnie.

— Babciu! Bronia na pewno coś napisała!

— Zgadza się.

Z pamiętnika Broni:
Szaleństwo czarów i zmysłów! Przecież wymarzyłam sobie, Ciebie, Michale! Wymodliłam! Kiedy wziąłeś mnie w ramiona, tam, w salonie, wiedziałam, że nigdy już Cię nie opuszczę, że chcę być Twoja.
Później w Twoim pokoju, w Twoim łóżku zobaczyłam, co to jest miłość! Do jakiego stopnia Julek był indolentem i brutalem!
Mój słodki, dobry, kochany Michasiu!

— No! Fajna historia. Ale masz korzenie! Idziemy spać? — Kuba pocałował Manię w rękę i spojrzał jej w oczy zalotnie.

— Słuchajcie, już dwunasta — powiedział Konrad nieporadnie. — Piękne to było, ale pora puścić Basię na odpoczynek. Chodźmy.

Racjonalnie, rozsądnie i po Bożemu.

— On zawsze taki zasadniczy? — spytała mama, jak już byłyśmy same w kuchni.

— Tak…

— To ci się nie dziwię. Nie pasujecie do siebie, choć to chyba dobry człowiek… Śpij, kochanie. Pa.

— Pa, mamo.

Ziołówka Tomasza

Trzeba w wódce nastawić młodych odrostów czarnej porzeczki, listki razem z zieloną gałązką i liście babki. Po trzech tygodniach zlać do karafki, do której wrzuca się trzy ziarna zielonego pieprzu, trzy ziela angielskiego i kilka świeżych gałązek tymianku. Można dodać miodu. Po tygodniu już można pić, a pieprz i tymianek wcale nie przeszkadzają. Wyglądają ładnie w tej karafce.

Festyn

Pogoda znów pokazała, co potrafi. Od rana było szaro i byle jak, więc do śniadania nakryłyśmy w kuchni.

— Dziś ma być festyn w miasteczku. Szkoda, że tak brzydko — zagadnęłam.

— Przetrze się, jeszcze się zdziwisz… — Mama wycierała sztućce.

— Dobrze by było. Może zrobię dzieciakom kakao? Dawno nie piły.

— Dzień dobry! A ja to pies? Też poproszę kakao.

Konrad wszedł go kuchni, wlokąc ze sobą zapach swojej wody po goleniu. To znów coś modnego, o ostrym, korzennym zapachu. Zapewne Ada mu kupiła. Ma inny gust niż ja. No, ale teraz to ona przerabia go na swoje kopyto.

— Usiądź. Zaraz zrobię. Jak spałeś? Kawy zwyczajnej nie robić ci, prawda?

— Już siadam, spałem świetnie. Kawy nie robić.

Bez pośpiechu przygotowywałyśmy to śniadanie, bo żadna z nas nie lubi jeść o tak wczesnej porze. Konrada zwyczaje też znam. Najpierw coś pije, potem czyta albo idzie się golić, potem jakaś kanapka z kawą i wio — do pracy.

Kroiłam jajka na twardo w plasterki specjalnym siekaczem, ułożyłam na talerzu i pokroiłam szczypior. Gruby i taki soczysty, że na uciętych kawałkach zbierał się kroplisty sok. Posypałam jaja szczypiorem i po kuchni rozszedł się taki jajkowo–szczypiorkowy zapach, jak na obozie harcerskim, w stołówce. Tam było tylko to, u nas jeszcze wjeżdża na stół miska rzodkiewek, obrane ogórki i dymka od szczypioru. Na deseczce leży biały ser, zrobiony przez mamę Czarka, Karolakową z tartaku. Szkoda go ciapkać ze śmietaną. Jest pyszny jaki jest. Kwaskowy, ze śladem odciśniętej pieluszki, w której dochodził do siebie.

Konrad bierze ostrożnie w palce plaster. Uwielbia twaróg. Ser rozsypuje mu się i mokre kawałki spadają z plaskiem na podłogę.

— Nie schylaj się! — Uśmiecha się mama. — Zawołam odkurzacz: Funiu! Funiu, chodź, zobacz, co tu jest!

Psisko radośnie wbiega do kuchni i natychmiast lokalizuje ser. Po chwili podłoga wylizana jest do czysta.

— Mamo, wędliny nie kroję, bo obiad będzie mięsny, tak?

— Jak nie wytrzymacie bez kiełbas, to krój!

— Wytrzymają.

Marysia i Kuba zeszli z góry, już ubrani i lekko rozczarowani pogodą. Za to stół rozmlaskał ich.

— Kakauko! Serek! Mniam! Rzodkiewki i dymka! Mańka, dzisiaj się nie całujemy. Ogłaszam dzień cebulowy! Babciu, pani Gosiu, co z obiadem i całym dniem?

— W Pasymiu jest festyn. Kupimy kankę piwa i robimy grilla.

— Myśli pani, że się przejaśni? — niedowierzał Kuba.

— Jak skończysz zmywać po śniadaniu — powiedziała poważnie mama. I powiedziała to tak, że wszyscy uwierzyliśmy.

— Zaraz zabejcuję mięso, a wy tylko zrobicie sobie sałatki i Kaśka pokaże wam przetwory. Weźmiecie, co tylko wam się zachce.

— A ty, babciu? Nie będzie cię?

— Do Tomka przyjechała jego i moja znajoma z mężem, państwo profesorostwo. Zostanę u niego, chyba że jestem wam niezbędna. Zdążymy się jeszcze sobą znudzić!

— To dokończ szybko wczorajszą opowieść, przecież nic nie wiemy, jak ślub i tak dalej...

— Nic takiego. Ślub był cichy i skromny. Żyli zgodnie aż do wojny. Urodziłam się ja, tuż przed jej wybuchem. Hania i Bronia zajmowały się mną i ogrodem, a Michał i Piotr — resztą. Życie łatwe nie było, ale jak chcesz, dam ci pamiętnik Broni, to sobie poczytasz.

Basia ogarnęła się, przygotowała mięso i pożegnała nas swoim ślicznym uśmiechem.

— Pamiętaj, jak skończysz zmywać! — szepnęła do Kuby, wychodząc.

Rzeczywiście, jak zamykaliśmy lodówkę za ostatnim schowanym półmiskiem, chmura uchyliła się, wpuszczając do kuchni promień słońca. Zanim sprzątnęliśmy, zamietliśmy podłogę, dając Kaśce wolne, znów zaświeciło. Niebo, szare dotąd i pochmurne, powoli przerzedzało się, ukazując od czasu do czasu skrawek błękitu.

Kuba obserwował to i zapytał:

— Babcia poszła, czy pofrunęła na miotle?

— Pojechała terenowcem, mój głupku — powiedziała Mania.

Jej nie dziwią zdolności prekognicyjne babci. Sama wyrośnie na wiedźmę. Na razie jest wróżką, małą czarowniczką.

Uradowani, wzięliśmy kankę i poszliśmy spacerem do Pasymia.

Kaśka, oczywiście, zajęła się klombami od frontu. Bardzo lubi pielenie, skubanie i pieszczenie ogrodu.

Festyn jakoś powoli się rozkręcał. Bar piwny już działał. Saturatory wciąż nalewały w kufle pieniste piwo dla degustatorów. Niektórzy byli już porządnie nadymieni. Skąd mają kasę?

— Nie pracują? Nigdzie? — dziwił się Kuba.

— Wiesz, chłopie, tu jest zagłębie bezrobocia i beznadziei. Nie ma zakładów pracy, przemysłu, porządnego rolnictwa. Tu przedsiębiorcom jest bardzo ciężko i raczej padają, niż prosperują. Jest jakiś nieprzychylny wiatr. Ludność popegeerowska nie wie, jak żyć. Nagle wszystko im zabrano. Mamusię, czyli PGR, który ich karmił, ubierał, dawał deputaty i jeszcze przymykał oko na kradzieże, nieróbstwo.

— Przecież jakoś funkcjonowały...

— Jakoś. Były dotowane i po prostu musiały być super! Dla mas. To się nazywało „propaganda sukcesu". A to, jak było naprawdę... Wskaźniki naciągano, błędy tuszowano, sprzęt miał najkrótszą żywotność w świecie. Traktory szły na złom po pięciu, dziesięciu latach żywota! Kombajny, takoż. Wszystko było państwowe, więc niczyje.

— A dyrekcja? Kierownicy?

— Bywało, że byli tak pochłonięci sobą, że dla świętego spokoju przymykali oczy. Na ogół budowali sobie domy i gospodarstwa, właśnie za „państwowe". Po latach okazywało się, że wielka, pegeerowska stodoła ma jeden rząd cegieł, zamiast dwóch, a w zaprawie między cegłami jest sam piasek zamiast zaprawy cementowo–wapiennej, że zamiast dwóch warstw papy na dachu jest jedna… Reszta była wmurowana w domy kierownictwa. Często tak było.

— A ty skąd o tym wiesz?

— Od Piernackiego. Nieraz go koledzy pobili, jak naskarżył, że kradną. A teraz pisk i beznadzieja… Nie opłaca im się pracować. Pić i kraść — owszem.

— No, ale wszyscy? — pyta Mania.

— Jak zwykle, nie. Najbardziej dziś cierpią ci uczciwi. Oooo! Zobaczcie, jaki śliczny!

Przed nami szedł jeden z ulicznych „staczy".

— Od rana zawsze można go spotkać stojącego na ulicy z kolesiami. Degeneraci. Ma ksywkę Łopuch. Reszta to Zygu, Glaja i Francowaty.

Teraz ledwo stoi na nogach, wodząc zaropiałymi oczami dookoła. Brudny, nachlany i oszczany. Nawet nie wie, że nalał w gacie. Pokazuje coś rękami.

— Fuj! — Marysia z obrzydzeniem odwraca głowę.

Na wielkiej samochodowej naczepie rozstawia się zespół. U nas zaczną wcześnie, bo jeszcze mają kilka takich festynów do obskoczenia. Na razie śpiewa jakiś zespół „domowy". Panowie dość skacowani. Nieogoleni. Jeden na gitarze, jeden na akordeonie i perkusista, pewnie syn. Śpiewa mamusia w obcisłych jeansach i bluzce z dużym dekoltem. „Przechodzona, ale w dobrym stanie" — jak powiedział Kuba. Sądzę, że w kiepskim stanie. Jest wyraźnie zmęczona. Ma źle zrobiony, za mocny makijaż, skudlone tlenione włosy z fryzurą sprzed lat (grzywka na „żagiel" i sztuczna dopinka z tyłu). Brak górnej piątki i zapewne kwaśny oddech po wczorajszym. Głos zdarty. Nie fałszuje, ale jest żałosna.

Pokpiłam z niej, ale mi się żal zrobiło. Takie występy to pewnie ich jedyna praca. Wystarcza na czynsz? Benzynę, pizzę i wódeczkę, wieczorem, żeby zapomnieć… Nie myśleć, że śliczna i młoda to ona już nie jest…

Skończyli. Tłumek klepie brawa — jak zdechłą krowę po dupie. Kto to tak mówił? Ojciec! Na ciężarówce dźwiękowcy znów próbują. Kolumny wielkie jak szafy, kable i mikrofony. Panie i panowie z zespołu tanecznego szykują się w domu kultury, który jest akurat za przyczepą. Długo to trwa, więc idziemy na spacer zobaczyć jezioro i oficynę, w której mieszkała Bronia z Michałem, Hanią, Piotrusiem i małą Basią zaraz na początku. Z balkonów i okien prowadziły nas ciekawe spojrzenia starych babek, niemających nic innego do roboty, jak tylko gapić się na ludzi i obgadywać ich.

— W Poznańskiem to chociaż poduszki pod biust sobie kładą! — sarknęłam.

— Na Śląsku tak samo — poparł mnie Kuba.

— Patrz, a tu jeszcze nie przyszło!

Wkrótce doszły nas dźwięki sprzężeń w tych głośnikach na rynku i jakieś próby piosenek country.

Zawróciliśmy. Zebrał się już spory tłumek, bo to atrakcja przecież, taka grupa! Dmuchnęło wreszcie z tych głośników skrzypcami i bandżo. Raz na ludowo! Po amerykańsku! Na polskim festynie! Na samochodzie tańczą polskie dziewoje w amerykańskich kapeluszach, a obok nich kowboje spod Mrągowa! Hop siup! Bar piwny ledwo wyrabia. Kolejka coraz dłuższa, rozgrzana zagranicznym pląsem. Piwo samo, z sokiem malinowym, duże, małe… Następny proszę!

Poszliśmy w stronę straganów. W jednym siedzi kobiecinka z koleżanką. Mają razem ze sto dwadzieścia lat, kurpiowskie stroje i nożyczki. Wycinają kolorowe kogutki. Dalej trzy stragany z kolorowym badziewiem. Wszystko „Made in Korea" albo „Hongkong". Plastikowy chłam, do którego ciągną dzieci. Składane potwory, wojowie — niby wikingowie, koraliki, pistolety na wodę i kapiszony. Strój Batmana i tego tam, Spidermana, amerykańskich bohaterów polskich dzieci. Kostki Rubika, których już nikt nie kupuje, i to, co mnie powala na kolana.

— Marysiu! Chodź no! Zobacz, jak będziesz grzeczna, kupię ci ten zestaw.

— Co to?

— Zestaw „Mała Lafirynda".

Na tekturce, pod folią są: korale, mała różowa szminka, klipsy i plastikowe pantofelki na obcasie, żeby pięciolatka mogła wywichnąć sobie stopkę.

— O Matko! — jęczy moja królewna.

Szukam straganu z drewnianymi łyżkami, może glinianymi garnkami, kwiatkami z bibułki, glinianymi kogutkami i wikliną — tyle jej tutaj! Tuż za Pasymiem, przy szosie wielki kosz na słupie i napis: „Korbwaren!" Znaczy, że koszyki się tu robi. Ale koszyków nie ma! Garnków z gliny też… I łyżek z drewna, i koników, i innych cudeniek z targowisk i odpustów z mojego dzieciństwa.

O! Jest stragan z pamiątkami! Są gliniane, jakieś szare garnki z małpkami, talerze i ozdoby doniczkowe z palmowych liści i bambusa, tam–tamy, duże i małe rzeźby smukłych Murzynów, słonie, duże i małe…

— To jakiś obłęd… — szepcze Kuba, odwracając się do nas i robiąc zeza.

— Co to jest?!

— Festyn! Ludowy!

Wracamy z festynu, niosąc do domu kankę z beczkowym piwem. Konrad pyta o nasz browar „Jurand".

— Teraz to niemiecki browar. I nie warzą tu, a tylko rozlewają…

— Dlaczego?! Przed wojną to był świetny browar! Jakie urządzenia, budynki! Nie opłaca się? Absurd... — szepcze Konrad. — Dokądśmy zaszli?

— Do Prus! — mówi Marysia ze złością.

Docieramy do domu pełni niesmaku. Dobrze, że tu czujemy się u siebie. Postanawiamy zapomnieć i rozpocząć popołudnie na inną nutę. Panowie wynoszą grill i węgiel przed werandę. Idę do Kasi po przetwory mamine — ćwikłę, ogórki kwaszone, grzybki... ale ich dużo! Korniszony i dynię w occie. Jest ładna. Taka pomarańczowa, pokrojona w sześciany. Wszystko rozkładam na półmisku. Kroję chleb w wielkie pajdy. To z tutejszej piekarni. Darek, oczywiście znajomy mamy, posypuje chleb dla niej kminkiem i czarnuszką. Pracuje w piekarni i dogadali się!

— Kasiu, zjesz z nami?

— Nie, nie zjem. Zjadłam kanapkę i zupę. W ogródku robię grządki. Tak.

Kaśka robi sobie zupę z rosołków w papierku. Bardzo ją to bawi, że tak można szybko sobie zupę zrobić, mimo że ona nie umie gotować. A to umie! Bo zagotuje wodę i już!

Dym z węgli snuje się poza werandą, choć i na nią zagląda. Łaskocze nas w nos. Kuba pilnuje, żeby żar był czerwony i nie dymił. Konrad stoi i patrzy na rozlewisko, a my z Marysią odpoczywamy. Czasem skubiemy skórkę chleba, zagryzamy korniszonem. Grzybki nikną szybko...

Jest prawie gorąco, bo powietrze się nie porusza. Leniwie latają muchy, nad łąką widać jakieś ptaszki.

— O! Zobaczcie! — woła Konrad. — Bociek!

— Marysiu! Złap się za cipkę! — mówię szybko. — Złap się, bo inaczej... wiesz, ten dureń dzieci roznosi.

— Gosiu! Co ci do głowy strzeliło? — Konrad nie jest w nastroju.

— Nie znacie się!

Bociek chodzi i wypatruje w trawie żarcia.

Głupiejemy z nudów i lenistwa. Chłopaki kładą na ruszcie kiełbaski i żeberka bejcowane w miodzie i przyprawach. Skwierczą miło i pachną. A my czekamy.

— Fajny macie tu chleb. Zupełnie jak ten w wojskowej budzie na bazarku.

— Uhmmm. Na zakwasie.

— Co to znaczy?

— Zakwas to najstarsze drożdże do chleba. Kiedyś nie kupowało się drożdży. Nastawiało się zakwas. Coś jak kiszenie żuru. Do ciepłej wody dodaje się mąki żytniej i skórkę czarnego chleba. I to się tak kisi parę dni. Potem babki przechowują to w piwnicy, w kamiennym garnku i dają jedna drugiej, żeby upiec chleb. Najpierw dodają do przesianej mąki tego zakwasu i robią rozczyn, który rośnie. Potem formują chleby i wkładają do form. W niektórych rejonach Polski na liściach chrzanu. W Rosji, bliżej Syberii, na płatach słoniny, jak było bogato. W formach chleb znów rośnie. Potem do pieca i już!

— Pieką, tu też?

— Tak. Tu, u nas, Karolakowa piecze, jak ją co najdzie. Ma furę pysków do wyżywienia, więc czasem ją nachodzi i piecze. Ten jej chleb jest świetny, a jak jeszcze kupimy na rynku w Szczytnie masło od baby, takie domowo robione... Pychota!

— Fajnie tu masz. Ja bym zjadła ziemniaka z ogniska — rozmarzyła się Mania.

— Wiecie co? — myślę na głos. — Można by było zrobić tam, koło kładki, porządny krąg ogniskowy.

— Tam już ktoś palił ognisko. Widzieliśmy z Kubą. Co nie? — pyta zadziornie Mańka.

— No, ale gdyby podejść do tego profesjonalnie. Jak traper?

— Traper pozostawia po sobie nietknięte miejsce.

— No, ale taki traper–projektant, żeby to było funkcjonalne, ładne, nie raziło i spełniało swoją funkcję! Mamy jeszcze dwa dni przed sobą!

— Dobrze. Zjedzmy, przejdźmy się i zobaczmy. Może rzeczywiście zrobimy tam takie miejsce, żeby zawsze latem jadać ziemniaki z ogniska? Zawsze, jak przyjedziemy?

Kuba już się ucieszył. Zaplanował spacer. Podchwycił moją wizję.

— Szkoda, że nie ma Pauli, ona ma takie pomysły!

— Wykaże się następnym razem. Dziś — my!

Poszliśmy w stronę rozlewiska. Wyjątkowo piękny i ciepły dzień się zrobił. Prawie bezwietrzne powietrze, jakieś motylki i inne letnie „polatuchy", zakwitająca łąka. Wszystko to wywołało we mnie tęsknotę za prawdziwym latem.

Przypomniały mi się wakacje, kiedy to chodziliśmy z druhną Anną takimi łąkami i ona uczyła nas nazw roślin, kierunków świata, posługiwania się kompasem. To był czas w życiu, kiedy cała składałam się z ciekawości i zachwytów. Wszystko było nowe, zadziwiające, świetne. Tyle z tego zapomniałam! Nazw niektórych roślin w ogóle nie pamiętam! Kompas? Zaraz! Jak posługiwać się kompasem? A jak zegarek może zastąpić kompas? Zapomniałam, druhno Aniu! Zapach łąki to zapach beztroskiego dzieciństwa i dlatego tak go lubię. Pamiętam, jak jechaliśmy rowerami po takich wiejskich drogach. Jadąc za druhną, dziwiłam się, jak wąski rower może utrzymać jej wielki tyłek? I dlaczego ona nigdy się nie męczy? My byliśmy spoceni i marzyliśmy o przerwie, a ona, roześmiana, wołała:

— Jeszcze kilometr! Popas zrobimy w lesie!

Wjazd do lasu z upalnego pola był jak wyzwolenie. Na pierwszej napotkanej polance spadaliśmy z rowerów wprost na trawę i leżeliśmy, sycąc się spokojem. Oddech się uspokajał, las pachniał żywicznie, oczy same się zamykały.

Budził nas głos druhny:

— Poszukajmy miejsca na nocny wypad!

— Nocny?! — nie dowierzaliśmy. — Będzie nocny wypad?!

— Jak chcecie, to dogadamy się z drużyną druha Andrzeja i zrobimy nocne podchody, dziewczęta kontra chłopcy!

— Jasne! Tak! Tak!

Powiedziałam to moim. Marysia nie okazała wielkiego entuzjazmu, za to Kuba, owszem, chociaż dodał, że on to by chętnie wybrał się na jakieś nocne łowy albo na ryby... Czy coś. Konrad prychnął.

— Widzisz mnie łażącego nocą po lesie, Gosiu? Nie ten wiek, nie te czasy!

„Spierniczał" — pomyślałam.

Nad wodą rzeczywiście był ślad po jakimś niewielkim ognisku. Od razu zaplanowaliśmy roboty: ławeczki, szałas na drewno, żeby nie zamakało, krąg z kamieni...

— Nie może być tak, jak jest? — spytał Konrad.

— Tato, proszę cię! — Marysia była rozczarowana brakiem entuzjazmu taty konstruktora. — Jako budowlaniec mógłbyś nas wspomóc radą!

— To prędzej mama, bo ona była harcerką prymuską!

— Mamo. Daj głos!

— Trzeba policzyć i spisać, czego nam potrzeba. Potem poprosić Krzysia z tartaku o pomoc w transporcie, a jego dziadka o materiał. No i spytać Tomasza, czy wolno w ogóle tak tu się rządzić.

— Babcia mówiła, że to jej ziemia, aż do lasu!

— No jej, ale to nie znaczy, że nie mamy zapytać Tomka, czy takim ogniskiem nie zaburzymy ekologii, ciszy.

— Pleciesz, mamo. To nie ma nic wspólnego z ekologią, ale oczywiście spytamy. Będzie mu miło.

— Teraz i tak nie zdążymy, bo pojutrze jedziemy do domu, ale plany mamy i jak tylko przyjedziemy — zabieramy się do roboty!

— A przyjedziecie?

— Jasne!

— Jesteście pewni, że będzie dla was miejsce? Przecież babcia ma swoich letników. Od lat. A wy myślicie, że tak, pstryk! I już macie priorytet?

— Tak właśnie myślałam... — odpowiedziała Marysia. — Weźmiemy namiot. Ziemię nam da, prawda? Kuba! Spędzimy tu kawałek lata? Nawet w namiocie? Powiedz?! Tak?

— Tak–taka–tak.

— Pogadajmy z nią o lecie — zaproponowałam. — Nasza rodzina, teraz i jej rodzina, spadła na nią dość nagle. Jest miła, ale ma swoje życie, swoje plany... Trzeba to uszanować.

— Uszanujemy! Ale i tak przyjedziemy w lecie! Kuba?

— Tak, ty mój mały głupku.

Kuba pocałował Manię w grzywkę i zawróciliśmy do ścieżki wiodącej do lasu.

Spacer dobrze nam wszystkim robi. Idziemy brzegiem strugi, która zasila rozlewisko. Jest wąska i prawie cała zarośnięta tatarakiem. Gdzieniegdzie widać jej nurt, piaszczyste dno i słychać żaby. Spod nóg ucieka nam kacza rodzina.

— Zobacz! Jakie ładne. Mamo, co to?

— Dzikie irysy.

— Tu wszystko jest dzikie.

Lasem w prawo docieramy do naszej drogi i zawracamy w stronę domu. Mam już trochę dość i jestem śpiąca. O tej porze! To jakiś absurd, ale to zasługa dotlenienia i ruchu. Z daleka widzę, jak Kaśka wrzuca coś do ogniska palącego się w ogródku. Krząta się i uwija, bo Ogrodnicy już niedługo i będzie można siać i sadzić do woli! Funio wyczuł nas i przybiegł, radośnie poszczekując.

— Zazdroszczę ci trochę — rzucił Konrad. — Znalazłaś swój spokój.

— A ty nie?

— Właściwie, ja też. Dobrze, że przyjechaliśmy... Dzieci, prawda?

Kolację zjedliśmy sami z Kasią, bo mama Basia była „na kominach" u Tomka i jego znajomych. Wieczór zrobił się chłodny i taki typowo wczesnomajowy. Dzieci poszły oglądać film, a my z Konradem i Kaśką siedzieliśmy w kuchni, słuchając radiowego koncertu.

— Ivo Pogorelić był kiedyś przedstawiany jako Jugosłowianin. Nie wiesz, jak to jest teraz? Uważa się za Serba, Chorwata czy Bośniaka?

— Nie wiem. Nie śledziłam tego. Ale to jego niedawne nagranie. Posłuchaj, stracił lwi pazur! A taki fajny był z niego skandalista!

— Uhmmm. Taki był młody, szokujący i jako facet, i jako pianista, a teraz, po prostu, pięknie interpretuje, gra, chociaż wtrąca swoje trzy grosze…

— Zaraz, to Jonasz Kofta powiedział, że „z młodych gniewnych wyrosną starzy — wkurwieni!"

— Wkurwiony, to on chyba nie jest. Pójdę położyć się, Gosiu. Dobranoc.

— Dobranoc.

Mama wróciła rano trochę zmęczona, bo, jak się okazało, zasiedli do brydża. Ponadto robiła za panią domu, bo gośćmi był stary pan profesor z olsztyńskiej uczelni i jego urokliwa żona — artystka.

Znali się z Basią i Tomaszem od dawna i często spędzali wakacje w leśniczówce. Na ten czas jednak Tomek najmował dziewczynę ze wsi, a teraz mama Basia stwierdziła, że na jeden wieczór się nie opłaca i sama wszystko przygotowała. Zresztą było to samo, co u nas — przetwory z jej spiżarni i mięso z rusztu.

— Aleśmy się zgrali!

— Na pieniądze gracie?

— A coś ty myślała? Tak lepiej się gra! My nie sportowcy, my hazardziści!

— Jakie macie stawki? Kto wygrał?

— Państwo profesorostwo! Dziesięć groszy za punkt. Wiesz, Gosieńko, jak on szaleje? Jak się ekscytuje? A ona tylko się śmieje i powtarza: „Heniu! Twoje ciśnienie!". Wiesz co? Jak człowiek robi coś z pasją, to nic nie jest szkodliwe! W żadnym wieku, stanie zdrowia i tak dalej. Wiesz, o co mi chodzi.

— To świetna teoria.

Konrad wszedł do kuchni, jak zwykle pachnący, ogolony i ubrany.

— I praktyka, wiesz? Jedz, rób coś, kochaj się z pasją, a nic ci nie zaszkodzi! Ani skopanie ukochanego ogródka, ani taki mały hazardzik, ani chleb z masłem, ani szalony seks z ukochaną osobą. Chcesz bułkę z masełkiem i miodem? Miód mam od Piernasia. Leśny. Masełko ze Szczytna, a mleko od Karolakowej i zapewniam cię, że nie konserwowane ani nie pasteryzowane.

— Wierzę ci, Basiu. Dobrzę, poproszę.

— I tak, jak wrócisz, polecisz zbadać cholesterol, a tu, niespodzianka! Będzie super wskaźnik! Twoja pani doktor się zdziwi, a ty powiesz: „mięso z grilla — tłuste żeberka, masło z maślarki — krowie, tłuste mleko i bułki pszenne z dźwierzuckiej piekarni! Tradycyjnie pieczone, bez ulepszaczy! A! I ostry seks na mokrej trawie!". Aż jej szczęka opadnie!

— Z tym seksem to nieprawda…

— Oj! To skłam! Pokoloryzuj! Sama zechce skosztować!

— Zawiadomię cię, jak tak się stanie. Obiecuję. A ten miód — poemat!

Wszyscy rano, bo dzieci też wstały wcześnie, zajadali się tym miodem. Bursztynowy, matowożółty, ciągnący się leniwie za szpatułką. Dzięki temu nie spływa tak szybko z bułki.

— Moja koleżanka nie znosiła miodu i fukała, jak jej mąż, Ludwik, go jadł: „Znów jesz te pszczele odchody! Obrzydlistwo!".

— Jaki Ludwik? Jaka koleżanka, mamo?

— Opowiem ci później, Marysiu. Spakowani jesteście? Może nie jedźcie tak wcześnie? Gdańską chcecie jechać czy przez Szczytno?

— Gdańską. Będzie tłoczno, ale o której byśmy nie ruszyli, będzie tłoczno. To kwestia statystyki — odezwał się Kuba.

Żegnaliśmy się czule i długo, bo mama przygotowała im na drogę „gościniec", czyli chleb z piekarni ten duży, na zakwasie, miód dla Konrada, Ady i dziadka Kuby, korniszonki i dynię w occie dla Pauli. Mania wywozi pięć słoiczków z grzybkami w occie. Chcieli brać mleko, ale wybiłam im z głów.

Przytulanki, buziaki, pa pa i pojechali!

— Uff! Wreszcie trochę spokoju!

— No wiesz! — obruszyła się mama. — Zatęsknisz!

— Jasne, ale teraz taki spokój!

Postanawiamy wprowadzić zmiany, czyli o odwadze budowlanej

Zamknęłyśmy za nimi bramę. W powieści byłoby napisane: „Za nimi na drodze pozostał tuman kurzu" i byłaby to prawda. No, może tumanek, bo aż tak bardzo sucho to nie jest. Dopiero maj…

— Mamo? — zagadnęłam wieczorem, jak mój Gnom podniósł się z popołudniowej drzemki. — Masz dużo letników? Zawsze ci sami?

— Wiesz, w zasadzie teraz to już tak. Mam stałe grono i w dodatku przyjeżdżają w ściśle określonych terminach. Starzy już i mili ludzie, dzięki temu nie ma tu rozgardiaszu i hałasu, który wprowadza ze sobą młodzież. Nie mam nic przeciwko twoim bachorkom, ale dopóki ciebie i twojej rodziny nie było w moim życiu, nikt młody tu u mnie nie mieszkał. Chociaż młodzież nie była mi obca. Starzy lokatorzy nauczyli mnie swoich „priwyczek", ja nauczyłam ich swoich i tak żyjemy całe lato, „zgodnie i pogodnie". Teraz fajnie mi jest, że ty tu jesteś, bo zmusiłaś mnie do strząśnięcia patyny.

— Proszę?

— Doskonale się poczułam, wypadając z utartych kolein. To znaczy, że jeszcze nie zmurszałam! I wiesz co? Bardzo mi się podoba ta twoja… Jejku! Moja! Moja nowa rodzina. Wnuczkę mam fajną i wnuczek niczego sobie, tylko Konrad, wydaje mi się, ma gorset.

— Trochę go chyba poluzował…

— Tak sądzisz? To dobrze, bo ludzie z ciasnym gorsetem często chorują i umierają na byle co. Rzeczywiście, poluzował?

— No. Przyznał mi się, że ma kobitkę na boku.

— Żartujesz!

— Nie dziw się! Między nami dawno już nic z tych rzeczy. Ja tu, on tam…

— Nie dziwię się, że ma kobitkę, bo przystojny jest jak cholera, tylko że ci się przyznał! Wiesz, oni nie lubią odkrywać tajemnic i wolą udawać pokrzywdzonych.

— Ulżyło mu, to było widać, bo to się już parę lat ciągnie, a on jest kryształowy i takie milczenie ciążyło mu jak diabli. Chyba te problemy z sercem to też to.

— A ciebie szarpnęło? Poczułaś… ja wiem, żal? Zawód?

— Nie. Głupio, prawda? Chyba nawet poczułam ulgę, że mu się ułożyło, że nie zostawiłam go, takiego biednego misia. Wiesz… widziałam ją. Dystyngowana. Taka szpakowata, wysoka, wyniosła i w fioletach. Jak Camilla — żona księcia Karola. Francuski szyk i brytyjska klasa. Ona nigdy na głos nie powiedziała: „kurwa mać" ani nawet „dupa".

— No, to jej strata! — powiedziała mama. — Chcesz kanapkę z pasztetem? Mam ćwikłę i sam chrzan. Zobacz, czy mamy piwo?

— Wypili. Zrobię herbaty.

— To zrób takiej, jak Marysia lubi — „chorobowej". Kaśko! Chcesz kanapkę?! — zawołała głośno mama.

Kaśka leżała w swoim pokoju, bo kiepsko się czuła. Zajrzałam do niej.

— No i jak tam, żabko? Co ci jest?

— Głowa boli. Tak… I tak w ogóle.

— Przyniosę ci kanapkę od Basi i herbatkę, ale najpierw zmierzę ci ciśnienie. Przebierz się, Kasiu, w piżamkę i połóż do łóżka. My z Basią wszystko zrobimy!

Kaśka miała spore ciśnienie, ale nie zabójcze. Chętnie jadła, a to już dobrze.

— Osłabła. Sforsowała się w ogrodzie.

— Wiesz, ona młoda to nie jest i po operacji… Poza tym dobrze, że odpocznie. Narobiła się. Pytałaś mnie o letników?

Rozmawiałyśmy o lecie. Mama opowiadała mi, kto i kiedy do niej przyjeżdżał. Pracowała w szkole i w tutejszej bibliotece. Nie ma oszałamiającej emerytury, więc postanowiła przyjmować letników. Trafiali się różni. Byli i tacy, których polubiła jak najbliższych, byli i tacy, których chciała zabić albo otruć... Dzieci jednej z rodzin były chamskie i rozwrzeszczane, psujące, co tylko się dało, dokuczające zwierzętom i Kaśce. Koszmar. Widziała jednak, że to wina rodziców. Pozostała w kontakcie z trzema małżeństwami, bardzo leciwymi, kulturalnymi, zachowującymi się jak bliższa rodzina.

— To daje jakąś kasę?

— Jeśli masz na myśli dobrobyt, to nie... Taki tam dodatek do emerytury. Ale już Piernasio wyciska z tej swojej agroturystyki niezłe pieniądze.

— Ma więcej letników?

— Tak. I za euro. Ponadto ja nie mam wielu rzeczy, które by się przydały takim bardziej wymagającym. Stołówki, sali telewizyjnej na deszcze i wieczory. Ci moi są przyzwyczajeni do mojego standardu. Inni, nowi, potrzebowaliby luksusu. No, i rozrywek.

— Nie krępują cię? W końcu obcy ludzie plączą ci się po domu?

— Tylko latem. Jakoś to jest. Coś za coś.

— Mogę rzucić pomysł?

— Dawaj.

— Byłaś szczera i zaproponowałaś mi tu ukorzenienie się. Owszem, pomysł jest cudowny, ale mogłybyśmy pójść w taką większą agroturystykę, która dałaby ci porządne dochody.

— Nam.

— Co? No tak, nam. Co ty na to?

— Wiesz, to głupie nie jest, ale wymagałoby zmian. Kasy...

— Przepraszam, ale mam to wszystko już w głowie. Chodź. No chodź!

Poszłyśmy do budynku gospodarczego.

— Zobacz, jaki piękny budynek, jaki metraż! Jakie ma możliwości!

— Składowania?

— Nie żartuj! Potencjalne! Ma fantastyczny potencjał. Jest duży, architektonicznie ładny. Można go zamienić w stołówkę i salkę bilardową, telewizyjną. Jest miejsce na saunę i mały gabinet masażu. Oczywiście, obok łazieneczka i dwa kibelki. Osobne.

— To wszystko tutaj?!

— Oczywiście, trzeba będzie wynieść stąd garaż.

— Dokąd?

— Zbudujemy nowy. Tam, z tyłu, gdzie teraz jest ten dziki sadzik i ogród. Ogród trzeba będzie powiększyć i przenieść.

— Jezioro też przenosimy? I las?

— Nie kpij, Gnomie. Posłuchaj. Mam oszczędności teściowej dane mi na małą inwestycję albo podróż. Zainwestujemy te pieniądze tu, w agrobiznes! Może wyrwiemy jakąś forsę z Unii? À propos, ile masz ziemi?

— To siedlisko ma półtora hektara, a za drogą to wszystko jest już moje. Tyle, że to nieużytki. Podmokłe łęgi i to rozlewisko…

— A ile tego razem?

— Trzydzieści osiem hektarów.

— No, to już coś. Można uruchomić Tomasza, ekologów i utworzyć tu… Ja wiem…? Jakieś miejsca ekologicznie chronione ze względu na rzadkie ptactwo… Widziałam program w tel… A zresztą! Najpierw się dowiemy, potem pogdybamy.

Mama patrzyła zamyślona na swoje podwórko. Kiedy myśli, tak zabawnie porusza ramionami, robi miny, ściąga brwi pod grzywką i myśli, myśli, kombinuje…

— To ma jakiś sens. Wiesz? Jak mi pomożesz finansowo, to poradzimy sobie. Tylko skąd weźmiemy potem letników?

— Sami się pojawią. My tylko postawimy warunek: żadnych bachorów!

— Można tak ostro?

— Nie, ale dopóki nie nauczą swojego potomstwa szacunku dla ludzi, zwierząt i ciszy, niech spadają!

— Kto? Boże! Nie nadążam za tobą!

— Głupi rodzice, których tu nie zaprosimy. Jest dużo starszych małżeństw u nas i za granicą, które chcą odpocząć od wnuków, miasta i biznesu. To my im damy tę możliwość! A reklamę w internecie biorę na siebie. Zresztą podejrzewam, że wystarczy poczta pantoflowa. Powinnaś szybko podjąć decyzję, bo trzeba by uprzedzić twoich letników, że tu będzie plac budowy w tym roku.

— O Matko! Rzeczywiście! Do domu! Podzielimy się pracą.

W domu zawołałam Kaśkę i opowiedziałyśmy jej o naszych planach. Była zła, bo już zaczęła prace w ogrodzie. Trudno. Obiecałam jej, że pogadam w tartaku i Krzysiu pomoże wyznaczyć, ogrodzić i zaorać teren pod nowy ogród. To był priorytet.

Pojechałam zaraz do Karolaka. Obiecał na jutro starszego albo średniego syna z ciągnikiem. Rośliny nie mogą czekać. Wieczorem z Tomaszem rozprawiałyśmy o sprawach formalnych. Trzeba złożyć papiery o remont i rozbudowę siedliska. Na szczęście tam, gdzie chcemy wybudować garaże, są ślady starych fundamentów po stodole, która spłonęła, zanim jeszcze mama kupiła to siedlisko. Super! To bardzo ułatwi sprawę. Architekt. No tak, chcemy zrobić to fachowo i z głową.

— Mam! — mówi Tomasz. — Mój kolega z Olsztyna.

— Nie ma bliżej?

— Na pewno jest, ale ja Jacka znam! Jest niedrogi i dobry. Lubi takie wyzwania. Ostatnio robił dość ekskluzywne projekty, to chętnie pobawi się budynkiem gospodarczym i stylowym garażem, bo ma być stylowy? Prawda? Pasujący? Czy taki z falowanej blachy?

— Sam jesteś z falowanej blachy...

— Chcecie herbaty?

Mama wstaje. Jest skupiona na nowym pomyśle. Ma powagę wypisaną na twarzy. Nie lubię tak, wolę, jak się uśmiecha.

— Daj nam naleweczki! Opijemy nasze plany!

— ...naleweczki, naleweczki — nuci Gnom, idąc do spiżarni.

Wciąż myśli.

— Ciężko będzie o niedrogą cegłę na ten garaż — mówię do Tomasza.

— Damy ogłoszenie, że kupimy starą cegłę rozbiórkową. Ludzie wyburzają stare stodoły, obory... Myślę też, że, zobacz, Gosiu, budynek gospodarczy jest dość wysoki. Jakby podnieść jeszcze o jakiś metr murłatę, wylać porządny strop, to otrzymacie pięterko! Koszt nie powinien być rujnujący. Część gości przeniesiecie tam... Może z czasem namówię Basię na częstsze mieszkanie u mnie?

— Przecież nie chciałeś. „Żyjesz innym rytmem".

— Starzeję się. Osiadam. Tęsknię, jak jej nie ma. Z nią sam sobie wydaję się lepszy.

— Zamknij się, bo się pobeczę. Takich facetów nie ma!

— Jakich?

— Co by tak kochali, mimo wszystko. Teraz większość moich znajomych rozwodzi się, bo faceci biznesmeni wymieniają sobie „stare kanapy na młodsze".

— Bo są krótkowzroczni i głupi. Owszem, młode dupki są ładniutkie, luzackie i bardzo obecnie przystępne, ale głupie strrrrasznie! Nic nie czytają, nic o życiu nie wiedzą, nie umieją gotować i źle się z nimi milczy. Wiesz, co mam na myśli?

— Wiem.

— O czym mówicie, bo chyba nie o budownictwie? To smorodinówka. Fajna na dzisiejszy wieczór. — Mama weszła już uśmiechnięta, bez tej marsowej, myślącej miny.

Piliśmy smorodinówkę i ustalaliśmy, kto co ma do zrobienia. Zdecydowaliśmy, że dom trzeba odciążyć od pełnienia funkcji typu jadłodajnia i salonik. W budynku gospodarczym będzie stołówka, kuchnia i miejsce na rozrywki „deszczowe". Dobudujemy ogromną werandę, żeby latem nasza była dla nas. Salonik masażu dla starych kości i sauna będzie tam, gdzie dotąd garaż. Obok sali jadalnej — toalety. Na pięterku wykroi się ze cztery ładne pokoiki z łazienkami. Takie piękne, mansardowe, widziałam we francuskich pensjonatach.

Mama bała się kosztów, ale przecież to plany. Jak się okaże, że za mało mamy kasy, odsuniemy w czasie na przykład saunę i masaż...

— Górę budynku gospodarczego można by zrobić w szachulec, czyli taki jakby pruski mur. — Tomaszowi spodobało się planowanie. — W ciemnym drewnie plus czerwona cegła. Oczywiście tylko jako ozdoba, bo całość musi być murowana i porządnie ocieplona. Bachno, Basiu, spójrz na mnie. Wiem, że cię to przeraża, ale Gosia ma rację. Jest młoda i zajmie się wszystkim. Ty zadbasz o Kaśkę, o nią i... o mnie. Tak?

— Rzeczywiście, wygląda to na rewolucję, ale jak to mówił przywódca: „Pomożecie?" — próbowała żartować.

— No jasne, mamo, że nie będziesz musiała latać za wszystkim. Ja się zajmę, czym mogę, Tomasz deklaruje pomoc... No więc?

— Dobrze. Przybijcie piątkę. Jestem zmęczona. Pa, kochani. Dobranoc.

Tomasz też się zwinął. Na pożegnanie szepnął:

— Przejmuje się, ale udaje dziarską. Taka jest. Dobranoc.

Z motyką na księżyc, czyli zaczynamy!

Tak oto, z grubsza, powstał projekt, którego przedwczoraj w ogóle nie było. Przed nami mnóstwo pracy! Nawet nie wiedziałam ile. Wciąż nie wiem, czy dobrze zrobiłam, aż tak ingerując w życie mamy, zarzucając ją pomysłami, o których nawet nie śniła. Z pewnością chciała już tylko ciszy i spokoju, choć jest osobą progresywną, żądną wiedzy i odważną. To cecha ludzi młodych i chyba tę jej młodość kocha Tomasz. Obiecałam sobie jeszcze jedną rozmowę z nią, zanim wezmę się za formalności.

Jestem zdumiona biegiem rzeczy. Jeszcze rok temu łkałam w poduszkę, bo wywalili mnie z pracy. Tęskniłam nie wiadomo za czym, bo czułam wewnętrzną pustkę. Szukałam mamy, znalazłam z nią kontakt i osiedliłam się tu, wtapiając w ludzki pejzaż. Jeszcze rok temu czułam się wypalona, bez pomysłu, lękająca się płynącego czasu, który nie chce zrobić pauzy, jak na filmie, kiedy zatrzymuje się go pilotem, idąc po orzeszki albo na siusiu. Czułam, że ja pauzuję, a życie leci dalej.

Teraz tyle się zmieniło!

Zacznę od rzeczy najgorszej: pięć kilo. Mam na sobie pięć kilo więcej! No, a jak mam nie mieć, skoro mama nie toleruje muesli, zerowych jogurtów, odtłuszczonego mleka? Nazywa to „durnym żarciem". Ma rację. Wszystko to z chemią, pozbawione naturalnych smaków, z konserwantami. To, co teraz jemy, jeszcze niedawno dziobało, pływało lub rosło w ogrodzie. Przetwory są naturalne, bez tych wszystkich smaków i zapachów — „idiotycznych z naturalnymi". Zdrowe, pyszne, świeżutkie i… kaloryczne.

Kiedy pożaliłam się mamie, że nie dopinam spodni, powiedziała tylko:

— Olej to! Spalisz latem. I kup sobie nowe!

Tylko tyle. Ona jest pulchna, taka kubiczna, mała, i olewa to, jak wygląda jej masa tłuszczowa. Dla niej ważna jest czystość i zapach. Trochę wygląd i to, jaka jest, co czyta i jak myśli. Naturalnie jej styl ubierania się jest latami wystudiowany. Lubi szmatki z „India shop". Opowiadała mi, jak łaziła po Trójmieście, gdy Tomasz załatwiał jakieś swoje sprawy. Zlokalizowała trochę takich sklepów, w których kupuje swoje kolorowe łaszki. Robi piękne swetry na drutach i zabawne czapki. Takie fińskie, fantazyjne… Teraz ma pełną szafę i wszystko do siebie pasuje, więc nie myśli już o tym, jak wygląda.

A ja przejęłam się moim tłuściejącym brzuszkiem! Oczywiście, latem spalę. Trochę mi głupio, że podjęłam decyzję w sprawie mojego życia, łapczywie korzystając z maminej propozycji pozostania tu. A jak to była tylko kurtuazja? Jeśli mama żałuje? Jeśli burzę jej porządek rzeczy i jeszcze wciągnęłam w to Tomasza?

Zrobiło mi się gorąco. Natychmiast otworzyłam komputer i zaczęłam pisać maila do Mańki. To może nie jest dobrze szukać pocieszenia u córki. Powinnam mieć koleżankę, powiernicę… Nie dorobiłam się. Tak jakoś wyszło.

Zadzwonił Tomasz, że umówił nas na popołudnie z Jackiem, architektem. Potem zajechał Stefan Karolak i poszedł z Kaśką i mamą znaczyć nowy ogród.

Przestraszyłam się. Narozrabiałam. Wszystko już ruszyło…

Mama weszła do kuchni zasapana.

— Wiesz, takie fajne miejsce znaleźliśmy! Tam są cztery stare buki, a pod nimi kawał cienia! Będzie miejsce na sałatę i zioła. Będzie słoneczna część ogrodu i bardziej cienista. Stefan powiedział, że można koło tych buków zrobić pełny, wysoki parkan i cień utrzyma się długo, aż do wieczora, a niektóre rośliny tego potrzebują! Pić mi się chce!

To wszystko jednym tchem. Jak Marysia…

— Mamo, ja chyba…

— Poczekaj, chyba Piernacki jedzie. Chciał cię zabrać do gminy, bo też coś załatwia. Jedź z nim. Pogoda cudna, a bryczką chyba jeszcze nie jechałaś?

— Mamo…

— Co, kochanie? Tak, to Piernasio! Uważaj, będzie cię podrywał! Kup sól i kawę. Po nasiona pojedziemy do Olsztyna, po południu.

No, nie dała mi szansy! Papla jedna!

Wsiadłam do bryczki. Ach, jak cudnie! Rozsiadłam się tak, jak mi kazał Piernacki, elegancko i wygodnie.

— Pani Gosiu! Pani siądzie jak hrabina! Ładną kobitę trzeba ładnie wieźć!

Coś tam plótł sobie, odwracając się do mnie i śmiejąc, ja jednak miałam zamknięte oczy, twarz wystawioną do słońca i czasem mówiłam: „Uhmmmm".

Bryczka na piaszczystej drodze łagodnie kołysała. Kobyłka szła nieśpiesznie, czasem puszczając wiatry spod ogona, bez żadnej krępacji. „Jaka łagodność!" — pomyślałam. W Warszawie obrzydliwy smród spalin, pośpiech i samochody. Wszyscy pozamykani w samochodach, a ja z Piernasiem sobie powolutku jedziemy do urzędu, z papierami… Nad nami skowronki, wokół cisza i pachnie łąka.

Na ryneczku, na parkingach kilkanaście samochodów i bryczka Piernackiego. „Ale czad!" — myślę. Szkoda, że wyjęłam z torebki aparat! Został na komodzie, a teraz byłby jak znalazł!

W urzędzie wesoło nie było. Niedogrzane, mimo słońca, pokoje i urzędniczka z miną męczennicy. Zmarznięta, znudzona. Na początku miła, ale jak dowiedziała się, o co chodzi, z miejsca stała się obca, jakby zazdrosna, że ja wpadłam na ten pomysł, a nie ona. Że ja mam takie możliwości, a ona nie… Jakieś: „No tak, proszę zostawić do podjęcia decyzji". Na pytanie: „Za ile mam przyjść?" słyszę ogólnopolskie: „Nie wiem". Powinna odpowiedzieć: „Za pięćset złotych jutro, a za tysiąc — za chwilę". Może kogoś krzywdzę, ale odnoszę wrażenie, że wszystko mogłoby potoczyć się szybko, gdyby panna lub pani ruszyła dupę z pokoju, poszła do pani burmistrz, pana burmistrza, jakiegoś pana od architektury, planowania… Wydaje mi się, że oni tu w ogóle nie liczą się z ludzkim czasem, potrzebami. Jak w carskiej Rosji.

Rzeczy daleko ważniejsze, wymagające porozumienia burmistrza z polskiego miasta, mera z francuskiego, prefekta policji, naszego komitetu olimpijskiego załatwialiśmy, jako firma, dosłownie w tydzień. A zakres organizacji imprezy był dziesięć razy większy niż rozbudowa obory i garaż w siedlisku mojej mamy! Naturalnie, nie chcę zadzierać, bo uprzedzono mnie, że jak zadrę, będę miała pod górkę. To jakiś absurd!!! Żądza władzy u takich prostaków, co niedawno awansowali społecznie i robią furę błędów ortograficznych, mylą frak ze smokingiem, nie odróżniają Berlieta od Berlioza, a Heweliusz kojarzy im się tylko z piwem, jest wielka i nienasycona. Władzę mogą pokazać mi, tylko poniżając do postaci biednego petenta.

Zastanawiam się, czy odkopać topór wojenny i pokazać lwi pazur, czy zamilknąć dla dobra sprawy? Uwagami dzielę się z Piernasiem, który spocony opuszcza pokój kaźni. Jego kaźni.

— Daj spokój, dziecko! Udowodnisz swoje racje, to obudzisz takiego demona, że się nie pozbierasz! Najpierw załatw swoje, a potem z byle bzdurą możesz wytoczyć im wojnę, ale przemyśl to. Znajdź sojuszników, bo to są urzędnicy!!! Wybrani wśród wybranych. Pracują bez ponoszenia konsekwencji, swoim rytmem i ze swoim widzimisię w tle… Daj spokój. Rzuć im ochłap i niech go rozszarpują, niech się cieszą, że są ważni. Przyjdzie koza do kapusty, dziecko. Zobaczysz. Wtedy będą, o! Tacy mali. — Piernacki pokazał jacy. Rzeczywiście — malutcy.

Tomek śmiał się, jak mu opowiadałam o mojej wizycie w Urzędzie Miasta.

— Chcesz, to walcz. Krwi napsujesz sobie. Oni, w zasadzie one, są impregnowane. Nie mają w sobie nic, co nazwałabyś elementarnym ludzkim odruchem. Nawet jeśli tam trafia ktoś mądry, kompetentny, pracowity, z miejsca go uciszają i pokazują miejsce w szeregu. Chcesz piwa?

— Zaraz. Chętnie, tylko się przebiorę. Gdzie mama?

— Z Kaśką w sadziku.

Poszłam do pokoju przebrać się. Włożyłam dres i uczesałam się. Podeszłam do komputera. Nie wyłączyłam go, wychodząc, i zostawiłam na liście do Mani. Tam właśnie wątpiłam, czy jestem mamie potrzebna, czy nie wlazłam w jej życie z butami i takie tam…

Na dole był dopisek:

Jesteś gupia — mama. :-)

O Ani i Zuzi, dwóch starych dziewczynkach, i o tym, że gdzieś mi znikła talia

Rano obudził mnie chłód. Mam otwarte okno, a w nocy spadł deszcz i leje tak miejsce przy miejscu. Niebo zachmurzone, szare… Leżę w ciepłej pościeli i nie chce mi się wstać, żeby zamknąć okno. Zawijam się po szyję i próbuję usnąć. Nie, nie da rady. Za stara jestem na takie długie spanie. To tylko młódź tak potrafi. Sensu nabiera piosenka sprzed lat — *Wstawaj, szkoda dnia*. Nawet jak leje, szkoda.

Wstałam, szybko owijając się w szlafrok. Nie ma co, zasnuło się wściekle. W dodatku głowa mnie boli, ale to chyba ciśnienie, więc kawa mnie uratuje albo jakoś przetrzymam.

Zanim się ubrałam, poczułam dawno zapomniany ból. Ząb! O psiakrew! I jeszcze cholera! Wszystko, tylko nie to! Mojego dobrego, porządnego i drogiego dentystę zostawiłam w Warszawie. Do głowy mi nie przyszło namawiać go do porzucenia praktyki w stolicy na rzecz Pasymia, a tak by się tu przydał! Jego kochany, wygodny fotel, miła asystentka nastawiająca moją muzykę. Żarty i delikatność mistrza. Nie boję się dentysty ani bólu. Nigdy nie chcę znieczulenia, jako jedna z nielicznych pacjentek. Czasem, jak Michał dłubie długo, to przysypiam na tej jego leżance, a asystentka podśmiewa się. Jak byłam dzieckiem, maszyny do borowania były „na pedał" i bolało pieruńsko, a dentystki, bo był to bardzo sfeminizowany zawód, były najczęściej bardzo ostre. Przy takim sprzęcie i dziecku oszalałym ze strachu i bólu, gotowym zagryźć, nie mogły być inne, więc wspomnienia mam dramatyczne.

— Mamo, jest jakiś dentysta w Pasymiu?

— Jeeest.

Mama ma okulary na czubku nosa i czyta przy naszej codziennej kawie. Ma rozpuszczone włosy, wciąż gęste i ładne. Grzywka znów jest modna, ale ona nosi ją od zawsze, bo ma dzioba na czole. To pozostałość po ospie. Ma wyjątkowo ładną, gładką cerę i śliczne zmarszczki mimiczne od uśmiechania się. Jest ogromnie kobieca. To spostrzeżenie czynię jakby w imieniu Tomasza. Patrzę na nią jego okiem. Taki czerstwy, przystojny mężczyzna wolnego stanu mógłby siać postrach w dziewczęcych i kobiecych sercach, przebierać jak w ofertach salonów samochodowych, a on — Wierny Jan. Kocha tę swoją Baśkę już tyle lat! Czasem patrzę ukradkiem, gdy żegnają się przy furtce lub w sieni, jak on nachyla się do całusa, jak gładzi ją dłonią po twarzy! O Matko! Jak mnie ściska w dołku z zazdrości i wzruszenia. Też bym tak chciała.

Może jeszcze mi dane będzie? Na razie moja samotność nie jest aż tak dojmująca, ale kiedy tak na nich patrzę, wiem, że człowiek żyje dla drugiego człowieka. Nawzajem dla siebie. To podanie herbaty, troska, czułość, dobra rozmowa wypełniająca wieczorną ciszę, możliwość dzielenia się. Tak, to najważniejsze. Piękno, dramatyzm najlepiej przeżywa się we dwójkę.

Ząb przerwał moje myśli. Domagał się uwagi, troski.

— Boli? — spytał Gnom.

— Boli.

— Zaraz zadzwonię. To małżeństwo, wiesz? Przyjechali tu jakiś czas temu i oboje prowadzą praktykę. Kogo wolisz? Ją czy jego?

— Obojętne.

Mama poszła dzwonić.

Pada. Niebo zasnuło się po całości i opuściło znacznie niżej. Będzie tak padać ze trzy dni, ale przecież same, odczyniając, poprosiłyśmy, żeby deszcz wrócił w innym terminie.

— Kasiu, jak tam ogród?

— Dobrze. Tak. Dużo tam pracy jest. I teraz namoknie w deszczu. Ogrodzenie trzeba. Tak.

— No, koniecznie! I wiesz, komórkę na narzędzia... kompostownik.

— Skąd wiesz? — Przekręca śmiesznie głowę.

— Bo moja teściowa też miała ogródek. Malutki. I malutką komórkę, i kompostownik.

— ...malutki — dodała mrukliwie Kaśka.

Lubię ją. Jest taka... dobra. O, to najlepsze słowo — Kaśka jest dobra.

— Gosiu, oni pojechali do rodziny. Mam tu telefon do nowego gabinetu. Nie znam gościa. Podobno przyniósł wizytówki do rejonu tydzień temu. Ma gabinet razem z Mariuszem, protetykiem, niedaleko naszego kościoła, tam, gdzie ci pokazywałam pierwsze mieszkanie babci Broni. Umówić cię?

— Poproszę.

Zaparkowałam na ryneczku i poszłam spacerem w dół kocimi łbami. Deszcz już nie tak ostry, siąpił miarowym kapuśniaczkiem. Miałam parasol, płaszcz i czerwone kaloszki „gówniaczki". Wystroiłam się! Poplamione jeansy, flanelowa koszula. Wczorajsza. Zero makijażu, bo mój dentysta zawsze pomstuje na wyszminkowane usteczka. Tłuste błyszczyki zostawiają ślad na narzędziach. On tego nie lubi.

W poczekalni siedzi staruszka.

— Pani do gabinetu?

— Nie, tam Zuzia jest. Przyprowadziłam ją, bo rano strasznie ząb ją zabolał. Teraz siedzę i czekam. Panią też boli?

— Tak.

— A pani tutejsza? Nie, mnie się wydaje... Na oko, chyba nietutejsza? Nie gniewa się, że tak pytam?

— Nie, nie gniewam. Ja tu, pod Pasymiem, u mamy jestem już jakieś pół roku.

— To gdzie mieszka?

— Tam, jak się jedzie do lasu, koło trzech brzóz.

— U Basi?! Tej córki pani Bronisławy?! To córka pani jest?!

Babunia była nie lada zdumiona. Nadto miała taką piękną siateczkę zmarszczek na buzi. Same zmarszczki! Niemal w kratkę!

— Tak. Jestem Basi córka. A pani tu niedaleko mieszka? — spytałam ot tak, dla podtrzymania rozmowy.

— Ja, tak. Ja tu urodziła się. I Zuzia. To moja koleżanka. My razem chowały się, w jednym domu. Od maleńkości. Teraz starzejem się razem…

— To nie ma pani rodziny?

— A dzież tam! Mam! I ona ma. Ale nasze dzieci daleko, porozjeżdżali się, mężowie poumierali…

— To przykre.

— Nie! Pani! My obie z Zuzią źle wybrały. My byli piękne panny. Oj tak! Z warkoczami, takie rumiane i ładniutkie. Jedna biała, to Zuzia, i ja — czarna. Nie można nas rozdzielić było. Ot, czort podkusił, chłopaki pojawili się we wsi, tu niedaleko, jak na Szczytno się jedzie. Nie zanudzam ja pani?

— Nie, skąd. Coś trzeba robić w poczekalni…

— No, tak. To pojawili się wilcy dwaj, takie bracia. Jeden starszy, drugi młodszy. Żadnemu nie dali z nami tańcować. Przysłali swatów i pożenilim się! W jednej oficynie my mieszkali, w mieszkaniach tak przez klatkę tylko. Dzieci rodzili się… U Zuzi dwoje tylko, u mnie jedenastu.

— Wszyscy to chłopcy?

— Nie! Siedem chłopców i cztery dziewczyny. Tylko że dziewczyny powyjeżdżali za mężami, chłopcy już też wszyscy. Nasi mężowie robotni byli tylko na początku. Potem coraz częściej pili. Mój starszy był i tamtego uczył. Po pijaku awanturował się i te dzieci robił i robił! Ja, pani, umęczona była tym rodzeniem, to i zbrzydłam. Wtedy bić zaczął, że taka się zrobiłam i nieskora do łóżka. Pani! Przy tylu dzieciach?! Zuzia mnie pomagała. Jak oni pili u nas, my wszyscy u niej, bo, wiadomo, ponapijane pobiją nas. On, szwagier znaczy, też zaczął Zuzię bić. Dzieci porośli. Z domów pouciekali do szkół, do internatów… Kto chce mieć taki dom, pani! Żeby ojciec pił i bił stale? Chłopcy się źle chowali. W ojców poszli. Też pić zaczęli. Oj, pani, ale to bieda była! Nam z Zuzią oczy nie wysychali od łez. Jej wcześniej dzieci pożenili się i pojechali do Niemiec. Potem moich pociągnęli za sobą. Nie wszystkich. Reszta jest w Białymstoku, na Śląsku… Jedna córka w Knyszynie.

— Odwiedzają panią?

— E tam!

— Wcale?

— Trochę tam.

— A mężowie?

— Mój to umarł dziesięć lat temu, pani, na zapalenie płuc. Tak się napił zimą, że leżał na mrozie taki napity u kolegi w podwórku. U tego Walka, co się w lesie spalił, słyszała pani?

— Tak, wtedy, co Karolinka...

— O, to właśnie. Ten Walek i mój mąż to koledzy byli. Waluś młodszy o wiele. No i mój tam leżał, aż potem go w szpitalu nie odratowali. A Zuzi mąż, szwagier, znaczy się, utopił się na rybach. Dwa lata później. Jeszcze wtedy mój średni syn mieszkał u mnie. Niedobry. Pił i bił, jak ojciec.

— Syn?

— Syn, pani... Raz to i Zuzi wlał. Milicja go zabrała. On powiedział, że jak matka milicję na niego nasyła, to ch..., za przeproszeniem, z taką matką. Pojechał i nie wiem, gdzie jest.

— To pani ciężko...

— Nie! Pani! My z Zuzią tak zrobili obie, że jej mieszkanie wynajelim. Pieniądze przydali się, bo renciny takie marne mamy, a dzieci raz coś przyślą, a raz nie... I mieszkamy razem u mnie. Dwa pokoje, kuchnia i łazienka! Odremontowalim we dwie! Kafelki ładne mamy, kolorowe, w kwiaty... Wannę dużą i lustro. Telewizor kolorowy, pralkę sobie kupilim! Pani! Takie ciężkie życie było! Taki ten mój był... Brał siłą, tylko tak mu smakowało... Bił do krwi... A jak wyzywał! To i syn się nauczył! I drugi też!

Łzy jej pociurkały z oczu. Wytarła je chusteczką i uśmiechnęła się promiennie.

— Ot, jak pomarli i my z Zuzią razem żyć zaczęli, to ja taka szczęśliwa jestem! I Zuzia! Pani! My takie dobre dla siebie! Wszystko razem robim i nawet śpim razem. Łóżko stare, duże, małżeńskie. Razem cieplej i jak którą co boli czy jak, to przytulim się, czasem... popieścim! Pani nie zgorszyła się, prawda? W miastach to niektóre kobiety tak robią ze sobą z wyuzdania! Wiem, bo ksiądz mówił. Z chuci i grzechu, a my z Zuzią to tak z miłości Bożej! Pani! Mnie nikt nigdy nie przytulał. Może mamusia, jak byłam malutka. Teraz, jak wieczorem film oglądamy, straszny jaki, to przytulim jedna drugą i tak słodko na duszy i strachy odchodzą! Albo jak smutno czy boli coś. To trzeba mieć do kogo zwrócić się! Tak, pani? Tę herbatę podać... Całe życie w biedzie i nieszczęściu, to choć teraz z Zuzią my szczęśliwe bardzo. Bóg zdrowie dał, nie chorujem obie… Żyjem sobie w dostatku i cieple. Kwiatki w ogródku hodujem… O! Zuzia idzie! Do widzenia pani! Na herbatkę pani wpadnie, jak będzie obok! To ten dom, co czerwony był kiedyś, na parterze — widzi? Mieszkania numer dwa.

Z gabinetu wyszła druga siwiutka babina, wykręcona trochę artretyzmem. Taka sama pomarszczona jak ta pierwsza. Koczek z warkocza, grzebienie we włosach.

— Ania! — ucieszyła się. — Nie bolało nic a nic! Znieczulenie pan doktor dał i nie wyrywał wcale!

Ania pogłaskała Zuzię po policzku, ukłoniły się i poszły, rozdając nam uśmiechy.

Doktor i ja staliśmy w poczekalni, patrząc na odchodzące.

— Pani do mnie?

— …tak. — Byłam wciąż oszołomiona opowieścią Ani.

W domu pojawiłam się z zakupami i byłam chętna opowiedzieć mamie o mojej nowej znajomości, ale jej nie zastałam. Zobaczyłam przez okno, jak obie z Kaśką oglądają budynek gospodarczy.

Poszłam do łazienki i nabrałam ochoty na kąpiel. Gorącą, z pianą i pomyśleniem. Zawsze doskonale mi się myśli w wannie. Leżałam w ciepłej, prawie gorącej wodzie i piłam zimne piwo. Niemieckie, nachmielowane, jak nie wiem co! Jakoś tak zapachniało mi, kiedy Tomasz je pił.

Cudowne chwile!

Zamknęłam oczy i zastanawiałam się, skąd nie tylko u mnie takie uwielbienie do kąpieli? Może rzeczywiście my — pogubieni, tacy niedopieszczeni w dzieciństwie, lubimy ją, bo kąpiel jest jak spokój w wodach płodowych? Może… A piwo? Piwo jest aromatyczne, ma bąbelki i goryczkę, a lubienie goryczki jest cechą ludzi dorosłych. Dzieci wolą słodycze. O! Na przykład Kaśka. Ona jest mentalnym dzieckiem i lubi słodkości.

Już się nie boję gazowej butli. No, prawie. Prawie o niej nie myślę, gdy tak leżę w wannie. W końcu to nie bomba…

Kiedy wycierałam się ręcznikiem, stanęłam przed tym mamy dużym lustrem i zobaczyłam tragedię! Ktoś mi ukradł talię!!! Zamiast ładnego wcięcia, mam teraz zarys zaledwie i w dodatku na brzuchu mam takie miękkie wzniesienie, przez które jeansy mi się nie dopinają. Zawsze miałam poduszeczkę na łonie, ale teraz… O Matko! Ale utyłam! Nigdy tak nie reagowałam na jedzenie! Dość swobodnie mogłam sobie poczynać. Naturalnie w Warszawie jadałam inaczej. Mama

Zosia, Mańka, jadały bardzo „zdrowo" i nietłusto. Ja z nimi… No, ale żeby aż tak mi dowaliło?! O! Ramiona! Jakie ładne… Zawsze były dość kościste. Teraz są ładnie… otłuszczone.

— Otłuszczone — powiedziałam głośno.

Apetyt, powietrze, porządne świeże, wiejskie żarcie — za to się płaci sylwetką. W moim wieku trzeba uważać — tak piszą babskie czasopisma. Zawsze to lekceważyłam. Ja mam od natury daną dobrą sylwetkę! Nigdy nie miałam problemów! Żyłam innym rytmem, to fakt. Więcej nerwów. Terminy, odpowiedzialność, napięcia między mną i Konradem…

Tu, u mamy odnalazłam spokój. Pojawiła się jakaś wewnętrzna harmonia. Nie zawsze, ale często, mam takie uczucie, że rzeczy się robią spójne. Mama uczy mnie łagodności, Kaśka — dziecięcego spojrzenia na świat. Wczoraj powiedziała tak:

— Jak zakwitają kwiatki, to pięknie jest.

No, zdanie godne filozofa!

Łąka przed werandą, ta, co prowadzi do mokradeł i do rozlewiska, tak się zmienia, że co parę dni jest inna. Zimą, brunatno–szara, wiosną, zieleniejąca ledwie, później falująca soczystą trawą, a teraz zażółcona mleczami. Trzeba by pogłębić rów odwadniający, a w ogóle pociągnąć go aż do drogi, bo tam, gdzie wszyscy mają problem, a ja się zakopałam, tam nie ma rowu wcale. Tomasz tak powiedział.

Ciągle się uczę nowych rzeczy, które tu pomagają żyć. W Warszawie rowów nie ma. Są studzienki i one wcale mnie nie obchodziły. Tu obchodzą mnie rowy, moja łąka, bagnisko, Kaśkowy ogród.

Natarłam się balsamem. No cóż, popracuję trochę na powietrzu i zrzucę. Na razie nie wygląda to źle, tylko talii szkoda. Zawinęłam się w szlafrok i poszłam do kuchni.

— Mamo, kto pomógłby mi zamienić samochód?

— A co byś chciała?

— Sama mówiłaś, że mój za delikatny. Może też na terenówkę albo półciężarówkę?

— Pomyślę, bo zawsze to ojciec Krzysia się tym zajmował, ale jeszcze pokombinujemy. Wiesz? Pomyślałyśmy z Kaśką, że to może być piękny pensjonat! Konieczne będą skrzynki na kwiaty. Kaśka widziała w telewizji domy w Alpach całe w pelargoniach, lobelii. Chce pojechać do Olsztyna po nasiona i do pani Karoliny po sadzonki.

— Kasiu! Doskonały pomysł, ale jeszcze nie mamy tego pensjonatu!

— Tak… — mówi Kaśka i kiwa głową.

Bardzo lubi być chwalona.

— Mamo, ktoś mi ukradł talię…

— Mówisz poważnie?

— Najpoważniej. Nie mam jej! Przytyłam, ale jakoś tak, że mi zarosła.

— Goniu, przepraszam, ale zajrzyj do metryki. My, kobiety po czterdziestce, niektóre ciut później, tak już mamy. To z powodów hormonalnych. Miała o tym odczyt pani fizjolog w Domu Kultury w Szczytnie. Byłam przypadkowo, bo po niej miał być pokaz szamanów z Syberii.

— Przepraszam? Jakich szamanów? Po co ci to?

— Przyjdzie pora, to ci powiem. A wiesz, Tomasz powiedziałby złośliwie, że to od piwa…

— Gadanie! Mamo, zaniedbałam się. Muszę nadgonić robotę. Jak ogród, Kasiu?

Rzeczywiście nazbierało mi się. Tłuszczu i pracy. Z pracą to sobie poradzę. Akurat jak papiery będą w urzędzie nabierać mocy, ja popracuję, szczególnie że za oknem pięknie nie jest, bo przelatuje sporo deszczowych chmur.

A tłuszcz? Trochę pracy w ogrodzie? Nie umiem! Zamiast tego, może rower? Tak. Stanowczo rower! A zamiast piwa, tego, co tak ładnie pachnie, piję odchudzającą, czerwoną herbatę… Czy to coś da?

Rozdział 4

O cegle uratowanej przed topielą

Mam za sobą krzyż pański, czyli walkę o dokumenty, zdobywanie pieczątek, podpisów i… rozbiórkowej cegły. Bardzo solidnie też napracowałam się dla wydawnictwa. Spotkała mnie również niespodzianka. Zadzwonił Wiktor. Opowiedział, co w firmie, potem zapytał, co u mnie. Kompletnie zgłupiałam. Podobno w firmie wspominano mnie często. Nawet Prezes, w co trudno uwierzyć, mawia czasem: „Gośka by tak nie powiedziała, nie zrobiła…".

— No coś ty? — spytałam zdumiona.

— Stałaś się „ikoną". Nienawidzę tego słowa. Wiesz, o co chodzi. Dobra, co u ciebie tak prywatnie i nie o szczegóły jakieś mi idzie, a o twój nastrój. Co robisz…?

— Znalazłam miejsce do życia, mamę i budujemy razem pensjonat. Dopiero ruszamy z budową, a tu już czerwiec! Mamy mało czasu. Zresztą ten sezon i tak mamy „w plecy". Aha! Potrzebna mi półciężarówka.

— Słuchaj! O, widzisz, dobrze się składa! Mamy kontakt z przedstawicielem handlowym Toyoty. Ostatnio pytali Prezesa, czy nie chce tanio takiej półciężarówki, która u nich jeździła jako pokazówka. Ma cztery lata, czyste papiery i mały przebieg. Dostała trochę w tyłek, ale wyserwisują ją, jak dla Prezesa. Pogadam z nim. Ile masz kasy?

— Tyle, ile wezmę za moje granatowe cudo.

— Chcesz opchnąć swoje toledo? Dobra, ja pogadam, ty wyślij mi dane tego twojego, bo też mam pomysł. A jak poza tym? W porządku jest? Jak się trzymasz?

— Jest dobrze. Jestem społecznie szczęśliwa, ciut samotna na sercu. (Nie wiem, czemu mu to mówię.) Wpadnij tu, jak ci coś strzeli do głowy… Jest pięknie.

— Dobra. Pomyślę. Cześć. Miło było cię słyszeć.

— Dziękuję za pamięć. Pa.

Poszłam z kawą na werandę. Usiadłam, patrząc na rozlewisko. Doprawdy, zdumiewający telefon. Taki ciepły to on nie był nigdy, z wyjątkiem tego dnia, w którym mnie wylali…

To ostatni, cichy dzień. Jutro wjeżdża do nas ekipa budowlana i zaczynamy remont budynku gospodarczego i budowę garażu. Mama się uparła, że właśnie tak równolegle, bo musimy zdążyć do zimy. Obie chcemy mieć choć trochę ogrzewany ten garaż i jeszcze nie płacić za to! Wymyśliłyśmy baterie słoneczne. Tomasz śmiał się i pukał w czoło, ale Jacek całkiem poważnie powiedział, że jego ostatni klient przywiózł sobie takie ze Szwajcarii i założył jako ogrzewanie wspomagające. Żaden to cud, ale trochę daje. Całe poddasze, którego on używa głównie w lecie, ma w zimie ogrzane. Koszt? Hmmm. Tanie to nie jest. Postanowiłam uruchomić wszelkie kontakty i możliwości. Zadzwoniłam do Konrada. Obiecał się rozpytać.

Za to cegła była tania jak barszcz, zdobyta w ostatniej chwili. Stałam na targu w Pasymiu i kupowałam warzywa. Pojechałam tam z Piernackim jego starym polonezem. Podszedł do nas jakiś jego znajomy. Przedstawił mi się jako rolnik z Giśla. Zagadaliśmy się i od słowa do słowa doszło do tego, że czas ucieka, a tu cegły czerwonej jak na lekarstwo.

— Cegły pani chce? A ile?

— Dużo. Garaż na cztery samochody chcę zbudować. Stylowy.

— O! Kurwa mać! — zaklął rolnik, ściągając czapkę. — Jasny że... Pani! Wcześniej trzeba było! Cholera! Sąsiad mój daleki, z kolonii, rozebrał stodołę. Bujał się z to cegło jak durny. Złóż ją, mówię, ładnie, niech stoi. Ogłoszenie daj. Sprzedasz, mówię mu. A on, pani, taki ciemny trochę. Nie chce, mało ma miejsca i że trzeba ją do jeziora wkitrać, bo mu zawadza... Cholera jasna, czy już nie wkitrał? Bo ja mu spychu odmówił. Zaczep urwał mi się.

— Telefon ma?

— Nie, pani! On dobrze, że żarówkie ma! Pojedziem. Zobaczy pani, jaki jaskiniowiec!

Pojechaliśmy, zostawiając Piernasiowi warzywa z prośbą o zawiezienie mamie. Przed zagrodą, istotnie, leży sterta cegieł. Za zagrodą, jakieś trzydzieści metrów — jeziorko. Spore. Sterta ogromna.

Idziemy szukać właściciela. O Matko! Jakie rumowisko! Wystarczyło to „gospodarstwo rolne" pokazać w Unii, to na pewno by nas nie przyjęli tak, jak chcieli lepperowcy. Bród, smród i pośrodku nasrane. Zafajdane podwórko, dom z zarwanym dachem, walący się. Wychodzi nasz kontrahent. Oszczędzę opisu. No, po prostu — Człowiek z Crô–Magnon!

— Co jee?

— Tadziu, pani cię z kłopotu wybawi! Potrzebny pani gruz do utwardzenia gruntu. Zorganizujemy chłopaków i zabierzem ci te cegłe.

— Ale... Wiśnieski miał ze spychem...

— To go odmów.

— To piwo mu się należy za zawracanie dupy...

— Będzie i piwo. Ile za te cegłe?

— Da pani...

— Tylko nie bądź chitry, bo już i Zaleski z Gromu się pcha do pani ze swoim gruzem!

— ...eeee... Skrzynkę piwa i skrzynkę wódki. Będzie. Sama pani transport i te tam... — wyjaśnił.

— Jutro będzie ciężarówka. Cześć, Tadziu! — zawołał rolnik z Giśla i wróciliśmy do Pasymia. Piernacki wsiadł ze mną do swojego poloneza z miną obojętną, jakby wracał z ryb.

— Widziałaś, kochana, oryginał? Kiedyś fajny był. Po śmierci żony tak rozpił się, zatracił... No, teraz do Andrzeja na bazę po ciężarówkę i chłopaków spod sklepu się weźmie do ładowania. I co? Fajny stary Piernacki?

— Czemu pana kolega mówił, że do utwardzenia gruntu?

— Bo do budowy, to by mógł cenę zaśpiewać, a tak jako gruz za wódkę oddał. Pani Gosiu, on i tak by wszystko przepił!

— Oj! Panie Heniu! Daj pan buziaka! Dziękuję!

— Kobieto! Do rowu wlecim przy takich karesach!

Tak oto, z lewej strony, na łące, opodal sadziku piętrzy się fura starych, poniemieckich cegieł, co miały być utopione w jeziorze.

Co gryzie piękną Elwirę i dlaczego mnie też

Jest późne przedpołudnie. Skończyłam wysyłkę moich prac, a nad łąką kołuje jakiś ptak. Ale duży! Może to jastrząb? Znam się na ptakach jak kura na pieprzu. Tak mówiła druhna Anna.

Słońce grzeje spokojne trawy, w których uwija się życie. Mnóstwo tam norek i gniazd. Daleko, między rozlewiskiem a lasem, tam, gdzie nie da się dojść suchą stopą, mieszkają od marca żurawie. Jak tylko przyleciały, niepokoiły mnie swoim głosem. To się fachowo nazywa klangor, ale one po prostu drą się tak jakoś głośno, dziwnie, rozdzierająco... Z czasem ten dźwięk stał się dla mnie kojąco piękny. Trzeba się go nauczyć.

Na niebie prawie żadnej chmurki. Co za spokój! Obok domu, wysoko, słychać skowronka. Taki dźwięk lata. Na szybie, na ścianie domu kilka much. Na kwietniku i w mleczach brzęczą jakieś pszczoły, nawet bąk przyleciał... Znad łąk! Roześmiałam się w duszy. Coś mnie ukłuło. Komar. No jasne, ich by tu zabrakło?! Błogie chwile spokoju. Kawa stygnie, oczy same się zamykają, gdy słońce wpełza mi na twarz...

— Wróciłam już. — Mama siada i gładzi mnie dłonią po czole.

— Uhmmm. Zaraz ci pomogę.

— Nie masz w czym. Kupiłyśmy z Kaśką mnóstwo sadzonek. Teraz ma zajęcie. Stała taka babina na targu i miała tego mnóstwo. Już przerośnięte, ale myśmy przez ten ogród nie nadążyły ze wszystkim. Już Kasisko poszło w grządki. Obiad na drugą? O, już po drugiej! No, to na trzecią! Wiesz, kupiłam Kaśce rocznik „Kwietnika" i „Działkowca". Oglądała to, czytałam jej na głos i teraz chce mieć taki ogród, jak na zdjęciu.

— Bazylię też wysieje?

— Co chcesz, to ci wysieje i popikuje, i co tam jeszcze… Tylko jej poczytaj o bazylii. No, przydałaby się do sałatek!

— Nie za późno?

— Trochę. Ale zioła można i teraz.

— Świetny ten płot dookoła ogrodu zrobił Krzysiu ze Stefanem. I ten stół do wszelkich ogrodowych prac, żeby Kaśka nie robiła wszystkiego w kucki, ławeczka, żeby odpoczęła… Oni ją na swój sposób lubią!

— W końcu była jakby ich szwagierką…

— Mamo, przepraszam cię za cały ten bałagan, jaki ci zafundowałam.

Przytulam ją do siebie. Jest taka mała, ciepła i poręczna! Ładnie pachnie. Kiedyś robiłam to ukradkiem, w marzeniach. Myślałam o niej, czując niknący zapach jej perfum z sukienki. Te perfumy to „Być może" — stary PRL–owski wynalazek. Pachniały równie pięknie i delikatnie, co „Soir de Paris".

Przypomniał mi się niedawny Dzień Matki.

Rano wstałam wcześniej. Tak, jak to robiły wszystkie moje koleżanki w dzieciństwie. Myśmy nie miały pieniędzy na drogie prezenty, którymi teraz opędzają się młodzi ludzie. Ważny był pomysł. Był to jeden uniwersalny pomysł na całą Polskę. Można go zobaczyć na filmie *Wojna domowa*, odcinek pod tytułem: *Dzień Matki*. Polecam! Zawsze pękam ze śmiechu.

Moje koleżanki wstawały rano, przed mamami, które udawały, że śpią. Tatowie robili śniadanie, które wnoszono do sypialń i mamy zmuszane były do jedzenia w łóżku. Potem kwiaty, wierszyk i laurka. Ja nie miałam Dnia Matki, więc świeciłam Dzień Tatki. Po mojej szkole szliśmy do „Samsona", na śledzia i karpia po żydowsku. Wieczorem, w łóżku leżałam z sukienką mamy i wyobrażałam sobie, jak ona mnie głaszcze po głowie. Zasypiałam zapłakana. Rano wkładałam sukienkę do tapczanu, pod śpiwór i stare roczniki „Przekroju", albo wieszałam pod własną sukienką. Tam tato nie zaglądał.

Teraz mam moją mamę. Teraz mogę zrobić jej i sobie Dzień Matki. I zrobiłam! Dwudziestego szóstego maja rano Gnom wszedł w szlafroku do kuchni, w której już pachniało kawą i stały kwiatki, i jajka były na „miętko", i w ogóle. Potem otworzyła prezent, zapakowany ślicznie.

To była... jej sukienka w tulipany. Ta z tapczanu. Moje koło ratunkowe. W sukienkę zawinięte było małe pudełeczko. W środku stara buteleczka perfum „Być może", z zawartością. (Kochany internet!) Kiedy już wytarła łzy, siadłyśmy do śniadania. Była wzruszona i taka szczęśliwa!

Po śniadaniu dostała jeszcze coś. Drewniane pudełko, a w nim listy.

— Co to?

— Listy, mamo. Odpisałam ci na każdy, który do mnie wysłałaś, a który do mnie nie doszedł.

Ryczałyśmy obie, a Kaśka niepokoiła się, bo nie rozumiała, o co chodzi. Mama zaczęła jej tłumaczyć, a ja — zmywać po śniadaniu.

Po południu zajechał pod nasz dom samochód, który Funio usiłował ugryźć. Wyszedł z niego młodzian, przedstawiciel firmy „Florex" i wręczył mi bukiecisko, prosząc o pokwitowanie. Był też list od moich dzieci — Mani, Pauli (bardzo wzruszający) i Kuby. To był mój Dzień Matki. Zdecydowanie wolałam wierszyki Mani, te z przedszkola.

Teraz jest czerwcowy wieczór. Siedzimy na werandzie. Kaśka ogląda ckliwy serial w pokoju. My snujemy plany i oganiamy się od komarów. Są okropne!

— Zawsze i wszędzie — one! Na obozach szalałyśmy z wściekłości. Nie stać nas było na krem „Citronella". Anna pasła nas witaminą B, że niby jej zapach, wyłażący porami skóry, odstrasza komary. Miałyśmy mnóstwo bąbli, a maluchy drapały się do krwi.

— Chodźmy do środka, one w czerwcu są wyjątkowo wredne i nienażarte.

— Mamo, skoczę do miasta po jakieś spraye. Widziałam w nocnym. Inaczej się nie wyśpimy.

— Dobrze, jak ci się chce... Kup herbatę.

Chciało mi się. Nienawidzę komarzego jęku, jak zasypiam. To doprowadza mnie do furii. I kupię sobie na noc to niemieckie piwo. Szybciej zasnę.

Nocne są dwa. Nawet podobno trzy, ale ja znam dwa, bo raczej nie zwiedzam Pasymia nocą. Jeden z nich prowadzi Elwira. Jest dość młoda i bardzo ładna. Ma kobiecą figurę: talię, sporą pupę i duży biust, jest niewysoka. Nosi czarne, długie, farbowane włosy zapięte za uszami, mocny makijaż i ma zadbane dłonie. I piękny uśmiech. Kiedyś pracowała jako personel u właściciela sklepu. Stary wdowiec starzał się i słabł. Wybrał Elwirę, bo ma mocny, męski charakter i faceci się jej bali.

Kiedyś, kiedy była młodsza, a jej nieślubna córka maleńka, Elwira pracowała u weterynarza jako pomoc. Doktor złamał rękę, jakoś poważnie i z komplikacjami, więc najął Elwirę. Poszła fama, że ona kastruje knury, jakby wyjmowała pestki ze śliwek, że i ogiery kastrowała ze starym doktorem, i psy… Ponadto zawsze miała ostry język. Żaden facet, żaden ochlapus jej nie podskoczył. Skąd miała dziecko? Nikt nie wie. Mała nosiła jej nazwisko i Elwira nigdy nie mówiła nic na ten temat. Mieszkała z matką, która opiekowała się małą Dominiką, gdy rano Elwira odsypiała noce.

Wszystko to wiedziałam od pani Karoliny, którą spotkałam kiedyś w sklepie.

— Ona ma taki charakter, jakiego niejeden chłop nie ma, pani Gosiu! A jak jej kto dokuczy, to głośno zelży tak, że wszędzie słychać! Stary, jak umierał, zapisał jej ten sklep. Ma tam do pomocy chłopaka. Kolejnego, bo to pokusa pracować w monopolu. Ma twardą rękę! I do kościoła tylko tyle, co dla Dominiki. Harda jest! Głośno mówi, że jej taka instytucja niepotrzebna.

— To tak, jak ja…

— No, ale pani jest światła. Ma szerokie horyzonty i zna inne wiary, i… — plątała się ewidentnie.

— Odważna i szczera — skomentowałam. — Do widzenia, pani Karolino! Przyjdę po sadzonki! Dobrze?

Weszłam do nocnego. Za ladą siedziała Elwira i czytała kolorowe pismo.

— Dobry wieczór. Poproszę coś na komary i tamto piwo. Za panią, to zielone.

— Heineken?

— O, nie mogę zapamiętać! Tak. I herbatę.

— Dwadzieścia jeden trzydzieści.

— Proszę. Rozmazała się pani tu, pod okiem. Nie, nie, tu. Zaraz to pani wytrę. Mogę, pani Elwiro?

— Pani mnie zna?

— Wszyscy panią znają, to i ja też… To łzy? Przepraszam, wścibska jestem.

Elwira dała sobie wytrzeć rozmazany tusz spod rzęs i popatrzyła na mnie badawczo.

— Ja też panią znam. O pani też się mówi.

— A co?

— No, że wnuczka tej Bronki, co wzięła Kaśkę w kościele. Córka pani Basi, tej, co mieszka, jak się jedzie do lasu… Pani Basia uczyła mnie biologii, jak jeszcze pracowała w bibliotece i w szkole. Pani tu z Warszawy się przeniosła?! Na amen?!

— Tak. Dziwi to panią?

— No… chodźmy na schodki. Zapalę sobie. Klientów nie ma…

Poszłyśmy. Patrzyłam na Elwirę z zainteresowaniem. Nie miała w sobie żadnych zahamowań. Zadawała mi pytania swobodnie, bez certolenia się.

— Jak tak można z Warszawy się wyprowadzić? I jeszcze tutaj?! Pani mi powie, bo głupieję od myślenia…

— Pani Elwiro…

— Niech mi pani mówi po imieniu. Nie, żebym ja do pani, bo pani starsza jest. Ale tak, jak pani Basia w szkole. Po imieniu. Będzie, że mam w pani koleżankę! — Roześmiała się.

— Dobrze. Chętnie. No, więc pracowałam w dobrej agencji reklamowej, mieszkałam w willi i miałam rodzinę. Z agencji mnie zwolnili z powodu wieku…

— O! Kurwa! Jak to — wieku? — wyrwało się Elwirze.

— Tylko młodzi się liczą w tej branży. Z rodziną mam dobry kontakt, a z domu wyprowadziłam się, bo tu jest lepiej. No i mama się znalazła!

— Jak to — znalazła? Coś tam baby mówiły, żeście się długo nie widziały, ale cholera z nimi! Z rodziną coś nie tak?

— Z rodziną jest w porządku. Tylko z mężem jesteśmy w „innym" układzie.

— Pani nie mówi, to za intymne. A z tą mamą? Jak było?

Pokrótce opowiedziałam Elwirze o mnie, mamie, tacie, druhnie Annie.

— O kurczę! Jak w serialu!

Elwira paliła już drugiego papierosa, słuchając mnie całą sobą. Podszedł młodzian starający się iść prosto.

— Eeelwirka, daj wino.

— Spierdalaj — powiedziała, nawet nie odwracając się w jego stronę.

— Elwira! Proszę mi sprzedać wino! — powiedział głośno i po pijacku, dobitnie.

— Nie wiesz, chuju, że pijanym nie sprzedaję?! Ile razy mam was uczyć? Spieprzaj!

Chłopisko machnęło ręką i poszło.

— Tam mu sprzedadzą. O! — Pokazała ręką. — Żadnych zasad nie mają! No, i pani mówi dalej! — dodała skupiona na mojej twarzy.

— To wszystko. Teraz budujemy pensjonat… Duży wysiłek, ale warto.

— No, wszystko tu z wysiłkiem się robi. Ja to bym poleciała do jakiego miasta na skrzydłach! Jakbym miała dokąd, do kogo…

— Co ci po mieście?

— Może tam jest taki, który by… — zacięła się i zapatrzyła w dal.

— To o miłości myślałaś, jak weszłam? Jesteś samotna?

— No… O Matko! Jak ja mam już dość tej samotni! Cztery lata! W młodości to jak czterdzieści! Sama i sama!

— Żaden tu ci się nie podoba?

— Żaden. To same gawrony, nieudaczniki. Każdy tylko do łóżka by chciał, a do roboty ręce obolałe.

— Ciągną do ciebie, ale i boją się, bo ty ostra jesteś.

— A jaka mam być? Skoro jestem sama z dzieckiem, to oni myślą, że tylko ruchać mi się chce, a pani wie, że my nie takie! Kobiecie „te rzeczy" to na drugi plan schodzą, jak ma dziecko. Żaden z tych fagasów nie nadaje się na ojca, towarzysza życia, jak to mówią, na mojego faceta. Żaden! Gdybym była inna, to już by mnie każdy przewiózł. Inne dziewczyny też im nie dają, to oni tylko do „tego" chętni, jak buhaje. Moja Dominika jest mądrą i dobrą dziewczynką i byle kto do mnie do domu ani do łóżka nie wejdzie…

— A ojciec Dominiki? Mogę spytać?

— To zamknięta historia. Nawet pani nie powiem. Sorry.

— Nie ma sprawy. Myślisz, że w mieście spotkasz takiego? No, właśnie. Jaki on miałby być?

Elwira odwróciła do mnie twarz. Patrzyła na mnie długo, milcząc, i w końcu się odezwała:

— Dobrze, powiem to pani. Tu w gazecie napisali, że jak się coś, jakieś marzenie we… wymawia, to ono szybciej może się spełnić.

— Werbalizuje.

— Tak, przecież mówię. — Westchnęła głęboko i zaczęła: — Bym chciała, żeby był cichy. Nie, żeby dużo gadał, bo sama potrafię. Wszystko jedno, jaki kolor włosów, ale rudych nie lubię. Blondyni też do bani. Ważne, żeby był spokojny i pracował. Żeby nie klął. Trochę tylko. A teraz ważne — duży ma być. Pizdryków, pokurczów takich, nie lubię. Duży, umięśniony i silny. Żeby tak położył się wieczorem, obok mnie, i nic… Tylko żeby tak rękę sobie na czole położył i westchnął. Nie nachalny, znaczy. Ja bym wtedy powoli go głaskała, rozgrzewała. I kiedy już… to niech zwali się na mnie taki wielki i ciężki, żeby mi aż tchu zbrakło! Niech mnie całą przydusi, tak… Calutką weźmie!

Podałam jej chusteczkę. Siedziałyśmy, milcząc.

— To bardzo intymne — powiedziałam cicho. — Dziękuję ci za zaufanie, kochana. Ja też czasem tak marzę.

Wstałyśmy.

Elwira płakała z tęsknoty i żalu, starała się odwrócić, zawstydzona swoją chwilą słabości. Podeszłam i przytuliłam ją. Zesztywniała, ale po chwili objęła mnie nieporadnie i powiedziała:

— Chodźmy do środka. Teraz powiedzą, że jakaś lesbijka jestem... — Roześmiała się przez łzy.

Ależ twarda jest!

Na pożegnanie powiedziałam cicho i spokojnie:

— Elwira, posłuchaj mnie uważnie. Nie tylko werbalizacja pomaga. Zrób kukiełkę. W nocy, ze szmatek z męskiej koszuli. Z ciuchlandu, żebyś nie wiedziała czyja. Męska koszula ma być uprana. Cały czas myśl o nim, tym twoim wymarzonym. Wycieraj nim, tym kukiełkiem, łzy i całuj go na dzień dobry i dobranoc. Mów do niego, gdzie jesteś i jak ma tu trafić. Przywołuj. Zjawi się.

— Powaga?! Zalewa pani. To czary!

— A za co, Elwiro, ginęły kobiety na stosie? Za to, że były wiedźmami. Wiesz, od czego pochodzi słowo „wiedźma"?

— Od... wiedzieć... Nie?

— Każda wiedza jest dobra. Wizualizacja, werbalizacja, nasze kobiece czary. Znajdzie się! Przyjedzie. Zobaczysz!

— A pani?

— Co ja?

— Pani też tęskni?

— Jak każda, Elwiro. Mów mi po imieniu. Wiedźmy nie mówią do siebie „proszę pani".

— Ja mam być wiedźmą?

— Przecież przezywają cię niektórzy: „Czarownica"? Jesteś nią. Każda mądra kobieta jest. Pa, kochana.

— No, cześć... Pa! Gosiu! A, i psikacz na komary!

Istotnie, zapomniałam.

Podjechałam do domu. Dziewczyny już spały, a Funio tylko raz szczeknął, a i to niechętnie. Poznaje już mój samochód.

Siadłam na werandzie. Noc cieplutka i pełna życia. Niby głęboka noc, bo już prawie dwunasta, a głośno! Jak na Marszałkowskiej. Jakieś pohukiwania, pimkania, rechoty z zalewisk, kląskania i wycia. Co za harmider!

Zawinęłam się w derkę leżącą na ławeczce, żeby mnie tak komarzyska nie cięły. Myślałam o Elwirze. Jest piękna, ustawiona z tym sklepem, ma śliczną córeczkę i matkę dbającą o dom. Czego jej brak? Chłopa, dobrego i dużego, „żeby ją przygniótł i całą wziął". Mój Boże! Nie ma tu chłopa dla Elwiry... Same obszczymury, jak mówi mama. Kurczę! Może przegięłam z tymi czarami? Ona jutro powie wszystkim, że jestem szurnięta? A jestem?

Dopiero teraz odezwało się we mnie to coś, co sprawia, że czuję taką więź z Elwirą. Też jestem świetnie ustawiona, mam forsę, pracę, samochód, perspektywy, figurę (tłuścieję, niestety), urodę... Czego mi brak? Ortodoksyjne głupiejące organizacje kobiece wmawiają mi, że wcale niepotrzebny mi samiec do szczęścia. Że to atawizm. Głupota! To nie atawizm, to odwieczny zew natury i ciągota do „skompletowania" się. Jak łabędzie, słonie... One też żyją parami, wiernie i pięknie... Zapewne nie czytają czasopism o atawizmach! Na szczęście normalne feministki nie zaprzeczają, że dobry związek uszczęśliwia. Dlatego lubię czytać ich pisma i książki.

Tak, wiedzę i potencjał to ja mam. Doświadczenie, dzięki Grzesiowi, też. Grzesiu! Dzięki, że pojawiłeś się w moim życiu, że pokazałeś mi, jak niewiele potrzeba, żeby pogłaskać się, dotknąć. Trochę odwagi. Wiem, czego chcę. Wierzę, że w łóżku może być rajsko, ale to nie tylko to... Żeby tak kochać się mimo wszystko! Jak Tomek mamę. Tyle lat niespełnionej miłości, nadziei i dopiero, kiedy oboje posiwieli, mają siebie! Elwira to chociaż wie, że duży ma być. A ja? Nie mam typu. Nie werbalizuję i nie wizualizuję. Nie przyciągnę go, jeśli nie zacznę używać czarów?

Zwariowałam. A Elwira? Uwierzyła mi, bo jest bardziej zdesperowana, prostsza? Ja przecież tęsknię dokładnie tak, jak ona. Moje ciało też... Chciałabym, żeby wziął mnie za rękę i poprowadził. Żeby się o mnie starał, żeby mu zależało... Tak! Chcę czuć, wiedzieć, że on bardzo mnie pragnie, że jestem dla niego najważniejsza! I niech mi to mówi, pisze! Nie chcę się niczego domyślać! Niech mnie kocha! A ja dam mu całą siebie taką, jaka dziś jestem — ciepła, czuła, tęskniąca.

Teraz ja dotykałam policzków mokrych od łez. Takie łzy nie bolą. Jeszcze. Jak długo mam być sama?

Szpadle, cement, bałagan i ciepłe maile

Rano, ubrane, czekałyśmy na brygadę. Najpierw pojawił się pan Adam. Sam się przedstawił jako majster budowlany, choć ma papiery magistra budownictwa, po olsztyńskiej ART. Jacek architekt nam go naraił. Całkiem sympatyczny. Wypił kawę „pod konwersację" i porozmawiał o przedsięwzięciu. Kilku pieczątek jeszcze brakuje, ale zaczynamy. Szkoda czasu.

Potem pojawili się robotnicy do przeróbki budynku gospodarczego. Czterech. Przedstawili się i poszli z majstrem przygotować sobie kanciapę roboczo--magazynową. Umówiłyśmy się, że jak trzeba będzie robić po dziesięć godzin, damy im zupę koło czternastej.

No, i zaczęło się!

Ekipa do budowy garażu ma być jutro. Nasza kaczka i jej dorosłe już dzieci dreptające z nią, jako stadko, były oburzone eksmisją z budynku gospodarczego. Tak dalece, że poszły nadęte w stronę rozlewiska.

— Kasiu, jak myślisz, kaczka wróci na noc do domu?

— Ona wróci. Tak. Szopkę jej zbijemy taką, jak dla psa. Tak. Krzysiu mówił… Ciepło, to może i po dworze chodzić, Gosiu, wiesz?

— To dobrze, bo myślałam, że od nas ucieknie. Co dziś robisz?

— Wypielę. Tak, bo zarasta.

Pojechałam do Szczytna po czajnik elektryczny, bo moja ekipa swojego nie ma. U Rosjan można kupić wszystko, ale lepsze są sklepy z towarami „zajętymi przez urzędy celne". Tam kupiłam niezły czajnik, a w sklepie „Wszystko po pięć złotych" — kubeczki, łyżeczki i tacę z plastiku w łabędzie i cukiernicę pomalowaną w lilie. Cudne — jak z odpustu!

W domu, w komputerze był list od Mańki:

Cześć, Mamcik.

Nic specjalnego się nie dzieje. Wieje nudą. Oczywiście nie u Pauli. U niej wszystko skrzy. Pokłóciła się z matką, ale to chyba wiesz. W domu spoko i jakoś leci. Pozdrawiamy i moooocne całuski! M.

…i Vicka:

Cześć, Gosiu.

Tak sobie piszę, bo nic tu fascynującego się nie dzieje, a Ty opowiedziałaś mi tyle ciekawych rzeczy!

Długo myślałem, jak to możliwe, że uciekłaś z miasta na głuchą wieś. Skoro jednak mogę do Ciebie wysyłać maile, nie jest to aż taka głusza.

Warszawa gorąca i śmierdzi spalinami. W firmie nie ma z kim gadać. Śmie-
jesz się, że i tak z nikim nie gadałem? To prawda. Wtedy miałem swoje pry-
watne życie. Teraz nic z niego nie zostało.
Żałuję, że traktowałem Cię powierzchownie, że źle oceniłem. Później było
jakoś tak, za późno…
Pozdrawiam. Liczę na to, że nie wyśmiejesz mnie. Jeśli wydałem Ci się dur-
niem, znajdź w clipartach osła albo clowna i wyślij mi w odpowiedzi. Zro-
zumiem.
Pozdro!
Wiktor

O! Ho, ho! Kompletnie mnie zatkało. Vicek pisze do mnie serdecznie
w miarę i ewidentnie maca grunt. Samotny? Życiowo zawiedziony? O co chodzi?

— Pani Gosiu, przepraszam, można na słówko?

To pan Majster.

— Ja bardzo dziękuję za kubeczki i czajniczki, ale szczerze mówiąc, bardziej
przydałyby się maski pyłowe, bo rozwalanie tych boksów to okropnie wredna
robota. To stara gliniasta zaprawa.

— Dobrze. Czy coś jeszcze?

— Ze dwa dobre szpadle, bo te wasze zaraz się rozsypią. I zgrzewkę wody
mineralnej, chyba że ta z kranu jest z waszego ujęcia, zdrowa.

— Jest taka właśnie. Pokazać badania?

— Niech się pani nie gniewa, ale zdarzyło mi się ostre zatrucie wodą z „własnego ujęcia". Chłop miał na podwórku szambo przebite, dla oszczędności, i fe-
kalia zasilały mu jego własne ujęcie. Dureń.

— Dureń — powtórzyłam.

Pojechałam do Pasymia po maski pyłowe. I szpadle. Stanowczo potrzebuję
terenówki, półciężarówki. Czegoś takiego, czym jeżdżą Amerykanie do swoich
miasteczek. Dziś ekipa i tak pracuje na pół gwizdka i krótko. Do piętnastej. Jak
to na rozruchu.

— Panie Adamie, co będzie jeszcze z narzędzi potrzebne, bo widzę, że trzeba
będzie to i owo dokupić?

— …albo pożyczyć — powiedział pan Adam. — Ja dam pani spis.

Tym razem pojechałam do Olsztyna. Dostałam spis i tylko w sieciówce, sądziłam, kupię większość. Było mało ludzi, poprosiłam o pomoc. Chłopak z działu żelaznego wziął kartkę i dość sprawnie poukładał mi wszystko na wózku.

Rękawice, żabkę małą i dużą, młotek ciesielski, „pion", łatę dużą i małą, zwój sznurka, szuflę, wiadra robocze.

„Reszta następnym razem" — powiedział pan Adam.

Po tym wszystkim odwiedziłam zegarmistrza, ale się spóźniłam. Już zamknął. Do siedemnastej.

— Dzień dobry! — usłyszałam za sobą. — Tak pa…patrzę, czy to pani?

— Dzień dobry panu! Pan stomatolog, prawda? Pan wybaczy. Wolę się upewnić. Krótko się znamy… Małgorzata.

— Janusz. Może siądziemy sobie przy ka…kawie? Pogoda piękna, a ja też się spóźniłem do zegarmistrza.

Znaleźliśmy miejsce na rynku, w ogródku kawiarnianym. Rozmowa, taka typowa, o niczym, toczyła się zgrabnie, choć zauważyłam, że on lekko się zacina. Bardzo to urokliwe, od razu mnie tym ujął.

— Zazwyczaj nie może pan liczyć na ciekawą rozmowę w gabinecie…

— Czemu? — spytał zaskoczony.

— Mamy otwarte usta. Nie daje pan nam szans!

— Ach! No tak, oczywiście, ale zawsze można trochę po…pogawędzić, jak jest chwila, między pa…pacjentami. Ja nie należę do gaduł. Dziś nie wiem sam, co mnie naszło. Może zaintrygowała mnie pa…pani?

— Jak? Przecież się nie odzywałam, szybko wyszłam…

— Tak, ale budzi tu pa…pani pewne e…emocje. Mówią, że warszawianka sprowadziła się do nas na sta…stałe. To prawda?

— Tak. Na stałe. A pan też podobno nie bardzo tutejszy. Wiem, bo „baby we wsi gadały".

— To prawda. Ja z Olsztyna je…jestem. Nie lubię mówić o sobie. Pani robiła tu jakieś większe za…zakupy? — zapytał, kiedy podeszliśmy do mojego samochodu. — O! Nie szkoda pani auta na ta…takie graty?

— Szkoda, ale innego nie mam. Mam mieć.

— Na…na razie, wobec tego, proszę po…pożyczać mój. Ja mam o, tego tam, widzi pani? Terenowiec ze…ze skrzynią.

— Jakże to?

— Normalnie, jak pa…pani będzie jechała po taki złom czy cement, zamienimy się, o…o ile to pani pa…pasuje. Jakżesz to, pakować do samochodu kobiety szpadle, ki…kilofy?!

Pożegnaliśmy się i pan Janusz zaproponował mi poznanie całkiem nowej trasy do nas, do Pasymia. Mam jechać za nim. Bocznymi drogami, przez Prejłowo, pola i lasy.

O! Jak tu pięknie! Czemu ja tej drogi nie znałam wcześniej? Dotychczasowa, prawie cała przez las, też cudna, już ciut mi się przejadła…

Pamiętam, jak jechałam nią do Olsztyna pierwszy raz. Najpierw wysokie sosny i suche poszycie. Przejrzysty sosnowiec. Później przeszedł w las mieszany, gęściejszy, taki blisko drogi. Ta zaś wije się i kręci, typowo po prusku. Dalej gałęzie lasu zwisają nad szosą i tworzą jakby tunel. Coś przepięknego! Wtedy, za pierwszym razem, to była zima i jeszcze ta biel… Znów sosny i po bokach wysokie świerki, jak w górach. Wtedy z czapami śniegu, dziś przesiewające mnóstwo słońca. Parę zakrętów i po prawej hodowla indyków, domki na skarpie i znów lasy. Za nimi Klewki i drogowskaz na Klebark, później Szczęsne, a przed nim skręt na Stary Olsztyn. Jeszcze kilka zakrętów i Olsztyn wita!

Teraz jednak jechałam marną szosiną, ale widoki nowe i naprawdę robiące wrażenie. O! Jakieś gospodarstwo rybne po prawej! Duży staw, kanał ładnie utrzymany… Wygląda zacnie. Jak „rybodrom". Dalej, oczywiście, szosa kręci wśród pól i domków, aby wjechać dość nagle w przestrzeń po obu stronach drogi. Wielkie, dzikie łąki, aż pod ścianę odległego lasu. Gdzieniegdzie krzewy, jakieś pióropusze wysokich traw, zapadliska, wzniesienia. Wszystko pofałdowane ciekawie.

Jechaliśmy powoli, żebym nie przywaliła w drzewo. Rozglądałam się, ciekawa wszystkiego, zamiast skupić się na jeździe. Jakieś małe jezioro w Gąsiorowie i dość duże w Rusku. Znów zakręty i Grzegrzółki — co za nazwa! Mijałam je, jak jechałam z mamą do warsztatu w Dźwierzutach. Teraz w prawo i na Pasym.

Zatrzymałam się koło moich brzóz.

— Doktorze, bardzo dziękuję za wycieczkę. Było super!

Dość nieśmiało wyciągnął rękę.

— Miło mi. Z samochodami to aktualne. Na…naprawdę, proszę korzystać! I proszę mi mó…mówić po imieniu. „Doktorze" to jakoś o…oficjalnie, a ja nie mam tu nikogo, po…poza ojcem, kto mówiłby do mnie „Janusz". Proszę wy… wybaczyć śmiałość i brak ogłady. Oczywiście, kobieta pierwsza to proponuje, ale się wy…wygłupiłem…

Gadał bez przerwy.

— Dobrze. Propozycja przyjęta. Mówmy sobie na „ty". Zadzwoń, jak będziesz chciał. Tu jest mój telefon. Jeszcze raz dziękuję.

„Jezu! Jaki fajny" — pomyślałam, zjeżdżając polną, piaszczystą drogą w dół, do domu. „Jak urokliwie się zacina, a rumieni się jak panienka". W moim wieku? Młodszy? Starszy? Zupełnie nie umiałam go ocenić.

Wieczorem odpisałam Wiktorowi:

Kochany Wiku!

Oczywiście wiesz, że w firmie byłeś dla mnie Vickiem? Teraz nie ma firmy, a i my nie jesteśmy firmowi, bo Ty odezwałeś się do mnie prywatnie. Zupełnie jak wtedy, kiedy dostałam czerwoną kartkę — pamiętasz? Twoje pierwsze słowa powiedziane ludzkim głosem. Zaskakujące i miłe! Co skłoniło Cię teraz do kontaktu? Samotność w sieci? Czasem dobrze jest zamiast zamykać się w sobie, odnaleźć drogę do przyjaciół. Odzywaj się. Dla mnie jesteś całkiem nowym kumplem. Daj się poznać! Pozdrawiam. Przesyłam Ci osła z cliparta, bo tak długo zwlekałeś!

Gosia

Marysi wysłałam trochę matczynych słodkości i zwyczajowe pytania o dom i Kubę.

Wróciłam do kuchni.

— Mamo, zaczynam poznawać nowych ludzi! Wiesz, mówiłam ci, że jak byłam u dentysty, okazało się, że to miły człowiek, owszem, ale wtedy bez kontaktu. Dziś spotkałam go w Olsztynie i pokazał mi drogę do nas przez Prejłowo. Zacina się.

— Co się zacina?

— On się zacina. Lekko.

— A jak wygląda? Nalać ci zupy?

— Uhmmm. Wysoki, dość szczupły. Ciemny blondyn. Ma proste, dość długie włosy. Jasną cerę i ładne zęby. Szeroko się uśmiecha, ale rzadko. Jasne oczy. Jeszcze nie wiem jakie. Zaproponował, że jak będę miała wypad po ciężkie żelastwo, pożyczy, no, zamienimy się samochodami, dopóki Wiktor nie załatwi mi półciężarówki.

— Nie nadążam. Za szybko. Zwolnij!

— Co?

— Jaki Wiktor? Co za żelastwo? Gdzie ciężarówka i jakie ma oczy?

Poza tym, to u nas wszystko w porządku. Tak sobie gadamy przy pieczarkowej. Kaśka słucha i niewiele rozumie, ale uśmiecha się i jest szczęśliwa. Jej duże wargi siorbią zupę zabawnie.

Skąd u mnie taka sympatia do niej? Do starych ludzi? Nigdy specjalnie o tym nie myślałam, ale teraz właśnie widzę, jak oni mnie wzruszają. Piernacki, kiedy ma mokre oczy na wspomnienie żony, Kaśka i jej życie, Ania z tą swoją nieodłączną Zuzią. Wczoraj kupowały coś w sklepie spożywczym. Powiedziały mi pierwsze „Dzień dobry". Jak małe dziewczynki. Potem coś szeptały między sobą... Dwie małe, zasuszone śliwki! Dowiedziałam się, że mają krosna i tkają śliczne dywaniki. Muszę je koniecznie odwiedzić z Marysią.

— Mamo, ciebie i babcię wszyscy tu znają.

— Trochę tak... Pozmywacie? Ja kiepsko się czuję.

Niepokoją mnie takie „kiepsko się czuję". Nie ma dwudziestu lat. Nie chodzi do lekarza dzień w dzień. Nie grzebie w sobie, nie szuka, jak inne starsze kobiety. Nie nasłuchuje każdego drgnienia serca, bólu wątroby... Pije zioła i strząsa z siebie złe samopoczucie. Tak jest dobrze, czy powinnam ją namówić na stałe leczenie? Wtedy uwierzy, że jest słaba i pochoruje się naprawdę! Nie. Nic nie powiem. Niech poleży.

Zajrzałam do poczty. Oczywiście Vicek zareagował:

Kochana Gosiu!

Całe życie miałem opór przed takimi początkami: „Kochana". To sugeruje...
To chyba jednak zwyczajowe. A, myśl, co chcesz.

„Wiku" mile zaskakujące. Nikt tak nie zdrabniał mojego imienia. Ciągle
dowodzisz swojej niekonwencjonalności i tego, że Prezes był durniem, pozby-
wając się Ciebie.

Masz rację, zarzucam wędkę „na przyjaciela". Nie wytrzymuję samotności,
a byle kto mi nie odpowiada. Ciebie omijałem szerokim łukiem, bo po pro-
stu bałem się Ciebie. No i byłaś zamężna, „urodzinniona". Ja zaś tkwiłem
w „oparach absurdu" i zamknąłem się przed całym światem. Kiedyś Ci może
opowiem o tym durnym układzie. Dzięki za poświęcaną mi uwagę. Jakoś
mi milej.

Kwiatki dla Ciebie. Szkoda, że z cliparta!
Dobranoc. Wik

Rano pojawiła się druga ekipa, do budowania garażu. Starszy jegomość i dwóch chłopaków, na oko dwudziestoparolatków. Bliźniacy. Jacy podobni! Stary podał mi rękę i pocałował ją po staropolsku. Pokrótce zapoznał się z okolicznościami i zaproponował podział pracy. Ja, najszybciej jak mogę, zdobędę stosowne zezwolenia i pieczątki, oni powolutku zwiozą sprzęt i zbudują swoją kanciapę. Złożył mi zamówienie na drewno. Potem pożegnali się i pojechali.

Muszę załatwić elektryka, żeby rozdzielił trójfazę tak, by była nie tylko w budynku gospodarczym, ale też koło stodoły. Stary nie lubi wchodzić w drogę innej ekipie. Ma rację. Zrobili na mnie dobre wrażenie. Tacy zorganizowani.

Poukładani. Czyści. Umówiliśmy się, że w poniedziałek zaczną. Mam parę dni na tę trójfazę, ponaglanie pani w pokoju osiemnaście i czekanie.

Coś mnie melancholia wzięła, bo poprosiłam Kaśkę, żebyśmy pojechały na groby. Jest taki piękny dzień. Słońce, co prawda, wygląda jak zza woalki. „Będzie deszcz"— zawyrokował rano Gnom.

Cmentarz mały, inny niż miejskie molochy. Jest część starsza i ta młodsza, ale nade wszystko są wiekowe, wysokie drzewa. W części starszej, gdzie spoczywa proboszcz i Marianna z Józefem, lipy i dęby są ogromne i monumentalne. Większość dróżek i grobów porosło bluszczem, hostą i fiołkami. Jest zacisznie, spokojnie.

Najpierw obeszłam z Kasią jej groby. Opowiedziała mi wszystko o mamie, tacie, Czarku i proboszczu. Tak, jak umiała. Szczerze mówiąc, potakiwałam, ale myślami byłam gdzie indziej. Później grób Broni i Michała. Z porcelanki patrzyli na mnie ciekawie. Taki piękny dziadek! Ma siwe włosy i wysoki, sztywny kołnierzyk. Wąsy też ma… Na drugiej, owalnej porcelance — Bronia. Pyzata, ciemne włosy z siwizną, gładko uczesane w wysoki kok z warkocza. Na długo przed śmiercią zrobili sobie te zdjęcia. Koronkowa stójka pod szyją z jakąś broszką. Oboje w nostalgicznej sepii, patrzą na mnie — swoją wnuczkę. Tak, to ja! Witajcie!

W końcu usiadłam na ławce vis–à–vis grobu Marianny, bo Kaśka chciała omieść. Jest sumienna.

— Tato, jesteś tu? Złaź z chmurki, musimy pogadać. Co o tym wszystkim sądzisz? Zabieram się za coś, na czym się nie znam, ale mama mówi, że tylko głupcy sobie nie radzą. Jasne, że wiedza jest teraz wszędzie. Nawet stoi u mnie w pokoju. Kiedyś to było trzynaście tomów encyklopedii, teraz to jest Infostrada.

Tato?! Nie zachwyca cię to? Byłbyś wiernym użytkownikiem. Pokochałbyś internet jako narzędzie, jako symbol Nowego. Przy twojej miłości do Lema, przy całym zachwycie dla jego przewidywań, Infostrada byłaby ci chyba najbliższa! Ale, masz rację, nie zbliża ludzi. To jednostkowe przypadki. Cały ten czat, te gadu–gadu, te wszystkie kontakty międzyludzkie internetem, to iluzja. Nie nawiązują się więzi, nie widać człowieka całego. Naturalnie, mogę pokazać się taka, jaka nie jestem — wyidealizowana albo zafałszowana, i to właśnie jest pułapką, bo nie oceniają mnie naprawdę. Nie lubią mnie takiej, jaka jestem. Rozumiesz to…? W tym, kogo poznajemy, ma znaczenie wszystko. Wygląd, tembr głosu, modulacja, spojrzenie, zapach, gestykulacja, zacinanie się… Tego w internecie nie ma. Jesteśmy tam papierowi. Sztuczni. Dlatego używam go tylko jako skrzynki na listy.

A mama? Jak ci się podoba nasz układ? To chciałabym wiedzieć najbardziej. Czy tam, zdjąłeś koronę z głowy i pomyślałeś, że ona też miała swoje racje, że niepotrzebnie mi ją zabrałeś? Jest świetna i dużo dobrego mnie nauczyła. Ty też! Nie dąsaj się!

— Idziemy? — zabuczała Kaśka.

— Dobrze, chodź, dziewczynko! Ładne te twoje groby, wiesz?

— Tak, ładne są. Chodź.

W Pasymiu zrobiłyśmy zakupy. Chemia kuchenna, papier toaletowy, papier do drukarki i dwa pęczki młodej marchewki. Na pewno spod folii. Mama robiła kiedyś taką tłuczonkę — marchewka z ziemniakami i śmietaną. Jeszcze gazety i do domu!

W podwórzu spotkałam pana Majstra, który pogadał ze mną chwilę. Praca szła zgrabnie, pojawiły się otwory okienne takie, jakie chciałyśmy, dużo większe niż były poprzednio w budynku gospodarczym. Obok urosła kupa gruzu.

— Co z tym? — spytałam.

— No, właśnie. Ma pani na to zastosowanie? Bo ja tu widzę na rysunku garaż. To warto wykorzystać na utwardzenie podjazdu.

Narysował mi wszystko i wyjaśnił przystępnie. OK. Tak właśnie lubię!

Budynek gospodarczy w niczym nie przypominał pensjonatu tonącego w kwieciu. Był to szkielet ceglany, bez dachu już prawie, z wybitymi otworami okiennymi. Wiało żałością. Kolor cegły bardzo mi się podobał. Sama ma kolor jasnorudy, miejscami pomarańczowy. W słońcu — piękny, ciepły. Wyobraziłam sobie zieleń pelargonii albo winobluszczu na tle tych cegieł. Do tego ciemne, barwione drewno. Aż się uśmiechnęłam.

Trzeba będzie zaczekać z takimi szczegółami. Byłam niecierpliwa. Już chciałam biec, zamawiać okna, szukać dachówki (już dałam ogłoszenie: musi być taka, jak na domu mamy, stara, poniemiecka). Chciałam zobaczyć choćby zręby werandy… A tu stoi taka bieda, cała pokaleczona… Muszę, czekając, zająć się czym innym!

Jestem z siebie dumna, bo z pomocą Krzysia zbiłam ramy do okien, na które naciągnęliśmy siatkę przeciw komarom. Czarną, bo biała brudzi się i wygląda brzydko. Wiem to jeszcze od Zosi! Krzysiu zbił też tę budkę dla naszej obrażonej kaczki. Jest taka nadęta, że udaje całkowitą obojętność, ale w środku, na sianie, udeptanym już nieźle, leżą jej białe piórka. Nie oszuka nas! Sypia tam! Piernaś wyswatał ją ze swoim kaczorem.

Po południu ma przyjść Tomasz, więc pojechałam do Pasymia, do Elwiry, po jego kochanego heinekena. Kiedy weszłam, zobaczyłam trochę ludzi, więc stanęłam w kolejce. Elwira uwijała się, uśmiechając się tym swoim czarownym uśmiechem. Potrafi być miła, jak chce! Z nudów obserwowałam ludzi, półki ze słodyczami... Za Elwirą stała półka z chipsami i markowymi batonami. Na dolnej półce tanie, plastikowe zabawki. Po cholerę w alkoholowym zabawki? A, co mi tam, nie moja sprawa! Moją uwagę przykuł spory, plastikowy TIR. Miał srebrne wykończenia i był pomalowany w płomienie. W tym samochodzie siedział... kierowca! Uszyty był z flaneli w kratkę. Miał oczy z zielonych guzików i namalowane czarnym flamastrem włosy. Kukiełka! A więc czary zaczęły się dziać!

Uśmiechnęłam się. Oby jej się spełniły! Ma takie pewne siebie oczy! Śmieje się... No i dobrze! Szkoda tej Elwiry na samotne życie!

Co Tomaszowi legło na sercu

Wieczorem podsumowywaliśmy wydatki obecne i przyszłe. Pan Adam zostawił mi listę. Planowaliśmy i gadaliśmy jak to zwykle bywa, gdy nagle Tomasz westchnął nienaturalnie i wyciągnął do góry lewą rękę. Na twarzy pojawił mu się grymas bólu.

— Co ci jest? — spytała mama łagodnie, ale czujnie.

— Nic, tak jakoś łapa mnie od rana boli, a teraz jakbym miał ciepłego ziemniaka w klatce piersiowej.

— Gosiu, zmierz mu ciśnienie. Tomek, wziąłeś jakieś leki? Ja mam sorbonit, jeśli to serce...

Poszłam po ciśnieniomierz.

— Podwyższone, ale blisko normy — powiedziałam.

— Dziewczyny, nie panikujcie! W klacie mi duszno i już. Przejdzie.

Mama spojrzała na mnie poważnie i porozumiewawczo. Wyszłam do siebie, do pokoju. Zadzwoniłam do Janusza.

— Przepraszam, że cię niepokoję. Tomasz, narzeczony mojej mamy, ma duszność sercową chyba. Tylko ból, ale narasta. No, ma koło sześćdziesiątki. Karetką? Same mamy pojechać? Co doradzasz? Olsztyn, prawda? Znasz tam kogoś?

— Tak, znam i to... to dobry pomysł. Po...pojedźcie szybko, bo zanim karetka... Zadzwoń do Szczytna, spytaj, co z erką, tak na wszelki... W Olsztynie na... na oddziale pytaj o doktor Lisowską. Jest najlepsza. To dobry oddział.

— Dziękuję ci. Zaraz? Ty jesteś Lisowski. Znacie się?

— Tak. To... to moja była. Jedźcie.

W kuchni czułam w powietrzu niepokój. Tomasz udawał chojraka, ale był blady. Na czole perlił mu się pot.

Oczywiście o erce nie możemy marzyć, jest na drugim końcu gminy. Szpital w Szczytnie sugeruje własny transport do Olsztyna. Pani prosi o rozwagę podczas jazdy i przeprasza. Jest chyba źle, bo Tomasz już nie oponuje.

Pod izbą przyjęć — pusto. Zajeżdżam i wpadam do środka, wołając:

— Proszę o pomoc! Pacjent z sercem! Proszę!

Szybko dość podbiegł salowy i pomógł Tomkowi usiąść na wózku. Mama była przejęta. Widziałam to po jej brodzie. W takich sytuacjach rysy się jej wyostrzają i napina skóra. Została przy Tomku podczas badania na izbie. Widać, coś zaniepokoiło lekarza, bo leżanka z Tomkiem dosłownie pognała do windy. My zostałyśmy uzupełnić sprawy formalne. Mama była spokojna i rzeczowa. Opanowanie musiało ją dużo kosztować. Mój dzielny Gnom!

Po papierologii poszłyśmy szukać oddziału kardiologicznego. Zostałyśmy skierowane na OIOM. Patrzyłyśmy przez szybę, jak pielęgniarka i lekarz uwijają się przy Tomaszu. Osłuchują, patrzą w monitory, których nie widziałyśmy… Coś podłączają, gadają, a my tu, bezsilne i wystraszone.

Po jakimś czasie wyszedł lekarz.

— Kim pani jest dla chorego?

— Ja, my… — plątała się mama. — My nie mamy ślubu, ale ja…

— Kochanie, ja nie jestem księdzem. Żona?

— Tak! A to córka.

— No, moje panie, za wesoło to nie jest. Stan taki, powiedziałbym, przedzawałowy, no, graniczny. Był leczony na serce? Były takie incydenty? Czy to ten z twardych?

— Twardy — wyszeptała mama. — Leśny człowiek. Leśniczy.

— No, tak. Opanowaliśmy to, jako tako. Jest na monitorach. Siostra Ela przy nim posiedzi. Jest fachowa. Jak tylko co, ja tu jestem. Mam dyżur.

— A doktor Lisowska?

— Jest jej pacjentem?!

— Nie, to raczej glejt. My z polecenia doktora Lisowskiego.

— Janusza? Jesteście znajomymi?

— Ja znam Janusza i to on nakierował nas tu.

— Świetnie się składa! Proszę go pozdrowić! Muszę tam pojechać do niego na to zadupie… Przepraszam. Doktor Lisowska przejmie pacjenta jutro rano. Jest rzeczywiście dobra. Nie damy go! Nie martwcie się.

— Czy mógłabym wejść tam, za szkło? — spytała mama cicho.

Ma mokre oczy. Broda napięta jak żagiel w szkwale.

— Jeśli da mi się pani potem zbadać. Nie wygląda pani na okaz zdrowia. Serduszko pewnie trzepocze z niepokoju? Dobrze. Siostro! Na minutkę wpuść panie!

Dostałyśmy kitelki i weszłyśmy do pokoju, w którym leżał Tomasz. Miał zamknięte oczy, zapadnięte policzki, wyostrzone rysy. Jego kiepski stan podkreślał dziś, bardziej niż zawsze, siwy zarost. Mocno szpakowate, półdługie włosy leżały w nieładzie na poduszce obleczonej w jednorazową, zieloną powłoczkę. Był blady i zmęczony. Oddychał ciężko, ale miarowo. Na nagim, pięknie wyrzeźbionym torsie ponaklejane kółeczka z elektrodami, a do nich druciki. „Jak ranny gladiator!” — pomyślałam.

Mama podeszła cichutko i swoim delikatnym gestem położyła mu dłoń na brzuchu, najbliżej przyklejonego kółeczka z elektrodą. W pobliżu serca. Zawsze tak robi, jak boli mnie albo Kaśkę brzuch albo głowa. Kciuk ma skierowany pod kątem prostym w stronę głowy Tomka, dłoń równolegle. Zamyka oczy i sączy energię. Potrafi to robić! Drugą rękę trzyma na jego ramieniu. Ta dłoń nigdy nie grzeje. Ta druga, rozgrzewa się i koi ból. Każdy. My z Kaśką to wiemy! Stoi i sączy, a na monitorach zygzaki ładniejsze są! Siostra patrzy z niedowierzaniem i uśmiecha się.

— Ale go pani ładnie wyciszyła! — szepcze cichutko.

— Mama jest czarownicą. Wiedźmą — tłumaczę szeptem.

— Widzę właśnie!

Tomasz powoli otwiera oczy.

— Baś…

— Nie wolno panu mówić! — upomina siostra Ela.

— Nie mów nic, tylko mi pomóż — prosi mama. — Ugłaskuj swoje serce. Jesteś mi niezbędny, Tomku…

— Nie, jak za mnie nie wyjdziesz wreszcie! — szepcze, uśmiechając się.

Wariaci! Teraz będą się szantażować!

Siostra syczy, żeby Tomek nie gadał. Mama uśmiecha się do niego i beczy. Patrzą na siebie. Zygzaki na monitorach podobają się siostrze coraz bardziej.

— Proszę już zostawić chorego.

— Tomasz, trzymaj się — mówię serdecznie, dotykając palucha jego stopy.

— Dzięki, Gosiu — szepcze gladiator.

U lekarza mama daje się zbadać. Doktor uważnie osłuchuje mamy serce.

— Nic z tego. Na tej pani szpital nie zarobi! — mówi i odkłada stetoskop.
— Nie jest to serduszko modelowe i, jak na pani wiek, stan dość dobry. Proszę jednak uważać, nie lekceważyć objawów, nawet błahych.

— Co mam wybaczać? Mam tyle, ile mam, i już! Miód jem i serce mam zdrowe. Jak Tomasz?

— Proszę przyjść jutro. Stan jest stabilny, będziemy bardzo na niego uważać. Proszę o zaufanie, a teraz — do domu! A pani zna Janusza dobrze? — zwrócił się do mnie.

— Mam zamiar. Jesteśmy na dobrej drodze do miłej znajomości.

— Nareszcie! Janusz wychodzi ze skorupy! Dobranoc! Jedźcie, panie, ostrożnie!

Mama jechała z głową na oparciu, blada i zmęczona. Nie odzywała się ani słowem. Czasem wypływała jej spod powieki łza. Brałam ją za rękę, bo co ja mogę? Tylko bezpiecznie zawieźć ją do domu…

— Wiesz — odezwała się koło Tylkowa — jak człowiek coś ma na stałe, to tego jakby nie docenia. A jak czuje, że traci albo, nie daj Bóg, straci, dopiero wtedy wie, ile to coś albo ktoś znaczy… Nie mogę sobie wyobrazić, że Tomasza nie byłoby przy mnie, a przecież nie jesteśmy, no, wiesz… Ależ się wygłupiłam przed tym doktorem!

— Mamo! Nie przejmuj się, bardzo naturalnie wyszło! A o tej stracie to ja akurat wiem. Wiem, mamo, jak to jest. Wiem.

Mama codziennie była w szpitalu. Ja doglądałam dwóch ekip. Pozbierałam już stosowne zezwolenia i papiery. Kaśka pieliła i zajmowała się domem. Wszystko szło nad wyraz sprawnie i po mojej myśli, a jednak czułam niepokój.

Maile Wiktora były coraz cieplejsze, coraz bardziej mi się podobały. Moje jemu — też. Zaczęło to wyglądać na pewną zażyłość. I może dobrze. Przyjemnie było dać się oswajać i oswajać go powolutku. Nigdy nie patrzyłam na niego okiem spragnionej kobiety. Nie analizowałam jego twarzy, czy jest przystojny, czy ładnie zbudowany, czy byłby dobry w łóżku… No, to był tylko Vicek! Finanse i księgowość! Facet zamknięty jak jego sejf.

A teraz:

Kochana Gośko!

Pewnie opalona jesteś! Zazdroszczę ci pogody, powietrza i natury. Intrygują mnie twoje pomysły związane z pensjonatem. Co to jest szachulec? OK. Znajdę w Int. Stajesz się budowlańcem! Chodzisz w waciaku? Filcokaloszach? We wszystkim ci ładnie… Brak mi twojego poczucia humoru. Mam mnóstwo pracy. Całe szczęście, że piszesz. Dziś nie mam weny, więc całuję delikatnie twoje spracowane dłonie.

Wik

PS: Jeśli mogę sobie czegoś życzyć, to żebyś uśmiechnęła się do mnie. Tylko do mnie!

Zupełnie zbijają mnie z pantałyku takie jego słowa. Nigdy taki nie był! No cóż, mogę poflirtować wirtualnie. To taka namiastka…

Widziałam już okna, jakie chcę do pensjonatu. Półokrągłe na górze. Takie, jakie były w starym, pięknym domu, który mijałam koło Lidzbarka Welskiego. Byłam z mamą w Toruniu i wracając, zrobiłyśmy sobie wycieczkę. Takie okna będą drogie. No! Drogie, ale piękne. Kiedyś upierałabym się, widząc modne, śliczne buty, kieckę… Teraz chcę okien! Takich, jakie robiono przed wojną!

Na podwórku bałagan. Dwie ekipy pokazują jedna drugiej, że uwijają się jak w ukropie. Rozczula mnie Stary, który wraz z młodymi bliźniakami, Romanem i Damianem, budują garaż. Oni są jak tatko i synowie, a podobno nie są nawet spokrewnieni. Obaj wychowali się w domu dziecka i kiedyś trafili na Starego. Czczą go jak świętego. On dba o nich jak kura o kurczaki. Poza tym są absolutnie samowystarczalni. Żadnych czajników, kubeczków, obiadów czy łopat. Wszystko mają we własnym zakresie. W cenie usługi! Jeżdżą starym żukiem, czystym i porządnym, i nim Stary dowozi wszystko. Mnie tylko przedstawia faktury. Rzeczywiście, umie tanio kupować. Potwierdził to pan Adam, kiedy mu podsunęłam te rachunki, żeby „rzucił okiem". Stary jest po wylewie i ma pół twarzy po paraliżu. Widocznym. Kuśtyka i ma niedowład ręki, ale wszystko, co pomocnicze, załatwia on!

Ponadto gotuje całkiem nieźle. Sobie i chłopakom. Czuję po zapachach krążących po podwórzu. Na podwórku od rana w ich werandce zbitej z desek, stoi maszynka gazowa, a na niej wysłużony, żeliwny garnek. Koło jedenastej zaczyna w nim coś bulgotać. Pachnie na pół podwórka, zawsze bardzo apetycznie, nawet jak była to zupa rybna. Poczęstowali mnie. Była fantastyczna i tak ostra, że później piłam piwo jak klient Elwiry. Prosto z butelki. Z bulgotaniem. Zawsze gotuje eintopf, jak mawiali Niemcy, czyli potrawę jednogarnkową. Jak widziałam nieraz, fantazji Staremu nie brakuje! Chłopcy murują. Warstwa po warstwie, monotonnie. Stary robi im zaprawę, a oni ją chlup, do taczki, i znów — warstwa po warstwie… Potem gotuje gęstą zupę, a oni ją chlup, do misek, i po jedzeniu znów murują. A Stary zmywa…

Ekipa pana Adama to teraz dobrani naprędce ludzie. Nie znają go i nie są tak zgrani. Jeden już wyleciał za pijaństwo, więc czekamy na następnego. Strasznie klną i widać, że nachlaliby się.

Znudziło mnie to podpatrywanie. Usiadłam na werandzie z książką. Słońce grzeje mocno, a łąka pachnie schnącą trawą. Ostatnio rzadko pada. Nocami ciut, ciut i tyle. Niedługo sianokosy. To Krzysiu mi powiedział, jak wracał z ryb. Powietrze takie ciężkie, gorące... Brzęczy owadami, pachnie miododajnie, nęci snem, drzemką chociaż. W rozlewisku przegląda się słońce. Po cichu rośnie wszystko. Wszystko! Ja — wszerz.

Mama pojechała po Tomasza. Dziś wypis. Mam gotowy obiad. Kurczaka w potrawce, sałatę z ogórkiem w sosie vinaigrette, tłuczone ziemniaki, bo Tomek nie lubi ryżu. W lodówce heineken. Mały.

Telefon.

— Cześć. Mó...mówi Janusz. Nie mam co czytać. Po...pomóż!

— Wpadnij wieczorem, koło szóstej, siódmej. Nie boisz się komarów? U nas jest chyba jakaś intensywna hodowla... Basia zaraz przywiezie Tomka ze szpitala. Aha! Dzięki za doktor Lisowską. Bądź!

— Tak. Na... na razie.

I był.

Mama przywiozła Tomasza, zjedliśmy obiad i pożegnaliśmy ekipy. O szóstej było już po wszystkim. Cisza. Kurz po robocie osiada. Nikt ze ścian budynku gospodarczego nie woła:

— Co ty, kurwa! Młotek! Nie ten! Kurwa! Ciesielski!

I tak fruwają te „kurwy" w powietrzu cały dzień. Inaczej nie umieją!

Siedzieliśmy na werandzie, piliśmy herbatę, a Tomasz opowiadał dykteryjki ze szpitala. Zrobiło się wesoło. Dwadzieścia po szóstej podjechał Janusz. Miał chmurną minę. Wziął książkę. Ręce trochę mu się trzęsły.

— Co ci jest?

— Nic. Tro...trochę rozlatany jestem. Po...poczytam, może mi przejdzie?

Rzeczywiście zacinał się bardziej niż ostatnio.

— Przejdźmy się. Zobacz, jakie rozlewisko. A jakie komary! Chodzisz gdzieś, czy tylko praktyka, dom i telewizja?

— Ja...jak to, chodzę?

— No, na kominy, do przyjaciół... Na brydża...?

— Nie.

Westchnął głęboko. Poszliśmy. Milczał. A ja czułam napięcie. Jego, nie moje. Paplałam o bzdurach, pokazywałam norki, opowiadałam, jaką śliczną łasiczkę przyniosła Blanka z łąk i jak ta łasiczka śmierdziała.

— Czym? — spytał bez zainteresowania.

— Sobą. Łasicowate, te wszystkie fretki, tchórze, taki mają cuchnący zapach!

Usiedliśmy na pniakach koło wypalonego ogniska. Janusz wystawił twarz do pomarańczowego słońca. Ciągle jest wysoko! Już siódma, a ciepłe promienie głaszczą twarz. Komary — wampirzy ród już nas namierzył. Bzzzz...

— Przyjechałeś wcale nie po książkę.

— Uhmmm — potwierdził, nie otwierając oczu.

Uspokajał się, więc nie ciągnęłam go za język.

— Miałem dziś o...ostatnią rozprawę.

— Rozwód?

— Tak. Trudny, przy...przykry, ale już!

— Odetchnij głęboko. Już masz to z głowy. Teraz może być tylko lepiej. Powiedz głośno: „Mam to w dupie!"

— Skąd wiesz?

— Z życia, z... pragnienia. Chciałabym, żebyś się wyciszył i żeby ci się jakoś ułożyło. Widzę, jaka jesteś galareta. Aż tak źle?

— Pójdę już.

— Dobrze. Wracamy. Powiedz!

— Ma...mam to w dupie.

— O, widzisz. Teraz to poczujesz i będzie po wszystkim!

Szliśmy powoli łąką. Taka ładna, a on idzie jak po ulicy! Spięty. Zgięty wpół. Wiatr rozwiewa mu pasma włosów. Dobrze, że chociaż ładnie przycięte. Nie lubię niechlujów. Idzie przygarbiony, jakby się chciał schować. Okropne. „Zglanowany" facet. Chyba nawet nie wierzy, że może być lepiej...

— Janusz.

Zatrzymał się. Odwrócił, jakby nie wierząc, że to ja coś mówię do niego. Ma pytający wzrok.

— Nie zachowuj się tak, jak byś był czemuś winny. Daj rękę. Jesteś miły i zawsze tu mile widziany. Nie musisz „po książkę". Powiedz: „Chodźmy na spacer" i ja pójdę.

Kiwa głową jak Kaśka. Ma chłodną dłoń, która się boi. Chciałabym go przytulić, tak normalnie, jak wtedy Sławkę, gdy dała plamę z kolorami, albo jak kogokolwiek w potrzebie, ale widzę, że umarłby z przerażenia.

— Dobranoc.

Dotykam jego twarzy macierzyńskim gestem. Odsuwa się.

— Dobranoc — odpowiada.

Wsiada do samochodu i próbuje się uśmiechnąć. Zostałam tam, na drodze, patrząc za nim i zastanawiając się, jakim cudem dorosły facet, który wyrywa ludziom zęby, może być aż taki „skopany"?

W domu dostałam SMS–a: „Dobrze, że jesteś. Dziękuję za dziś. J.".

Kilka dni później spotkaliśmy się, żeby pojechać do zegarmistrza. Pokrótce dowiedziałam się, bo jestem namolna, skąd ten stan skopania. Nic szczególnego.

Nieudany związek i sprytna „papuga", robiąca w czasie rozprawy pralnię i magiel. Rzeczywiście okropne. Ciężko znosił pranie brudów w sądzie. Pyskówki, oskarżenia, spreparowane dowody...

— Ale masz to za sobą!

— Już mi to powiedziałaś, a ja ci nie u...uwierzyłem! Dziś już mi lepiej. Ojciec też mi po...powiedział to samo, co ty.

Uśmiechnął się. Tak... Rzadko spotykany egzemplarz przystojnego blondyna o dość jasnych rzęsach. Marysia by się wzdrygnęła. Nie lubi takich. Ja, bardzo.

Właściwie, co tu jest do lubienia? To za młodu żywimy się ideałami, urodą konkretnego aktora, piosenkarza. Kochałam się na zabój w Janku Kosie, Deanie Readzie, Marku Ałaszewskim z zespołu Klan. „Kto dziś pamięta zespół Klan?" — pomyślałam. Teraz wrażenie na mnie robi całokształt. Mimika, uśmiech, gest. Nie musi to być facet najpiękniejszy z całej wsi. Może być nieśmiały, zacinający się stomatolog. Proszę bardzo...

— Co?

Odwrócił się do mnie, bo wie, że jest obserwowany.

— Tak patrzę, bo lubię. Jesteś inny niż wtedy. To mi się bardziej podoba.

— Ja...jaki byłem?

— Uciekający. Uważaj, tu jest ograniczenie, a tam za rogiem lubią stać z radarem.

To popołudnie było miłe i niewymuszone. Zegarmistrz zagadał nas trochę. Pokazywał swoje skarby i demonstrował piękny, kominkowy zegar, grający kuranty o pełnych godzinach, półgodzinach i ćwierciach. Cudo. Stojący zegar ojca Janusza jeszcze niegotowy.

W „sieciówce" budowlanej obejrzałam klamki i drzwi. Wybór tapet niewielki. Może farba? O Matko! Jeszcze nawet ścian tak naprawdę nie mam, a ja już o farbach! Trochę pogadałam z obsługą działu o nowych fakturach ścian, barwnikach i poszliśmy na dział ogrodniczy. Wyszłam z niczym.

Przed sklepem zobaczyłyśmy stragan z czereśniami. Przywiezione z południa. Poznanianki. U nas nie byłyby jeszcze takie dojrzałe! Wracaliśmy przez Prejłowo, a ja plułam pestkami przez okno. Janusz śmiał się i... też pluł.

O mailach — nieustannie, i wyjeździe do Warszawy

Wreszcie nie ma we mnie tego dojmującego uczucia, że ta lekkość, jaką się czuje w obecności przystojnego i miłego faceta, jest już poza mną, że mnie już nie dotyczy. Oczywiście mama jest wyjątkiem zaprzeczającym regule. W pewnym wieku trudniej znosi się samotność i trudniej uwierzyć we własny urok. Janusz jest miły i dobrze się z nim rozmawia. Śmieszą go moje żarty, zdania, sformułowania. Lubi, jak zaklnę. Zaśmiewa się wtedy. Nie ma między nami „mięty". Jest urokliwy kontakt. Tak. Wystarcza mi to.

Maile od Wiktora to inna bajka. To jak prywatkowa gra we flirt. Wiktor bawi się nastrojem, słowami... Ja też.

Nawet mama zauważyła, że mam inny humor. Jest teraz bardziej pochłonięta troską o Tomka. Troską, bo nie jest to, niestety, opieka. Tomek uznał incydent za były i ma w nosie to, co sugerowała doktor Lisowska. Żadnego zwolnienia tempa, zdrowego trybu życia, polegiwania, łagodnych spacerów... Od razu wszedł w swój rytm, chociaż oszczędza się troszkę, żeby zrobić mamie przyjemność.

— Mamo, namów Tomka na wyjazd. Taka wyprawa dobrze wam zrobi. Nie wiem, do Tomaszowa, Poznania, Sopotu... Na Cypr?

— Dobrze, Gosiu, ale później.

O, tyle zyskałam. Mama usłyszała od doktor Lisowskiej, że zmiana klimatu, owszem, ale za jakiś czas. Częściej teraz chodzą na spacery. Rozmawiają. Widzę to z okna, bo mama, idąc obok Tomka, zadziera głowę do góry. Tomek spogląda na dół. I tak się dogaduje — Góra z Dołem!

Mam teraz mnóstwo spraw i naprawdę muszę częściej zajmować się budową, a nie obserwowaniem szczebioczących ptaszków! Zamawianie okien, drzwi jeszcze przede mną, ale już „mam o tym myśleć". Kupuję bejcę do drewna na szachulec, bo pięterko już „idzie". Odezwał się gość mający na sprzedaż dachówkę. Muszę zorganizować transport. Okiennice, drzwi do garażów, bo będą cztery miejsca, to zrobią mi w tartaku u Karolaków. Liczą po koleżeńsku, ale i tak sporo tego. Zamówiłam u Stefana skrzynki na kwiaty. Po cichu, żeby nikt nie wiedział. To ostatnie, co powinnam zamawiać, ale ja już chcę poczuć, że jest bliżej niż dalej! Oprócz tego masa drobiazgu, kielnie, meselki, packi, gwoździe, wkręty i tak dalej...

Bałagan na podwórku — nieludzki! Kaczki obrażone na dobre i nadęta Blanka już prawie się wyprowadziły. My musimy w tym tkwić...

Na stole codziennie leżą w misce czereśnie. Pożeramy je w ilościach nieprzyzwoitych. Truskawki też. Te ogromne, słodkie, pyszne — ze śmietaną. Chociaż staramy się, zamiast niej, kupować „zerowy" jogurt waniliowy. Leniwie siedzimy na werandzie, sięgamy po owoc, maczamy go w jogurcie (że niby mniej kaloryczny) i do ust... Poezja! Rozpusta! Już pojawiają się te czereśnie, które najbardziej lubię, różowo–marmurkowe, ogromne i twarde od rozpierającego je soku. Późne.

Kiedy kupowałam je na straganie, znów usłyszałam miły dwugłos:

— Dzień dobry!

To Zuzia z Anią. Uśmiechnięte i chętne do pogawędki.

— Czereśieńki! Pani to może, my z Zuzią nie bardzo już, bo i zęby nie takie, i surowizna zaraz na wątrobę się położy. Ale jak były małe, to nasza babcia, znaczy moja, tak robiła... Powiedzieć pani?

— Tak, proszę.

— No to pamiętasz, Zuzia? Długi kij między krzesłami wisiał, a na kuchni, w garnku, cukier stopiony. Taki sam, bez wody, jak do karmelu. Czereśnie, takie po dwie, zanurzała babcia w tym cukrze i wieszała na kijku, aż zastygł. Cukier znaczy. Potem kij dawali na strych, gdzie sucho, a na owoc babcia gazetę kładła od much i kurzu. I na Boże Narodzenie, pani...! My, dzieci, zapomnieli już o nich, a tu takie pyszne babcia znosi. Pamiętasz, Zuzia?

— Będę musiała spróbować. Do widzenia paniom!

— Do widzenia! Niech idzie z Bogiem!

Pożegnałyśmy się i pojechałam, myśląc o czereśniach w cukrze. Jak amerykańskie jabłka glazurowane w cukrze, na Halloween.

Jednak zapomniałam je zrobić, bo trwa wysyp truskawek. Już zalegają stragany, ale my wiemy, że jeszcze nie pora! Czekamy ze słoikami i cukrem na te najwłaściwsze. Średnie, ciemne i baaardzo słodkie! Już niedługo. Mama cieszy się, bo bardzo lubi robić przetwory. Ja nigdy nie robiłam... U nas Zosia czasem zrobiła to i owo, do słoiczków. Po dwa, trzy. Jakieś wiśnie w cukrze, konfitury z truskawek, trochę korniszonów mieszanych i tyle. Reszta, mówiła Zosia, jest w sklepie wystarczająco dobra i tania!

Na lato zapowiedziały się dziewczynki, Marysia i Paula. Skończyły sesję, więc muszą się wybyczyć. Marysia zaniepokoiła mnie stwierdzeniem, że „dokłóci się do końca z Kubą" i przyjedzie. Obiecała wyjaśnić mi wszystko po przyjeździe.

Mail od Wiktora:

Kochana G.

Przyjedź! Jesteś tu mile oczekiwana. Dawno nie widziałaś Warszawy, a ja

— Ciebie. Zapewniam uroczy wieczór. W piątek będzie koncert w Teatrze

Narodowym z fantastycznymi solistami. Charytatywny. Później zapewniam sushi w dobrej knajpie, (lubisz — pamiętam!), może, jak zechcesz, moje męskie ramiona?

Wik

No i jak to ma być? Wszystko balansuje na granicy żartu, ale ja wiem, że to jest taki wybieg. Chyba chciałby, ale boi się, więc zawsze może powiedzieć, że skąd! To tylko dowcip.

A ja? Chcę, czy nie? Trochę imponuje mi fakt, że Wiktor zwrócił się do mnie, nie jak byłam pod ręką, a teraz, kiedy jestem „aut" i kiedy lata mi lecą i tyję... Mam zaniedbane dłonie, fryzjera nie widziałam od stu lat i w żadne swoje ciuchy już nie wchodzę.

Wysłałam mu parę zdjęć z moją rodziną i z mamą, na których widać, ile mam „do przodu" kilogramów. Komentarz był miły: „Jesteś ślicznie wypełniona", „Tryskasz radością" i najbardziej zaskakujący — „Tęsknię".

Mama jest zdania, że powinnam pojechać, bo zdziadziałam, a ona nie może zajmować się mną i Tomaszem, i Kaśką jednocześnie!

— Popatrz na siebie! Tylko jeansy i podkoszulki! A coś kobiecego? Nie jesteś budowlańcem. Jesteś panią inwestor! Kup sobie coś w Warszawie. Tam masz większy wybór, znasz miejsca. I pójdź na ten koncert! Opowiesz nam wszystko!

No i pojechałam. W środę rano. Wczesnym popołudniem byłam już w domu, zgarnęłam Marysię i pojechałyśmy „w regały".

Ach! Shopping! Dawno zapomniana rozrywka nowobogackich! Było miło. Mania, od kiedy ma własne fundusze, płaci sama za siebie. Zresztą nie była nastawiona na swoje potrzeby. Postanowiła mnie uczłowieczyć. Nawet zadzwoniła do fryzjera i zamówiła na jutro termin! Pojechałyśmy za Warszawę do „Outlet". Plotkowałyśmy i przebierałyśmy w szmatkach bez końca!

Uzupełniłam bieliznę. Kiedyś koszty nie grały roli. Dziś, dobrze, że jesteśmy w centrum wyprzedaży, bo tych wyśrubowanych cen za stanik albo majtki bym nie zniosła. Wciąż myślę o tym, za jakie pieniądze żyją tam, „u mnie", ludzie... Do przyjazdu do mamy nie zdawałam sobie sprawy z różnic! Dla Elwiry dwadzieścia złotych za stanik to wszystko! Ona pracuje. A te bez pracy? Tu, na szczęście, ceny są niskie. Poszalałam. Kupiłam też prezenty. Kilka ciuchów mamie i Kasi. Sobie wszystko w rozmiarze... O Matko! Czterdzieści! Poczułam się jak pyza na polskich dróżkach.

— Daj spokój, mamcik! Ładnie ci z tym. Nie jesteś taka... sucha. Przyzwyczaj się, bo przecież nie zaczniesz się odchudzać!

— Czemu tak sądzisz?

— Bo u babci Basi się nie da! Daj buziaka. I tak cudna jesteś! — powiedziała Mania szczerze i radośnie.

Co ja bym bez niej zrobiła? Moje dziewcząteczko kochane!

Wróciłyśmy prawie nocą. Konrad czekał z kolacją. Było wino i lekka, miła rozmowa. Mania, zapytana o Kubę, posmętniała i rozgniewała się. Dostał zaproszenie do Chicago od dalekiej rodziny. Ma tam jechać już, bo powinien przed studiami zaaklimatyzować się. Ma już pracę.

— Jakimi studiami?

— Załatwił sobie MBA w Chicago. Rok...

— To dlatego rodzina wymościła mu gniazdo... Ale to dobrze! Marysiu, jesteś niepewna jego? Siebie?

— Nas, mamo! Takie czasy. Wierność jest „passé"! To nawet niestosowne w pewnych kręgach!

— A to twoje kręgi?

— Nie, ale nie wiem, kogo on tam spotka, jak będzie. To dobrze, że jedzie, ale nasz związek wisi. Chcemy go otworzyć.

— Słucham?

— Pójdę do siebie, bo i tak nie nadążam — powiedział Konrad. — Zbiorę ze stołu.

— Dajemy sobie luz.

— Może to i uczciwe... — zastanowiłam się na głos.

— Ale boli... — mówi Mania.

Ma rację.

— Przeczytaj albo obejrzyj, mamy to na kasecie: *Związek otwarty* Dario Fo. Koniecznie!

Co to za durne czasy?! Kiedyś rycerz jechał gdzieś, a dama w pasie cnoty łaziła po zimnym zamku. On twierdził, że wraca wierny. Nasze pokolenie zaczęło bezcześcić wierność. Odłożyliśmy ją do lamusa razem z honorem, dobrymi manierami, patriotyzmem... Każde z tych słów trąci myszką. To jakiś absurd!

A ja sama? Też nie jestem bez winy. Mój luz w tych sprawach usprawiedliwiam nieudanym życiem... Nie szarpiąc się na uwięzi zakazów kościelnych, uważam, że powinnam poczuć szczęście. Jeśli go nie znalazłam w małżeństwie, szukać dalej... Fakt. Nie rzucam się z łóżka do łóżka, jak moje koleżanki w poszukiwaniu kochanka wszech czasów. Ale korci mnie poznanie czegoś lepszego, niż miałam...

Kuba i Marysia są młodzi i zapewne boją się wierności, bo jedno albo drugie może spotkać kogoś ciekawszego, więc po co iluzja?! Czy wtedy pożegnania, takie na rok, mniej bolą? Mniej serce trzepocze z niepokoju?! Wszystko mogę i jest mi lżej? „Związek otwarty". Czarci wymysł...

Od fryzjera wyszłam całkiem nowa. Krótsze, dobrze przycięte, znów wolne od gumki i zapinek włosy! Kręcę głową, a one falują i przesypują się zalotnie. Manicure jakoś uratował wygląd moich robotniczych dłoni. Nie, nie jest tak źle! Lustro dość przychylnie ocenia mnie po roku.

Wieczorem rozmawiam z Konradem. Marysia z Kubą są na pożegnalnej balandze.

— Dobrze, że Kuba ma ciąg do wiedzy. Takie studia zagraniczne... W naszych czasach, pomarzyć! — powiedział Konrad.

— Naturalnie, nikt mu nie żałuje! Ale to nie o to chodzi. Widzisz, oni teraz nie umieją być wierni sobie. No, boją się swoich sił w tym względzie i dlatego nie przysięgają sobie przed wyjazdem: „Będę twój na wieki".

— A co robią?

— Otwierają związek. Taka klapa bezpieczeństwa. I tobie, i mnie jak się coś zdarzy, to... się zdarzy i już!

— Coś podobnego! — Uniósł się. — Gosiu, mnie się wydaje, że teraz niepotrzebnie za głośno, za dużo się gada na ten temat!

— Może masz rację, a może ta ich nowa moda jest uczciwsza?

— Nie wiem. Mnie to przeraża. Ten upadek wartości, to nieliczenie się z drugim człowiekiem, ta pogoń za kasą i sukcesem, lekkie traktowanie seksu...

— Dla nich to normalka...

— To właśnie nas przeraża. Adę i mnie. Ona sądzi — wybacz, że o niej mówię — że i tak ja, ona oraz nam podobni będziemy żyć w swojej niszy. Nie będziemy na siłę się podporządkowywać.

— Hmmm — zamruczałam aprobująco.

Dopiliśmy wino i poszłam do siebie.

Dostałam SMS-a: „Jak już Warszawa doda ci blasku — wracaj. J.".

No, proszę!

W piątek od rana zaliczałam ulubione miejsca w Warszawie i odwiedziłam koleżankę jeszcze ze studiów. Naturalnie, pospacerowałam Nowym Światem. Szłam i myślałam. Jeśli Wiktor bawi się moim kosztem, wyczuję to. A jeśli nie? No cóż, już rozbudził mój niepokój. Wprowadził jakieś erotyczne drżenie w nasze relacje. Wszystko cieniutkie i delikatne jak papier ryżowy. Jest interesującym i przystojnym facetem. Ma ogromne doświadczenie zawodowe, niezwykły intelekt, humor. Na wszelki wypadek kupiłam prezerwatywy. Zastanowiły mnie nowości. Te wszystkie: „Extra nawilżane", „O smaku whisky" (nie lepiej po prostu wypić drinka?), „Z wypustkami", „XXL"...

No właśnie, nic nie wiem o jego rozmiarze. Ani czy w ogóle do „tego" dojdzie. Ale zakładam, że on zaproponuje, zasugeruje... Muszę być przygotowana na wszystko, nawet na to, że „to tylko był żart, Gosiu". Niby dlaczego przystojny, dobrze ustawiony facet nie szuka fartu u młodej, chętnej laleczki? Dlaczego ja, tłuściejąca, idąca w lata emerytka roszczę sobie pretensje do „awansów" Wiktora? Bo w mailach podpuszczał mnie tekstami o erotyczno–romantycznym zabarwieniu? Cholera! Ale ja głupia jestem! Dałam się podejść jak durna cipka na dyskotece! Pewnie miał ubaw, pisząc mi te wszystkie czułości!

Głupia! No, oczywiście! Naiwna, podstarzała gęś. Naburmuszyłam się. Najlepiej, najczyściej mi się myśli na moim kochanym Nowym Świecie! Ze złości na Wiktora kupiłam sobie perfumy. Dość drogie, ale małą buteleczkę. Tak pięknie pachną! To dziwne, ale najbardziej lubię zapachy „dla brunetek", ciężkie, z piżmem i ziołami, cynamonem. Grześ mi powiedział, że mam osobowość brunetki. Tani tekst. Nieprawda?

Koncert był świetny. Owacje na stojąco dla maestry Duczmal. Jest fenomenalna! Jej orkiestra — jak zwykle doskonała. Walewska — powalająca. Jej mezzosopran urzeka mnie ciepłem i barwą. Jest zaraz po Marii Callas, bo jej to nikt nigdy nie dorówna. Wiktor — znakomity odbiorca. Zachowywał się jak wytrawny znawca klasyki. Dyskretnie opiekuńczy, miły.

O! Tak dawno nie byłam w takiej świątyni kultury! Moją świątynią jest łąka przy rozlewisku i wszystkie tam brzmiące trele, pohukiwania, śpiewy, tiurlikania, całe to ptasie radio.

— Miło, że o mnie pomyślałeś. To były wspaniałe chwile. Dziękuję.

— Teraz sushi. Nowa knajpka. Pyszne! Chodź!

— Kusisz.

— A ty chcesz. Boisz się? To niskokaloryczne, poza tym rzuć w cholerę te bzdury o doskonałej figurze! Jesteś cudownie apetyczna. Uwierz w to!

Ale mnie urabia! I jak dobrze mu idzie, bo już prawie wierzę, że mój tłustawy brzuch, owalne biodra, pupa większa niż zawsze to ładniejsze niż powszechna chudość. Przynajmniej chcę w to wierzyć.

W restauracji opowiedział mi wreszcie, jak to było w czasach firmowych, kiedy ściśle strzegł swej prywatności. Jego była poznała go ze znaną aktorką. Miał sprawdzić jej finanse, bo menedżerka tej gwiazdy odstawiała lewiznę. Tak się poznali. Potem przeszedł szkołę życia przy boku rozkapryszonej femme fatale, mającej obsesję na punkcie prywatności. Ukrywanie się, histerie, napady szału na przemian z depresjami, wreszcie narkotyki i koniec. Miał dość, choć, jak twierdzi, było interesująco.

— No, to bomba! Nie spodziewałam się tego po tobie!

— Chciałbym, żeby to zostało między nami.

— Nie. Jutro rozgłoszę to w internecie.

Później rozmawialiśmy o tak zwanych ludzkich sprawach. O jego i moim życiu, rozpadach, związkach zamkniętych i otwartych... Nic mu o Grzesiu nie powiedziałam. Po co? Nie muszę. Przy białym winie trzymał mnie za palce dłoni i rozmawialiśmy przyciszonym głosem o nadziejach. Podobno zawsze cenił mój intelekt, podobno lubił mój uśmiech, ale zaczął zauważać mnie jako kobietę dopiero rok po zerwaniu z gwiazdą. Był, jak twierdzi, tak zaślepiony, że żadna inna nie była w stanie go zaabsorbować. Dopiero mój przytyk, złośliwa uwaga obudziły go jako faceta na jakiejś naradzie.

Ponoć (nie pamiętam) strasznie mu przygadałam, a on nie miał riposty. Był wściekły, a w gabinecie pomyślał o tym, że chciałby się ze mną kochać. To było rok przed moim odejściem, kiedy ja zrobiłam się podobno taka „potwornie kobieca". Podobno. Mam mu wierzyć? A może to tani lep? No tak! „Potwornie kobieca?". Zaśmiałam się w duszy. To były czasy Grzesia!

— I od tamtej pory — kontynuował Wik — myślę o tobie co jakiś czas i o tym, że byłem głupkiem, nie zauważając cię wcześniej. Nie miej mi za złe tego, co powiem. Jesteś jak wino, z każdym rokiem lepsza, ciekawsza.

Hmmm. Cwane! Podbechtać moje ego — myślałam. Docenić intelekt i zachwycić się tłustymi ramionkami. Ja i tak mam ochotę, głuptasie! Ale staraj się, bo dobrze ci idzie!

Mieszkał w nowoczesnym, strzeżonym osiedlu. Znakomicie urządzone mieszkanie. Widać było rękę designera i pieniądze Wiktora. Serce, mimo wszystko, biło mi mocniej. W końcu wiadomo było, po co tu jesteśmy.

Był łagodny i dyskretny. Całował ze znawstwem i pewną maestrią, ale jak na moje potrzeby, ma ciut za wąskie i sztywne usta. Może spięty? Głaskał mnie po plecach i delikatnie gryzł w kark. Nie czułam jednak tej fali pożądania, jak wtedy, z Grześkiem. Może to nerwy? Nie spieszył się i wszystko było... poprawne. Miłe. Jak dla mnie tylko tyle. Gumki wystarczyły te normalne. Też miał. W szufladzie, przy łóżku.

Moja koleżanka, mająca spore doświadczenie w tym względzie, powiedziała mi kiedyś:

— Pamiętaj, każdy pierwszy raz z nowym facetem jest beznadziejny. Jesteście spięci! Musisz mu dać drugą szansę! JA ci to mówię!

Nie dam. Leżałam obok Wiktora i wiedziałam, że nie dam jemu ani sobie drugiej szansy. Był z siebie zadowolony, mruczał coś w rodzaju: „Słodka jesteś", ale atmosfera intymności rozrzedziła się. Przyniósł whisky i lód. Tak. To było „na miejscu". Po drinku poluzowało nam i zaczęliśmy żartować. Myślę, że tak właśnie chcieliśmy ukryć rozczarowanie. Może zakłopotanie? O wiele więcej czułości, erotyki i tego niewidzialnego czaru było między mną a Grzesiem, mimo że nie była to szaleńcza miłość. Zdecydowanie to nie było TO.

Niech się mury pną do góry, czyli zdążyć na czas

Budowanie naraz dwóch budynków dwiema ekipami, to pomysł raczej karkołomny. Trochę niesnasek, trochę fochów. Trudno, nie jestem ulubienicą pana Adama. Często zawracam mu głowę rzeczami, według niego, nieistotnymi, a czasem on mnie pyta o rzeczy idiotyczne… Skąd ja, na przykład, mam wiedzieć, jakie chcę rurki centralnego ogrzewania? Proste i niepękające. No, jakie mogą być? Adam wznosi oczy do nieba w akcie niemej rozpaczy. Pobieram więc przyśpieszony kurs u Tomasza. Staję przed Majstrem i popisuję się:

— W miedzi będzie chyba OK!

— Nie plastik?! To taniej i wszyscy tak robią, a kasę można wydać na coś bardziej potrzebnego.

— To po cholerę pan pyta?

— Bo chcę wiedzieć — mówi spokojnie.

W markecie handlowym w Olsztynie pan fachowiec robi mi lekcję, zadając pytania o kubaturę, przeznaczenie budynku, nasilenie gości w sezonach i wtedy twierdzi, że on też zaoszczędziłby na miedzi, dał plastiki, a forsy i tak mi na coś zabraknie…

Ze Starym takich problemów nie ma. On ma projekt i cierpliwość anielską. Uzgadnia ze mną pewne rzeczy jak dobrotliwy papcio Smurf. Cierpliwie tłumaczy i przyznaje, że jego firma instalatorką to się raczej nie zajmuje, a o bateriach słonecznych wie tylko tyle, ile z książki science fiction, z młodości. Dziwi się, że ludzie to już produkują…

Na szczęście dzisiaj zero budowlanych rozmów i dywagacji. Jedziemy z mamą i Kaśką na rynek, do Szczytna, kupić truskawek na dżemy. Teraz właśnie, w końcówce, pojawiły się te najlepsze. Jak byłam mała, mówiło się „murzynki", bo były niewielkie i bardzo słodkie. Zabrałyśmy kosze. Rzeczywiście, są! Przyszła ich pora i są! Leżą na straganach piramidy jasnych i tych bardzo ciemnych, drobniejszych, na przetwory. To nasz cel. Jeszcze tylko znajdziemy ładne i tanie, dobijamy targu i kupujemy dziesięć kilo. Wcale nie tak ich dużo. Są ciężkie. Ładujemy je do samochodu i kupujemy dekielki do słoików. Wracając, wpadamy jeszcze na chwilę do szmatlandii, skąd wychodzimy z piękną spódnicą dla Kaśki i pikowanym serdakiem. Jest wniebowzięta.

Jedziemy do domu. Mamy masę pracy. Szypułkowanie na werandzie przypomina mi darcie pierza. Siedzimy w kobiecym kręgu i gadamy. W miednicy rośnie górka mokrych od soku truskawek, których już żadna z nas nie może jeść. Mama opowiada, jak Bronia uczyła ją robić przetwory i jak mama się buntowała, że po co? Są w sklepach! Dzisiaj i ja już wiem po co. Moja niechęć do konserwantów i barwników jest dostateczna, a smak domowych przetworów, półka uginająca się pod ich ciężarem, to widok i smak spokoju.

Mama wsypuje truskawki do garnka, zasypuje cukrem i pozwala im puścić sok, a my w tym czasie odgrzewamy sobie wczorajszą kaszę gryczaną na wielkiej patelni. Na spodzie, oczywiście, skwareczki. W dzbanku, oczywiście, zsiadłe mleko nieodtłuszczone, od krowy Karolaków! Kiedy już kasza dochodzi, do drzwi puka ktoś i wchodzi Janusz z książką. Ciągniemy go do stołu.

— Nie certol się. Patelnia, zobacz, jak antena satelitarna, dla ciebie też wystarczy!

— Da...dawno nie jadłem ka...kaszy. Ojciec nie lubi.

— A ty?

— W a...akademiku pożerałem! Z kefirem.

Bla, bla, bla o niczym i już zauważyłam, że mniej się zacina i że ma zielonkawe oczy, jak siądzie w słońcu. Wyprostowany, wesoły, zupełnie inny niż tamten zbity pies sprzed tygodni. Kiedy wychodził i skłonił się do Basi ręki, by pocałować ją na do widzenia, jeansy napięły mu się na ciele. „Ma zgrabny tyłeczek" — pomyślałam i roześmiałam się głośno.

— Co się stało? — spytał stropiony.

— Nic, nic, odprowadzę cię do samochodu.

W kuchni, jak wróciłam, było już sprzątnięte po obiedzie i mama zlewała sok, który zaczął pojawiać się w garnku. Teraz wstawia garnek na piec i miesza. I aż do pojawienia się piany mieszam wszystko wielką, drewnianą łyżką. Kaśka wypłukuje słoiki i dekielki spirytusem. Jest uważna i staranna. Skupiona.

Kiedy już truskawki zawrzały i puściły resztę soku, mama wkłada do garnka sitko i z niego wybiera chochlą sok do słoika. Jeszcze minuta, dwie i już!

237

— Koniec?! Zosia, teściowa, to opowiadała, że to się smaży i smaży...

— Wiesz, nie lubię takich wysmażonych. Jeśli już, to powidła ze śliwek. To tutaj to taki dżem konfiturowy. Krótko i szybko, wtedy więcej smaku zostaje.

Pod oknem, na stole leży stos „Gazety Olsztyńskiej" z całego tygodnia, równo pokrywają całą powierzchnię. Mama nalewa konfiturodżem do słoiczków przez specjalny lejek z szerokim ujściem. Kaśka zgrabnie zakręca i stawia na gazetach, do góry nogami.

— Czemu tak?

— Żeby się zassał, Gosiu, wieeesz? — buczy Kaśka, zadowolona, że wie lepiej ode mnie.

Patrzę zaczarowana. I już! W słoiczkach uwięziony smak i słodycz. Kwintesencja na zimowe wieczory. Pod słońce podniesiony słoik pokazuje szklisty, czerwonorubinowy syrop, a w nim kłaki truskawkowe i całe truskawki. Powolutku przelewają się, jak je stawiam na denku. Jestem pełna zachwytu.

Mail od Wika:

Kochana Gosiu.

Twoje milczenie niepokoi i smuci. Chyba nie byłem namolny, nie uchybiłem, nie... No, nie wiem, czy jakimś drobiazgiem nie zrobiłem ci przykrości?

Melduję, że dokonałem wszystkich już czynności, by zamienić twoje toledo na gotówkę, a gotówkę na półciężarówkę. Potrzebna jest tylko obecność toledziaka, tu, w Warszawie. Mógłbyś przyjechać razem z nim?

Zapewniam, że całość zajmie nam pół dnia. Papierami i rejestracją zajmie się Karol. (Pamiętasz go?) Teraz zajmuje się samochodami i ubezpieczeniami. Wolny czas na oczekiwanie wypełnię ci tak, jak tylko zapragniesz.

Wik (Warszawski Informator Kulturalny)

PS: Koncert? Teatr? Kino? Dysponuj.

I pojechałam. To było więcej niż pół dnia. Tablice i dowód rejestracyjny to kwestia czasu, a ja nie mogę i nie chcę tu tkwić, podczas kiedy tam rozgrywają się takie ważne rzeczy! Stary już mi wylewa posadzkę w garażu i mam się zdecydować, czy chcę pod jednym ze stanowisk mieć kanał naprawczy, czy nie? Tomasz uważa, że ktoś z gości może będzie chciał coś dłubać w samochodzie. My i tak odstawiamy samochody do pana Pawła w Dźwierzutach.

Wiktor nie odstępuje mnie na krok, proponując różne rozrywki. Pokazuje mi nowe knajpy, załatwia bilety na wyjątkowy występ amerykańskiej grupy stepującej. Szaleję z zachwytu i, niestety, po kolacji w „Cesarskim Pałacu" wykręcam się bólem głowy.

Ewa, ta moja doświadczona koleżanka, syczałaby mi do ucha:

— Za drugim razem! Mówię ci!

Ale ja wiem, że nawet za drugim razem nic nie będę czuła. Nie pójdę z Wikiem do łóżka i już! Głupio mi, bo Wiktor staje na uszach, żeby uprzyjemnić mi czas i ma wyczekującą minę. Sytuację rozwiązuję diabelsko. Na nowe tablice i papiery muszę jeszcze czekać parę dni. Umówiłam się z Manią, że ona odbierze ciężarówkę, co to „jest jej pół", i przyjedzie, a mnie zawiezie Konrad, bo się zaofiarował.

W dzień wyjazdu spotkałam się z Wikiem w herbaciarni nieopodal firmy i wyćwierkałam z gracją, że jest tak, a nie inaczej, i że muszę jechać. Jest inteligentny. Widziałam to w jego oczach, że się domyślił. Swoją drogą, jaka ja jestem głupia, że nie stać mnie na wypalenie prawdy: „To nie ty, sorry".

Konrad okazał się w drodze zdumiewająco rozmowny. Podróżowaliśmy jak nigdy, zaśmiewając się, opowiadając różne historie i żartując. Mama powitała nas serdecznie, a mój mąż z mety poszedł oglądać budowę fachowym okiem. Dobrze, że już nie było pracowników, bo pewnie zasypałby ich pytaniami.

— No, nieźle to wygląda! A garaż to już full wypas, jak to mówią młodzi!

Był zachwycony utrzymaniem łuków okiennych, choć okna małe. Drzwi też z łukiem, co podróży koszty wrót, cegła i gdzieniegdzie drewno na ciemno barwione. Dachówka „holenderka" też dodaje urody budynkowi, choć to tylko garażowiec…

Pensjonat wygląda gorzej, bo w nim więcej roboty, ale mniej więcej widać ogólną linię. Właśnie skończono robić drewnianą konstrukcję „kukułek" — okien wykuszowych.

— Super! Prawda? — dopytywałam się Konrada.

— Taaak. Ładnie to wymyśliłaś. Jestem z ciebie dumny.

Taaak? Taaak? Boże mój! Tyle lat razem i teraz, po rozstaniu, pierwszy raz słyszę, że jest ze mnie dumny. No, jeszcze jak urodziłam Marysię, ale wszyscy w takich sytuacjach tak mówią.

Po podwieczorku Konrad postanowił wracać, mimo protestów. Nawet Tomasz dołączył swoje, ale widać Ada krótko trzyma swojego Radka (tak na niego mówi!), bo nie chciał nawet piwa i zebrał się o ósmej w drogę.

— Dwie i pół godzinki i już jestem w domu! — tłumaczył się.

Zostaliśmy sami. Właściwie zmyłam się szybko do siebie, bo miałam trochę zaległej pracy. Mama i Tomek poszli z Funiem do lasu, „na kleszcze", jak mawiają. Widzę ich z werandy. Idą w stronę lasu. Mama trzyma w ręku badylek, Funio coś gania, a Tomek trzyma mamę za rękę. Zazdroszczę im. Bardzo.

Mail:

Warszawa jest nudna bez Ciebie. — W.

SMS od Janusza: „Jutro zabieram Cię nad cudne, leśne jeziorko. — J. Kostium brać!".

O Matko! Wpadam w panikę. Kostium?! Cholera! Mam w Warszawie! Do głowy mi nie przyszło… No co, że na Mazurach potrzebny jest kostium?! Głupia! Jutro pojadę do Szczytna albo nie, do Olsztyna. Jezu! Gdzie ja kupię ładny kostium i żeby nie było widać, że zamiast brzucha mam poduszkę? A tłuste ramionka? A ciało jak budyń waniliowy — nieopalone? Szlag! Zapuściłam się i teraz Janusz się przerazi, jak zobaczy taką fokę!

Rano pada!!! Dzięki Ci, Panie! Pokrop rosnące roślinki, a ja w tym czasie znajdę w Olsztynie jakiś sklep z jednoczęściowymi kostiumami i pójdę chodź raz na solarium. I koniecznie pareo. Tak, zarzucę sobie na ramiona, że niby tak ma być i jakoś ukryję, że jestem tłusta.

Mogłam myśleć wcześniej. Nie obżerać się śmietaną, chlebem z miodem, skwareczkami… Nie?! To po co to wszystko Pan Bóg stworzył?! Żebym jadła muesli i chrupkie pieczywo?! Żarłam to wszystko, co smakuje jak płyta wiórowa, trzynaście lat! Wystarczy! A jak Januszowi się nie spodoba…? I tak jesteśmy tylko kumplami. Jakoś nie widzę w jego zachowaniu nic, co świadczyłoby o jego zainteresowaniu mną jako… jako…

Głupia. Głupia! On wygląda jak młody Bóg, może mieć każdą. Jest młodszy i pewnie ma swoje potrzeby po latach pożycia z tą jego piranią… Teraz, jak mu „puściło" po rozprawie, kiedy odzyskał wiarę w siebie, będzie kosił młode zboże aż miło! Na razie się nudzi, więc zaprasza nad jeziorko, a później, jak poleci i to na ostro z młodymi lalkami. Na pewno!

Do Olsztyna Tomasz pojechał ze mną. Dał mi prowadzić tego swojego terenowca.

— Przyzwyczajaj się — powiedział.

Zostawiłam go w szpitalu na kontrolnym badaniu, a sama czmychnęłam na rynek. Mnóstwo tam sklepów, więc coś znajdę. W trzecim Tomek przysłał SMS–a, że już jest po badaniu. Cholera! Zadzwoniłam i ustaliliśmy, że dojedzie na Starówkę taksówką. Znalazł mnie i doradzał. Było fajnie, bo ma zupełnie męski gust! Najbardziej podobają mu się dwuczęściowe i to w różowym kolorze.

— Chcesz, żebym wyglądała jak świnka Piggy?

— Do świnki to ci daleko. Najwyżej jak Peggy Bundy.

— Kupię ten różowy kostium, jak ty kupisz sobie stringi. Różowe.

— Złośliwa małpa! Do tatusia z takimi propozycjami!

— Skąd wiesz, że robiłam za twoją córkę?

— Na oddziale siostra Ela mnie poinformowała, że oświadczyłem się własnej żonie i nie odzywałem się do córki.

— To pierwsze, to prawda.

— Chyba już dojrzałem… No, to który bierzesz? W tym pomarańczowym będzie ci ładnie.

— Wy z mamą to jak Żuraw i Czapla. Staraj się! Kup jej pierścionek, czy ja wiem? Poproszę ten! — wskazałam, istotnie, na pomarańczowy w rude mazaje, pochlapane złotymi iskrami. Ładny. Drogi. Duży.

— Nigdy nie nosiłam takiego rozmiaru — burczałam w samochodzie.

— Jakiego?

— Czterdzieści. Duże czterdzieści!

— Co chcesz? Marilyn Monroe nosiła taki. Bożyszcze facetów, a ty fochy stroisz!

Zatrzymaliśmy się przed jubilerem. Tomasz poszedł po bateryjkę do zegarka, a ja pobiegłam do drogerii po krem do opalania.

Wracaliśmy do domu przez Prejłowo. Zastanawialiśmy się, czy damy radę z mamą poprowadzić taki biznes, tylko we trzy. Stanęło na tym, że potrzebna będzie pomoc.

Deszcz już ustał, choć nie rozpogodziło się. Mama przywitała nas obiadem i z mety przejrzała Tomkowe badania. Poszłam sprawdzić pocztę.

Mail:

Kochana niedoścignona i nieosiągalna! Jak będziesz czytać ten list, na po-dwórze zajedzie Twoja upragniona ciężarówka. Przynajmniej chciałbym, żeby tak było.

Mnie się podoba. Ma swój styl, no i diesel! Niech ci się nią dobrze jeździ.

Sprawdziłem z nudów — masz w Olsztynie dobrą stację obsługi.

Do takiego samochodu kup sobie koniecznie kowbojki!

Wik

PS: Jak Cię znam, włożysz te swoje słynne filcokalosze!

Stało się! Jak mama nakładała makaron na talerze, Funio doniósł głośno, że ktoś jedzie. Na podwórko, z fasonem zajechała moja półciężarówka. Biała, lekko zakurzona, a z niej wyskoczyły moje gwiazdy — Marysia i Paula.

— Mamcik! Kaśko! Babciu! Panie Tomku!

Dobrze jest być w kupie! Do wieczora oglądamy moją białą półciężarówkę. Porządny japończyk. To znaczy Tomasz ją ogląda, sprawdza, zagląda do silnika, a ja tylko wypróbowałam, jak się siedzi i prowadzi. Muszę pamiętać, że teraz tankuję ropę i tyle!

Lipiec i sierpień dziewczynki spędziły z nami. Opalały się nago nad rozlewiskiem, Paula uczyła się do zaległego egzaminu, rysowała, rozstawiając palety na łące, budząc zainteresowanie panów budowlańców. Marysia czytała, myślała o czymś i mailowała z Kubą coraz rzadziej. Czasem jeździły do Warszawy lub Trójmiasta, do Olsztyna, Torunia — jak im się chciało. Zawsze przywoziły coś „do pensjonatu". Półkę z metalu, świecznik, makatki, najprawdziwsze w świecie, z jakiegoś targu, obraz z jeleniem. Paula zwoziła mnóstwo firan i zasłon ze szmatlandii, bo ona w każdym mieście takie wyśledzi i poznajduje takie cuda, że aż dziw. Potem bierze to na warsztat i szyje. Tu doda koronkę, tam przyszyje falbanę i już mam przed sobą małe dzieło sztuki użytkowej.

Najwięcej przywiozły z Jarmarku Dominikańskiego. Pół samochodu, pół mojej ciężarówki glinianych rzeźb, „bo się stoisko wyprzedawało". Mnóstwo filiżanek i kubeczków, a jak usłyszałam cenę — spadłam z krzesła.

— Mamo, to artystyczne wyroby!

— Tak. Widzę. Nie kupujcie ich więcej…

Byłam coraz bardziej zajęta dozorem budowlanym, bo teraz, co i rusz, pan Adam „zawracał mi głowę". Tym razem trzeba zdecydować, gdzie kopiemy szambo. Stary i bliźniacy kończyli pieszczenie garażu. Osadzili wrota, zaciągnęli tynki, zamocowali kraty, wielce udatnie zrobione u kowala w Rumach. Z liśćmi i wygibasami. Ładne. Pensjonat miał już prawie cały dach, powyciągane kominy i wentylacje, zabudowane w szachulec piętro i zrobione „kukułki". Byłam zachwycona!

Mnóstwo czasu spędzałam z panem Adamem na gadaniu o wnętrzach, bo zbliżaliśmy się nieuchronnie do wykończeniówki. Sądziłam, że do jesieni będzie już można cieszyć się gotowym budynkiem, a tu jeszcze mnóstwo drobiazgów. Wylał mi wiadro zimnej wody na głowę. Do listopada, obiecał, zrobi mi „stan surowy zamknięty". Tak, żeby wiosną powiesić kaloryfery, wstawić okna, „biały montaż" i można tynkować, malować i zdobić. Tego nie mogę się doczekać. Najgorsze — urządzanie kuchni, bo zgodnie z przepisami. Koszmar.

Gadamy z dziewczynkami, jak urządzić ich pokoje, bo mama nalega, żeby w naszym domu moi wszyscy mieli pierwszeństwo i niejako — swoje pokoje, w których mogliby mieszkać zawsze, jak tylko przyjadą. Dziewczynki chętnie się zajmują wnętrzami pensjonatu i przedstawiają projekty. Poświęcam im dużo uwagi, bo chcę, żeby to miejsce, ten nasz pensjonacik był „najładniejszy w całej wsi". Każdy detal obmyślam, tym bardziej, że Janusz rzadko esemesuje, Wiktor też na szczęście przycichł i nie może mnie teraz nic odrywać od naszych planów. Janusz poświęca czas choremu ojcu i ma tajemnicę, o której nie mówi, żeby nie zapeszyć.

Też mam co robić! Któregoś wieczoru pojechałam do Elwiry po cukier i heinekena. Była dwudziesta druga, jakoś tak. Na murku, przed sklepem siedział wielki mięśniak i trzymał w silnych ramionach siedzącą tyłem do niego Elwirę.

— Cześć! — przywitałam się.

— Cześć, Gosiu! Andrzej poczekaj, tylko obsłużę panią — rzuciła do Mięśniaka.

W sklepie wyszeptała mi wszystko o kierowcy ciężarówki, który tu, przypadkowo, zajechał i tak jakoś się porobiło.

— Na razie jest fajnie. Andrzej przyjeżdża tu, jak nie ma trasy. Jest bardzo w porządku i małą lubi, i mamę…

— Świetnie. Daj buziaka, Elwirko, i ja pobiegnę.

Wychodząc ze sklepu, poczułam na sobie wzrok Mięśniaka.

— Fajna, co? — spytałam go.

— Fajna! — Uśmiechnął się szeroko, otulając Elwirę ramionami.

Jechałam do domu, z uśmiechem na twarzy na myśl o czarach. Może wreszcie uspokoi się Elwirowe serce? A moje?

Przypomniała mi się ostatnia randka z Januszem, kiedy to nerwowo szukałam kostiumu na wypad nad wodę. W pierwszy, gorący dzień pojechaliśmy do lasu nad małe i czyste jezioro. Śliczne! Nie miałam pojęcia o jego istnieniu, bo było ukryte w głębinach nie naszego lasu. Ten jest bliżej Dźwierzut. Byłam dość skrępowana moją figurą, siedziałam więc owinięta w pareo, w moim nowym kostiumie i patrzyłam, jak Janusz rozbiera się do kąpielówek. Ma ładnie umięśnione, młode ciało. Zupełnie nieopalone, ale i ja jestem blada, bo nie poszłam na solarium, jak to obiecywałam sobie solennie.

Byłam nadęta i zła.

— Co ci? — spytał.

— Źle się czuję. Taka blada, no i zapuściłam się.

— Nie! No… no, tylko nie to!!! Błagam!

— O co ci chodzi?

— Jakbym słyszał moją byłą. Całe ży…życie zapatrywała się na siebie. Każda fałdka to migrena i ko…kolejny atak na siłownię, ściskanie ud, żeby mnie przekonać, że o…ona ma cellulitis, jakieś dermabrazje, liposukcje, świrowanie na punkcie diet. Pa…paranoja! Godzinami się depilowała, smarowała i biadoliła nad niewidzialną zmarszczką. Jest jak a…android. Myślałem, że chociaż ty jesteś normalna…

Zrobiło mi się głupio, chociaż właśnie zauważyłam, jak niedokładnie wydepilowałam sobie bikini. Wstałam, zrzuciłam pareo i powiedziałam:

— Masz rację, pieprzyć to!

No, przegięłam o tyle, że chciałam zgrabnie i z gracją wejść do wody, ale była taka lodowata! Stałam w rozkroku i wrzeszczałam z zimna. Janusz wbiegł i zrobił to samo. Staliśmy tak, dwie przerażone „rozkraki", zaśmiewając się z siebie i z Bóg wie czego. Potem on zbliżył się i powiedział:

— Bądź no…normalną babą, będę cię uwielbiał…

Nie wiedziałam, jak się zachować, więc stałam tylko i uśmiechałam się chyba głupkowato. Wziął mnie za rękę i brodziliśmy po płyciźnie, przyzwyczajając się do wody. Nawet pływaliśmy trochę… I nic więcej.

Co znaczyło to: „Bądź normalną babą?". I dlaczego mnie nie pocałował?

Później nie mieliśmy czasu na randki i spotkania. On gdzieś przepadał, jeździł do szpitala do taty, a ja zajęłam się pensjonatem, no i były dziewczynki, i znacznie częściej bywał Tomasz. Było rodzinnie, nudnawo i cudownie. Chodziłam z dziewczynami do sadziku, na koc, gdzie gadałyśmy o bzdurach, jadłyśmy wiśnie, plując pestkami, która dalej, obgadywałyśmy facetów i snułyśmy plany na przyszły rok. Mówiłyśmy o wyjeździe we trzy do Francji, Szwajcarii i do Włoch.

— Mania, ja mam jeszcze ciut kasy, ale wydam ją na pensjonat. Trzeba i tak będzie sprzedać tę biżuterię po Zosi. Ona mnie do tego namawiała.

— Tatko powiedział, że jak będziesz w potrzebie, odkupi ją od ciebie. Oni z Adą nie wydają dużo i tatko oszczędności na nic nie przeznaczył.

— Jak ty z Adą?

— W porządku. Ona jest taka… Z poprzedniej epoki. Dystyngowana lady. Jest… miła. Tato przy niej uspokoił się. Jakby odetchnął. Nie robię ci przykrości? Mamcik? Pojedźmy do Włoch!

— Nieee. Nie robisz. Nawet się cieszę. Czemu on jej nie sprowadzi do domu?

— Nie wiem, mamo. Proponowałam mu, ale powiedział, że tak jest dobrze. Bywa u niej trzy razy w tygodniu i ona wpada. Ale szlafroka i szczoteczki u nas nie ma. Dama. Pojedziemy, mamo?

— Pojedziemy. A co tam! Ale najlepiej we wrześniu. I tylko do Włoch. Na resztę nie mam kaski!

Czasem koło nas stoi koszyk z papierówkami. Kocham je! To miłość jeszcze z dzieciństwa, kiedy nam, biednym bachorom, wiecznie brakowało witamin.

Leżą takie ładne, niewielkie, jedne bardziej, inne mniej zielone i kuszą. Te zielonobiałe przy nagryzieniu pękają ze słodko–kwaśnym trzaskiem i kiedy się je gryzie, aż cierpną zęby. Żółte już są za dojrzałe, lekko mączyste. Dobre na placki z jabłkami. Kasia zgrabnie je obiera, wycina ogryzek, kroi w talarki i posypuje cukrem z cynamonem. Potem wrzuca do ciasta i obsmaża w tłuszczu. To jedno z niewielu dań, które robi. Trzeba tylko zrobić jej ciasto. Tak samo robi placuszki z cukrowej cebuli i potem posypuje je grubą solą. Tomasz lubi je do piwa.

— Zapomniałam wiosną podciąć te nasze przydrożne jabłonie — powiedziałam, leżąc na plecach, do nikogo. — Teraz się je pozasila, wiosną przytnie mocno i będą jabłuszka na przyszły rok! La, la, la, la! I przetwory. La, la, la, la! Mama mówiła, że niektóre z nich to stare antonówki…

Placuszki do piwa z cebuli

Cebulę dużą, cukrową albo zwykłą — jak kto lubi (cukrowa jest łagodniejsza), pokroić w krążki, dość grube. Pół centymetra. Zrobić ciasto naleśnikowe z jajka, mąki i piwa, o konsystencji śmietany. Maczać w nim krążki cebuli i kłaść na mocno rozgrzany tłuszcz: olej z dodatkiem smalcu. Usmażone krążki kłaść na papierowym ręczniku i potem na półmisku. Posypać grubą solą.

Zaszalałyśmy, kiedy pojawiły się wiśnie. Znów w spiżarni stanęły w rządkach ciemnowiśniowe słodkości, zamknięte na zimę. Było tak:

Namówiliśmy mamę, żeby nastawiła w baniaku wino wiśniowe. Tomek obiecał drylować. Ma być bez pestek, bez kwasu pruskiego. Czysto wiśniowe. Znów wypad na rynek. Tym razem beze mnie, bo ja pojechałam organizować koparkę do szamba. Są plany na kanalizację, ale to tylko mgliste plany… Po południu zasiedliśmy wokół pięknego, pękatego baniaka z drylownicami. Kaśka ma swoją, zrobioną ze szpilki do włosów. Ma ją od lat i posługuje się nią bardzo sprawnie. Drylujemy i już po chwili wyglądamy jak krewni rodziny Adamsów — Wampirzy Ród. Sok wiśniowy, jak krew, ciekmie nam po rękach, spływa po brodzie na ciuchy. A nas bardzo to cieszy!

W baniaku rośnie wiśniowa pulpa i mama zasypuje ją cukrem. Potem doda szlachetnych drożdży, żeby się zrobiło półwytrawne, i nie „dzikie" w smaku. Wiśni jeszcze pełno, więc drylujemy dalej i same postanawiamy smażyć dżem. Znów, za namową mamy, smażymy krótko. Znów cedzakiem, zanurzonym w słodkiej masie, oddzielamy pulpę od syropu i wyciągamy chochlą sok. Kasia myje słoiki spirytusem, jak zwykle, i już nalewamy nasz wyrób do słoiczków.

Jesteśmy takie dumne! Stoją do góry nogami, zasysając się. Potem będzie każdy czekał na swoją kolej. Tu, na Saskiej Kępie, u Pauli na Chomiczówce...

— Na rynku są piękne ogórki u pani Hali. Już takie gruntowe, niepędzone. Trzeba by się wziąć!

— O! To ja! — powiedział Tomasz. — Ja robię najlepiej! Ponadto moje się nigdy nie psują, bo ja nie miesiączkuję!

— Co ma piernik...? — spytałam zdumiona.

— W majątkach kobiety miesiączkujące nigdy nie robiły przetworów — objaśniła mama.

— Ciemnogród! — sarknęłam.

— Nie, naprawdę coś jest na rzeczy. Może to, zmieniona w tych dniach, flora bakteryjna? Nie wiem, ale rzeczywiście psują się i ogórki, i dżemy...

— No, na moje wyszło! Ja zrobię ogórki. Chodź, Baśko, pojedziemy na targ, pomożesz mi wybrać.

Dziewczynki oczywiście pojechały z nimi. Robotnicy skończyli wcześniej, bo to sobota.

Okazało się, że robienie ogórków to jeszcze większy rytuał, bo trzeba pozbierać tajemne składniki — liście porzeczek, wiśni, dębu, laseczki korzenia chrzanu. Nie wiedziałam, że tyle go rośnie na łące przed oknami. Tomek miał minę Davida Copperfielda. Mama zaś ze stoickim spokojem układała w słoikach ogórki, bo Tomasz wkładał je byle jak.

— O, zobacz! Jak są poukładane, to więcej ich wchodzi i ładniej wyglądają! — tłumaczy Gnom, z okularami na czubku nosa.

Tom patrzy na nią i śmieje się:

— Oczywiście, Basiu!

Później dziewczyny pomagały zalewać ogórki, a ja wyniosłam się z kuchni. Wysłałam SMS-a do Janusza: „Spacer wskazany. G.".

Zwrotny: „Zaraz jestem. J.".

Poszliśmy nad rozlewisko. Trawy i sitowie otoczyły lustro wody i kładki prawie nie widać. Siedzieliśmy, majtając bosymi nogami w wodzie. Patrzyłam na niego zachłannie. Jego profil, zapach — mieszanka potu i kosmetyku — jak feromon zaczarowały mnie i zadziałały, jak silny afrodyzjak. O kurczę! Ale mnie wzięło... Odetchnęłam głęboko i odwróciłam głowę, żeby się nie domyślił, jak bardzo. Fala głębokiego pragnienia, tkliwości, bardzo, bardzo silnie naerotyzowanej, podeszła mi pod samą brodę, rozlała się po ciele... O Matko! I co ja mam teraz zrobić?! Chcę go przytulić, dotykać i całować. Tak, jak nauczył mnie Grześ.

246

O Boże, mam zacząć? A jak on to zignoruje? Całą mnie wypełniło pragnienie, chęć głaskania go, tulenia się do jego torsu.

Nie chcę, żeby to zauważył. Byłoby mi głupio.

Siedziałam spięta, opętana, gorąca. Poczułam jego dłoń na karku.

Powoli odwrócił moją twarz ku sobie. Całował pytająco. Miał ciepły oddech i muskał mnie wargami, pytał językiem, czy naprawdę go chcę. Chciałam! Otoczył mnie ramionami tak, jak to sobie wyobrażałam, zapragnęłam, wymarzyłam… Położył mnie na kładce.

Deski pomostu były twarde, ale moje ciało miękkie i chętne. Nie zwracałam uwagi na takie duperele. Odważnie wsunął dłoń w moje spodnie i zdjął je sprawnie, ja rozbierałam go z większym trudem i właściwie tylko zsunęłam mu jeansy. Oplotłam go udami i szybko kołysaliśmy się odwiecznym rytmem.

Krzyknęłam tak głośno, że spłoszyłam siedzące w trzcinach ptaki. Sama się spłoszyłam.

— A… jeśli — spytałam zdyszana — w trzcinach siedzą wędkarze i patrzą?

— To niech się uczą!

Jeśli pierwszy raz z nowym facetem jest do bani, to ja koniecznie chcę jeszcze! Jeszcze! Przytuliłam się do niego. Zamknął mnie w ramionach. Tak pięknie pachnie. On i tatarak.

Wieczorem robiliśmy kolację wszyscy razem. Nie wiem dlaczego, ale miała być specjalna. Uroczysta. Domyślałam się, jednak nie próbowałam zgadywać i podpytywać mamy, bo lubię niespodzianki. Kasia nakrywała do stołu w pokoju. Pośrodku postawiła wazon. Pusty, ale z wodą. Popatrzyła na mnie i uśmiechnęła się tajemniczo. Układałam małosolniaczki, zakiszone niedawno w kamiennym garnku, na półmisku, obok wielkich pomidorów i dymki. Tomasz z mamą smażyli szczupaki z czosnkiem. Pachniało na całą okolicę! Paula obierała ziemniaki, a Marysia siekała je na duże frytki. To menu wyszeptane z Tomaszem. Zauważyłam, że w zamrażalniku chłodzi się bimber z Kurpi.

Kiedy frytki nabierały złocistości, Marysia zajrzała mi przez ramię i powiedziała cichutko do ucha:

— Zaszalał! Z prawdziwym brylancikiem!

— Kto?

— Oj! Nie świruj! Tomek chce się babci oświadczyć! Kupił w Olsztynie pierścionek. Przecież razem byliście?

— Nic nie wiem, do jubilera poszedł po bateryjkę… A to spryciarz!

— On to, mamciu, traktuje serio.

— A babcia? Nie wiesz?

— Babcia mi powiedziała, że się zgadza, bo ją szantażuje. Zagroził jej, że jak mu odmówi, to weźmie i umrze.

Mama ponagliła Marysię:

— Połóż, Mania, sztućce. Paula, nie spal tych frytek!

Trochę się wzruszyłam. Ciekawe, czy mama zgodzi się na ślub? A jeśli, to na duży czy mały? Potem przypomniałam sobie, co robiłam z Januszem na kładce i poczułam falę ciepła w podbrzuszu.

Zaczerwieniłam się, siekając cebulkę, zamrugałam oczami z podekscytowania i rozpierającej mnie radości. Roześmiałam się cicho.

Mama spojrzała na mnie badawczo znad okularów, jakby czytała w moich emocjach. Wyszeptałam jej na ucho, co zrobiłam nad jeziorem z Januszem. Teraz i ona się roześmiała.

Tomasz uśmiechał się tylko, patrząc na nas i kręcąc głową na te babskie tajemnice i szepty.

— A pamiętasz, Gosiu, swój pierwszy sen tutaj? — spytał Gnom radośnie. — Czyż nie był proroczy?

Wiedźma! Moja kochana!

Rozdział 5

O Zaduszkach i ognistym początku listopada

W Święto Zmarłych zostałam tu, u nas, nad rozlewiskiem. Nie chciałam ryzykować podróży w dni, kiedy na drogach jest niebezpiecznie. W Warszawie na Powązkach Starych i Wojskowych byłam pod koniec października. Odwiedziłam groby. Był taki piękny dzień! Zaczęłam od Starych Powązek, bo tam leży Zosia, moja teściowa, i teść. W starym rodzinnym grobowcu spoczywa cała rodzina Konrada. Z pomnika patrzyły na mnie zdjęcia przodków. Tatko i Zosia nie zrobili sobie zdjęć na porcelance. Uważali, że to „de mode". Pośpiesznie zapaliłam lampki i poszłam na Wojskowe Powązki. Są mi bardziej znane, bo tam jest grobowiec rodziny ojca, w nim mój tato, a także grób druhny Anny, Inki i ich kolegów z Powstania i okupacji.

Pogoda wymarzona. Słońce przebijało się łagodnie przez kolory jesieni. Na drzewach ukochane barwy mistrzów flamandzkich. Żółcie, czerwienie, rudości, oliwka i złoto. Cały cmentarz pokryły liście, łagodnie i dostojnie opadające z drzew. Jakieś babcie z wnukami przyszły po kasztany. Jest taki spokój! Karmię wiewiórkę. Zawsze przychodzi, kiedy jest ładnie. Siada obok ławeczki i czeka, niecierpliwie wiercąc się. Kładę jej na trawie, obok tablicy z nazwiskami — orzechy w łupinach. Laskowe i włoskie. Niech ma! Pięknie i cicho tu, przed Zaduszkami. Zmarli śpią i czuję, jakby się mną opiekowali w szczególny sposób. To chyba znaczy „czuć, że się ma korzenie".

Na grobie Powstańców, już dzisiaj, mnóstwo światełek. Ja pozapalałam jeszcze na grobie Tuwima, Mai Berezowskiej i Bezimiennego Żołnierza. To u nas tradycja. Co rok ktoś bezimienny ma od nas zapalone światełko na grobie.

Po powrocie byłam z mamą i Kaśką na tutejszym cmentarzu. Też przed świętem. Odwiedziłyśmy dziadków — Michała i Bronię, Mariannę z Józefem, Felicję…

Już po Święcie Zmarłych. Już skończyła się obfitość chryzantem w miastach i parada plastikowych kwiatów tu, na wsi. Jakaś paranoja! Pomylenie pojęć. Zupełnie jak w opowiastce o Janie Himilsbachu (prawdziwej czy nie), jak to spóźnił się na pogrzeb znajomego i w ostatniej chwili wrzucił coś do grobu, aż huknęło.

— Coś ty tam walnął, Janek? — spytał Maklak.

— Kwiatów nie mogłem dostać, to kupiłem bombonierkę — wychrypiał Jaś.

Czym innym jest dla mnie wiejski kicz — umiłowanie Maryjek, kapliczki, domowe ołtarzyki z kwiatkami z bibułki lub krepiny. Czym innym zaś miłość do plastikowych kwiatów. Ludzie tłumaczą się, że dłużej poleżą. A co? Cieszą oczy zmarłych? Głupie.

Jednak żyjesz w mojej estetyce, druhno Aniu. Lepiłaś z nami lampiony z symbolem harcerskiej lilijki, żeby świeczka taniutka, najtańsza, postawiona na grobie, nie została zdmuchnięta lada powiewem. Mówiłaś:

— Skromne światełko, polny kwiat, to symbol naszej pamięci. Pamięć nie potrzebuje ostentacji. Jest w sercu.

Szłam z tatą do znajomej, pani Zeni, co to miała ogródek przy starym, drewnianym domu na Śniadeckich, kupowałam za symboliczną złotówkę kwiatków z jej ogrodu i szliśmy na groby. Całą drużyną, a tata z nami. Cicha modlitwa, poważny spacer po cmentarzu i wspominanie ludzi tam leżących. Skupienie. Nie oglądaliśmy telewizji. „Taki dzień, Gosiu. Trzeba w sercu i umyśle zrobić miejsce dla tych, których nie ma między nami".

Widocznie, druhno, serc nie ma albo mało pojemne. Te gigalampiony ze sztucznymi kwiatami i różańcem zatopionymi w przezroczystym, palnym żelu, to nic innego jak pamięć zewnętrzna. Pracuje za nas. Pokazuje wszystkim, za ile nam żal mamusi, dziadka, teściowej, której za życia nie mogliśmy znieść. To wszystko moja, warszawska działka. To reklama i marketing. To public relations, w imieniu zmarłych, ze światem żywych.

No i dobrze, że już po wszystkim. Przemysł cmentarny obłowił się, policja zrobiła swoje, pijani kierowcy — stracili swoje. Spokój. Już dość tej paranoi.

— Rozumiem, że cię to wkurza, drażni, ale nie za bardzo? — spytała mama, zabierając talerze ze stołu.

— A ciebie? Ciebie to nie rusza?

— Nie. Już nie. To jak powódź, nie zatrzymasz. Możesz zachować swój smak, swoją estetykę, ale oni już zostali zaszczepieni... Powiem to i wybacz mi: reklamą i podażą.

— Nie przepraszaj. Gdyby mnie nie wywalili, może właśnie robiłabym reklamę nowych lampionów? Takich jak te, z utopionym w żelu Jezuskiem, który powolnie spali się w płomieniu, jak już żel wypali się do końca? Użytkownicy o tym nie myślą, a to jednak wygląda upiornie.

Wczesny wieczór. Kaśka nakarmiła Kaczkę Obrażalską, zamknęła bramy, furtkę. Kiedy weszła, powiedziała do nas:

— Tam pod lasem za mocno coś świeci się.

— Gdzie, Kasiu? — spytała mama czujnie.

— U tamtych sąsiadów. Tam.

Wyszłyśmy na werandę. Stamtąd lepiej widać, choć też nie wszystko.

— Rzeczywiście. Z góry będzie lepiej widać, chodźmy na piętro.

Z pięterka widać było, jak tył ich stodoły żarzy się u dołu.

— Może palą ognisko ze śmieci?

— Tak blisko stodoły? Ogłupieli?

— Chodźmy. Oni pewnie nic nie widzą.

Szybko wyprowadziłam samochód i pojechałyśmy, dookoła, bo od nas do nich drogi nie ma. Przed ich domem trąbiłyśmy głośno, aż wyszedł gospodarz z pytaniem:

— Czego tam?!

— Panie sąsiedzie, chyba wam się stodoła pali, o tam, z tyłu.

— Jezus! — wrzasnął tylko, bo właśnie płomień strzelił w górę, i pokazał się z boku. Wokół śmierdział dym. Wszędzie już było mnóstwo dymu.

Z domu wysypała się gospodyni, ich córka w szlafroku i jakieś dzieci. Wszystkie zaczęły krzyczeć i biegać jak spłoszone kury.

— Już dzwoniłam do straży!!! — darła się mama do nich. Nie słyszały.

Stałyśmy niezdecydowane za płotem, nie mając bladego pojęcia, jak im pomóc. Gospodarz mocował się ze szlauchem do podlewania ogródka.

Mama sama otworzyła furtkę i pobiegła otworzyć wrota stodoły. Obok nich, na łańcuchu ujadał wściekle pies.

— Psa! — wołała do mnie. — Odwiąż psa!

Łatwo powiedzieć. Zje mnie. Jest przerażony. Pobiegłam do ich domu. Już wyskakiwały z wiadrami, matka i ta w szlafroku.

— Najpierw psa! — wrzasnęłam do córki.

Zagoniła dzieci do domu i pobiegła go odwiązać. Mama szamotała się z wrotami. Podskoczył do niej gospodarz.

— Zostawi to! Nie jej sprawa! Zostawi!

Odepchnął i sam zaczął otwierać. Jego żona, zakrywszy twarz, kierowała wątły strumień wody na ogień. Pies podskoczył i szarpnął mamę za spodnie. W końcu ich córka pogoniła go do obory.

Już słychać wycie syren. Daleko, ale jednak. To chyba pasymiacy.

Płomienie są już w środku, bucha dym spod okapu dachu. Źle. Tam tyle słomy, siana! Boże, jeszcze obejście się spali całe! Biegnę do samochodu.

— Halo! — drę się do telefonu. — Myśmy zgłaszały pożar. Tak. To duża stodoła wyładowana sianem. Posiłki konieczne!

Wracam. Już jest jasno jak w dzień, szum pożaru głośny jak cholera, trzaska sucha stodoła. Dym gryzący, zatyka oddech. Dziewczyna od nich znalazła gaśnicę. Mocuje się z uruchomieniem. Pomagam jej i sikamy strugą białego proszku na odległe płomienie. Nie sposób podejść. To beznadziejne.

Mama odciąga gospodynię od próby gaszenia stodoły.

— Lać wodę na oborę! Na oborę!!! Lej na ścianę obory, bo się zajmie!

Kobieta nie rozumie i wybałusza oczy. Mama wyrywa jej węża i leje na ścianę obory. Na drewniane elementy. Teraz baba rozumie. Polewa starą, ceglano--drewnianą oborę. Mama kaszle, bo dym ciąga się już ciemny, chyba pali się jakaś guma.

Słychać jęk straży. Podjeżdżają.

— Hydrant gdzie?! — drą się do chłopa. Nie wie.

Wkrótce znajdują przy drodze, przed jego obejściem.

Chłopisko ledwo zdążyło wyjechać ze stodoły ciągnikiem. Wyjechał przerażony, z impetem, i rozwalił bramę. A co tam!

Z węża strażackiego siknęło. Nareszcie!

Jakiś starszy rangą kazał wyprowadzić bydło z obory. Nadjechał drugi wóz, zaczęli natychmiast szybką akcję.

Straszny widok. Wyglądało na to, że stodoła rozpaliła się na dobre. Płomienie zalane strumieniem tylko na chwilę zanikały i wyskakiwały złośliwie na nowo. Było potwornie gorąco i strasznie. Spłoszone krowy i świnia rozbiegły się po łące opodal, więc zagoniłyśmy je z trudem do sadziku. Nadjechały jeszcze dwa wozy. Z Dźwierzut.

Pojechałyśmy do domu. Gapiów tu nie trzeba, a nie pomożemy. Zresztą Kaśka na pewno się denerwuje.

— Co tam, Basiu? Powiedz? — zabuczała na nas przy wejściu.

— Palą się, Kasiu. Duży pożar. Jest straż, więc im pomogą.

— Ale mają biedę… — Pokiwała głową.

Stałyśmy w górnym pokoju jeszcze długo, patrząc na pożar. Okropne uczucie. Taka bezsilność wobec żywiołu… Zmarzłyśmy. Zeszłyśmy na dół. Byłyśmy brudne i zmęczone. Dopiero teraz odeszły emocje. Spać! Wypiłam haust koniaku, na nerwy i spanie.

Dopiero po dwóch dniach, sąsiad — pogorzelec, zapukał do nas.

— Dziękuję, pani sąsiadko — powiedział, nerwowo mnąc czapkę i całując mamę w rękę. — Gdyby nie pani…

— Nie ja. To nasza Kaśka zauważyła ogień. Myśmy tylko zawiadomiły straż.

— No, to te minuty, właśnie… Że dom się nie spalił i zwierzęta. Bardzo dziękuję.

— Nie wie pan od czego?

— Wiem. Aż głupio mówić. Za stodołą palilim śmiecie. Daleko, bezpiecznie. Tylko że wiatr był. Musi co nie zagasiłem dobrze. Iskra się przeniesła... Dureń. No... Stary dureń! — rozpłakał się.

— To i ubezpieczenia nie będzie? — spytałam.

— Pani! A kto dziś ubezpiecza? Kogo stać? O mój Boże... — westchnął i wstał. — Jeszcze raz, każdej pani rękę ucałuję z podziękowaniem.

Po jego wyjściu Kaśka pokazała nam dłoń.

— Pan tu pocałował!

O tym, jak mi się wcale nie chce wstawać

Leżę w ciepłym łóżku. Za oknem ciemno i zimno. Listopad!

Już prawie rok, jak jestem u mamy, jak ją znalazłam, jak obie odnalazłyśmy siebie. Spotkanie po latach i spokojna akceptacja. To zasługa mamy. Jest taka... stoicka, łagodna, mądra. Tak mi tu dobrze nad rozlewiskiem! Rozpoczęłam budowę pensjonatu, żyję normalnym trybem, ani łatwym, ani za trudnym, znam tutejszych ludzi...

Mam wspaniałe uczucie, że wiem, po co tu jestem.

Piec jeszcze ciepły, ale powinnam wstać i napalić. Najpierw jednak trzeba wyjąć popiół do metalowego kosza, wyczyścić popielnik, włożyć suche drewno albo kostki sprasowanych trocin, podpałkę i zapalić. Nie chce mi się. Jeszcze trochę w ciepłym kokonie! Jest wczesny ranek i nie muszę jeszcze się zrywać. Mogę poleniuchować, bo piec stygnie powoli. To porządny, stary piec! W domu cicho, nie słychać dziewczyn, znaczy jeszcze nie wstały. Słychać za to tykanie zegara. Mam go od niedawna. To piękny, zabytkowy zegar kominkowy, nie nazbyt zdobiony, skromny i dostojnie bijący godziny, połówki i piętnastki. Już do tego przywykłam, nie budzi mnie w nocy ten specyficzny hałas. Zegarmistrz z Olsztyna, ten, u którego spotkałam Janusza, ustawił go cicho, żeby nie dzwonił na cały regulator.

— Gdzie ty się podziewasz? — spytałam Janusza, kiedy spóźnił się godzinę na spotkanie.

— Byłem z tatką w Na...Nartach.

— Proszę? — pytam zdumiona. — Chyba wodnych?

— W miejscowości ta...takiej. Narty. Tu, niedaleko. Dziadkowie mieli tam mały domek. Ta...tatko się tam wychował. Ziemię sprzedał, je...jest tylko trzysta metrów działki. Ogródka. Za...zapuszczone to, ale tato ma pomysł!

— Chcesz się tam budować?

— Nie całkiem. Tam przyjeżdża w se...sezonie mnóstwo ludzi. Jest też ośrodek...

— Otworzysz tam gabinet?

— Se...sezonowy. No jak? Pani specjalistko od reklamy i ma...marketingu?

— Od marketingu to był u nas Zygmunt... Zrobiłeś rozeznanie? Jakieś badanie rynku?

— Właśnie jadę robić. Mam tam kumpla.

Pomysł super, tylko tak pochłonął Janusza, że prawie się nie widujemy...

Chyba jednak wstanę i rozpalę, póki nie wystygł piec i pokój. Trocinowe kostki szybko się zajmują. Hop, z powrotem do łóżka! Jeszcze trochę lubego ciepła. Ciągle ciemno. Nic nie muszę. Nigdzie mi się nie spieszy. Mama i Kaśka też śpią albo wygrzewają się przed wstaniem. Kaśka zawsze chętnie rano wstawała, ale starzeje się i ona. Też ciągnie ją ciepłe lenistwo. Kiedy była Buśka, Kaśka wstawała wcześnie, wydoić ją i oporządzić.

Teraz jest z nami tylko Kaczka Obrażalska i kilkoro jej dzieci, Blanka chodząca własnymi ścieżkami i Funio, który wydoroślał i stał się takim psim młodzieńcem. Wąs mu się sypnął i broda, na tym jego yorkowatym pysku. No i szczeka już jak bardzo dorosły pies i potrafi szczerzyć zęby! Gdyby nie on, byłby to babski okręt.

Naturalnie bywa Tomasz. Jego jako faceta wystarcza za dwóch.

Świta powolutku. Na szybach osiada wilgotna mżawka. Widać, że to lodowaty deszczyk. Już nie noc, jeszcze nie ranek, taka pora zawieszenia. Zatęskniłam do września, kiedy jeszcze bywały u nas Marysia i Paula. Było głośno od południa (tak wstają!), ciepło, pięknie i bogato. To Paula zwróciła uwagę na urodę i bogactwo straganów.

— Zobaczcie! Jaka kolorystyka! Jakie to piękne wczesną jesienią...

Byłyśmy na targu w Szczytnie i nagle, po jej uwadze, zobaczyłam to! Stosy dorodnych owoców wezbranych słodkimi sokami, pyszniące się kolorami i formami. Kule, owale, elipsoidy... Wielobarwne jabłka, śliwki w odcieniach fioletu. Zielenie i żółcie — to renklody. Gruszki nakrapiane czarnymi punkcikami na wszystkich odcieniach żółtego, zielonego aż do pomarańczowego. Leżą w piramidkach. Obok, warzywa w całej różnorodności kształtów. Marchew już bez zielonych ogonów, za to pietrucha — wielka i zielonoogoniasta. Także selery z pióropuszami ciemnej naci. Kabaczki i różnobarwne, różnokształtne cukinie. Są też i bakłażany — goszczące w Szczytnie od niedawna. Kapusta zwykła i włoska, cała karbowana jak krepina, tak też „pekinka", zaprzyjaźniona już na dobre z miejscowymi gospodyniami. Leżą nawet opakowania włoskiej roszponki, rukoli i roketty. W doniczkach mamią zioła — bazylia i rozmaryn, melisa, tymianek i kolendra. Z tyłu, za sprzedawcami leżą ziemniaki, buraki, cebula zwykła, czerwona i biała. Na ladzie, w koszykach, wabią nowe jej odmiany— cukrowa i czosnkowa. O szalotce jeszcze tu nikt nie słyszał. Papryka mieni się kolorami i błyszczy lakierowaną skórą, grubą i mięsistą. Jest taniutka i gotowa do faszerowania, marynowania, siekania do sałatek. Jak kukurydza, zdobyła w końcu nasze serca i żołądki.

Dziewczynki pokazywały sobie te cudowności, a Paula malowała je namiętnie — jako wprawki. Jeździły gdzieś, pomagały Kaśce w kuchni, chichotały i razem z babcią zamykały te pyszności w słoikach, w słodkich i słonych, kwaśnych i łagodnych zalewach. Oczywiście z zachwytem i dumą należną neofitkom w dziedzinie przetwórstwa domowego. Nie mogłam poświęcić im wiele czasu. Zresztą same sobie świetnie radziły. Ja zamieniłam się w zaopatrzeniowca i konsultanta na naszej budowie.

Bardzo dużo pomógł nam Karolak. Na konstrukcję dachu potrzeba było sporo drewna. Stare poszło na opał. Może kilka krokwi się uchowało, a i tak pan Adam popiłował je na inne cele. Deski podłogowe też są z tartaku Karolaków, i okiennice, i deski na szachulec.

Nadbudówka z oknami wykuszowymi — „kukułkami", wygląda świetnie. Jak na projekcie — zostawiliśmy cały parter w czerwonej cegle, a górę pan Adam zaproponował kolorystycznie odciąć jasnym tynkiem z tymi ciemnymi deskami.

Na projekcie to cięcie było zaznaczone poprzeczną, poziomą kantówką, ciągnącą się wzdłuż granicy między parterem a piętrem, i wszystko miało być ceglane, ale teraz, jak majster obrobił to w komputerze i pokazał mi tę drugą wersję, wolimy ją zdecydowanie! Jasne piętro z tymi brązowymi deskami wygląda po prostu wystrzałowo. Nie spodziewałam się aż takiej urody naszego pensjonatu! Dorysował nawet zielone okiennice! Chciało mu się… Na wydruku, z tęsknoty, dorysowałam flamastrem skrzynki na kwiaty i pelargonie — łososiowe na dole, czerwone na górze. Teraz budynek stoi prawie wykończony. Ma dachówkę i rynny, i kominy dwa piękne, symetrycznie ustawione. Nie podoba mi się tylko taka rurka z tyłu dachu, ale podobno musi być.

Brakuje tylko tej jasnej obrzutki. Zrobimy to wiosną.

W środku mam mnóstwo rurek niepodłączonych jeszcze do niczego i wylane podłogi — tam, gdzie będzie terakota. Gdzie będą białe podłogi — czyli deski, leży ocieplenie między legarami i folia dla zabezpieczenia, bo Blanka tam przychodzi, więc żeby wełna mineralna nie kłuła jej w łapy.

I teraz nasz pensjonat czeka jak my — na wiosnę.

Znów wspominam głośną obecność mojej córki i prawie–córki:

— Mamo, pojedziemy z Paulą do Kętrzyna. W ogóle tam nie byłam! — Marysia woła głośno, jakby fakt jej niebycia w Kętrzynie był uchybieniem wychowawczym.

— O co ci chodzi z tym Kętrzynem?

— No mamo! Tam jest część naszej historii! Kuba mówił cuda o tamtych czasach. Wiesz, że on przeczytał *Mein Kampf* i całego Wołoszańskiego?

— No, to bardzo ładnie!

— Mamo, nie kpij! Kuba mówi, że historii obiektywnej nie ma i żeby być najbliżej prawdy, trzeba znać obie racje. Wiesz, że jestem kiepska z historii.

— Marysiu, proszę cię, nie teraz. Muszę omówić z panem Adamem sprawy kanalizacji. Jedźcie, tylko…

— …uważajcie na siebie! — skandują moje gwiazdy.

Dziewczynki, korzystając z wakacji i faktu, że miały tu wikt i opierunek, nadrabiały braki w lekturze, szyły mnóstwo ciuchów, objeżdżając szmatlandie w okolicy i czasem w Trójmieście. Paula ma układ w butiku w Warszawie, do którego wstawia koleżance swoje produkcje. To unikatowe modele i sprzedają się, bo panna ma genialne wyczucie trendu i stylu. Jej obrazami z kolei zainteresowała się mama Kuby i choć sama maluje, chętnie umieszcza w swojej galerii grafiki Pauli. Paula ma dość trudny styl w rysunku, bo to, co robi, przypomina klimatem wczesną Bożenę Wahl, pomieszaną z Kulisiewiczem.

Zawsze są to czarne prace, robione jakby cienkim drapakiem, pełne odcieni szarości i bieli, i zawsze gdzieś biegnie, w każdej grafice Pauli, cieniutki złoty zygzak, kreseczka. „Kocham złoty kolor" — mówi Paula i zaraz potem się sumituje: „…a to takie wieśniackie!".

Zdecydowanie wolę jej prace w pastelach. Namalowała mi tu mnóstwo widoków i pejzaży. Są impresjonistyczne. Prawie samo światło, plamy kolorowe z różnej wielkości kwadratów, jak wielkie piksele o rozmytych brzegach, tworzą jednak pejzaż.

Jeden z nich wisi teraz nade mną i epatuje ciepłem lata.

Marysia natomiast zupełnie oszalała na punkcie tkania.

Było tak. Poznałam je ze sobą — moje panny z Zuzią i Anią. Dziewczyny były ciekawe drewnianego warsztatu tkackiego, na którym Zuzia tka piękne dywaniki. Oczywiście skończyło się na: „ja też bym tak chciała". Zuzia była wniebowzięta i zaczęła uczyć Mańkę tkactwa. Kobitki szybko się polubiły, a Paula, jak to ona, zapytała, czy mogą sobie wszystkie mówić po imieniu. Babcie przystały serdecznie i oto stworzyły wesołe towarzystwo artystyczne. Pani Ania pięknie wyszywa krzyżykami — też artystka. Po pewnym czasie Mania i Paula postanowiły, że poszukają krosien dla Mani i pojechały na Kurpie, bo tam podobno można jeszcze takie znaleźć. Opowiadały, jak zatrzymały się w maleńkiej wsi — Gadomskie. Na jej samym początku wzruszyła je drewniana chatka — stareńka i mała. Opuszczona. Dowiedziały się, gdzie mieszkają właściciele, i poszły. Starsi ludzie, właściciele chatki mieszkający obecnie w nowym domu, powitali dziewczyny serdecznie.

Pani przedstawiła się im:

— Gadomska jestem i panieńskie też mam Gadomska, i we wsi Gadomskie mieszkałam całe życie! — Roześmiała się.

Pokazała dziewczynkom domek w środku, usilnie je namawiając na kupno. Później, od słowa do słowa, okazało się, że w stodole stoją krosna i to w dość dobrym stanie. Dzień później kobitki załatwiły przyczepę od Piernasia i pojechały po zakup.

Teraz krosna Marysi stoją w narożnym pokoju, na parterze, tam, gdzie miałam mieć swój gabinet. Stoi tam też mój komputer i drukarka. Myślę, że dobrze im ze sobą — komputerowi i krosnom z ubiegłego stulecia…

Pęczek ziół do rosołu
Wziąć po gałązce świeżego kopru, selera naciowego, pietruszki zielonej i lubczyku. Zawiązać bawełnianą nitką. Owinąć woskowanym papierem i zamrozić w zamrażalniku. W zimie dodawać do rosołu, pod koniec gotowania.

Teraz, w te słotne dni, mam co rano ten sam dylemat. Wstawać? A może zasnąć snem zimowym? Obudzić się dopiero wiosną? Na dworze jest tak paskudnie!

Jak nie wstanę, wejdzie mnie obudzić Kaśka swoim ukochanym wierszykiem:

— Leż, to wyleżysz wesz! Jak poleżysz długo, to wyleżysz drugą!

Potem chichocze. W kuchni już pachnie kawa i zielona herbata — to Kaśki ostatnia miłość. Nauczyła się od Pauli, bo ta tylko taką pije i wmówiła Kaśce, że od tego zdrowia i urody przybywa. Kaśka pije i mówi, że lubi. Zawsze pije z mlekiem.

— Mamo, są jajka?

— Nie ma. Są paróweczki, te małe, ser Karolakowej i pomidory.

— To ja zrobię pomidorów ze śmietaną. Kto chce?

Nie chciały. Najadły się bułek z dżemem wiśniowym. Zrobiłam więc miskę pomidorów z cebulką i śmietaną. Wymieszałam ją pół na pół z „zerowym" jogurtem, żeby pogłaskać i wyciszyć sumienie. Głupia. I tak mi dupsko rośnie!

Mama czytała list od kogoś, Kaśka myślała o niebieskich migdałach, słuchając cicho radia, a ja łyżką do zupy wymiatałam z miseczki pomidory, ociekające słonym, śmietanowym sosem. Łagodne ciepło z kuchennego pieca pozwala na senną leniwość. Nie trzeba biec do pokoju, ubierać się...

Siedzą więc sobie trzy szlafroki: morelowy z haftem — mój, różowy w białe słonie — Kaśki i w kolorowe, meksykańskie pasy — mamy.

— Co dziś robisz, mamo?

— Chyba się zajmę zaległą korespondencją. Marysia z Manchesteru, moja koleżanka za studiów, przysłała list, a w biurku mam jeszcze kilka, na które nie odpisałam. Po południu wpadnie Krzysiu posiedzieć przy komputerze. Stary Karolak chce mu na Gwiazdkę kupić komputer, wiesz? — mówi to do mnie znad okularów.

— Fajnie. Młody się ucieszy. Ma szczęście, że dziadek rozumie taką potrzebę. Wczoraj w sklepie słyszałam tego Pawła, co kiedyś miał sklep żelazny, jak mówiłaś. Był chyba trochę wypity, a kobiety coś gadały o komputerach, a ten na cały sklep: „Po chuj dzieciakom komputry? Z tego tylko kurestwo i... zmora!". To wtedy odezwała się ta Józia, co ma szmatlandię: „Z ciebie dzieci większą zmorę mają, bo je lejesz". No i wiesz, pyskówka poszła.

— Czasem nie wiem, co gorsze, mieć takiego dziadka, czy kontakt z czatem w internecie. Tam są takie denne te rozmowy! Takie ogłupiające! Zobacz, jaka rzesza dzieciaków żyje czatem i tymi tam, gadu–gadu. Dno!

Mama była równie oburzona, jak ja.

— Nikt nad tym nie panuje, a rodzice szczęśliwi, że bachor siedzi w domu, a powinien pograć w piłkę, iść na ryby...

— Jak Krzysiu — zabuczała Kaśka. (Złapała wątek!)

— Tak. Krzysiu przynajmniej jest taki, że i na ryby pójdzie, w piłkę pogra, ojcu pomoże i dziadkowi, i do nas na komputer wpadnie. Bardzo zmyślny chłopaczek! Mamo, on jest dobrze zorganizowany, prawda? A jak się uczy?

— Nie szaleje, ale dość jak na tyle zajęć. Babcia go chwaliła, bo ostatnio się podciągnął. No, to pierwsza klasa gimnazjum! Patrz, jak ten czas leci! Pamiętam go, jak jeszcze pełzał i ślinił się.

Lubię te poranki, gdy tak siedzimy sobie we trzy. Nigdzie się nie spieszymy. Pijemy kawę albo herbatę z konfiturami, gadamy o czymś albo o niczym, plotkujemy i powoli się rozkręcamy. Jesienna szaruga za oknem nie ma do nas dostępu. Jest ciepło, przytulnie i nie muszę jechać do pracy!!! Nie zakładam pończoch (nienawidzę rajstop!), kostiumu, pantofli na obcasie... Nie odpalam zimnego silnika samochodu, nie stoję w korkach... Na stopach mam grube skarpety, a stopy na taborecie. Jak mama! Poszłyśmy się jednak poubierać, żeby nikogo nie straszyć tą naszą dulszczyzną o poranku. A nuż zawita do nas jakiś cudny książę?

Mailografia to to samo co epistolografia?

Rano zajrzałam do poczty.

Moja biedna Mania! Znów smutny liścik. Kuba radośnie pisze jej o swoich osiągnięciach w Stanach. Pracę ma świetną, w sierpniu zaczął te swoje MBA. Jest zachwycony. Głównie panią opiekunką grupy, taką Pokahontas. Już przysłał Mańce trzy zdjęcia z nią. Dupek bez wyczucia!

Pani jest półkrwi Indianką, półkrwi Rosjanką. Rzeczywiście urodziwa. Masza ma trzydzieści parę lat, czarne włosy do pupy aż i czarowny uśmiech. No i fachowa jak diabli! Ma doktorat dwóch uczelni.

Kuba stracił rozsądek. No i empatię. Napisać do niego? To takie ewidentne oczarowanie jak pacjenta — terapeutą. Książkowa historia. No, wiadomo też, że nad emocjami się nie panuje i jest, co jest — Marysia ma żal, a Kuba lata w przestworzach uniesień. O mój Boże! Mogę ją tylko pocieszać, wysłuchiwać i czytać, i pisać do niej, tej mojej córeńki kochanej! W Pauli siedzi diabeł, bo podpuszcza Marysię, by odpłaciła pięknym za nadobne. Jest wściekła na Kubę, że tak ogłupiał. Nie rozumie, że nad uczuciem trudno zapanować. Tak bywa i nic na to nie poradzimy. Możemy czekać, co będzie, jak Kuba skończy studium, zrobi ten swój wyśniony dyplom i przestanie się nim zajmować ta Pokahontka.

Mail od Wiktora:

Droga G!

Listopad nastraja mnie melancholijnie. Nigdy tego nie miałem. Starzeję się?

Twoja nieobecność przeciąga się ponad miarę i rozumiem z niej, że „zostajemy przyjaciółmi"?

Propozycja nienawistna facetom, ale dobra jako ochłap. Sorry. Zabrzmiało dramatycznie i mazgajowato.

Być Twoim kumplem? Dobrze. Zawsze i wszędzie. Jestem wierny w przyjaź-
ni i szacunku. Nie przyjedziesz tu, ja nie pojadę tam. Będziemy prowadzić
korespondencję? Też dobrze, bo to zapomniana sztuka, a ja chętnie moje
e–maile zamienię w epistoły. Chcesz?
Zupełnie nie znam długich form. Mam zacząć od opisu? „Widok z mojego
okna"?
Mam okropny widok. Nigdy bym tego nie skonstatował, gdyby nie Twoja
wizyta u mnie. To Ty spojrzałaś za okno i powiedziałaś:
— Możesz to znieść?
A tam jest przecież tylko nasza cywilizacja! Dachy mojego osiedla, które na-
zwałaś „Kondominium". Zabrzmiało jak obelga. Więzienie, czy jak?
Natychmiast po Twoim wyjściu poszukałem znaczenia tego słowa:
„Kondominium — kolonia zarządzana wspólnie przez dwa lub wię-
cej państw, lub metropolii. Obszar pozostający pod wspólnym panowa-
niem".
„Condominium, z amer. dom, osiedle, w którym każde mieszkanie, domek,
jest własnością lokatora — nabywcy. Najczęściej ogrodzone, strzeżone".
Rzeczywiście. Okropne.
A więc widzę dachy, kominy wentylacyjne, anteny satelitarne, zwykłe…
W dole parking i portiernia. Miałaś rację, moja Ty rozważana i roman-
tyczna. Okropne. Nie widzę świata, zieleni, przestrzeni… Ja chyba nawet
zapomniałem, co to jest. Może nie potrzebuję tego? Może dobrze mi w tym
stechnicyzowanym świecie? Bezpiecznie?
Brak mi tu Ciebie, jako przeciwwagi. Pewnie słuchasz słowików…
Całus. W.

Najpierw siedziałam osłupiała.

Odpisać, znaczy podjąć wyzwanie: „Tak, będziemy korespondencyjnymi
przyjaciółmi". To jednak zobowiązanie.

Korespondencja może bardziej zbliżać niż pożycie… Czy ja chcę bliskości
z Wiktorem? Kiedyś mi zależało… A teraz? Właściwie, wciąż jestem sama. Z Januszem jest dziwnie. Po przygodzie na kładce spotkaliśmy się u niego. Było
szaleńczo. Uroczy wieczór, „szepty i krzyki" (zupełnie inne niż u Bergmana).
Cudowna intymność, dotknięcia, które są obietnicą i czułością, spojrzenia —
odkrywające nas przed sobą, i pocałunki. Wilgotne, ciepłe i rozdyszane. Szaleństwo, po którym leżeliśmy przytuleni. Każde z nas potrzebuje czułości. Było
słodko… Z Wikiem nic takiego nie zaistniało.

Janusz żegnał mnie pełen uśmiechów i radości, „...że jestem, i to taka normalna!". Potem pochłonął go nowy pomysł na gabinet. We wrześniu jeszcze dwie wspaniałe noce w jego ramionach i cisza. Milczy. Nawet nie esemesuje. Głupio mi się narzucać, ale cierpię. Tęsknię. Dobrze. Odpiszę Wikowi. Korespondencja Abelarda i Heloizy wskazuje na to, że listy mogą być intymniejsze, piękniejsze niż rzeczywistość... Ale ani ze mnie Heloiza, ani z Wika Abelard.

Mail do Wiktora:

Kochany Wiku.

No tak się w życiu plecie, że z iskry nie zawsze powstaje płomień, jak już jesteśmy przy poezji. Poza tym sądzę, że lepsza dobra przyjaźń niż byle jaki romans.

Wiesz, że ja chyba jeszcze nie kochałam „na zabój"? Nie jest to przypadkiem przereklamowany towar? Coś jak Dobra Wróżka? Latający Dywan? Że to tylko w bajkach? Chyba nie...

Wiesz, kiedy zaczęłam wierzyć, że taka miłość istnieje? Może się zdarzyć? Kiedy obejrzałam film w reżyserii Clinta Estwooda Co się wydarzyło w Madison County. Nie masz pojęcia, jak głęboko przeżywałam razem z bohaterami ich historię, jak beczałam razem z Meryl Streep, która najlepiej beczy wśród aktorek. (Pamiętasz ją w Sprawie Kramerów? Jak płakała na klatce schodowej, a z nią cała Ameryka.) Wiarygodnie, do bólu, a raczej do łez. Oglądając to Madison..., widziałam na ekranie autentyczny wybuch miłości z niczego. Z tęsknoty, z potrzeby czułości, z niespełnienia...

Jest taka roślina, róża Jerycha — w stanie suchym może przetrwać, nie wiadomo ile. Włożona do wody nagle ożywa. Jest piękna i zielona. Szczęśliwa. Może to tak? Nosimy w sobie taką potrzebę kochania i bycia kochanym. Ja tylko kilka razy zazieleniłam się... Za mało wody?

Lubię ten film. Obejrzyj. Żadnego nachalnego aktorstwa. Czuję się tak, jakbym ich podglądała — Clinta i Meryl. Aż mi głupio. To maestria, taka reżyseria, taka gra.

A w życiu? Jak to wyreżyserować? Zagrać? Sprawić?

Słowików nie słucham. Odleciały do Afryki na zimę. Jest za to przyjemnie buczący piec. Napaliłam i jest ciepło. Pozdrawiam.

— Gosia

Klik! I poszło!

Kiedy tuż przed Zaduszkami byłam w Warszawie, w moim warszawskim domu, Marysi ulało się serdecznie. Pokazała mi wszystkie maile od Kuby. Rzeczywiście, jakby nie on!

— Marysiu, to typowy przykład oczarowania.

— On nawet tak pisze, mamo, sama zobacz: „Oczarowała mnie ta kobieta. Mieszają się w niej dwie rzeki — Missisipi (dziadowie z plemienia Huronów) i Newa (babka uciekła ze Stalingradu, przez Mongolię, Chiny — do Ameryki i tam, poznała męża, też Rosjanina emigranta). Rodzice zakorzenili się opodal Chicago. Ona studiowała tu i osiągnęła szczyty, dzięki umysłowi i sile charakteru". I co jeszcze? Co jeszcze ta Masza?! Mamo?

— Jest nietaktowny. To fakt. Nieładnie tak się rozczulać nad kobietą pod nieobecność tej, do której się to mówi, pisze... Jest ewidentnie zaangażowany emocjonalnie. Tak bywa, Maniu. Chodź, przytulę cię, moja maleńka.

Czasem mam wyrzuty sumienia, że nie ma mnie przy niej, że nie pocieszam jej wtedy, gdy tego potrzebuje. Ale to Mania właśnie cieszy się, że zmieniłam swoje życie na inne — może lepsze?

Początek grudnia niczym nie różni się od listopada. Zimno i mokro, a w domu mamy na szczęście cieplutko i pachnąco. Mama zajrzała do mnie.

— Wiesz co? Na wieczór zapowiedział się Piernacki. Powiedział, że go melancholia żre.

— Świetnie! Niech wpada. Ja pójdę się zdrzemnąć.

Zmrok zapada wcześnie. Zimno nie dopuszcza spacerów. Albo wietrzysko, albo pada deszcz... Najlepiej się czyta, mailuje albo śpi.

Piec jest ciepławy. Najpierw napalę. Muszę przynieść z sieni drew, kilka kostek trocinowych. Są na werandzie.

Jak tak sobie pochodziłam na werandę, do sieni, do pieca — odechciało mi się drzemki. Rozruszałam się. Położyłam się na łóżku i poczytałam wspomnienia Anki Prucnal, aktorki z lat sześćdziesiątych, która wyemigrowała do Paryża. Lubiłam ją bardzo. Ją i Elżbietę Czyżewską. Prucnalka miała urok Audrey Hepburn. Dokładnie ten sam. Czyżewską uwielbiałam i naśladowałam we wszystkim. Ćwiczyłam jej miny przed lusterkiem.

Zanurzam nos we wspomnieniach Prucnalki.

Z drzemki wyrywa mnie Funio i jego jazgot w sieni. Patrzę leniwie na zegarek. Szósta już. Komu się chce w taki ziąb? Słyszę Piernasia. No tak! Miał przyjść. Przeciągam się i ziewam, i tak mi się nie chce opuścić mojego ciepłego legowiska... Powoli dochodzę do siebie. Mama zajęła się gościem. Zaraz tam dotrę do nich.

— Dzień dobry, panie Heniu! Chciało się panu w takie zimno telepać do nas?

— Pani Gosiu! Do domu pachnącego kobietami? Zawsze! Nawet przez zaspy! Trzy baby pod jednym dachem! A ja jeden! O Matko, może pan Tomasz tu jest, nie daj Boże?

Udał, że rozgląda się trwożliwie. Widział, że Tomka nie ma, bo stałby jego samochód na podwórku.

— Moje panie. Przyniosłem wam samo zdrowie — miodek! Pani Basi przyda się na pewno, a Kasia i pani Gosia też nie pogardzą!

— Mamo, jakaś twoja kuzynka nie znosiła miodu i jak jej mąż jadł miód, to co mówiła? Że to „pszczele odchody"?!

— Kto tak mówił? — Piernacki wyraźnie się ożywił.

— Moja koleżanka, Basia Pietrzykowa, żona Ludwika Pietrzyka. Poznałyśmy się w Toruniu, jak byłam u Piotra i Hani. Właściwie to Basia z nimi była spokrewniona. My spotkałyśmy się na jakiejś imprezie biologów, zootechników i weterynarzy. Mąż Basi, Ludwik, był dyrektorem…

— …stadniny koni w Rzecznej! Właściwie to głównym hodowcą — dokończył Piernacki.

— A skąd pan wie, panie Heniu?

— Bo to mój pryncypał był, pani Basiu kochana! Ja w Rzecznej jedenaście lat byłem masztalerzem, zanim tu przyjechałem! Mieszkałem przy stadninie w pięknym domeczku, z moją Basią. One — pani Basia Pietrzykowa i moja Baśka znały się i lubiły bardzo. Pani Basia była poważną, ale i dowcipną kobietą. Ho, ho! A złośliwa umiała być, jaki język ostry miała! Poznały się, jak pani Basia przyszła do mojej Basi po wiśnie, bo u nas w sadziku wiśnie szklanki cudnie wtedy obrodziły. Przyszła pani Bachna, elegancka i światowa, taka dama z koszem, i zobaczyła, jak ktoś pasieki dogląda. W fartuchu, kaloszach i kapeluszu z siatką. Poczekała, aż skończy, i podeszła, pytając: „Przepraszam pana, podobno można u państwa kupić wiśni?". A moja Basia, siup! Siatkę z głowy i mówi: „Można!". To się pani Pietrzykowa zdziwiła! Bo moja nieboszczka świetnie umiała koło pszczół chodzić! Tatuś ją nauczył!

Mama słuchała zdumiona.

— Panie Heniu, tyle lat się znamy, a ja nie wiedziałam, że pan znał Baśkę Pietrzykową!

— A, bo za rzadko, pani Basiu, się spotykamy, kochana!

— No, a jak się zaprzyjaźniły pańska żona i Baśka?

— Mówiłem, jak pani Pietrzykowa po wiśnie przyszła. Zabierała zawsze dla pana dyrektora słoiczek „pszczelich odchodów" — jak mówiła, krzywiąc się, a że nie lubiła zanadto zajęć gospodarskich, dogadała się z moją Baśką i ta jej przetwory robiła. O! Jedno zdarzenie pamiętam. Śmieszne.

Razu pewnego w nocy nasza kobyłka pokazowa rodziła bardzo ciężko. Zanim zadecydowaliśmy o cesarskim, poszedłem do pana dyrektora, Pietrzyka właśnie, po radę. Noc była głęboka. Dzwonię do drzwi. Słyszę szamotanie, potem: „cholera jasna!" i szuranie. Pan dyrektor drzwi otworzył i stoi za nimi.

— Co tam, Piernacki? — pyta mnie zaspany.

No to mówię, jak jest, i naradzamy się obaj, bo decyzja trudna.

Zawsze dyrektor choć za próg prosił, a teraz trzyma w drzwiach i jakoś się za nimi chowa… Ale ja nie zwróciłem na to uwagi. Kobyłka źrebiła się ciężko, to tylko mnie zajmowało.

Nagle słyszę, pani Basia obudziła się. Podeszła do drzwi w papilotach, szlafrok zawiązuje i rzeczowo pyta:

— Piernasiu, co jest?

No to zaczynam mówić i widzę, jak pani dyrektorowa przesuwa wzrokiem po twarzy pana dyrektora, po nodze tej, co za drzwiami, i tam widząc coś, robi oczy okrągłe, przerywa mi i ostro pyta męża:

— Ludwik, co ty wyprawiasz z tym nocnikiem?!

A on biednieńki, oczu nie ma gdzie schować, bo wstając z łóżka, nogę w nocnik wsadził niechcąco i uwięzła mu! I nie mogąc oswobodzić się, zawlókł ten nocnik ze stopą pod drzwi i za nimi trzymał…

Pani Basia zadecydowała sama, żeby robić cesarkę, i sarknęła na pana dyrektora:

— …że też ty zawsze musisz… Jak dziecko, Ludwiku! Jak dziecko!

Zaśmiewałyśmy się strasznie. Kaśka najgłośniej swoim basem. Mama powiedziała:

— Widzę Basię w tej scenie! Cała ona! Kiedy jeździłam tam do nich, Basia zawsze mnie rozśmieszała tą swoją powagą i traktowaniem Ludwika. Poważny, mądry pan dyrektor, sympozja, zjazdy, wystawy i wyścigi, a dla Baśki żadnych świętości nie było, Ludwik był dla niej ukochanym mężem, ale dbała o niego jak o dzieciaka. Słuchajcie. Kiedyś Ludwiś poszedł do sanitarki, w której robiono sekcję konia. Wybebeszone ścierwo pracownicy wciągali łańcuchami na przyczepę. Ludwik stał w kurteczce „szwedce". Taka ortalionowa, krótka. Na podłodze breja z krwi, odchodów i wnętrzności. Pan dyrektor, nie wyjmując rąk z kieszeni, rzucił się do pomocy, bo łańcuch o coś tam zahaczył. Wyrżnął jak długi na tę podłogę w to bagno… Wylazł z sanitarki i lezie do domu — taka śmierdząca pokraka i woła jak ranny zwierz:

— Basiu! Basiu, Jezus Maria! Patrz, co mi się stało!

Opalałyśmy się z Basią. Na leżakach. Basia była „obrzydliwa". Strasznie ją brzydziły zapachy, gnój, te tam różne odchody i wydaliny. Zobaczyła go i woła:

— Stój! Nie ruszaj się! Nie waż mi się tu podchodzić!

Odkręciła wodę i szlauchem Ludwisia z tego szlamu spłukiwała, sama stojąc w bezpiecznej odległości. On pokornie okręcał się. Jak już Basia uznała, że dość, rozkazała:

— Tylko mi w tym do mieszkania nie wchodź! Idź za dom, ściągnij ubranie. Ja ci ręcznik zrzucę z okna!

Tak też było. Pan dyrektor w ręczniku wracał do domu przebrać się. Potem sam musiał swoje ciuchy uprać w pralce „Frania", bo Basia się brzydziła…

Tym razem Piernacki zaśmiewał się i potakiwał.

Opowiedział nam jeszcze trochę historyjek o stadninie i państwu Pietrzykach. Nazachwycać się nie mógł panem dyrektorem, jego fachowością i wiedzą. To za jego czasów właśnie stadnina rozkwitła.

Rozczulił się na myśl o koniach, ich zwycięstwach w różnych konkursach i wyścigach. Gadał i gadał.

— I jak to, pani Basieńko, bywali my parę kroczków od siebie i nie znali się? Co? Dopiero tutaj! No, za wszystkie Baśki, wypijmy rozchodniaczka i pójdę ja, bo późno. Biedny, sam do pustego łóżka…

Wstał, ucałował nas wszystkie z dubeltówki. Kaśka śmiała się i krygowała, że nie chce. Pojechał… To był cudowny wieczór, bo takich ludzi, takich opowiadań mogę słuchać godzinami. A Piernasio jest takim uroczym i dowcipnym gadułą, a jego występów nie przerywają żadne reklamy! Na szczęście.

Spędzam teraz dużo czasu przy pracy. Narobiłam zaległości, bo tak się zaangażowałam w budowę pensjonatu, że odłożyłam moje recenzje ad acta. Tydzień temu koleżanka znów przysłała mi dwie magisterki do redakcji i to mnie zmobilizowało. Właściwie ta redakcja to miły neologizm. One przysyłają mi półprodukt, konspekt, a ja piszę tekst. Ubieram to w formę. Wzdragałam się, ale koleżanka tylko fuknęła:

— Przestań. To norma. Jak nie ty, to ktoś… Potrzebna ci forsa? Przecież nawet teraz piszą: „pod redakcją Janiny Iksińskiej".

— Poważnie? Czuję się trochę, jakbym odwalała za nie robotę…

— No co? Dane i obliczenia porobił autor. Ty robisz tylko formę i już. Nie musi umieć czy chcieć opisywać tego. Promotorzy aprobują to!

No proszę! Ale się porobiło.

Spędzam przy klawiaturze po osiem, dziesięć godzin dziennie.

Cóż, pieniądze wypłynęły wartko. Dopóki są, nikt nie myśli o tym, że ich kiedyś zabraknie. A popłynęły… Konrad na szczęście nie werbalizował swoich myśli o tym, jak beztrosko i bez zastanowienia wydałam kasę daną mi przez Zosię przed śmiercią. Nie miałam żadnych nostalgicznych oporów. Zosia powiedziała jasno: na podróż jakąś albo dom.

Biżuterię odkupił ode mnie Konrad, mimo że chciałam mu ją po prostu oddać.

— Gosiu, ona ma dla mnie wartość emocjonalną. Mam pieniądze, więc odkupię ją, pozwól. Niech to będzie mój wkład w pensjonat. Zgoda?

— Konrad, to trochę głupio…

— Wcale nie. A jak cię poproszę, żebyś nas czasem przyjęła? Byłoby to w porządku?

— Kogo? Was? Ciebie i Marysię czy ciebie i Adę?

— Gdyby Ada się zgodziła, to mnie i Adę. Czy to nie za wiele? Może to głupi pomysł? Niedelikatny?

— Nie wiem. Nie myślałam o tym. Pogadamy wiosną.

Ostatecznie sprzedałam mu tę mamy biżuterię, tylko dlatego, że i tak postanowił zasponsorować jeden pokój w pensjonacie i wybrał kolor ścian. Takie mydlenie oczu, ale bardzo miłe.

Z okazji Barbórki i Mikołajek urządzono dyskotekę dla dzieci i młodzieży w remizie strażackiej w Dźwierzutach i w knajpie „Kalwa" w Pasymiu. To stara, PRL–owska jeszcze knajpa.

Dowiedziałam się o tym zupełnie znienacka z SMS–a: „Wybacz milczenie. Zapraszam na dysk. w Pasym. Będę u ciebie o szóstej. J.".

Przypomniał sobie! Nie odpisałam mu nic, bo siedziałam i miałam uczucia ambiwalentne. (Wreszcie poczułam na własnej skórze, co to znaczy.) Z jednej strony cieszyłam się, że jednak się odezwał. Z drugiej byłam zła, że milczał tyle czasu. Zupełnie nie wiedziałam, czy mam się zgodzić czy nie. W końcu olał mnie na długo, choć przecież było OK.

No tak. Wikowi też pewnie było dobrze. Mnie nie. No, ale ja wychodząc, nie wdzięczyłam się do Wika i byłam chłodna, a Janusz po naszych ostatnich łóżkowych igraszkach całował mnie namiętnie i przytulał jeszcze przy samochodzie, jak mnie odprowadził… I mruczał mi do ucha, jaka jestem słodka i żebym została. Potem ucichł na długo. Co to znaczy? Że mu nie zależy! To dlaczego się odzywa? Szlag! Cholera! Mam sercowe rozterki jak nastolatka! Jeszcze pryszczy dostanę…

Przyszedł SMS: „???".

Odpisałam chłodno: „OK".

Na obiedzie był Tomasz. Właśnie wrócił z jakiegoś wyjazdu nad Biebrzę z grupą irlandzkich ornitologów pogadać o współpracy. Coś tam też podglądali w mokradłach. Trzeba mieć zdrowie, żeby takie rzeczy robić w listopadzie! Leżeli w szałasach godzinami i marzli, żeby zobaczyć jakiegoś ptaszka…

— No właśnie. Namówiłem ich na przyjazd wiosną. Wtedy nasze bataliony nad Biebrzą dają popisy dla publiczności. W dyrekcji odbyła się dyskusja o paliwach odnawialnych. A koledzy z Irlandii tak są zainteresowani naszymi bojownikami, że mają przyjechać na wiosnę, większą grupą. Widywali je w Afryce. Teraz chcą zobaczyć ich toki. Będzie międzynarodowe towarzystwo! Zanocują u was, dziewczynki!

— Ale my jeszcze nie skończyłyśmy… — powiedziałam zawiedziona do Tomka.

— A tu, u was, na górce? Zapomniałaś, Gocha, że macie gościnne pokoje na piętrze?

— Tomasz! Jesteś super! Racja, zapomniałam.

— I teraz, kobiety, jeszcze miły akcent: płacą w euro!

— Ja jeszcze w euro nic nie zarobiłam — powiedziała mama naburmuszona. — A Piernacki całe lato kosił z Niemców walutę!

— Poczekaj, mamo, jak Tomasz rozreklamuje nas wśród międzynarodowych przyrodników, będziesz miała kasę w euro.

— Moje drogie! — potaknął Tomasz. — Nie tylko przyrodników. W styczniu być może przyjedzie delegacja specjalistów od „roślin energodajnych", bo w Szczytnie tworzy się szum wokół sprawy ekopaliw i chyba ruszy budowa spalarni roślin! Trzciny, malwy, wierzby energetycznej. Trzeba tylko pomyśleć, ile i gdzie ziemi kupić i uprawiać! Basiu, może rozlewisko obsiejesz trzciną?

— Nigdy w życiu i ty dobrze o tym wiesz.

Gnom namarszczył nos. Nie pozwoli zająć rozlewiska pod uprawy. Kocha je takim, jakie jest.

— Myślałem, Baśko, o tym, o czym już ci wspominałem. Można byłoby dogadać się z nadleśnictwem i założyć tu maleńki rezerwat. Połączyć rozlewisko z fragmentem lasu. Aż pod moją leśniczówkę. To podmokłe tereny, można by pomyśleć…

— Ja myślałam o kolekcji rzadkich i ginących roślin bagiennych, ty pewnie o zwierzakach?

— No, jest trochę płazów, które można by tu osadzić i stworzyć im strefę ochronną. Wiecie, że mamy polskie żółwie? No, kto o tym wie? Tymczasem, Gosiu, nałóż mi galaretki. I dużo kremu poproszę.

Deser był z nowym kremem, który pani Karolina poleciła mamie.

— Tomasz? — szepnęłam, gdy mama wyszła do sieni. — Jak facetowi było dobrze z kobietą, a potem zakopuje się w pracy tak, że mu nawet nos nie wystaje, to wykręt, prawda?

— Niekoniecznie. Jak naprawdę złapał coś super, jakąś ekstra robotę, to wiesz, Gosiu, mógł zapomnieć o Bożym świecie.

— A ty zapomniałbyś o mamie? Zapomniałbyś?

— No, wiesz…

— Przestań. Nie broń go. Pewnie nie zależy mu i tyle…

— Gocha, poczekaj. On musi się dowiedzieć, że mu zależy.

— Od kogo?

— Od siebie. Jak ma cię w sercu, to przyjdzie moment, że nie będzie umiał dnia przeżyć bez myśli o tobie.

— A jak nie?

— To niech spada, Gośko! Dużo jest fajnych facetów. Nie martw się.

Westchnęłam. Aż tak mi zależy?

Tak. Myślę często o nim, ale wciąż odpycham tę myśl, że między nami mogłoby być coś poważnego. On jest po ostrych przejściach i nie myśli o głębokich uczuciach. Jak to facet — chce użyć wolności. Jest młody, przystojny, ustawiony, chociaż jakby nie przywiązuje do tego wagi. A ja? Ja nie. Już nie chcę wolności. Chcę kochać. I już.

Wieczorem przyjechał Janusz. Kiedy otworzyłam mu drzwi, poczułam miły skurcz w brzuchu. Samą mnie to zaskoczyło. Naturalnie poświęciłam sobie trochę czasu po tym, jak mama i Tomasz pojechali do leśniczówki. Mama zostanie tam kilka dni.

Weszliśmy do mojego pokoju. Z miejsca objął mnie i przytulił.

— Stęskniłem się, wiesz?

Byłam spięta i nie nazbyt wyrywna do karesów. Jak ma ochotę, to sobie przypomina, a tak, żadnego sygnału, telefonu — nic! Wyswobodziłam się z jego radosnych objęć.

— Chcesz kawy?

— Nie. Jeśli już, to herbatę po…poproszę. Przepraszam. Mam ci tyle do opowiedzenia!

— Poczekaj, przyniosę herbatę i zaraz siadam.

Nie rozumiem, po co przyszedł? Kim ja dla niego jestem? Może on sam jeszcze nie wie? Testuje mnie i siebie? A może stanęło na przyjaźni? Teraz rozumiem Wiktora. „Przyjaźń", to nie jest satysfakcjonujące słowo, kiedy się jest stroną zaangażowaną.

Opowiadał, jak pojechał do Olsztyna likwidować do końca swój pokój, zabrać swoje ciuchy, resztę gratów. Jego była — doktor Lisowska, która jawiła nam się jako dama na oddziale, kiedy chorował Tomasz — nie wykazuje na co dzień takiej klasy, jeśli wierzyć Januszowi. Znów poznałam kilka niemiłych szczegółów ze scenariusza rozwodowego. Niskie pobudki. Zawiść, mściwość i brak chęci na kompromis. Przykre. Ta szarpanina i pyskówki mogły istotnie znów naładować go negatywnie. Mogły, ale czy musiały? Mówił nerwowo, zacinając się. Nie jest to typ twardziela. Mój kochany nerwusek. Już go prawie nie słuchałam, potakując tylko. Obserwowałam jego mimikę, gest, jakim odgarnia włosy, dłonie, usta... Próbowałam sobie odpowiedzieć na pytanie, co mnie w nim tak urzeka?

— Wiesz, po tym wszystkim tatko tak mnie za...zaczarował tym pomysłem gabinetu w Nartach, że musiałem to szybko zweryfikować. Tam mie...mieszka mój znajomy. Taki gość ze światka artystycznego. Pracuje przy je...jednym z seriali. Złamał nogę i miał krótki urlop. Siedział w Nartach w swoim domku. Zadekowałem się u niego. Przyjechało je...jeszcze dwóch nas ze studiów. Trochę męskich rozmów, wó...wódeczki i sondaż, czy ten gabinet miałby tam rę...ręce i nogi.

— Piliście tydzień?

— Ko...konsultowaliśmy.

— Dobra tam. I co ci powiedział?

— Właściwie ni...nic odkrywczego. Że trzeba spróbować, bo teoretycznie ma to sens, a czy ludzie z Wa...Warszawki mi zaufają? Cholera wie? Wiesz, Gosiu, ja teraz muszę moje życie zbudować na no...nowo. Facet musi mieć fundament. Metodę na życie i starość. Tatko mnie tego na...nauczył.

— Poprzednio chyba nie byłeś z ojcem aż tak blisko?

— Nie. Dopiero teraz poznajemy się i dogadujemy. Jest super! Moja była lekceważyła go, bo wie...wieśniak. Chyba jej uległem, głupi dureń. Tato jest fenomenalnie pro...prosty i mądry.

Myślałam, słuchając go jednym uchem, że to prawda, że faceci nie umieją robić trzech rzeczy naraz. Budować gabinetu, poznawać taty i jeszcze miałby myśleć o mnie? Rzeczywiście za dużo. Tomasz, jak wyjeżdża na polowania czy śledzenie jakiś zwierzaków, też zapomina się odezwać.

— Z tą dyskoteką to żart. Prawda?

— Jasne. Wy...wybieg taki, bo nie wiedziałem, jak nawiązać.

— Do czego?

— Do tego, co było.

— Nic nie było.

Zacięłam się w sobie. Niech sobie nie myśli, że ja tu nie wyrabiam bez niego... Że świruję z tęsknoty i rzucę się na niego, jak tylko łaskawie się pojawi.

Znieruchomiał. Spoważniał.

Sprzątałam puste naczynia, kiedy wziął mnie za rękę i posadził obok.

— Nic? Nic nie było?

— „Między nami nic nie było.

Żadnych uczuć, wyznań żadnych,

Nic nas z sobą nie łączyło

Prócz wiosennych marzeń zdradnych".

Odpowiedziałam wierszem Asnyka. Czekałam na reakcję. Prowokowałam go do tego, żeby sam pomyślał i zareagował. Siedział, nic nie mówiąc. Twarz mu poszarzała. Widać, że był zaskoczony. Rozczarowany? Zrobiło mi się go żal. Może za szybko się zacięłam? Może nie powinnam tak? Postanowiłam zagrać va banque:

— Janusz. Ja… Nie wiem jak, w jakich kategoriach rozpatrujesz to, co było. Siebie. Mnie. Nie przerywaj. Jestem już osadzona. Nie poluję, nie interesują mnie szybkie numerki i rozrywkowi faceci. Jesteś bardzo interesującym mężczyzną. Świetnym kumplem i kochankiem… W tobie można się zakochać. Wiesz? Ale ja nie mogę być tylko rozrywką. Odskocznią. Jestem staroświecka. Potrzebuję stałości, głębi, prawdy.

Cisza była straszna.

Janusz słuchał i chyba był zaskoczony. Skubał skórkę przy paznokciu. Zdaje się nie to miał na myśli. Nie na to liczył. Przygniotłam go. Spojrzał na mnie tymi swoimi zielonoszarymi oczami, jak zraniona sarna. Biedny mały chłopczyk! Rozczarowany, bezradny. I czemu mnie to nie wkurza?! Czemu czuję falę wzruszenia, bólu, żalu, a nie złość?

— Gosiu. Gosiu. Ja dostałem w du…dupę. Byłem zależny i formowany przez nią. Nawet myślałem tak, jak ona chciała. Te…teraz chcę być wolny. Uniezależnić się. Zy…zyskać autonomię i sam o wszystkim decydować. Nie popędzaj mnie.

— Ani myślę — szepnęłam.

Byłam tak zaskoczona, że zebrało mi się na łzy. Marzyłam o jakimś nawrocie ciepła, deklaracji! Żeby objął mnie i powiedział coś o tym, żeby być razem, czy jak? Niepotrzebnie wyszłam przed szereg. Odkryłam się, a on po prostu mnie nie chce!

Wstyd i rozczarowanie podeszły mi pod gardło. Zabrakło oddechu. Oczy już miałam mokre, więc szepnęłam tylko:

— Idź już. Proszę cię.

Wstał zasępiony. Nie wiedział, co począć, zebrał się i wyszedł cicho. Słyszałam, jak rozgrzał silnik i odjechał. Dopiero wtedy rozryczałam się na dobre. Było mi tak okropnie głupio i wstyd! Wyznałam mu moje uczucia, gadałam wierszem

— romantyczna idiotka, a on sobie poszedł! O Matko! Jak mi się zrobiło żal siebie, pustych nocy, zranionych uczuć. Dopiero teraz zdałam sobie sprawę, jak on mi się podoba! Szlag! Cholera! Beczałam, zawodząc. Dookoła mnie leżało mnóstwo zasmarkanych i mokrych od łez chusteczek. Jestem normalna — tak, jak chciał! Miał mnie za to uwielbiać! Żeby wrócił! Szlag! Psiakrew! Mazałam się tak, aż usnęłam.

Ocknęłam się, kiedy Kaśka weszła do pokoju, zaniepokojona palącą się lampką. Nakrywała mnie kocem.

— Kasiu... To ty...

— Do łóżka połóż się. Gosiu. Taaaak?

— Już, Kaśko. Już. Śpij dobrze i nie martw się. Wszystko jest dobrze.

— Dobrze. Tak — powtórzyła Kaśka i poszła do siebie.

Co się działo na wiejskiej zabawie

Rano wstałam, zapuchnięta aż miło. Dookoła oczu miałam czerwone plamy, nos jak Dziadek Mróz, a oczy jak Babe — świnka z klasą.

To ostatnie skojarzenie rozbawiło mnie, ale na krótko. Znów się poryczałam.

W kuchni Kaśka patrzyła na mnie zaniepokojona. Nie chciałam śniadania. Napiłam się tylko soku. W brzuchu mnie ściskało i ogólnie było do bani. Nie mogłam sobie znaleźć miejsca, tłukłam się po kuchni, po pokoju i żal dosłownie rozrywał mnie na strzępy. Boże, jak boli! Ta jego nieobecność, to, że sobie poszedł, jakby mu nie zależało... Kolejne chusteczki z moimi smarkami lądowały na podłodze, a ja leżałam jak bohaterka tragedii na kanapie, nieszczęśliwa jak wszyscy diabli. Weszła Kaśka i stanęła zdumiona. Potem po cichu zebrała chusteczki, wrzuciła do pieca i powiedziała poważnie:

— Jak ci źle, to idź do mamy, Gosiu. Ja nie wiem, co robić. Tak.

Jasne. Przestraszyłam Kaśkę moim stanem.

— Przepraszam, Kasiu. Masz rację. Serce mnie boli. Wiesz? Pójdę do leśniczówki. Do mamy i Tomka. Zostaniesz sama? Niedługo wrócę.

— Zostanę. Tak. Idź. — Kaśka kiwała głową zadowolona, że znalazło się wyjście.

Szłam przez las. Uspokoiłam się trochę. Wrócił oddech. Jest zimno, ale bezwietrznie. Jesień jeszcze stroi las i jest tak pięknie! Wykolorowany wszystkimi odcieniami żółci, czerwieni, głębokiej wiśni aż do brązów wygląda elegancko. Modnie. Zapach wilgotnogrzybny. Pamiętam, jak byłyśmy na grzybach.

Wszystkie. Szłyśmy tędy i zatoczyłyśmy ogromne koło. O mało nie pogubiłam się. Nareszcie ścieżka do Tomaszowej leśniczówki. Otoczona jest wysokim płotem ze starych, szerokich dech. Furtka skrzypi, a wilczur — Bobek, wielki jak pies Baskervillów, drze się na mnie przy budzie. Nawet go nie uciszam. Nie zna mnie, to się wydziera. Za to dostaje michę. Leśniczówka ładna jest. Staroświecka, drewniano–kamienna, z oknami wykuszowymi na piętrze.

Mama otworzyła mi w szlafroku. To jej tutejszy. Brązowy z grubego frotté. Wygląda w nim jak kulka. Ma okulary, to znaczy, że właśnie czyta przy śniadaniu.

— Cześć, mamo. Musiałam przyjść.

— Widzę. Co się stało?

— Nic. Nic nie jest tak, jakbym chciała. Jest Tomek?

— Jest w łazience. Chodź. Powiedz.

Usiadłam na wielkim taborecie w kuchni. Tomek sam go zrobił, z wygiętego korzenia.

— Był Janusz. Nic z tego nie będzie.

— Poczekaj. Nie mów hop. Wiesz to na pewno? Okazał się sukinsynem?

— Nie. Aż tak to nie. On chciałby tak leciutko, od czasu do czasu. Taki romansik, bez zobowiązań…

— …a ty chciałabyś tak na amen. „Z psem i paprotką"? — głos Tomasza zabrzmiał od drzwi.

— Nooo. — Chlipnęłam już.

Z nosa mi ciekło i oczy znów produkowały kolejne potoki łez. Cholera!

— No, tak — westchnął. — „W tym najgorszy jest ambaras, żeby dwoje chciało naraz". I co? Powiedział ci, że ma to w tyle, że cię nie chce?

— Tak to nie. Subtelniej.

— Idź do pokoju z Basią. Wyrycz się. Pamiętaj, że nic nie jest ostateczne. My, faceci po przejściach, istotnie — sami szyi w kolczatkę nie wsadzimy. Najpierw musimy pobrykać. Tu cię boli. Ty jesteś na innym etapie. Mam rację?

— Tak. Ja już pobrykałam. Już mi się nie chce.

— No, ale pamiętaj, że to wy jesteście osadniczkami. My lubimy wiatr, męską przygodę, wódkę i przychylne laski. Tak jest. Każdy z nas nosi to w genach. Oczywiście normalny facet doceni w końcu stały ląd, ogień i ciepłą kobietę. Już nie laskę. Kobietę. Z całym jej arsenałem cierpliwości, zrozumienia, taktyki, czasem desperacji i… miłości. To wy nas jej uczycie. On widocznie jeszcze nie dojrzał. A może to zwykły fiut?

— …może. Albo ja nie jestem mu pisana.

— Nie będę cię, Gocha, oszukiwał. I tak może być. Idę, Basiu. Wrócę za godzinkę, dwie. Kupić coś?

— Pa. Nic nie kupuj. Może tylko pastę do zębów? Skończyła się.

— Pa, kobitki.

— Dokąd pojechał? — spytałam mamę.

— Do nadleśnictwa. Podobno mógłby się starać o tę leśniczówkę, na wykup.

— Chce tu osiąść na stałe?

— Dziwisz się? Spędził tu całe życie. Zawsze się bał, co się stanie, jak już będzie musiał odejść. Teraz tną koszty, szukają pieniędzy i można ją — tę leśniczówkę — wykupić. Likwidują ten okręg. Sporo sosen ma pójść pod wyrąb. Tę naszą część zgłaszamy jako tereny ochronne.

Zasłuchałam się i jakoś mi przeszło to najgorsze. Siedziałam na wielkiej Tomaszowej kanapie, naprzeciw kominka wielkiego jak stodoła, w mamy objęciach. Było mi tak dobrze! Mama ciepła, pełna stoickiego spokoju głaskała mnie po ręce i rozumiała. To było najważniejsze. Ogromny salon Tomasza jest bardzo męski w stylu. Na ścianach zamiast boazerii szerokie dechy o nierównych bokach, od podłogi do połowy ściany. Było trochę skór, ale mama bardzo kichała, bo były stare, więc je spalił. Podobno kiedyś pachniało tu dobrym tytoniem, bo Tomasz palił fajkę, ale już od dawna tego nie robi. Popala okazjonalnie. Na oknach proste rolety. Żadnych firanek. Na parapecie geranium. A jakże!

— Nie wiem, co mam robić, mamo.

— Nie memłać się już. Zajmij się czymś. Potrzebujesz dystansu. Daj czasowi coś do roboty. Zobaczysz, że różnie bywa i życie cię jeszcze zaskoczy.

— Dobrze. Pójdę już i popracuję — powiedziałam, wstając. — Nie czekamy na ciebie. Siedź tu sobie. Tomaszowi jest przyjemnie, że cię tu ma.

— Wiem. Ja też coraz niechętniej go zostawiam. Pa, Gosiu.

Pojechałam na zakupy.

Zajrzałam do Elwiry po koniak. Mogłam go kupić w spożywczym, ale chciałam z nią pogadać o niczym. A może o facetach? Tak. Koniecznie o nich.

Sklep był zamknięty. Jasne. Przecież to nocny! Zobaczyła mnie z okna.

— Cześć, Gosia! Chcesz coś?

— No, koniak. Ten bułgarski, ale przyjdę później.

— Nie, poczekaj. Zaraz będę.

Elwira zeszła z kluczami.

Spojrzała na mnie i już wiedziałam, że ona wie. W środku popatrzyła na mnie badawczo i zapytała:

— Facet?

— No… — odpowiedziałam inteligentnie.

— Masz ten koniak, walnij lufkę z gwinta. To nie pomaga, ale ciut uspokaja, a ty jesteś kiepska. Puścił cię kantem ten wałach?

— Czemu wałach? O kim myślisz?

— No, Gosia, co ty! O dentyście. Mnie on nie podoba się. Taki… jak wykastrowany. Jeszcze blondyn. No, za delikatny jak na faceta. Wiesz, jakich ja lubię.

— No właśnie, jak z Andrzejem?

— Pojechał na Ukrainę z towarem. Nosi go, wilka jednego. Lubi takie wyjazdy. Mówi, że Europa już go znudziła. Teraz to męskie wyprawy za wschodnią granicę. Tam dziko jest. Ma maszynkę na gaz i sam gotuje. W Europie przeżarł się tymi fast foodami. Chciał, żebym mu w słoikach obiady robiła na drogę. Niech spada! Jeszcze co? Co to ja, mamusia?

— Oni lubią, jak o nich zadbać.

— Tak, jak już będzie całkiem mój, to może zadbam.

— A nie jest?

— A cholera go wie? Jak go sprawdzę?

— Myślisz, że co port, to dziewczyna?

— Niby mówi, że nie, że on monogamiczny jest. Nawet teraz po powrocie chce badania porobić, żeby się kochać bez gumek. Wierzyć mu? Sama nie wiem. Oni wszyscy cyganią.

— Nie jest młody. Widziałam. Może mówi prawdę? Z tymi badaniami wygląda na to, że cię szanuje i deklaruje wierność.

— Ale, Gosia, ty masz gadane! No, może. Pomyślę. A ciebie tak wzięło na tego konowała? Sorry. No, nie mój typ.

— Wzięło. Wiesz, że nie ma mądrych…

— Wiem! Wiem! A Dominikę, to skąd mam? Dobra, cicho o tym. On teraz taki głupi, Gosia, wiesz? Nastał tu niedawno, polatać sobie chce. Podobno rozwiedziony. Poczekaj trochę.

— To upokarzające.

— A szycie lalek, nie? Tak mi się faceta chciało, że lalkę, jak mówiłaś, uszyłam. Jak ta głupia! I co? Pomogło. To teraz ty posłuchaj. Potraktuj go jak psa. Spałaś z nim?

— Tak.

— To wie, jaki masz atut.

— Skąd wiesz, że mam atut?

— Miastowa jesteś. Fajna. Na pewno umiesz w łóżku odważniej niż inne tutaj. I taka jesteś… Jak faceci lubią — miękka. Mówię ci. Poszaleje i przypomni sobie twój miód. A ty goń go w cholerę! Opędzaj się. Pokaż się z innym. Zaskowyczy, zobaczysz! Będziesz wiedziała, kiedy dać mu drugą szansę. Jak ją spieprzy — niech spierdala!

Zdrowa ta Elwira!

— A słyszałaś, kochana, co się wczoraj powyprawiało na dyskotece w Dźwierzutach? — spytała.

— Miałam być w Pasymiu.

— No, co ty? W takim ścieku? Słuchaj. Dwóch chłopaczków od nas pojechało dwa tygodnie temu na dyskotekę do Dźwierzut, bo nasze panny już im się opatrzyły. Pojechali, popatrzyli, a tamte fagasy tak ich pobili, że obaj wylądowali w szpitalu.

— O Jezu! Aż tak?

— No, brak zęba, wstrząśnienie mózgu, a drugi — odbite nerki i też ryj obity. No, to wczoraj od nas ekipa pojechała do Dźwierzut.

— Vendetta?

— Słucham?

— Nie, nic. Mów dalej.

— Pojechali, założyli ochraniacze na zęby i wpierdolili chłopakom z Dźwierzut, jak ci byli już nawaleni. Policja jak wpadła, to nasi już do samochodów wskoczyli i wio! Więc władza opieprzyła strażaków, co dyskoteki w remizie tam u nich robią, że sami nachlani i porządku nie umieją utrzymać.

— Ale po co tak się bić?

— Oj, Gosia! Jaka ty naiwna jesteś. Zawsze chcą się ponapieprzać. Taka ich natura. Za to nie lubię facetów i trzymam ich krótko. Mają to w genach, żeby bić się i pokazywać siłę. Teraz jak telewizję oglądam, to tam jest taki jeden naukowiec, co to tłumaczy. Że to tak jeszcze z jaskiń. Tak mają. Oni leją się, a my palimy ogniska.

— Tak... Za mało igrzysk. Chleb daje mamusia.

— Jakich igrzysk! Roboty za mało! Kiedyś, jak taki jeden z drugim nachodziłby się za koniem, za pługiem cały dzień, to na zabawie już tylko by pił i się przytulał. Teraz, darmozjady, z nudów i braku roboty pierdolca dostają. Rycerze pojebani!

Oto zdania godne filozofa! Jak Kaśka. Ma Elwira zdrowy punkt widzenia i chyba żadne mądrzenie się nie zdefiniowałoby tego lepiej.

— Idę, kochana.

— Pamiętaj. Jak psa, choćbyś nie chciała!

Na kałużach pojawiły się lodowe tafle. Przymrozki bywały dotąd rano, ale teraz są już na stałe. Słońce ich nie roztapia. Zimno jest. Raz padał śnieg…

Pola poszarzały i wszystko żywe już zagrzebało się w swoje norki. Na rozlewisku cisza. Łabędzie odleciały, a koło kładki sterczą z tafli długie trzciny z pióropuszami. Już suche… Woda wokół nich jeszcze nie zamarza.

Stefan od Karolaków zaopatrzył nas w opał na zimę. Trzeba było zrobić duży sąg z porąbanych szczap pod taki daszek na czterech nogach, bo budynku gospodarczego już nie ma! (Zamienia się w pensjonat.) To na dalsze miesiące. Drewno pocięte w lecie, co już podeschło, Stefan, Bartek i Krzysiu zapakowali do tej części nowego garażu, gdzie jest miejsce na warsztat. Później będziemy brać z sągu. Nosimy z Kaśką drewienka na werandę. Stamtąd bliżej do domu. Raz w tygodniu robimy parę rundek i na wózku rowerowym przywozimy szczapy do poukładania. Lubię zmachać się przy tej robocie. Trudno mi zacząć, bo trzeba, ale potem czuję się rozruszana i zadowolona, bo wiem, że nie zmarzniemy i że nie jest to tylko na głowie Kaśki. Ona nie może być… służącą. To w końcu moja ciocia. Śmieszne. Ciocia. Mamę całkiem zwolniłam od tej roboty. Zauważyłam, że od pewnego czasu mama już nie szarżuje tak z pracami domowymi. Chyba od pobytu Tomasza w szpitalu. Coś ich oboje wzięło na troskę o siebie. Tomasz też podobno prowadzi się lepiej, chociaż to u niego oznacza tylko, że częściej dzwoni, jak wyjeżdża, i obiecał mamie, że zacznie nosić czapki w zimie. O swoim szpitalnym incydencie, mówi: „lekki stan przemęczenia”, chociaż wszyscy wiemy, jak było. Dostrzegli oboje, że drugi człowiek bliski i kochany jest ważniejszy od dotychczasowych pryncypiów. Mama po tym Tomkowym pobycie w szpitalu i zaręczynach zdaje się uwierzyła, że miłość Tomka jest prawdziwa i wieczna. Że on rzeczywiście ją kocha całą — taką, jaka ona jest. Coraz częściej są razem. Tak im zazdroszczę…

O Maju w grudniu

Stałam się pracoholiczką.

Muszę zarobić forsę na nowe inwestycje w pensjonacie. Poza tym, kiedy pracuję, nie myślę, nie babrzę się we własnych myślach. A te nieuchronnie zmierzają ku Januszowi i dręczącemu mnie pytaniu: „Czemu to nie wyszło?!”. Dopiero jak to się rozmyło, zdałam sobie sprawę, jak tęsknię. Brak mi jego SMS–ów, spojrzeń, śmiechu. Jak on świetnie się śmieje! Ma piękne zęby i odchyla głowę do tyłu lekkim gestem. Twierdził, że dzięki mnie odnalazł swobodę… Że to ja kazałam mu mieć wszystko w tyle. Ładne rzeczy mówił… Kurczę, czuję się tak, jakbym mu otworzyła klatkę, a on, fiuuu! Poleciał na wolność. Zakochałam się bez wzajemności. Szlag!

Pisać! Pisać, redagować, poprawiać błędy. Nie myśleć! Zarobić trochę pieniędzy na wykończenie wnętrz. Co prawda Konrad mi powiedział, że możemy wystawić na aukcję jeden z obrazów po jego ojcu. Nie ma dla niego wartości nostalgicznej. Zastanawia się też nad wstawieniem do antykwariatu teczki z rysunkami Emila Orlika, które ojciec Konrada dostał od kogoś. Nikt nigdy nie wierzył, że to coś warte, bo to są takie prywatne zapiski, rysunki jakby konferencyjne. Jakieś rebusy, żarty. Kilka ładnych grafik, niedokończonych, takich urwanych w pół. Znów mi głupio, że na cele konsumpcyjne wyzbywam się cennej pamiątki rodzinnej, ale Konrad powiedział: „Daj spokój!". Jak to Konrad. Wyczerpująco…

Myślę o meblach do pokoi gościnnych. Marysia i Paula zaprojektowały wnętrza ze smakiem, ale teraz muszę kupić to wszystko, załatwić! Karolak podpowiedział mi wizytę w tartaku pod Dźwierzutami. Tam podobno facet robi meble ikeowskie w stylu. No, to jadę!

Tartak ukryty jest w czeluściach starego, niegdyś pięknego parku. Łomoczą maszyny — trak tnie drewno równym terkotem. Szukam szefa. Z biura wychodzi do mnie Góra w wielkiej, ocieplanej koszuli w kratę. Blondyn. Podaje mi łapę, też wielką, i nad wyraz delikatnie ujmuje moją. O Matko! Całuje mnie w rękę!

— Maj jestem — przedstawia się. Zaprasza mnie do biura. Z uwagą słucha, czego mi trzeba, i proponuje, żebym po prostu zobaczyła, co robi. Niektóre rzeczy ma na zdjęciach, niektóre na hali, inne w magazynie. Łóżka są ładne — proste i surowe. Będzie można je pociągnąć czymś, co je zabezpieczy tylko, i zachować naturalny kolor sosny. A może dać taką transparentną, szwedzką bejcę albo farbę z przecierkami?

— Pani sama podejmie decyzję, bo ja tu nie barwię. Tylko produkuję.

Popędza mnie i widzę, że moja wizyta się kończy. Dyskretny, ale zdecydowany. Ceni swój czas i nie lubi dywagowania. Pogadałabym, bo ma miły głos. Używa starannej polszczyzny.

— Mogę wpaść jeszcze? Chętnie pogadałabym z panem o drewnie, bo pan ma większe doświadczenie. Może jakoś po południu? A może pan wpadnie do mnie na herbatę? Mieszkam pod Pasymiem.

Zarumienił się jak panna. Nieśmiało się wykręcał, ale wizytówkę wziął. Ma się odezwać. Oryginał. Wracam do domu mokrą szosą. Jest dopiero druga, a szaro i ponuro, jakby było pod wieczór. Ciężkie chmury wiszą niziutko, nieruchomo nade mną, i siąpią deszczem miarowo i nudno. Wycieraczki pracują rytmicznie. Jestem senna i znudzona tą aurą, kałużami.

— Szlag! O Boże!

O mały włos potrąciłabym rowerzystę. Jedzie jakiś biedak owinięty w burą płachtę. Skulony, mokry. Oczywiście żadnych świateł. Nawet odblaskowych. Tyle lat budowania, rozwoju, zrównywania szans miast i wsi, a tu ciągle problemy z komunikacją i bieda taka, że rowery nie są symbolem ekologii, a koniecznością. Aż mi głupio, że mnie stać na samochód z ogrzewaniem, a inni, jak tamten, jeżdżą rowerami w taką pogodę.

Moja biała toyota załatwiona mi przez Wiktora, spisuje się świetnie. Naturalnie teraz, kiedy jest taka plucha, nie jest biała. Wiecznie zbryzgana błotem. „Jak prawdziwa terenówka, a nie babska torebka na zakupy w mieście" — śmieje się Tomasz. Irytują go damcie jeżdżące po miastach terenówkami. Kaśka i mama też jeżdżą na rowerze. Mama już rzadziej, ale opowiadała mi, jak ona i Bronia pół życia rowerami zjeździły te tereny. Z samochodu nic nie widać. Z roweru — wszystko, i szybko zsiąść można i pogawędzić…

No. Już nasze trzy brzózki i zjazd do domu. Jak ja to lubię!

— Mamo, byłam pod Dźwierzutami w tartaku. Tam jest taki stolarz, Sławek Maj. Pokazywał mi ładne wzory mebli. Zamówiłabym prawie wszystko. Byłoby „od jednej matki".

— Zamawiaj. Liczę na twoją forsę, bo moja całkiem wyszła. Mogę pojechać z tobą w styczniu do hurtowni w Olsztynie kupić materiał na narzuty, poduchy. Tomasz obiecał, że zrobi ramki do obrazków, które kupiłaś od tej starej Ani. Te haftowane krzyżykami.

— Myślałam, żeby z nich porobić poduszki. Obrazki dać te, co Paula namalowała. Te kolorowe.

— Dobrze, ale i tak trzeba będzie poszyć całe poszewki i na nie dopiero naszyć kanwę z haftem. Podobno Wrona, ta, wiesz — mama tej dziewczynki, co zaginęła, a potem zmarła, ładnie robi szydełkiem. Słuchaj! Słyszałam, jak pani Karolina bardzo na nią narzekała. Że zhardziała, że nos podnosi za wysoko. Oj! Bieda z tą Wroną. Dokąd ona pójdzie, jak się skłócą?

— Może wróci do domu?

— Może…

Mama zamyśliła się, patrząc w okno. Już ciemno, choć to dopiero czwarta!

— Chodź, Kasiu. — Wstałam, korzystając z tego, że się jeszcze nie przebrałam po domowemu. — Chodź, nanosimy drewna z werandy.

Kaśka słabnie. Już się tak nie wyrywa do wszelkich prac. Starzeje się nasza dziewczynka! Patrzę ze wzruszeniem, jak uśmiecha się swoimi za dużymi ustami, wstając ciężko z krzesła. Jest pogodna. Nigdy nie narzeka. Tylko przycichła jakoś. Częściej słucha radia, rzadziej chodzi na cmentarz. Właściwie to ja ją zawsze wiozę, jak ma ochotę pogadać z mamą Marianną albo uporządkować grób Felicji. Cieszyła się, gdy kładłam głowę na jej ramieniu, siedząc na werandzie jeszcze jesienią. Mówiłam do niej:

— Pięknie jest, Kaśko. Prawda?

A ona buczała:

— Tak. Piękny jest świat, Gosiu. Taaak.

Teraz czasem biorę ją za rękę przy posiłku. Patrzy na mnie dobrotliwie, śmiesznie się uśmiecha. Moja ciocia Kasia.

Wieczorem Piernacki wpadł na herbatę podrzucić mamie nalewkę bursztynową i miód. Mamy nienapoczęty cały litr, ale widocznie Piernasiowi smętnie się zrobiło samemu. Zaproponował nam wiosną wycieczkę do Rzecznej. Do swojej starej pracy. Okropnie — powiedział — zatęsknił po wieczorze u nas spędzonym.

Mama nie wyraziła chęci. Ja — tak. Sama nie wiem czemu.

Co mam robić w te smętne dni? Pracować do ogłupienia? Tęsknić za Januszem? Już mnie ta tęsknota męczy...

Widziałam go wczoraj, jak wyszedł z mięsnego. I nic. Tylko tak smutno, że nic nas już nie łączy.

Piknął SMS, a ja podskoczyłam przy komputerze. „Czy mogę na herbatę, za pół godz. S. Maj".

Odpisałam: „Youp!".

Zajechał na podwórko jeepem, brudniejszym od mojego. Nasz Tomasz jest wysoki i dobrze zbudowany, ale Sławek Maj to ogromny facet!

Wszedł nieśmiało i przywitał się nieśmiało. Jak panna. Obecność Kaśki w widoczny sposób zdeprymowała go, więc poprosiłam go do swojego pokoju i tam podałam herbatę.

— Przepraszam, że tak się wprosiłem, ale pani sama mówiła...

— Sama mówiłam! I dobrze, że pan wpadł. Napije się pan nalewki? Mały naparstek. Rozgrzewa i leczy podobno. No i będziemy mogli przejść na „ty", jeśli nie ma pan nic przeciwko temu.

— Naturalnie! A co to jest?

— Bursztynówka Piernackiego. To nasz przyjaciel domu. Samotny wdowiec. Hoduje dziwny drób, także pszczoły, piecze ciasta i robi nalewki. Ma gospodarstwo agroturystyczne. Lubi nas, bo tu jest dom, „który pachnie kobietami".

— Też to lubię, ale jakoś okazji brakuje.

— No, proszę. Wypijmy. Małgorzata.

— Sławek. Ooooch! Ale to mocne!

— Czy to znaczy, że pan…Ty też jesteś wdowcem?

— Nie. Absolutnie gorzej. Jestem rozwiedziony. Od lat sam.

— Sam czy samotny? Bo to co innego.

— Też. Tu nie mam szans na życie towarzyskie. Haruję jak wół, mieszkam byle jak, po męsku. Która by tak chciała? Przyjeżdżają do mnie moi koledzy. W lecie zawsze robimy męski spływ Wisłą aż do Gdańska. Jakoś odwykłem od towarzystwa kobiet. Twoje zaproszenie mnie zaskoczyło. — Zaśmiał się nerwowo.

— To fajnie. Ja już tu mam spore grono przyjaciół. Poznałam ich dzięki mamie. Ona tu wszystkich zna i wie, kto jest kim. Kilka zaledwie osób poznałam sama. O, ciebie na przykład. Nie jesteś stąd?

— Nie. Pochodzę z Otwocka. Osiadłem tu kilka lat temu. Kiedyś ci opowiem, gdzie i co robiłem. A ty? Skąd ty tutaj?

Pokrótce każde opowiedziało coś o sobie, potem Sławek zrobił mi przyspieszony kurs bejcowania drewna i rozpoznawania jego klasy. Dość szybko wstał i pożegnał się znów nieśmiało.

Wieczorem mama spytała mnie:

— No, i jaki jest? Tomasz rozmawiał z nim parokrotnie. Podobno mruk. Wiesz, że on tu w Rudziskach ma strusie?

— Co ma? Pomyliłaś się. Tu był ten z tartaku. Sławek Maj.

— No tak. Tomasz zwiedzał jego fermę strusiów. Pojedźmy tam jutro, chcesz? Widziałaś strusia na żywo?

— Jak byłam mała. W zoo.

— No, a ten Sławek? Jaki jest?

— Jak struś! Myślę, że czeka nas długa sesja, bo strasznie zwięzły. Dzisiaj ja miałam występy. Popisywałam się jak pensjonarka i gdakałam zawzięcie, bo on był spięty jak guma w majtkach. Następnym razem opowie, skąd się tu wziął.

— O! — gwizdnął Gnom. — Szykuje się serial!

— Może. Wracasz na noc do leśniczówki?

— Tak, jak cię to nie obciąża zanadto.

— Jak to, obciąża? Zwariowałaś, mamo?!

— Zostawiam ci cały dom na głowie, a ja mam jakby urlop!

— To dobrze. Przyjedź rano, pojedziemy na te strusie i pogadamy o świętach.

Po jej wyjściu zadzwoniłam do Sławka.

— Hodujesz strusie?!

— To ty, Gosiu? Tak. Hoduję. W Rudziskach Pasymskich mam fermę.

— Czemu mi nic nie powiedziałeś?!

— Nnnie pytałaś…

Oryginał! Skromniaczek!

— Kasiu? — spytałam Kaśkę przy kolacji. — Widziałaś strusia?

— Co to „strusia"?

— Jutro pojedziesz z nami na wycieczkę, tu bliziutko, i pokażę ci duże ptaki.

— Indyki duże ma Karolakowa. Tak — powiedziała Kasia rezolutnie.

— Te są większe. Będzie fajnie!

Rano przyjechała mama. Zamknęłyśmy dom i pojechałyśmy sterowane przez Sławka telefonem. Do Rudzisk skręca się tuż za Pasymiem i jedzie brzegiem jeziora. Tego, po którym szukaliśmy Karolinki. Wnet po lewej stronie szosy zobaczyłyśmy zwykłe, siatkowe ogrodzenie, szopę i… strusie!

Brudny piasek, wydeptany nożyskami tych ptaków — dziwaków, szopy z szarych desek, wszystko jak dla… kur. Ptaki szły niezgrabnie, jak na filmie o praptakach. Gapiły się na nas dobrze mi znanym spojrzeniem pt.: „Daj coś do żarcia". Jak kury i indyki Karolakowej. Kaśka stała z mamą i była poruszona. Samice łypały długorzęsym okiem, czy damy im wreszcie coś do zjedzenia, a samiec — wielki i czarniawy — odwrócił się tyłem do nas i nagle spod piór, z gołego tyłka wynicowało mu się coś różowego i ohydnego, co zwisło w dół. Wyglądało jak jakiś dziwaczny organ, jak jęzor z karbowaniem, coś takiego. Potem z tego czegoś biała, śmietanowa ciecz spadła na ziemię.

— Widziałaś? — spytała mama. — Cham! Spuścił się na nasz widok! No, cham!

— Głupi! — powiedziała solidarnie Kaśka.

— To ja mogę już iść. Wolę małe kotki i cielaczki.

— O! Tam leży jajko duże! — Kaśka pokazała palcem.

Rzeczywiście. Leżało. Wielkie jak… strusie jajo.

— No, żaden to cud — powiedział Gnom w domu, nalewając nam kawę, a Kaśce kakao. — Myślałam, że są jakieś takie ładniejsze, czy ja wiem, bardziej interesujące?

— Sławek twierdzi, że to potomkowie dinozaurów. Są im morfologicznie najbliższe. No, skórę mają jak gady. Ładne są z niej torebki — powiedziałam, słodząc.

— Idź i powiedz to temu jurnemu samcowi. — Mama pokiwała głową.

— Takie są, że zabijają ciosem dzioba. Podobno. Sławek mówił.

— No właśnie. Jakoś nie chciało mi się wołać do nich: „taś, taś".

— Dzieci Kaczki Obrażalskiej są ładniejsze — zdecydowałam.

— Taak. — Zakończyła dyskusję Kaśka.

Nie będziemy już jeździć do strusi. Nie znają manier. Za to Sławek po południu przywiózł nam to jajko i instrukcję obsługi. Że to na dziesięć osób wystarcza.

— Wytrzyma do świąt? Zrobimy ciasto.

— Na święta dostaniecie panie też. Chociaż z chłodni, bo już się wtedy słabo niosą. Spieszę się. Do widzenia.

I uciekł. Dosłownie, uciekł!

Jak dobrać się do strusiego jaja

Strusie jaja są bardzo dobre pod każdą postacią. Także do ciasta. Niestety skorupa twarda jest nieludzko. Trzeba wziąć wiertarkę i dwa wiertła: „4" i „10". Nawiercić dziurki na antypodach i przez tę cieńszą wydmuchnąć zawartość do miski. Zrobić omlet, dać do ciasta… Wydmuszkę pięknie pomalować na Wielkanoc.

Przyszła zima. Idą święta

Śnieg jak już spadł, tak już został. Najpierw było go mało, tak po prostu posypał wszystko niedbale, ale wkrótce w nocy była zamieć śnieżna i wszystko wyglądało jak na obrazkach z bajki.

— Już dawno nie było tak zdecydowanego przyjścia zimy — powiedziała mama znad okularów, przy porannej kawie.

— Tak. Nie było — jak echo powtórzyła Kaśka.

— Już od paru lat zima zaczynała się byle jak — kontynuowała mama swój wywód, przewracając stronice „Gazety Olsztyńskiej". — Zacznie się jakiś śnieżek, a po nim roztopy i błoto, aż do Bożego Narodzenia. A teraz to porządnie zasypało i wygląda solidnie. Jak nie będzie dodatnich temperatur, poleży aż do świąt! Czy moja nowa rodzina zwali mi się na głowę, jak obiecali? — zwróciła się do mnie.

— Nnnno. Chyba zwalą. Kuba raczej nie, bo spędza Boże Narodzenie w Stanach, a i z Konradem nie wiadomo. Może go Ada nie puścić. Z pewnością chciałaby spędzić z nim święta, skoro ma go już tak oficjalnie.

— Półoficjalnie, jak już lecimy po pryncypiach — rzekła mama. — Ona, z tego, co mówił Konrad, jest dość konserwatywna, więc oficjalnie się nie czuje, ale masz rację, Konrada spisałabym na straty — będzie z Adą. To co? Wnuczki mnie nie zawiodą, Paula i Marynia? Będzie babska Wigilia.

— A Tomasz?

— Racja. Trochę babska.

— A mamo, Piernasio? Sam wigiliuje?

— Zawsze dotąd sam. Mówił, że stawia zdjęcie swojej Basi koło siebie i świętuje. Nigdy nie dał się zaprosić. Może ty go przekonasz?

— Nie będzie ci przeszkadzało, że będzie taki tłum?

— Wiesz, że nie. Zawsze było kameralnie. Ja, Kaśka i Tomasz. Prawda, Kaśko?

— A co?

— No, jak jest choinka, to jesteśmy tylko my z Tomkiem, prawda?

— Tak. Tak, mało nas. Tylko mama i Tomasz. Tak — potwierdza Kaśka.

— A ty, Gosiu? Jak było u was?

— Bardzo kameralnie. Chciałabym teraz, żeby było nas dużo i żeby był gwar przy stole, jak u Karolaków w tartaku. Karolakowa mi opowiadała, jak zaszłam do niej jesienią w czasie grzybobrania. Tam czasem siadało i osiemnaście osób! Ona o tym tak mówiła, że aż chciało się w tym uczestniczyć!

— No, to spróbujemy i my zrobić taki harmider! Dzwoń do mojej wnuczki i spytaj, czy przyjadą obie. I zbajeruj Piernasia. Dość już tego siedzenia w samotni, niech wejdzie między ludzi.

— Niech wejdzie! Tak — powtórzyła głośno Kaśka, sprzątając ze stołu.

Poszłyśmy z Kaśką na spacer dotlenić się. Zimowy las jest cudowny. Nie zdawałam sobie sprawy — ja, ciepluch warszawski, że tak mnie uwiodą spacery po zaśnieżonym lesie. Tylko na nartach w górach lasy atakowały mnie zimową szatą i urodą, ale obserwowałam je z kolejki linowej albo z okien restauracji, a teraz idę po śniegu, w głąb naszego lasu. Często zabieram Funia i idę. Czasem idzie ze mną Kaśka, żebym miała z kim rzucać się śniegiem. Ona to bardzo lubi. Zaczynamy na małej polance opodal tego miejsca, w którym spotkałyśmy z mamą dziki. Tam Kaśka zdejmuje rękawiczki i zaczynamy. Ona spryciara zawsze stosuje unik i obrywa w plecy. Dobrze celuje, więc ja obrywam gdzie się da. Funio gania kule i wrzeszczy na nas zgorszony.

— Zajdziemy, Kasiu, do Karolaków?

— Tak. Chodź, Gosiu, chodź!

Idziemy drogą w stronę tartaku. Jest bliżej, niż mi się kiedyś wydawało. Kiedy się nie zna miejsc, wszędzie jest daleko. A teraz, to przecież tuż za zakrętem!

Polana dzików jest dalej, w głębi. W lesie jest cicho. Słychać tylko tartaczne maszyny, bo już blisko. Tartak stoi na skraju lasu. Ładnie położony. Stary. Pierwszy do Karolaków wpada Funio podrażnić ich psa — Bariego. Bari jest wielkim kaukazem. Stefan, syn starego Karolaka, wziął go z przytułku dla zwierząt. Zawiózł tam deski. Bari był w tak strasznym stanie, że aż żal mu się go robiło. Cały składał się z ran, skudlonej, brudnej sierści i smutnych, wielkich oczu. Chudy jak afrykańska gazela. Lewe tylne udo miał wygolone do skóry po operacji. Był chyba poszarpany, bo szew wyglądał jak rzeka z dopływami.

Teraz to co innego! Bari ma wielką, swoją budę, miskę jak miednica, boki mu się wypełniły i tylko utyka na tę nogę, co była poszarpana.

Szef schroniska nawet nie chciał opowiedzieć historii Bariego, tylko żałował, że niektórych ludzi nie można „sanitarnie i humanitarnie" odstrzelić. Pewnie ma rację. Kiedy Bariemu zarosła rana na nodze i odrosło futro, jak już pokochał całą rodzinę Karolaków, Krzysiu ze Stefanem przyprowadzili go nad rozlewisko i ukąpali jak dzieciaka. Psim, specjalnym szamponem. Bari dał się zamydlić calutki, stojąc cierpliwie i grzecznie. Wkrótce wyglądał jak wata na patyku.

Krzysiu krzyknął:

— Bari! Teraz do wody! Wskakuj!

I Bari pognał do wody szczęśliwy, kulawy, ale merdając ogonem. Ściślej — połówką. Resztę mu kiedyś odrąbano.

Teraz Bari poszczekiwał na Funia z góry, jakoś tak ospale i po ojcowsku, po to tylko chyba, żeby Funiowi zrobić frajdę. Dnie na ogół przesypia w budzie, nocą jest spuszczany z łańcucha i sobie gania.

U Karolaków było smutno, bo mama Karolakowa w szpitalu. Serce. Starość. Codziennie ktoś do niej jeździł z tej wielkiej czeredy, zabierając tatę ze sobą, bo tatko Karolak musiał być u „żonci" codziennie. Widać po nim zmartwienie. Wielkie chłopisko, teraz jakby przygiął się do ziemi, poszarzał, mniej żartuje. Też niemłody, właściwie stary grzyb, ale jak Tomasz — wiecznie pracowity i „zdrowy"— jak twierdzi.

Piłyśmy herbatę ze Stefanem, gadając o Krolakowej, gospodarstwie i słyszałam tylko: „Tatko to, mamcia tamto". Nawet Ola z Białegostoku, mówili, przyjechała. (Zupełnie tak, jakbym znała tę Olę.)

— ...bo ich tam dużo jest, Gosiu — tłumaczył Gnom, jak już wróciłyśmy z Kaśką i Funiem. — Najstarszy był Czarek, za nim Stefan, Teresa — teraz w Niemczech, potem Bartek, ojciec Krzysia, Ola właśnie, Mirek z Bolkiem — bliźniaki i Monika... Aha! I Ewa — najmłodsze.

— Też bliźniaczki?

— Nie, chyba nie. To córki Stefana. Nie bliźniaczki.

— No, ale mamo, u nich czuje się, że kochają tych swoich rodziców! Tak mówią o nich, tak się martwią, troszczą.

— Bo zawsze razem, na kupie. Zawsze Karolakowa nadawała ton domowi, a Karolak przewodził chłopakom i tartakowi. Żadnego, jak mi mówił, nigdy nie uderzył. Nie musiał. Zawsze z nimi był, rozmawiał, tłumaczył. To Karolakowa dawała ścierką przez łeb, jak ją które rozeźliło. Najmniej teraz znam Olę, bo ona wyjechała do Białegostoku i nie zajeżdża za często, chociaż byłam Oli powiernicą, aż do jej ślubu… Potem już zamknęła swój świat dla wszystkich. Mirek i Bolek wyjechali na Śląsk już dawno. A Monika i Ewa to wnuczki, młodzież w wieku Marysi i obie są w Elblągu. Studiują. Nie wiem co. Bartek ze Stefanem przejęli tartak i Stefan pobudował się niedaleko ojców. O, historia Oli to by się nadawała na nowelę.

— A co?

— Nic. Kiedyś ci opowiem. Teraz pójdę do siebie sparować skarpety z prania i poukładać w szafie. Ogłupiające zajęcie!

Mail od Marysi:

Kochana Mamciu!

Paula zakumplowała się z sąsiadem. Zamieszkał na jej klatce schodowej i przyszedł pożyczyć sól. Bardzo fajny. Fin. Ma na imię Janne. Piękny — w twoim typie. Blondyn, prawie biały. Zębów cała gęba i szafirowe oczy jak u Fremenów — mieszkańców Diuny. Śmieszek i rozkoszniak. Już stanowimy niezłą kompanię. Był po jakimś bolesnym rozstaniu, „na dnie rozpaczy"—jak to ujął, dokąd nie poznał Pauli i mnie.

Pracuje w firmie kosmetycznej. Przyjechał z Poznania, gdzie żył dwa lata z tym kimś. Pokazujemy mu Warszawę. W ogóle nie zna polskiej wsi. Możemy go przywieźć w ferie?

— Mania

PS: U ciebie w porzo? Jak babcia i Kasia? Kaczka i kaczaki, Blanka, Funio?

Dawno tu nie byłaś. W Outlecie przeceny… W sklepach wyprzedaże…

Przyjedź, kupisz sobie nowy waciak i kalosze! Ty wieśniaro! Całus!

Rok temu o tej porze byłam w Warszawie.

Rok temu czułam beznadzieję, nie lubiłam siebie i całego świata. Rok temu, mama Zosia wypchnęła mnie z domu na poszukiwania mamy. Mojej mamy.

Dzięki ci, Zosiu.

Pojadę do Warszawy na krótkie plotki z Manią, zakupy, wizytę na cmentarzu... Może rzeczywiście uda mi się namówić ich wszystkich na Wigilię tu, u nas? Kim jest Janne?

Tak, muszę jechać!

I pojechałam!

O tym, jak pojechałam do Warszawy, i o rozświetlonej posesji mamy

Z niewytłumaczalną nostalgią wjechałam na tę moją Saską Kępę. A tak przecież zarzekałam się miasta — jak żaba błota! Kpiłam i prychałam, jak mówiłam Piernasiowi o Warszawie, i rozumiałam go doskonale, kiedy mówił, że ostatni raz był tu dziesięć lat temu.

W końcu uciekłam z tego gwaru i pędu prawie z krzykiem, a teraz rozczulam się widokiem stacji krwiodawstwa, ogródkiem jordanowskim całym w śniegu i górką, na której Mania jako maluch zjeżdżała na sankach aż do zmroku. O, i lodowisko jest! Ale ze mnie romantyczka! Niestała uczuciowo baba z początkami klimakterium. Powinnam kupić sobie jakieś preparaty fitohormonalne, czy coś? A może to nic nienormalnego, tęsknić za dawnym miejscem życia? Zadałam to pytanie Mańce, jakby ona z tym swoim stoickim dość poglądem na życie potrafiła to zobiektywizować i ocenić.

— To naturalne, Mamciu, że potęskniasz za Saską. W końcu kawał życia. Co dziś robimy? Pokazać ci nowe sklepy? Chodź! Kupimy prezenty!

Szybko to skwitowała na rzecz babskiej rozrywki.

— Potrzebujesz rzeczy czy shoppingu, Mania?

— Nie wyjeżdżaj mi tu z tanią psychologią. Chcesz spytać, co w mojej duszy? Powiem ci na zakupach. Nie mów, że tak cię wcale nie ciągnie łażenie po sklepach. Na pewno powinnaś uzupełnić garderobę. Mamcik! Proszę!

— Skąd wiesz?

— Bo... zmieniłaś rozmiar, mówiąc subtelnie, ale ładnie ci w tym.

— Aż tak widać? Cholera! Wiesz, nie jestem w stanie zapanować nad sobą. Tam wszędzie daleko i nie mam jak jeździć na jakikolwiek sport. W Szczytnie są jakieś fitnessy, masaże itd., ale ja nie mam czasu ani ochoty. Mam tyle zajęć...

— No, usprawiedliwiaj się, szukaj argumentów, a tymczasem ubieraj się i jedziemy.

— No, Mania! Przecież jest pensjonat, mama, Kaśka, cały ten nasz fraucymer.

— …i to wszystko na twojej głowie, biedaczko. Gadaj tak, to ci uwierzę, jakbym nie znała babci, Kaśki i reszty! Po prostu nie masz motywacji. Jak mu tam? Janusz?

— Mańka!

— Co? Ty możesz uczestniczyć w moim życiu uczuciowym, wiesz, że mnie Kuba puścił dla jakiejś Pokahontki z Bożej łaski, a ja nie mogę nic wiedzieć o twoim? No, to przed kim masz się wygadać, jak nie przede mną? Przykro ci?

— …jakoś głupio. Jesteś córką.

— …? No…? Co z tego wynika? Trzeba mnie karmić mdłą papką, że niby jesteś z innej gliny, że ty i tatuś… Mamo, proszę cię! Jesteśmy obie dorosłe. Dobrze. Ja mniej, ale rozumiem cię, bo też beczę po nocach.

— Możemy tak? Nie będzie to niewychowawcze?

— Przestań. Ja prowadzę, dobrze? Ty już pewnie zapomniałaś, jak jechać do „Outletu". Opowiadaj.

W drodze „przeżułyśmy szmaty" o Januszu i o mnie. Mania była niezwykle pogodna, współczująca, ale powiedziała to samo, co Tomasz.

— Mamo, a może to dupek?

Może… tyle, że fajny dupek. Przypomniało mi się, jak siedzi w jeansach z rozłożonymi kolanami, oparty o fotel i śmieje się, odrzucając jasną grzywkę. Jest taki młodzieńczy! Poczułam się staro.

— Mamo, co ci? — spytał ciepło mój Anioł Stróż.

— Nic. Za stara jestem dla niego.

— To poczuj się młodziej. Sama mi mówiłaś, że starość jest wyborem. Nie pogrążaj się. Zalazł ci za skórę? Pokaż mu, co stracił! Niech wie!

— To samo mówiła Elwira.

— Widzisz?

W sklepie odzyskałam dobry humor. Kozaczki z czerwonego zamszu leżą jak ulał. Wielki i długi szal ciepło przylega do ciała, otula i zdobi. Nic dziwnego, nawet po przecenie nie jest tani. Ma wieśniackie ozdoby, ale nie rażą. Zresztą ja jestem wieśniara.

Bielizna podnosi nam ciśnienie. Przebieramy w ślicznych koronkach, stringach, pończochach… Kupujemy Pauli na Gwiazdkę ładne, drapieżne zestawy. Będzie zadowolona.

— Co u niej? — pytam Manię. — Ona coś kombinuje z tym Finem?

— No, nie za bardzo. Lubią się. Lubimy się wszyscy bardzo, ale bez mięty. Paula zrobiła mu mnóstwo ślicznych zdjęć. Nam.

— No i...? No, mów!

— I wysłałam je Kubie! — Roześmiała się moja czarowniczka. — Niech wie, że ja tu nie ronię łez! Nie umieram. Paula, wiesz, ma dar. Janne fajnie wyszedł. Jest fotogeniczny, po zbóju! Taki bieluśtki, z granatowymi oczami. Cukier taki. A ja, jak rusałka — tonę w jego oczach. Pokażę ci. Fajne zdjęcie. Kuba powinien... No, wiesz.

— A ty i ten Janne...?

— To raczej niemożliwe, mamcik.

— Czemu? Skoro taki fajny?

— Bo on nas strasznie lubi i tylko tyle. A serce to mu pękło w tym Poznaniu przez niejakiego Jacka...

— Ach! — wyrwało mi się jakoś tak dziwnie.

— Właśnie, mamo. „Ach". Szkoda go, taka strata dla babskiej części narodu, ale co zrobić? Serce nie sługa... „Nieważna płeć, ważne uczucie". To co? Mimo wszystko pokazujemy mu polską wieś? Mazury?

— A co ma piernik... No jasne! W końcu, co to ma za znaczenie? Muszę jeszcze tylko ustalić z tatą, czy on też pojedzie, czy nie. Choć sądzę, że woli zostać z Adą.

— Też tak sądzę. Daj mu, mamo, spokój. Dojedzie później albo wcale. Chyba są szczęśliwi. On jest taki obowiązkowy, że jak naciśniesz, pojedzie, tylko... po co?

— Masz rację. Niech tam. Po co? Ale wy będziecie?

Te kilka dni w domu minęły szybko i miło. Konrad wracał wcześniej z pracy, kupował jakieś wino i siadywał z nami po kolacji pogadać. Jest ewidentnie rozluźniony. Inny, chodź niby ten sam — skupiony realista. Ma humor i częściej się uśmiecha. Tak. Mania ma rację. Po co burzyć mu spokój? Jest szczęśliwy z Adą. To ich pierwsze święta razem. Po co wywoływać w nim znaki zapytania?

— Konrad, zabiorę dziewczynki na święta do mamy. Dobrze? Nie koliduje to z twoimi planami?

— Nie. Zupełnie nie. Wiesz, nawet dobrze się składa, bo Ada chciała, żebyśmy spędzili te święta w Wiedniu u jej rodziny, jeśli oczywiście...

— Jasne! — przerwałam mu. — Super! Przywieziesz, mam nadzieję, likier kawowy?

A więc ustalone. Święta na Mazurach.

Codziennie, trwożliwie gapimy się na śnieg. Leży? Jest go wystarczająco dużo? Wyleży do świąt? Spadnie świeższy? Tak bym chciała, żeby to były bajeczne święta w śniegu, jak z obrazka. Jak z wysłodzonej pocztówki — las, zima śnieg i sanie z tym fajnym dziadkiem ubranym na czerwono. Wszystko posypane brokatem.

Tomasz zabrał mnie do swojej hodowli choinek. Za jego domem jest ogrodzone pole, a na nim sporo pięknych jodeł kanadyjskich i wszelkich innych iglastych piękności, na święta właśnie. Wybraliśmy dorodną choinkę, taką przysadzistą, szeroką i gęstą, jak z obrazka. Każdego roku Tomasz sadzi i wysiewa mnóstwo tego, więc ukoił moje sumienie, tłumacząc mi, że i tak trzeba je wycinać, bo gęsto posadzone szkodzą już sobie nawzajem.

— Mamo, posadźmy do gruntu przed pensjonatem taką śliczność od Tomasza, żeby w zimie zawsze ubierać ją w światełka. Byłoby super! Szkoda, że nie pomyślałam jesienią…

— Według mnie choinki da się przesadzać dość dowolnie, jesienią albo nawet słotną zimą, jak grunty są wilgotne, niezmarznięte. Trzeba by tylko paru chłopa, żeby przenieść ją z hodowli Tomka, z bryłą korzeniową, największą jak się da. Przyjmie się.

— Kupiłam w Warszawie takie świecące węże, żeby udekorować obejście.

— Będzie cudnie, jak z obrazka?

— Ano! Co ci szkodzi? Rozmawiałam z panem Adamem o iluminacji posesji. Nie będzie ci to przeszkadzało? Lampa przed domem, latarnia przed garażem i przed pensjonatem.

— Nawet myślałam o tym. W zimie jest tu rzeczywiście taka ciemnica! Chcesz kawę czy kakao, bo robię dla Kaśki?

— Kakao. Gorące. Podobają mi się te takie oświetlone świąteczne chatki, szczególnie te zatopione w krajobrazie. Wiesz, taki kicz przesłodki. Jak w *Świątecznej gospodzie*.

— Wiesz, Gonisiu? Bronia robiła z bibułki lampiony. Śliczne takie kolorowe. Wieszała je na werandzie, stawiała na oknie… Potem ja robiłam je na zajęciach świetlicowych, z dzieciakami. W środku oczywiście była świeczka. Dzieciaki niosły je do domu już pozapalane, ostrożnie. Pięknie to wyglądało! Takie krasnoludy z latarenkami. Oj! Gdzie te czasy? Robię się stara, bo wspominam…

Spojrzałam na mamę. Jest mleczno–siwa. Gęste, rozpuszczone włosy, nadają jej młodzieńczego wyglądu. I ta grzywka! Mama jest okrąglutka, uśmiechnięta, a te jej piórka dyndające koło okularów, są takim fajnym akcentem! Czasem wygląda jak indiańska szamanka. Ma gładką cerę. Kurze łapki koło oczu, ale to od uśmiechania się. Taka jest śmieszna, łagodna i wesoła. Jak to dobrze, że właśnie taka! Nie moralizuje jak stara baba, nie rozkrawa wszystkiego na kawałki, nie wałkuje tematów w nieskończoność, jak nie trzeba. Ciekawe, jaka byłabym, gdyby mnie wychowywała? Ile z niej mam, ile nie? A może popracować nad tym, żeby właśnie tak się starzeć? Starzeć? To słowo wydało mi się absolutnym dysonansem. Mama wcale nie jest stara. To już Kaśka bardziej.

W południe przyjechał Piernacki, żeby nam pomóc powiesić świecące lampki i węże, no i żeby nie być samemu w domu. Okazało się tego mało, więc pojechałam do Szczytna po dodatkową porcję oświetlenia. Na rynku — fura ich, świeżo przywieziona z wietnamskich hurtowni albo ze Stadionu Dziesięciolecia.

Wieś stroi się do świąt jak Warszawa. Wszędzie są iluminacje rodem z amerykańskiego filmu. Też mnóstwo kiczu — Mikołaje, sztuczny śnieg w sprayu, renifery z saniami, krasnoludki z latarenkami, śnieżynki, gwiazdy i sople. I jakoś dziwnie, wcale mnie to nie drażni, jak w zeszłym roku w Warszawie. Wcale!

Łażę sobie po ryneczku i kupuję niepotrzebne bzdurki — pęczek natki, bo taka świeża i ładna ze szklarni, i brokuły zielone jak po farbowaniu. Kupuję ogórka kiszonego z beczki od pani Stasi i zjadam go na miejscu. Nawet korci mnie sprawiona tuszka gęsi od wiejskiej gospodyni stojącej już długo na mrozie, ale Piernacki obraziłby się, bo to on zaopatruje nas w drób.

Wracam. Kaśka z Piernasiem czekają na mnie w kuchni. Światełka już rozświetlają nasze podwórko. Mimo że nie ma jeszcze zmroku — kolorowe sopelki zwisające spod dachu sprawiają, że podoba mi się ta „wiocha".

Doczepiamy długie, zielono świecące łańcuchy, które przywiozłam z rynku, na krawędzi daszku pensjonatu.

— Mamo, jak przyjadą dziewczynki, polepisz z nami lampiony takie na świeczkę, jak mówiłaś?

— I łańcuchy ja polepię — wtrąca Kaśka.

Jest wyraźnie dumna z siebie i naszej posesji. Teraz chwali się łańcuchami. To, co rok — jej praca. Nalepić mnóstwo łańcuchów. Bardzo kolorowych. Nosi je na cmentarz i dekoruje groby bliskich.

Spojrzałam na Piernackiego.

— Panie Heniu. W tym roku nie chcemy być bez chłopa na Wigilii. Musi pan przyjść, bo będzie nieszczęśliwy rok.

— Jak bez chłopa? A Tomasz? Ja zawsze, pani Gosiu, sam z myślami o mojej Basi spędzam Wilię. Wybaczcie staremu.

— Myślę, że już dość. Świętej pamięci pani Basia też tak by uważała. Chyba, że nas pan nie lubi?

— A gdzież tam! Pani Gosiu! Ale mnie pani podpuszcza, jak zwierza we wnyki. Ja dzikus taki, nie nadaję się…

— Ustalone. Dzikus też nam pasuje. Panie Heniu. Trzeba z ludźmi. Bardzo się cieszę. Zdjęcie pani Basi pan weźmie ze sobą, jak chce. Tak? No, a teraz ustalmy menu. Mamo, jak było u was zawsze? U Broni?

— Bronia zawsze robiła kutię.

— Bardzo lubię kutię. Taaak. I mak ucieram Basi. Mak. Ja.

— Fajnie, Kaśko. To ty zrobisz w tym roku kutię. Tak?

— Taaak.

— Dalej.

— To ja ciasta zrobię, jak panie zezwolą. Umiem i dobrze robię szarlotkę Basiną i serniczek, i makowczyk z bakaliami. Albo tort makowy! Co? Kobitki?

— Tort makowy. Koniecznie.

— Tomasz przyniesie nalewki. Gosiu, a jak z rybami? Ja nie lubię typowego, wigilijnego karpia. Może Tomasz zrobi? Takiego po seczuańsku?

— Obiecał mi go kiedyś, mamo. Pamiętasz? Dobrze. Karp po seczuańsku, ryba po grecku — to specjał Pauli i Mani, i śledź normalny, po polsku.

Rozkleiliśmy się na myśl o wigilijnych potrawach. Piernacki uściskał nas serdeczniej niż zwykle i ze łzą w oku szepnął mi: „Dziękuję, kochana". I pojechał.

— Tyle lat go namawiałam i nic, a ty go przekonałaś! Super!

Gnom uśmiechnął się promiennie i policzył na palcach, ile nas będzie.

— Jak przyjedzie ten Fin, to ośmioro! Fajnie! Mam już dość kameralnej Wigilii. Prawda, Kaśko?

— Tak. Dość.

Tak właśnie powinno być, czyli święta

Mail od Wika:

Kochana Gosiu!

Warszawa wystrojona świątecznie, jak tania dziwka. Wybacz ostrość sformułowania, ale to pokłosie rozmów z tobą. Nigdy dotąd tego nie widziałem. Twoje okolice są zapewne bajkowe. Bez świecideł i upiększaczy.

Zapewne podczas spacerów upaja Cię widok korali na gałęziach, szyszki i te tam różne ptaszki, czy coś. Właśnie, coś zostało z ptactwa na zimę? Kompletnie nie wiem. Aż mi głupio.

Znajomi ciągną mnie na narty do Austrii. Przyślę Ci kartkę z największym, świątecznym kiczem. Dobrze?

W firmie trochę zmian. Prezes w sanatorium, po zawale. Zygmunt szaleje, bo z trudem ogarnia administrowanie. Kaśka mu pomaga. Dobra jest. Czegoś ją nauczyłem, choć to dawne czasy. Rozwinęła się w dobrym kierunku i twierdzi, że w trudnych decyzjach pomaga jej myślenie o tym, jakbyś to TY zrobiła, ustaliła, powiedziała. Czujesz?

Co u Ciebie? Jak święta? Opisz. To jedyna normalność w moim życiu. Normalne święta miałem chyba tylko u rodziców, przed ich rozwodem. Później wykpiwałem tradycję, wszystko, żeby tylko nie myśleć o tym, że zazdroszczę ludziom normalności. Zawsze na studiach wyjeżdżałem na narty.

W Białce, w Kościelisku, jak również na Cyrhli, przylepiałem nos do szyby góralskich chat pełnych śpiewu i Wieczerzy, i ryczałem. Potem upijałem się i już. Nie bolało.

Moja pierwsza żona też była przeciw tradycji. Też z rozbitej rodziny. Taka...
NOWOCZESNA.

Zanudzam Cię. Całuję. Naturalnie — tęsknię.
Wiktor

Mail do Wiktora:

Kochany Wiku!

Miałeś żonę? Pierwszą?! Nic nie wiedziałam. Wy mężczyźni jesteście do obrzydliwości skryci. My kobiety wydajemy się wam zapewne do obrzydliwości ekshibicjonistyczne. No trudno! A może to jest ten element przyciągania?

Masz rację. Las sam dekoruje się na święta. W tym roku — śniegiem, którego jest dużo, szyszkami, owocami zaschniętymi na gałęziach i sójkami, gilami, jemiołuszkami i sikorami. To taka biżuteria.

Na naszych drzewach w lesie i w ogrodzie zawieszamy słoninę, kubki po margarynie z ziarnami zatopionymi w łoju, więc mam możliwość oglądania tego skrzydlatego towarzystwa. Rzeczywiście, na mieszczuchach robią wrażenie. Sama do nie dawna byłam mieszczuchem, to wiem!

Teraz ja wystroiłam naszą posesję jak „tanią dziwkę". Nie! To nie tak! Tutaj to pasuje. Jest kiczowate, ale słodkie! Noc na Mazurach jest czarna i kolorowe światełka są super! Przekonaj się!

À propos — kiedy wyjazd na te narty? A może przyjechałbyś do nas? Zobaczysz mnóstwo normalności. Do bólu!

Serdecznie zapraszam w imieniu moich bliskich. Przyjedź na Wigilię.
Pa — Gosia

Klik i poszło! I dopiero teraz pomyślałam, że może to źle? Może nie trzeba go mamić?

— Mamo? Jaka zupa będzie?
— Barszcz ukraiński. Podaj mi kieliszek octu.
— Ale ja o Wigilii.
— Nie wiem, teraz robię barszcz. Nie przeszkadza ci czosnek? Tomek lubi taki niezagotowany. Dodany na końcu, żeby było czuć świeży.
— Nie. I tak nie mam się z kim całować. Niech będzie. Mamo, a mogę, mam nadzieję, zaprosić Wiktora? Nie widział od dzieciństwa normalnej Wigilii. Zawsze jechał gdzieś na narty... Mogę?
— Możesz. Jeśli uważasz, że ta Wigilia będzie normalna...
— A nie?
— Zobaczymy, kochanie! Podaj talerze.

Święta przygotowywałyśmy powoli. Nie tak, jak ja w mieście — wszystko na ostatni gwizdek.

„Na ryby" pojechałyśmy, oczywiście, do Rum. Najpierw ustalić, co pan Rybak proponuje, czym będzie dysponował. Cztery płaty karpia — po trzy kilo każdy! Mięso takie czerwone jak tuńczyka. Czegoś takiego nigdy nie wiedziałam.

— Bo to taki gatunek, no i żyje sobie po pańsku, w moim jeziorze, pani Gochno!

Grzyby suszyły się całą jesień przy piecu, a teraz wiszą w spiżarni w białym, płóciennym worku. Pachną, jak się nim potrząśnie.

Zające, dwa szaraki odstrzelone przez Tomasza dyndają na balkonie nad werandą w plastikowym, ażurowym koszu, żeby ich nic nie obżarło. Kruszeją, a potem mama zrobi z nich pasztet. Nie mam pojęcia, o co chodzi z tymi zającami, bo pasztet można przecież zrobić i bez nich. Gdy to zauważam, mama wzrusza ramionami i mówi:

— Głupiaś. Nie znasz się.

Potem nadyma się i udaje zajętą. Wieczorami Kaśka uparcie klei swoje łańcuchy albo dzierga. Obie z mamą dziergają tak już od jesieni. Jak maszyny. Kaśka pod okiem mamy, bo mechanicznie idzie jej świetnie, ale trzymanie formy, rozmiaru — to już troska mamy. Kaśka szydełkuje. Mama sztryka (to po śląsku) na drutach. Szybko i nie patrząc na to, co robi. Zadziwia mnie. Ogląda serial, film czy teleturniej (kocha to! Mówi na głos hasła i cieszy się, że wie), a jej ręce, jak niezależne istoty śmigają i śmigają. Na pewno nie bezmyślnie, bo wzór wychodzi śliczny. Kolorowy.

Ja piszę kolejne opracowanie, redaguję pracę magistrantki, tym razem z hodowli grzybów w warunkach domowych i półprzemysłowych. Wiem, jak można mieć własne pieczarki, opieńki, shiitake, boczniaki… Wiem, tylko by mi się nie chciało. Mama pisze też listy do swoich kuzynek, rozrzuconych po świecie, czasem pitrasi coś pysznego, jak ten barszcz ukraiński. Jest esencjonalny, pieprzny, naczosnkowany. Fasola w nim wielka jak bezludne wyspy. To jasiek z ogrodu. Latem piął się po długiej tyczce. Tomasz mimo to, że były naleśniki z grzybami w śmietanie (pasteryzowane skarby z jesiennych zbiorów), zjadł trzy talerze barszczu. Mama robi go na wołowych ogonach, które Tomasz z Funiem dokładnie obgryzają, siorbiąc, ćmoktając i wysysając.

— Dziewczyny, w środę mam jeszcze jedno polowanie z gośćmi. Potem zajmę się choinką. Po karpia sam pojadę, bo wy nie umiecie wybrać najlepszego. Tak w ogóle, to ile nas będzie?

— Na razie dziewięć sztuk. A karp już jest — mruczy mama, przekładając kolorowe kłębki.

— Dałyście ogłoszenie do prasy, czy co?

— Tak! „Wszyscy biedni i opuszczeni…". Zobaczysz, Tom, będzie fajnie! — mówię i zmywam. Tomasz przenosi się do saloniku mamy, na telewizję. Za nim idzie Kaśka i Funio.

Mama zostaje ze mną. Ma nogi na taborecie i dzierga. Teraz odkłada robótkę i sięga po gazetę. Czasem, kiedy czyta, informuje mnie o różnościach w świecie albo świństwach w kraju i komentuje:

— Pogłupieli z tymi świątecznymi promocjami! Zobacz, ile to papieru idzie na te bzdury! Gazeta codziennie pęka od ulotek i wszystko to — śrubki i dupki w świątecznej promocji. Poczekaj, to dobre: „Minister spraw zagranicznych pojechał do Jerozolimy, na rozmowy dotyczące szerszego udziału Polski w działaniach antyterrorystycznych…". Bla, bla. Po cholerę on tam jeździ i gada z Żydami o terrorystach? Terrorystami niech się zajmą służby specjalne albo inni terroryści! Powinien zaprosić szerokim gestem Żydów do Polski. O, jakby się gospodarka dźwignęła! Mama mi opowiadała o żydowskich sklepikach, krawcach, bankierach, a jaki oni mają zmysł do interesów!

— Ależ ty masz poglądy… — mówię znad zlewu. — Koń by się uśmiał, a pani Karolina zgorszyła.

— Wiesz już, jaka ona jest antysemitka?

— Wiem. Elwira mi powiedziała. Skąd się dowiedziała, że matka Karolinki jest Żydówką?

— Gorliwe parafianki zwąchały.

— Podobno matka Wrony... Kurczę! Nie lubię jej tak nazywać! Jak jej na imię, mamo?

— Nie pamiętam, chyba Anna? Joanna? Jakoś tak.

— No i Elwira się dowiedziała, że to ta Zabielska podkablowała pani Karolinie ciekawostkę o Wronie. Podobno ona pochodzi z Łomży, a tam przed wojną wielu Żydów mieszkało.

— Kto — z Łomży?

— Jedna i druga. Zabielska ponoć znała matkę Wrony i ta matka była praktykującą Żydówką. Tyle że po cichu. W soboty Zabielska widziała, jak matka Wrony w koronkowej bluzce zapalała menorę. Potem zasłaniała firanki.

— A co to kogo obchodzi?! Wrona jest neofitką. Przechrztą. Katoliczką... Cholera jasna! Te baby nadepną sobie kiedyś na jęzor! Szczególnie Zabielska. Ona uwielbia włazić ludziom do łóżek i sumień. O tobie nic, Gosiu, nie gada? Jeszcze nic?

— Elwira nic mi nie mówiła, znaczy nie. A co mamo będzie teraz z Wroną? Podobno madame Karolina jej wymówiła, że niby zima i w ogrodzie nie ma pracy...

— Słyszałam. Wróci do domu...Ten jej chłop zapuścił gospodarstwo jak diabli. Opału nie mają. Poczekaj. Pogadam z Tomaszem o drewnie, a ty wywiedz się jutro wszystkiego o Wronie. I jak jej na imię, bo i mnie to denerwuje, że tak o niej mówimy.

Barszcz ukraiński babci Broni

Nastawić wołowinę, a najlepiej wołowe ogony (jeden, pokrojony — oczywiście). Fasolę jaś moczoną uprzednio przez 8 godzin, ugotować. Po godzinie do ogonów dodać pokrojoną drobno włoszczyznę, poszatkowaną kapustę białą, surową lub „Włoszkę".
Naturalnie liść lurowy, ziele angielskie i ziarna czarnego pieprzu. Zmiksowany pomidor lub dwa, a nawet cztery (1/2 objętości kapusty). Po czterdziestu minutach dorzucić starte buraki ćwikłowe (tyle, co kapusty) i wlać kubek soku z buraków, ukiszonego (sok z kartonu Hortexu też jest doskonały!). Zagotować około dziesięciu minut, żeby buraki zmiękły, ale nie straciły koloru. Wrzucić fasolę. Dać kieliszek octu i zgnieciony czosnek, i ciut majeranku, już

po zdjęciu z ognia. Babcia czasem dawała pokrojone ziemniaki, ale rzadko. Powinien być gęsty, pieprzny i wyrazisty. Żadnych śmietan!

Naprawdę będzie nas sporo!

Po zakupach w Olsztynie zajechałam do Elwiry. Na spytki.

— Nie wiedziałaś?! — zasyczała Elwira. — Wygnała ją, że niby pracy nie ma. Suka jedna. A to przez tę Zabielską, plotkarę. Mnie tam wisi, czy ona Żydówka, czy inna tam… A na imię ma Anna. Tak, jeszcze wczoraj mi mówiła Zosia, ta, co piecze kurczaki w sezonie nad jeziorem. One się przyjaźniły kiedyś. Tak. Anna.

— I co? Wróciła do starego? Do tej ich chatki na tym wygwizdowie?

— Podobno tak. Ja tam mało wiem…

— Mało? Ty Elwira jesteś jak agencja radiowa!

— Ja?! Tylko tyle, co ludzie powiedzą. Ja nie plotkuję!

— Nic takiego nie powiedziałam, tylko że bez ciebie nic bym nie wiedziała, bo mało ludzi tu znam, a ty masz taki świetny punkt obserwacyjny — uspokoiłam ją.

Śpieszyłam się do domu, bo Marysia i Paula z Jannem mają już dziś przyjechać. Znów będzie głośno, pełno… Kiedyś tego nie lubiłam. Bałam się? Teraz tęsknię za ich świergotem, problemami… Jednak zjechałam z mojej stałej trasy i pojechałam dalej, za starą stolarnię. Tam aż po kępę drzew koło jeziora. Zatrzymałam samochód pod domem Wrony. Trochę mi było głupio, ale co tam! Zatrąbiłam. Z domu wyglądającego tak, jakby miał się za chwilę przewrócić, wyszła Wrona. Malutka, sucha, zdziwiona.

— Słucham? — spytała.

— Pani Aniu, ja nazywam się Małgorzata i jestem córką Basi, tej, co uczyła w szkole. Obie, mama i ja, pytamy, czy mają państwo opał na zimę, bo wiem skądinąd, że chyba nie.

— A, co to… Wszyscy o mnie gadają? Zbieramy z mężem gałęzie w lesie. Tak jakoś, mamy trochę…

— Z chrustu niewiele jest ciepła. Tomasz — leśniczy podwiezie pani drewna na opał. Dobrze?

— Ale jak? Czemu? Ja nie mam pieniędzy! — ucięła gniewnie. — I nie trzeba się litować! — dodała.

— A pomóc ze szczerego serca, można? Taki prezent na Gwiazdkę?

— U nas nie ma Gwiazdki. Do widzenia! — Trzasnęła drzwiami.

Gdy wróciłam i opowiedziałam to mamie, spojrzała na mnie z politowaniem.

— A ty się spodziewałaś czego? Radości z wdzięcznością? Ją wszystko boli. Nikt nigdy nie był dla niej dobry. Potem zaczęła pić i wiesz, co dalej.

— To może jednak zawieźć im ten opał? Zimno mają.

— To zupełnie inna sprawa. Pogadamy, jak Tomasz wróci.

Podwórko zawrzało. Dzieci przyjechały równo z Tomaszem. Funio jazgotał jak oszalały. Najpierw, oczywiście, groźnie. Potem radośnie.

— Poznałeś! Świrku mały! Poznałeś! — Marysia kucnęła koło Funia i dawała się lizać po głowie, twarzy, rękach.

— Siusiu! — krzyknęła na powitanie Paula i pobiegła do łazienki.

Z samochodu wyszedł Janne. Rzeczywiście — zjawiskowy. Taką urodę lubię u facetów. Blond jak pszenica włosy, krótkie i gęste, dobrze obcięte. Pod ciemniejszymi brwiami te niebieskości — oczy pogodne i miłe. Uśmiech — szeroki i szczery.

— Hallo! Ja jestem Janne, ich koliega — przywitał się po polsku.

— A ja, Gosia. Ich mama.

— Tak. Ja wszistko wiem! Paula wszistko powiedziała mi. Ja wiem i o mama, i o babcia, i o Kasia. O panu Tomaszszsz…owi też wiem! — Podał rękę Tomkowi.

— Chodźmy do domu, bo zimno. Janne, zajmiesz się bagażami?

— Ja pomogę — powiedział Tomasz.

Przy kolacji, głośnej i wesołej, padła również sprawa Wrony i drewna. Ustaliliśmy, że koniecznie trzeba im je dowieźć. Tomasz kiwał głową, a dziewczyny i Janne już się namówili do współpracy. Natychmiast przejęli się losem pani Ani i uradzili, że ją uszczęśliwią. Banda Aniołów. Janne już był wniebowzięty, bo: „On porąbie sobie. Tak! Dawno nie rąbał, a u dziadka na wsi zawsze rąbie!". Kaśka słuchała, śmiała się i patrzyła zachłannie na wszystkich. Tomasz przyniósł z samochodu greckie wino i zrobiło się „posiedzisko" — jak mówi mama. Gadaliśmy tak długo w noc, aż wreszcie Tomasz pożegnał się i my też zaczęliśmy się zbierać. Kaśka miała dziwnie rozświetlone oczy i rumieńce, więc zaraz, jak tylko dzieci poszły spać, mama zmierzyła jej gorączkę. Oczywiście, jak to robią mamy — policzkiem. Termometru wcale nie potrzebuje.

— Pokaż gardło, Kasiu. No, tak. Angina jak ta lala. Do łóżka! A ja zaraz zaparzę ci bzu. Z miodem.

— Może lekarza, mamo?

— Do jutra — nie. Późno jest. Zobaczymy po kamforze i bzie. Biały — świetnie zwalcza nawet ropną. No i oczywiście aspiryna.

Mama wierzy, że aspiryna jest superlekiem i rzeczywiście mnóstwo schorzeń nią zwalcza. A może to siła jej sugestii?

Kaśka głośno płucze gardło w łazience, a mama — wiedźma ma ściągnięte brwi, gdy tak miesza parujący bez. Rośnie opodal ogródka, cała kępa. Mama w lecie zbierała białe kwiatostany i suszyła w słońcu.

— Jak byłam mała, te kwiaty to były kalafiory — powiedziałam tak sobie.

— A tarta cegła z kredą to było kakao — odpowiedziała mama.

— A łopian to był rabarbar.

— A liście derenia to były pieniądze. Papierowe.

— A płaskie kamyki to bilon.

— A ja w krzakach miałam dom.

— A ja na podwórku, za trzepakiem...

Spojrzałyśmy na siebie. Mama ciepło i świetliście, jakby wspominała wspólne ze mną zabawy. Ona też kiedyś była małą dziewczynką. Kocham ją.

Białe kwiaty czarnego bzu na zaziębienia i anginy

Zebrać baldachy białego kwiecia czarnego bzu. Ususzyć w półcieniu, w przewiewie. Wsypać do lnianego woreczka.

Zaparzać w razie anginy, zaziębień, bólu gardła. Można też zasypać świeże cukrem. Jak puści sok, dodać kieliszek wódki. Taki syrop jest pyszny i też dobrze robi na zaziębienie. Działa znakomicie nawet na lekką anginę nieleczoną antybiotykiem.

Zabrałam dziewczynki i Jannego do Szczytna. Musiałam iść do banku, oni chcieli połazić. Kiedy wróciliśmy, mama w kuchni miała hiobową minę.

— Karolakowa zmarła.

— O cholera! — wyrwało mi się. — Ale mają święta! Skąd wiesz?

— Ola zatrzymała się, wracając z Biskupca. Weszła tu do mnie. Powiedziała. Dawno się nie widziałyśmy. O mój Boże! Jak oni teraz będą żyli bez mamy? Widziałaś ją. To była taka Mamma, Mamissima. Matka.

— Będą musieli...

— Biedaki. A z Kaśką źle. Był lekarz. Upiera się przy antybiotyku, bo „będzie szybciej". Wykup. Ja zdejmę jej czopy z gardła.

— Co zrobisz?!

— Zdejmę czopy. Łyżeczką. Potem zapędzluję gencjaną. To najlepszy sposób. Antybiotyk jest dobry, ale tylko przyśpiesza. Ona nie ma serca jak dzwon... Jedź.

W aptece spotkałam Janusza. Przeszedł mnie młodzieńczy dreszcz i skurcz w brzuchu — norma u nieszczęśliwie zakochanych.

— Cześć, Gosiu! Ja...jaki piękny szal! Cieplutki. Co sły...słychać?

— Karolakowa umarła, Kaśka ma anginę, przyjechały moje dzieci. Jest OK. — Wyrzuciłam wszystko z siebie na jednym wdechu.

— A, co u cie...ciebie?

— Jak zawsze. Pracuję, wiesz — dom, pensjonat, dzieciaki dzwonią, teraz ta Wigilia... A ty? Co w święta? Nie wyjeżdżasz?

— Nie. Pie...pierwsze od dawna święta z tatą. On jest po za...zapaleniu płuc. Będziemy sobie razem. Kawalerska Wigilia.

— Nie będzie wam smutno?

— Nie.

— A może przyszlibyście na kolację wigilijną do nas? U nas będzie rejwach, kupa ludzi. Co? Jak myślisz?

— Za...zaskoczyłaś mnie. Zapytam tatki. Tatuś, jak zechce, to przyjdziemy. A co przynieść? Jakby co?

— Bo ja wiem? Humor?

— Dobrze. Dziękuję, Gosiu. Zaskakujesz mnie za...zawsze. Wesołych świąt!

— Wesołych!

Kupiłam antybiotyk i jeszcze wino u Elwiry. Miała dostawę hiszpańskiej Rioji. Lubię tę odmianę od czasu pobytu w Barcelonie. Ma taki świetny bukiet — czarnej porzeczki. Podobno tylko tamtejsze, katalońskie winogrona mają taki smak i aromat. Jest wystarczająco półsłodka i wystarczająco cierpka do kolacji wigilijnej.

Wracałam do domu powoli. Było ślisko, drogi nikt nie sypał, leżała na niej warstwa ubitego śniegu. Opony wydają taki fajny, miękki dźwięk. Dopiero połowa dnia i już ciemno! Zmierzcha się szybko. To grudzień... Myślę o Januszu. Analizuję każde jego spojrzenie. Mam nadzieję odczytać w nim jakiś znak, sygnał, że myśli o mnie. Może...

Przykro mi i głupio. Za stara jestem dla niego. On jest, co prawda, tylko o dwa lata młodszy, ale faceci, szczególnie ci uwolnieni z krępujących więzów, szukają nieskomplikowanych przygód, młodych ciał pełnych powabu, pachnących perfumami, a nie rosołem... Kiedy było mu źle, tulił się do mnie bardziej jak do matki niż do kobiety w ogóle. Chyba tak. Był jak zbity pies i potrzebował pocieszenia, ugłaskania. Teraz poleciał. Pewnie obraca młode panienki i cieszy się drugą młodością. Smutno mi bezbrzeżnie. Tak dobrze było leżeć z nim, żartować, przytulać się do niego. Jest taki czuły, lubi to okazywać. Pachnie. Ma zmysłowy zapach, który doprowadza mnie do… No, do tego, co mam! Kocham go! Chcę go z powrotem! Kto mi pomoże? Kto mnie słyszy? Teraz, jak przyjdzie na tę Wigilię, to pewnie jak do jakiejś cioci, która ugotuje, poda i jeszcze się ucieszy, a on poleci sobie potem na dobry seks do jakieś długonogiej antylopy nieumiejącej nawet zrobić jajecznicy…

— Cholera! Szlag! — zaklęłam moimi ulubionymi przekleństwami–zaklęciami. — Wracaj! Nawet nie wiesz o mnie wszystkiego! Jestem troskliwa, czuła, odważna, umiem tyle rzeczy! Tyle we mnie uczucia, jak nigdy!

Boże! Ale głupio. Na głos nigdy bym czegoś podobnego nie powiedziała. Dlaczego? Bo to u nas nieprzyjęte dobrze o sobie mówić. Wypada krygować się, zaprzeczać, ale walnąć tak zwyczajnie: „Fajna jestem! Miła i dobra! Zdolna!". O, nie! To nie uchodzi! Wciąż pokutuje w moim pokoleniu stara seksistowska zasada: „Stój w kącie, znajdą cię" albo: „Nie wychodź przed szereg! Jesteś kobietą, to nie wypada".

A hodować kompleksy — wypada?! A mieć niską samoocenę — wypada?!

Zdałam sobie sprawę, że dopiero spotkanie mamy uwolniło mnie z konieczności kontrolowania emocji, a raczej stopnia ich natężenia. Mogę teraz kochać albo nie, lubić albo nie lubić, bardzo czegoś chcieć albo nie. Czujemy podobnie i wiem, że ona też miewa burze uczuciowe. Muszę znów się do niej przytulić. Lepiej mi po tym.

W kuchni pachnie rybami i wre praca kolektywna. Mama obiera śledzie i podaje Mani. Ta zaś kroi je w romby albo w makaronik i przekłada cebulą, którą drobno kroi Janne. Ma już oczy czerwone jak u królika. Paula z drugiej strony stołu, blisko kuchni, trze marchew na grecki sos. Ciekawe, czego doda w tym roku? Papryki? Chili? Curry? W półmisku piętrzy się usmażona ryba.

— Cześć wszystkim. Mamo, chodź na chwilę.

Wchodzimy do jej pokoju. Pachną geranium i jej perfumy.

— Spotkałam w aptece Janusza. Nic takiego, gadu–gadu i zaprosiłam go z tatą na Wigilię, bo będą sami.

— …no i…?

— No i rozkleiłam się, i nie wiem, czy to wytrzymam, bo jak wracałam z miasta, to mi się tak zrobiło… Pogłaszcz.

— Moja ty, zakochana kobieto. — Gnom przytulał mnie do policzka. — Goniu, jeszcze przyjdzie twój czas, twoja miłość. Tylko nie śpiesz się. Nie popędzaj. Pamiętasz, jak Tomasz ci to tłumaczył? A może nie ten ci pisany?

— Na razie chcę jego!

— Wiem. Może zaczaruj go?

— Mam uszyć lalkę? Lalka? Lalkiego? — Zaśmiałam się. Już mi się z nosa leje, oczywiście, oczy rozmazane. Głupia.

— Nie umiem cię pouczać. Jesteś już duża i sama wiesz. Daj buziaka i chodź do kuchni. Ja zajrzę do Kaśki i sprawdzę temperaturę. Daj ten antybiotyk. Tu masz chusteczki. A Janusz tak od razu się zgodził?

— Nie, ma zapytać taty…

Dobrze tak. Mama traktuje moje bóle tak jak powinna. Przytulaniem. Od tego są mamy. Usiadłam w kuchni blisko dzieciaków. Nalałam sobie koniaku i siedzę! Nic nie robię, nie wtrącam się. Oni szaleją i cieszą się wszystkim. Janne jest urokliwy, serdeczny. Zachowuje się jak dzieciak. Moje panny też. Dobrze, że Paula przylgnęła do nas. Siedziałaby teraz w Warszawie w pubie z palantami jakimiś i piła piwo. A tak, może się napić tutaj. I mogę też ją przytulić, jak mama.

— Paula, Mania, Janne — chcecie piwa? Otworzyć wam?

Każde dostaje szklaneczkę piwa i każde z nich przytulam. Łaszą się i odwzajemniają. Janne szczególnie. Jest wdzięczny za akceptację, za zaproszenie, za nastrój. Jest bardzo rodzinny.

— Byliście u pani Ani?

— Tak — odpowiada on. — Tak, byliśmy wszistkie, ale ich nie biło w doma, więc Tomas powiedział, żebi zwalić drewno na…

— Na podwórko — powiedziała Paula.

— I co?

— I już! — Janne wyraźnie był z całej akcji zadowolony. Podobało mu się spiskowanie i cała ta zabawa w „Niewidzialną Rękę".

— Mamcik, a oni mają co jeść na święta? — to pyta Maria, moja córka.

— Nie wiem. Chyba nie, ale ona mi warknęła, że u niej nie ma Gwiazdki.

— Rozumiem ją — mruczy Paula. — Ale jeść trzeba.

— Zrobimy kosz i już! Mamo, przynieś puste słoiki. Zaraz zapakujemy śledzie i rybę. Jest tego jak dla wojska… Wieczorem babcia ma robić pasztet, to też się go dołoży. Ja mogę upiec ciasto. I będzie!

Jakie to łatwe! Po prostu, podzielić się! W wielu domach jest dużo jedzenia. Przejadamy sie. Jest kult żarcia.

Kosz został spakowany. Jeszcze kawa, cukier, jakieś babci przetwory: ogórki, grzybki, dżemy… Teraz poczekamy na pasztet.

Mama wyszła od Kaśki.

— Ma gorączkę, ale dużo śpi. Pije napar z bzu, miód, więc musi być dobrze. Teraz nakryłam ją po uszy, bo wietrzymy. U niej już otworzyłam. Pozmywajcie, dziewczynki, a ty, Janne, wskocz na krzesełko i uchyl lufcik. Wywiejemy rybie zapachy, a od Kaśki zarazki. Szybko, sprzątamy! Przyszła druga zmiana!

Mama mądra jest. Zawsze dużo wietrzy. Nie lubi zasiedziałego powietrza. Owszem, ciepło tak. Luby smrodek — nie. Śledzie już gotowe. Jedne na półmiskach, inne w słoikach. Ryba po grecku, w tym roku z odrobiną kuminu i innym niż zwykle przecierem pomidorowym, też leży już gotowa. Wszystkiego musi być dużo.

— Dzieciaki, teraz idźcie sobie, a ja i babcia zajmiemy się pasztetem.

— Cześć wszystkim! — zagrzmiało od progu. Tomasz wszedł roześmiany. — Głodny jestem!

— Gosiu, zrób Tomkowi kanapkę albo co tam, a ja muszę pójść do spiżarni po mięso.

Tomasz siedział, jadł i opowiadał o tym, co robił i z kim gadał na „śledziku" w nadleśnictwie. Miał dobre wieści o wykupie leśniczówki i polowanie się udało. Obwiązał się ścierką i zaofiarował do krojenia mięsa.

— To ja nie jestem potrzebna? — spytałam.

— Siadaj, wyjmiesz kości z zajęczyny — odpowiedział. — Ale najpierw nalej nam po maluchu. Basinku, napijesz się ziołówki?

— Tak, poproszę. Malutko. O, zakąsimy gorącymi skwarkami. U nas w domu, jak Bronia robiła przetwory ze świniaka, zawsze smażyło się duże skwarki i kładło na chleb. Jeszcze gorące. Mama, znaczy babcia Bronia, wypijała zawsze do tego kieliszek mrożonej wódki. Jak żył dziadek Michał, to on nalewał wszystkim. Sobie, mamie i masarzowi, który przychodził robić przetwory. I mówił: „Na dobre zdrowie! Na trawienie i apetyt! Siulim!".

— Co to „siulim"? — zapytałam.

— Toast żydowski. Adoptowany później na salony. To, siulim! Na dobre zdrowie, na trawienie i apetyt!

Siedzieliśmy w kuchni. Tomasz kroił pieczone mięso i kręcił przez maszynkę. Mama poprzedniego dnia upiekła i udusiła je rano. Zająca, mięso i podroby, wszystko osobno. Teraz to, co zmielił Tomasz, łączyła w dużej misce, mieszając i sypiąc przyprawy. Ma opaskę na czole i okulary na nosie. Co chwila spogląda na nas i uśmiecha się. Później kieruje wzrok do miski, jakby ten uśmiech wkładała do pasztetu. Śmieszny ten mój Gnom. Teraz zaczyna się coś, czego jeszcze nie widziałam. Tomasz już rozpalił piec chlebowy, tę część pieca, w której przed wojną piekło się chleb. Rozgarnął równo węgle i wkłada formy z pasztetem. Każda stoi w większej, wypełnionej wodą.

— Czemu tak? — pytam mamę.

— Nie wiem! Moja mama tak robiła i było świetnie. Nie zadaję sobie pytań. Skoro tak to robiła i było dobrze, znaczy jest OK.

Proszę. Żadnych wątpliwości. Tradycja i już!

Gadamy sobie, ja zmywam, a pasztet pachnie. Ziołami, gałką muszkatołową, mięsem... Za oknem już wieczór i mróz. Sporo gwiazd i księżyc. Wiem, bo poszłam za Tomaszem na werandę po drewno. Zamykam za nim drzwi, bo ma zajęte ręce. Jest tak pięknie! Powietrze kryształowe, zimne i orzeźwiające po kuchennym cieple. Z ust leci mi para. Nie czuję chłodu. Jestem rozgrzana i ciut zmęczona. Taka szczęśliwa, że tu jestem! Że wszystko robimy razem, że dzieci są...

Mój Boże! Jeszcze rok temu, dwa, nie myślałam takimi kategoriami. Zosia robiła w domu wszystko pod moją nieobecność. Ja siedziałam w firmie, taka damcia, i wracałam już na gotowe. No, może robiłam zakupy, coś tam sprzątałam, ale nigdy nie było tak w kuchni, jak tu — gorąco, gwarno, wesoło...

No i sama czułam się trochę dzieckiem. Teraz mówię o mojej młodzieży: „moje dzieci" jak mamcia. Tak. Mija czas. Coś mi się w życiu zmieniło...

Rano byłyśmy u Karolaków z kondolencjami.

Pogrzeb będzie dopiero po świętach. Przykro im. Szczególnie staremu, że Czesia musi przez święta leżeć w kostnicy. Uprosili, żeby to była nasza, przykościelna, a nie szpitalna kostnica. Jest mróz... Tam zanieśli choinkę i stroiki świąteczne.

Wypiliśmy po kieliszku wódki za zmarłą i uściskaliśmy się wszyscy. Ciężkie mają święta.

— No, dziewczynki, jadę nakarmić psa i za pół godziny wracam robić karpia. A wy, co? Do pierogów i uszek?

— A może przygotuj go u siebie? U nas i tak widzisz, jaki rejwach.

— Dobrze, Basiu. Wracam z przygotowanym karpiem za półtorej godziny.

Nasza młodzież już wstała. Kończyli piec strucle dla Anny — Wrony, nakarmili Kaśkę, zjedli śniadanie i właśnie zmywali.

— Tu mam taki mniejszy, owalny pasztet, to włóżcie go do kosza dla pani Ani — mówi Gnom. — A co potem?

— Idziemy do niej, później do lasu na spacer, chyba że jesteśmy potrzebni? — odpowiadają moje anioły.

— Nie, idźcie sobie. — Mama uśmiecha się i pyta mnie: — A ten... Wiktor?

— Chyba właśnie przyjechał — odpowiadam, patrząc na podwórze.

Tam w tumanie śniegu zaparkował ze świstem zielony samochód.

— Mamo! — Marysia ma oczy jak słoiki. — To ten Wik?

— Tak — Spuszczam wzrok i wychodzę na podwórze. — Cześć! Dobrze trafiłeś! To tu! — wołam wesoło.

— Cześć, Gosiu! Mapa wspaniała. Jechałem jak po sznurku. Ale tu pięknie u was!

— Poznaj moją mamę. Mamo, to Wiktor. — Wik ucałował mamy dłoń, schylając się nisko — ...i moje dzieci: Marysia, Paula i Janne, może ciut nie mój, ale jednak. Chodź, pokażę ci twój pokój.

Później siedliśmy w kuchni, bo ja i mama lepimy pierogi. Powoli pyrkoczą grzyby w wielkim garnku. Pachną na cały regulator, cudownym prawdziwkowym aromatem. Wiktor chłonie mnie i mamę wzrokiem.

— Mogę coś robić?

— Proszę posiekać grzyby. — Gnom postawił przed Wiktorem parującą miskę grzybów z zupy. — Tylko niech przestygną. Proszę je wystawić na chwilę na werandę.

Robota szła nam leniwym, domowym tempem. Gadaliśmy o różnych rzeczach, a ściślej Wiktor okazywał ciekawość wszystkim. Siekał grzyby precyzyjnie i widać było, że przynosi mu to dziecięcą radość. Co chwila pytał mamę, czy dobrze.

Zadzwonił telefon. Odebrałam.

— Mamo. Janusz z tatą pytali, czy mogą skorzystać z naszej uprzejmości.

— Zapraszałaś ich. Są przewidziani. To ile nas będzie w końcu?

— Jedenaścioro? Tak. Jedenaścioro.

— Super. A kim jest ten Janusz? — spytał Wiktor niewinnie. — Czy to ten, o którym pisałaś?

Pokiwałam głową. Ale się porobiło... Dwóch ich przy jednym, moim stole. Jeden chce mnie, a ja go nie do końca, a tego drugiego ja z kolei pragnę jak diabli, ale bez wzajemności. Jakie to głupie!

— Widziałeś, Wiktor, choinkę? Pójdź do tego pokoju, tam za tymi drzwiami. To artystyczne dzieło moich dzieci.

Przedpołudnie świąteczne jest naprawdę pracowite. Właśnie Piernasio przywiózł ciasta, żeby je pokroić i porozkładać na paterach i pojechał z powrotem, bo ma zwierzęta do oporządzenia.

Wik parzy nam kawę, zabawia rozmową, zmywa, my lepimy, i tak powoli rośnie sterta pierogów. Są z kapustą i grzybami, i ruskie na prośbę Tomasza. Grzybowy rosół jest fantastyczny — ciemnobrązowy z tłustymi oczkami. Mama dodała trochę wywaru z wołowiny i siekane w paseczki kapelusze grzybów. Dużo pieprzu, mały listek laurowy. Kieliszek orzechówki. Taki przepis mamowy. Do tego łazanki z ciasta, które zostało po pierogach. Duże, kwadratowe.

Do kuchni cicho weszła Blanka i usiadła koło miseczki z mlekiem. Mruży oczy. Zawsze tak robi, jak są obcy.

— Piękna. Nie widziałem jej. Funia od razu poznałem. A ona pewnie z dworu wróciła? — spytał Wiktor mamy.

— Nie, leżała na Kaśce cały czas. Wyciąga z niej chorobę.

— Wik, podawaj pierogi, mam już wrzątek.

Dzieci wróciły hałaśliwie.

— Mamo! Podeszliśmy do ich domu cicho, a samochód zostawiliśmy za drzewami. Postawiliśmy kosz na przyzbie i czmychnęliśmy! Gdy odjeżdżaliśmy, widać było, jak otwierają się drzwi. Chyba ta pani Ania wzięła kosz. Ale ma zdziwkę! Coś trzeba?

— Możecie zająć się stołem.

— O! To my! — Mania i Paula poszły robić to, w czym się lubują. Dekoracje.

Ich choinka jest jak z żurnala. Są na niej wyłącznie białe ozdoby z wyjątkiem stareńkich, jeszcze babci Broni, zabaweczek. Lepione jej dłońmi misterne pajączki, lampioniki i cacuszka ze słomek, paciorków i kolorowego kordonka. Sporo złotych akcentów. Pauli kolor. Nie wtrącam się, choć wolałabym taką zwykłą wiejską choinkę, kolorową jak z dziecięcej pamięci. Niech się bawią... Udziela mi się nastrój. Wszyscy tak jakoś świąteczniejemy, im bliżej wieczoru.

Przyjechał Tomasz z karpiem i zabrał Wiktora do noszenia drzewa z sągu na werandę. Rejwach powoli ustaje. Mama zrobiła mdły rosołek na warzywach z kaszą manną, bo do wieczerzy daleko, a my już głodni. Zjadamy jak bądź — na stojąco, siedząco, chodząco. Kaśka w łóżku.

Sprzątanie i chwila dla oddechu, przebrania się, wyciszenia.

Mama nastawiła nową płytę z kolędami. Towarzyszą nam od rana. Najładniej śpiewa je Nat King Cole, jedwabistym głosem. Jest też ta trzech tenorów. Wzrusza mnie Carreras, gdy śpiewa po polsku *Lulajże Jezuniu*. To też ukochana kolęda Włochów. Wiem, bo Mania nam mówiła po powrocie z Bari. Lubię słuchać kolęd w domu z płyt. Nie cierpię tego w sklepach.

Piernasio siedzi u Kaśki i czyta jej Biblię na głos. Tak zawsze robiła stara Felicja, potem Basia, i Kaśka to bardzo lubi. Janusz ma być na dwudziestą.

Do stołu siadamy późno, gwiazdka już dawno świeci.

Dzieciaki uparły się, że pójdą nocą na Pasterkę.

— Szkoda, że to nie czasy przedwojenne. Byłaby jutro w kościele naszym, ewangelickim, Jutrznia. Piękne nabożeństwo bożonarodzeniowe. Teraz za mało wiernych i w ogóle... Dobrze. To wy idźcie na Pasterkę.

Teraz to wiem, że Wigilia to cały dzień, a nie tylko wieczerza.

To cały jego nastrój, bałagan albo nie, szum w kuchni, rozmowy, skupienie nad przygotowaniem potraw, bo one są takie wypieszczone, te jedyne w roku. Nawet zmywanie podłogi jest świąteczne. Tak jest tu, u mamy. Wszyscy to czują. Nawet Funio chodzi jakby ciszej, mniej przeszkadza, usuwa się, żeby nam nie zawracać głowy. Oczywiście czujny na każdy kąsek rzucony mu do miseczki.

Piernasio drzemie w fotelu u Kaśki w pokoju, tak go czytanie Biblii uspokoiło.

Nie jestem wierząca, ale ogólny nastrój robi się podniosły, uroczysty. Każdy jest w swoim pokoju. Przebieramy się, cichaczem podrzucamy pod choinkę prezenty.

Ja dostanę najpiękniejszy. Mama dłubie go od jesieni — śliczny golf w kolorowe pasy. Na co drugim zwierzaki, gwiazdki... Jest jak tęcza. Bardzo meksykański w kolorystyce. Dziewczynki — po czapce, Janne szal, a Tomasz skarpety, też w takich wariackich kolorach. Ja poszłam na łatwiznę i pokupowałam książki. Prawie wszystkim.

Powoli gromadzimy się w kuchni. Ja od dawna już na dyżurze, bo zaraz pojawi się Janusz z ojcem. Są. Tatko Janusza — uroczy, starszy, drobny pan. Siwiutki, w odświętnym garniturze i białej koszuli bez krawata.

— Tatuś bardzo nie lubi krawatów — sumituje się Janusz.

— Ano, bo ja nie miastowy! A i tak elegancki, co? Piernacki? — Ucieszył się, widząc znajomą twarz.

Janusz pocałował mamę i mnie w rękę, nieśmiało jak wtedy, gdy był pierwszy raz. Uśmiechnął się jak chłopczyk i powiedział:

— Bardzo dziękuję. Nie chcieliśmy być sa...sami. Ja nie chciałem. O, tu mamy bańkę z barszczem. Ślicznie wyglądasz.

„No to świetnie" — myślę. „Fajnie, że ci się podoba. Najchętniej poszłabym z tobą do mojego pokoju na przytulanki". Czuję się dziwnie, bo jakoś oddaliliśmy się od siebie. Czuję to zbyt wyraźnie. Boleśnie niestety. No, trudno. Uśmiech! Niech to będzie cudny wieczór!

I był.

Przy stole było ciasnawo, jak na wiejskim weselu. I dobrze! Poczuliśmy się lepiej, gdy po opłatku wypiliśmy po kieliszku zimnej wódki pod śledzika na razowcu.

Kiedyś słowa mamy przy opłatku skierowane do nas wszystkich wzięłabym za patos i coś sztucznego. U nas, w Warszawie, nic takiego nie funkcjonowało. Po prostu dzieliliśmy się opłatkiem, niezgrabnie plotąc coś o zdrowiu i szczęściu i już. Tu w mamę wstąpił duch Broni. Stała tak z opłatkiem, a my wszyscy umilkliśmy. Mama tak pięknie powiedziała o potrzebie miłości, dobra i mądrości, że wszyscy mieli mokre oczy. Ja też wzruszyłam się. I Marysia, i Paula, i Janne. Kaśka stała w szlafroku z wypiekami i trzymała Tomasza za rękaw. Wiktor stał za mną i ciągnął nosem. Chyba też się poryczał. Ale twardziel!

Bardzo to było potrzebne nam wszystkim. W Wigilię musi być odświętny patos. Tatko Janusza zmówił głośno modlitwę. Potem zasiedliśmy do stołu. Wiktor siedzi obok mnie, Janusz vis-à-vis. Łatwo nie jest.

Pierwsze poszły w ruch ryby na zimno: śledź i węgorz. Tomasz nalewał zimną jak diabli wódkę. Kieliszek, no dwa, do śledzia, i tylko tyle wódeczki w ten wieczór. Później piliśmy wino. Było ciepło i serdecznie. W rozmowach głównie szły wspomnienia z naszych domów. Jakie bywały zwyczaje, potrawy... Takie miłe bla, bla. Byłam zajęta z Manią i Paulą zmianą talerzyków, podawaniem potraw.

Kiedy zabierałam talerzyk Januszowi, pocałował mnie w rękę i spojrzał znacząco do góry, wprost w moje oczy. Jakby chciał zaznaczyć swoje terytorium. Swoje?! Przecież dał mi filiżankę czarnej polewki. Co jest? No tak! Poczuł konkurencję, bo widział, jak Wiktor podawał mi półmiski, zabawiał, kokietował... Wik głupi nie jest i pokoloryzował trochę. Bawi go wbijanie kija w mrowisko. Jest złośliwy. I dobrze! Kiedy zabierałam jego talerzyk, również on podniósł moją dłoń, przytrzymał przy ustach i spojrzał znacząco na Janusza. Niemal usłyszałam chrzęst kopii...

Tomasz był podczaszym i nalewał wino, opowiadał, śmiał się, co jakiś czas uśmiechając się do mamy. Widziałam. Wyłącznie do niej. Nie musi mówić jak Amerykanie: „Kocham cię" co pięć minut. Wystarczy, że tak spojrzy.

Po Wieczerzy panowie wyszli na werandę. Wiktor zapalił, tatko Janusza też, Tomasz odświętnie — zabrał ze sobą fajkę. My sprzątamy. Kaśka kładzie się do łóżka. Układamy ciasta, bakalie, przygotowujemy filiżanki do kawy i herbaty.

Na bieluchnym obrusie mnóstwo plam. Z oliwy ze śledzi, z barszczu, który przyniósł Janusz, z naszej grzybowej, karpia Tomaszowego, z pierogów...

Rzeczywiście, ten karp był super! Wyfiletowany, ponacinany do skóry w kwadraty i usmażony na ostrym tłuszczu z siekanym czosnkiem tak, że filety wywinęły się, tworząc ozdobne rulony. Tomasz posypał je świeżym, posiekanym porem i białym pieprzem. Słodko–kwaśnego sosu nie zrobił. W końcu to Wigilia, a nie „Cesarski Pałac". Poezja!

Później były prezenty. Mama dostała od Tomasza piękne pudełko z rzeźbionego drewna. W środku było mnóstwo piórek kraski i perliczki. Pięknych, we wszystkich odcieniach błękitu i turkusu. Piórka perliczek — szare w białe kropki... Także korale z kory, kamyczki... Zna ją. Wie, że to wykorzysta.

Wszyscy się chwalili zachwyceni mnóstwem drobiazgów, pomysłowością prezentów.

Dzieci podostawały książki, ramki do zdjęć z drewna. Gęsie i indycze pióra z prawdziwą stalówką (to od Piernasia). Dla Wika Tomasz pomógł mi zrobić śliczne spinki do mankietów z kamieni znalezionych latem w leśnym potoku.

Januszowi dałam książkę znanego terapeuty o problemach facetów. Wszystko w oparciu o buddyjskie i tybetańskie mądrości. Roześmiał się i wysłał mi przez stół całusa. Wychodząc, przytulił mnie mocno na chwilkę. Nic nie powiedział, tylko westchnął i pokiwał głową zamyślony jakiś. I tyle...

Nocą wszyscy poszli na Pasterkę. Zostałam tylko ja, Kaśka i mama.

Tomasz chodzi do kościoła rzadko. Na Pasterkę zawsze, bo lubi. Wiktor też poszedł. Powiedział, że pójdzie za ciosem. Nigdy nie był na takiej Wigilii, a na Pasterce był ostatnio, jak miał dziesięć lat.

— Chodź, mamo. Pokażę ci teraz prezent ode mnie.

— Czemu? A co? — Nie zrozumiała.

— Chodź. Nie zmieścił się pod choinką i nie jest piękny. Zauważyłaś chyba, że ode mnie nic nie było?

W sieni pod dywanikiem starej Zuzi stało pudło.

— Co to, Gosiu?

— Zmywarka.

— Moja własna zmywarka?

Mama ucieszyła się znanym mi chochliczym chichotem.

— Hi–hi! Mam zmywarkę! Mam zmywarkę! Dziękuję. Trzy lata się do tego przymierzam i ciągle myślałam, że to fanaberia. Dziękuję, Mikołajku! Daj buziaka. Idę dać Kaśce antybiotyk i zaraz przyjdę. Zrób herbaty...

Nawet nie wiem, kiedy zasnęłam. Jak tylko położyłam głowę na poduszce, już mnie nie było. Nie słyszałam, kiedy moi wrócili z Pasterki. Zdążyłam dorzucić do pieca i padłam.

Przepis na mamy wigilijną grzybową do mojego zbioru:

Grzybowa czysta

Suszone grzyby, najlepiej kapelusze podrzybków i borowików, zalać w kamiennym garnku przegotowaną wodą. Przykryć lnianą ściereczką i odstawić do następnego dnia. Wody nie odlewać! Gotować to wszystko razem na małym ogniu półtorej godziny. Ostatecznie można dodać mały listek laurowy, ziele angielskie, sól i pieprz — oczywiście. Ostatecznie, bo babcia Bronia nie dawała. Lubiła sam taki grzybowy wywar. Czasem zakwaszała go lekko żurem z mąki żytniej, ale nie na Wigilię.

Basia dodaje szklankę rosołu i jak babcia — kieliszek orzechówki.

Święta, święta i po świętach...

Wiktor został jeszcze do drugiego dnia świąt i pojechał po południu. Podobno zamierza jeszcze doszlusować do przyjaciół, w Alpach.

Byliśmy na spacerze w lesie, nad rozlewiskiem, w Pasymiu... Sporo rozmawialiśmy i chyba to przekonało go ostatecznie, że pary z nas nie będzie. Zbyt daleko sięgają różnice między nami. Natomiast jako przyjaciele chyba możemy funkcjonować.

— Ten Janusz patrzył na ciebie często i melancholijnie. Może mu przykro, że go nie chcesz?

— Wik, co ty pleciesz? Widziałeś?

— Jasne. Obserwowałem go, to naturalne. Mnie też taksował. Nie czułaś tych jego męskich spojrzeń?

— A co to jest męskie spojrzenie?

— Jest takie samo jak kobiece, tylko że męskie.

— No to super mi to wyjaśniłeś. Nie, nie czułam. Zmieńmy temat.

— Nie żal ci?! Fajny jest. Przystojny, zabawny, miły. Tak to chyba określacie.

— Wiktor! To on mnie nie chce, rozumiesz? Zmieńmy temat.

— Dobrze.

Szedł w ciszy i przyglądał mi się.

— To dupek.

— Prosiłam cię.

— Palant. A ty cierpisz. Cholera! Że ja tego nie wyczułem! OK. Już milknę... Ale palant.

Wszyscy po południowym spacerze byliśmy zmęczeni i przyjemnie wygłodniali. Mama wygoniła nas z kuchni, bo obiad robiła z Tomkiem. Była gęś od Piernackiego, a Tomek, zamiast Kaśki, przyrządzał czerwoną kapustę.

Przy obiedzie dyskusja przeniosła się na Finlandię, sprawy międzynarodowe, ekologię. Tomasz, Wiktor i Janne zdominowali nas zupełnie, więc dość szybko udałyśmy się do kuchni na babskie plotki.

Leniwie wlokły się godziny, leniwie gadaliśmy o wszystkim i wieczorem miałam już dość. Chciałam znów wejść w utarte, codzienne tryby. Sytuację ratowały dzieci, bo były chętne do ruchu — spacerów, zabaw i śmiechu. Stary Piernasio umówił się z nimi na przejażdżkę saniami w drugi dzień świąt. Przyjechał swoją kobyłką, ogromną i kosmatą. Stała przy płocie, dysząc parą, wielka jak lokomotywa, brązowa, z błyszczącą sierścią. Wsiadłam z mamą do sań, a dzieci doczepiły z tyłu małe sanki i ruszyliśmy.

Szczerze mówiąc, jechałam tak pierwszy raz w życiu. Pogoda dopisała, bo choć to nie było oszałamiające słońce, to jednak było jasno, a najważniejsze, że nie wiało. Kobyłka biegła truchtem, miarowo przebierając nogami. Jej wielki zad kołysał się bez widocznego wysiłku. Trochę sypkiego śniegu wzbiło się jej spod kopyt i osiadło nam na twarzach. Panny zapiszczały radośnie, a Piernacki zawołał coś zawadiacko. Nogi miałyśmy przykryte kocem i było świetnie. W lesie zwolniliśmy na trochę, posłuchaliśmy ciszy i znów Henio cmoknął na konia i sanie pomknęły ostrzej. Na zakrętach dzieciaki zarzucało, Janne spadał z sanek, trzeba się było zatrzymywać, wstawać... Do Karolaków nie zajeżdżaliśmy. Nie wypadało epatować ich naszym radosnym nastrojem. Wieczorem Tomasz przyniósł narzędzia i po cichu z Jannem zaczęli podłączać w kuchni zmywarkę.

I już po świętach...

Dwudziestego ósmego pochowaliśmy panią Czesię Karolakową.

Znów nabożeństwo, jakiego nie lubię. Jakby niedotyczące jej, rodziny, faktu, że odeszła świetna matka, parafianka, sąsiadka. Po prostu taka sobie msza smutniejsza. Nie podoba mi się to, więc stałam z mamą przed kościołem i gadałyśmy, z kim popadło. Znajomi przystawali, zamieniali kilka słów o świętach, potem o Karolakowej i pospiesznie wchodzili na mszę.

Wieczorem, po stypie u Karolaków, wróciłam z mamą do domu.

Życie towarzyskie znów ulokowało się w kuchni. Tak to już bywa w ciepłych domach. W Warszawie to był salonik z telewizorem. On zawsze stanowił dobre lepiszcze zamilkłych rozmów. Można było zaczepić się tematem o coś z TV i już było co mielić. Teraz wiem, że to były uniki. Tematy zastępcze. Tu, u nas, kuchnia jest domowym spoiwem. Tu się je, gada i śmieje. Tu dowiadujemy się o sobie najciekawszych rzeczy. Dziewczynki też polubiły kuchenne życie i w ogóle odstały od telewizji. Mama drepcze po kuchni, jako jej niewątpliwa królowa, i zawsze jak przechodzi obok, to nas dotknie, pogładzi, cmoknie w czubek głowy...

Janne nadstawia się, ciągnąc szyję jak żyrafa. Śmieszny jest. Maile od Kuby już nie zawierają doniesień o wspaniałej Amerykance — Maszy. Widocznie zrozumiał. Maile Marysi są wesołe i pozbawione tęsknicy, co niepokoi go w widoczny sposób. Paula uśmiecha się i mówi:

— Rura mu zmiękła. A nie mówiłam?

Mania jakoś nie popłakuje za Kubą i widać dobrze jej w tym ich trójkąciku z Jannem. Doskonale się bawią, choć wiem, że każde ma „skrwawnięte serce". Najmniej wiem o Pauli.

Tomasz poszedł pomieszkać do siebie. Jego pies natęsknił się w święta, bo pan częściej był u nas niż w domu.

Dojadaliśmy poświąteczne rarytasy — odsmażane pierogi, szczątki gęsi pieczonej z pysznym nadzieniem w środku, barszcz grzybowy, ciasta... Gadaliśmy o lesie, o rodzinie Karolaków, o tym, że dzieciaki zostają do drugiego stycznia i co sobie wymyślą na sylwestra.

Chwilę siedzieliśmy w ciszy.

— Mamo, coś mówiłaś o Oli Karolakównie?

— A co?

— No mówiłaś, że byłaś z nią blisko, zwierzała ci się, a potem zwiała na emigrację wewnętrzną.

— Ja wiem? To może nie być ciekawe, taka historyjka egzaltowanej panny.

— Babciu, opowiedz, ładnie to robisz. Janne się nie znudzi. Prawda, Janne?

— Tak, ja nie nudzę się zawsze, bo moja babcia też pięknie opowiada i jak jestem w doma u siebie, to niektóre opowie...dania ja słyszam, słucham po kilka razy i też lubię jak babcia znów je opowie...

— To, co z tą Olą, babciu?

— Ola była straszną romantyczką. Tam, pod lasem, gdzie się paliło, mieszkała babcia Bujnowska z wnukiem Jankiem. Okropny był. Patrzył spode łba, był dziki, kochał tylko las. Olka zakochała się bez pamięci i tak długo łaziła za nim, omotywała go swoim gadaniem, że przestał się oganiać i tolerował ją. Olka chodziła do nich do domu, czytała babci i Jankowi na głos, i na wyrzekania rodziców pozostawała głucha.

— Karolaków?

— No przecież! Tak się uparła, że wyszła za niego. Jankowi w to i graj! Babka stara, zaraz umrze — kto mu ugotuje, upierze i jeszcze w łóżku dogodzi? Ola szalała ze szczęścia. Do czasu. Był listopad. Ona w wysokiej ciąży, a on z kolegami pił gdzieś na przystani w barakach. Babka nieprzytomna dogorywała w łóżku, a Ola myła ją, oporządzała i wylewała wiadra z odchodami. Wzięły ją bóle. Rodziła sama kilka godzin. Kiedy Janek wrócił, spała w gorączce z dzieckiem pod kołdrą. W piecu wygasło, a na żelaznym łóżku leżała martwa babka. Był pijany, jak podjechał do Karolaków, a potem nikt go nie widział przez tydzień.

— Bydlę! — powiedziała Marysia z wypiekami.

— Olkę odratowano w *Szczytnie*, dziecku nic nie było, ale pękło jej serce i wyprowadziła się do Białegostoku.

— A on?

— Rok później powiesił się w lesie. W domu zostawił list: „Olka. Nie umie bez ciebie żyć. Jan".

— Ty, babciu, powinnaś pisać nowele — stwierdziła Mania.

— Zupełnie tak pani opowiada, jak moja babcia. Ona też zna wszystkie ludzi ze swojej wsi. Wszystki historie. Smutna historia o tej Oli — powiedział Janne.

— Przyszła tu do mnie, jak Karolakowa zmarła. Was nie było. Ale nie było dawnego ciepła. Była bardzo oficjalna. Strasznie mi jej żal. Myślę, że ona nie odpłakała tego wszystkiego. Ciąży jej ta historia jak kamień. No, chodźcie spać. Trzeba się wyspać przed sylwestrem.

Kiedy zmywałyśmy filiżanki po herbacie, spytałam mamę:

— To prawda z tą Olą?

— Tak. Byłam jej powiernicą. Wysłuchiwałam jej dobre kilka lat. Strasznie idealizowała tego łajzę.

— Ona cię nie słuchała?

— Ona słuchała tylko siebie.

— Może ja też idealizuję Janusza ponad miarę?

— Może…

— Mamo, ale ja poważnie!

— Nie znam go, Gosiaczku, wiec trudno mi zabierać głos. Sama przejrzysz na oczy. A może on przejrzy? Nie jesteś Olą. Poradzisz sobie. Dobranoc, kochanie.

Trzydziestego pierwszego dzieci rozpaliły ognisko nad jeziorem, koło ósmej. Z dużej ilości chrustu. Potem zarzuciły to pniakami i przyszły do domu na gorącą zupę. Z okien widać było łunę na rozlewisku. Ale pięknie!

Janne z Tomaszem przygotowali „latarenki drwala" — pieńki z zagłębieniem, w które wstawia się świeczkę. Ona się pali, a potem wypala powoli środek, dając światło i ciepło.

Rozstawili te latarenki wzdłuż drogi na rozlewisko, gdzie obok kładki płonęło ognisko, stały ławeczki z pni i mroził się szampan. Trójnóg czekał na kocioł z bigosem, ugotowanym w leśniczówce przez Jannego i Tomasza.

To nie była dyskotekowa zabawa, więc mieli przyjść mimo żałoby: Stefan, Krzysiu, Bartek i Monika z Ewą od Karolaków. Obiecał też przyjść Sławek Maj.

— Zapraszałaś Janusza?

— Nie. Nie chciałam odmowy, bo z pewnością jest na jakimś ubawie z lalą.

— Jaką lalą?

— Jakąś…

— Może masz rację…

Mama strzepywała ze stołu niewidzialne pyłki. Pogładziła mnie po włosach i zrobiła coś, co lubię, podrapała pazurkami po skórze.

— Mamo, jak oceniasz Kaśkę?

— Jest dobrze. Jutro wstanie. Trochę ją potrzymało. Bidula.

Nie miałam ochoty na to ognisko, ale cóż, powinnam z nimi być. Dlaczego mam wszystkich epatować stanem mojej duszy? Niech tam! Pójdę.

O dziesiątej zebraliśmy się nad rozlewiskiem. Jest nas sporo. Ognisko rozpalone długimi gałęziami i polanami grubymi jak noga, daje mnóstwo pomarańczowego światła i ciepła. Droga znaczona latarenkami wygląda tajemniczo wśród czerni mazurskiej nocy. Tafla wody zabarwia się światłem z ogniska, nad nami ocean gwiazd na ciemnym niebie, sami przyjaciele dookoła. Mamy kije na kiełbasę, w śniegu oprócz szampana widzę szyjki innych butelek. Na podręcznym stole bigos, chleb, szklaneczki i kieliszki.

Młodzież od Karolaków zachowuje się swobodnie i gadają z Marysią i Paulą o warszawskich uczelniach. Wnuczki Karolakowej przyszły ze swoimi chłopakami. Janne, Bartek, Tomasz, Sławek i Stefan dokładają do ognia i też gawędzą o survivalu, męskich sportach ekstremalnych, które w Finlandii organizuje siostra Jannego.

Stoję z mamą na kładce i patrzymy w zamarzniętą wodę, las i niebo. Jest mroźno i z ust leci nam para. Nic nie mówimy. Tak jest fajnie.

Cały wieczór jest miły. Śmiejemy się i opowiadamy historyjki z dzieciństwa, ciekawostki… Pijemy zimną „na olej" wódkę, przegryzamy gorącą kiełbaską z ognia i jest świetnie. Raz po raz łowię ciekawe spojrzenie Sławka. A może mi się zdaje?

Stefan Karolaków i Tomasz wyjmują z pokrowców gitary i śpiewają. Są zgrani od lat i znają różne pieśni.

Koło północy jesteśmy już rozgrzani, rozśpiewani i zupełnie oderwani od świata. Jesteśmy tylko my tu, nad jeziorem. Dusza mi się uśmiecha, jestem taka szczęśliwa, że tu jestem! Kołyszę się w takt jakiejś pieśni śpiewanej męskimi głosami, gdy wtem łowię wzrokiem cień zbliżający się do nas. Ktoś z ciemni idzie od strony drogi i skrzypi śniegiem. Zamieram. Powoli ognisko go oświetla. To Janusz w kombinezonie, czapie, z butelką wódki i uśmiechem.

— Cześć! Jest miejsce dla strudzonego wędrowca?

— Jeeest! — wołają dzieciaki zaognione wódeczką, pieśniami i nastrojem. Witamy się pośpiesznie i ogólnie. Skąd on tu?

— Mamo! — szepczę. — To twoja sprawka?

— Zwariowałaś? Miałam do niego dzwonić? Prosić? Tak? No coś ty! Myślałam, że to ty…

Janne poderwał nas do jakiegoś tańca rybaków. Tuptaliśmy jak trolle wokół ognia, Janne zawodził pieśń i nawet Karolakowie śpiewali i tuptali.

O północy wyskandowano sekundy i polał się szampan. Życzenia. Każdy każdemu mówił coś dobrego i miłego. Byłam chyba najtrzeźwiejsza, więc jakoś usunęłam się w bok, za krąg światła. Janusz objął mnie od tyłu i odwrócił. Miał twarz blisko mojej, pachniał wódką i dymem. Nie mówił nic, tylko przytulił mnie do siebie tak, jak robił to w chwilach, o których nie chciałam zapomnieć. Kołysał mnie i pocałował.

— Nie gniewaj się. Nie mogę ci nic dać, bo jestem jeszcze nie…niestabilny. Poczekaj. Miałem taki bałagan w życiu, w so…sobie. Muszę to poukładać.

— Nie musisz mi się tłumaczyć ani litować się nade mną.

Zamknął mi usta swoimi.

— Daj mi jeszcze ciut czasu — szeptał. — Kiedy tak patrzyłem na ciebie w Wi…Wigilię, jak podajesz potrawy, ja…jak się ruszasz, uśmiechasz… O kurczę! Życzę sobie w tym roku… Sta…stabilizacji i ciebie. Tobie życzę, cierpliwości, szczęścia i… Czego sama chcesz?

— Ciebie — powiedziałam, ale on już tego nie usłyszał, bo w niebo poszły race i wszyscy oglądaliśmy pokaz sztucznych ogni przygotowanych przez Sławka.

Do pierwszej bawiliśmy się doskonale. Potem poczułam senność i poszłam do domu. Janusz wypił przy ognisku, więc zrezygnował z powrotu do domu samochodem. Chciałam zaproponować mu spanie u nas, ale… Nie za szybko. Powoli. Nie będę się narzucać.

Odwiózł go Bartek, bo nie pije. Janusza wóz został na naszym podwórku… To znaczy, że po niego przyjdzie! Tak!

Fiński wynalazek:

Latarnia drwala
Pieniek wysokości około trzydziestu centymetrów nawiercić pośrodku szeroką „otwornicą". Tak na pięć centymetrów. Tam włożyć ogarek. Drewno w środku można nasączyć oliwą do lampek, naftą. Zapalić i postawić w śniegu, nad jeziorem podczas wędkowania… Powoli pieniek się wyżarza, dając ciepło i światło. Można na nim gotować.

Rozdział 6

Poczta. Wiosna, wiosna radosna!

Styczniowy mail od Wika:

Gosiu!

Wielkie podziękowania za Wigilię.

To jest niezapomniane przeżycie. Rozumiem już pojęcie „rodzinność". To ta atmosfera w kuchni, Twoja cudowna mama, zapach jedzenia i gwar. Mój dom jest cichy. Słychać w nim klikanie klawiszy komputera, lanie wody do wanny, czasem muzykę. A u was jest głośno. To takie domowe, bezpieczne. Masz śliczną córkę. Jej przyjaciele też są mili. W ogóle, co za dom! Już rozumiem, dlaczego nie możesz już żyć tu, w Warszawie. Rozumiem!

Przyroda, choć śpiąca też urzeka.

Tu, na wyjeździe nic specjalnego. Narty, alkohol i głupawe rozmowy. Często niestety o biznesie. Kobiety... No jak to kobiety. Nudziły się podczas takich rozmów i wtedy pierwszy raz zrozumiałem, że u Was nic takiego nie mogłoby się zdarzyć. U Was każdy musi się dobrze czuć. Nie rozmawia się o pracy... Tomasz dba, żeby nikt nie czuł się nieswojo.

Ten Janusz jest zafascynowany Tobą, ale się boi. Widzę to. Uwierz mi. Jestem zazdrosny, więc wyczulony. Gapił się na Ciebie cały czas. No i przyszedł!

Wysyłam Ci kilka zdjęć. Zobacz, jakie piękne widoki. Nie widziałbym ich piękna, gdyby nie pobyt u Was. Robię zdjęcia! Sam!

Całus. Wik

Mail do Wiktora:

Kochany Wiku!

Wszystkiego najlepszego w Nowym Roku!

Zdjęcia cudne! Masz talent.

Stała się dziwna rzecz. W sylwestra mieliśmy ognisko nad jeziorem. Przyszedł Janusz. Od tego jakby znów się coś zaczęło. Wciąż nie wiem, co go natchnęło, żeby przyjść. Nie wiem, co będzie.

Wybacz, że Ci o tym piszę. Coś tam mi o nim wspomniałeś, więc poczułam potrzebę zwierzenia się, bo jesteś „w sprawie". To jednak głupie. Nie boli Cię to? Boję się kolejnego przerostu uczuć. Postaram się być twarda.

U nas zima do obrzydliwości. Dni wloką się powoli. Kaśka słaba po tej cholernej anginie. Sama dygam drewno na werandę. Szkoda, że Cię nie ma. Dobrze Ci szło rąbanie i noszenie... Dzięki temu wysiłkowi chudnę, albo tak mi się wydaje!

Wiosną ruszam z pensjonatem. Już niewiele zostało, widziałeś.
Była pani Ania. Wiesz, ta „Wrona", co to nie mogłeś wyjść ze zdziwienia.
Odniosła koszyk i pogadałyśmy trochę. Chyba zatrudnię ją latem do obsługi
gości. Kaśka i ja nie damy rady wszystkiemu.
Znasz drogę, wpadaj tu do nas! Pozdrawiam i dziękuję. Gosia

Mani maile były krótsze i treściwsze:
Mamciu! Zdałam test trudny jak–nie–wiem–co, jako najlepsza! Paula też
robi postępy i nie ma zaległości. Janne rozczula się na wspomnienie pobytu
u Was. Jest szczęśliwy i ozdrowiały emocjonalnie. Kubie istotnie zmiękła rura.
Jest milutki i kochający. Ja mniej. Napisz jak Kasia. Buziaki — Mania

Czekam na wiosnę. Wszyscy czekamy. Mamy już dość zimna, pluchy, lodu,
wiatru. Tej ustawicznej obrony przed zimnem, tych czapek, swetrów, butów,
drzwi szarganych wiatrem, z którymi trzeba się mocować. Dość już!
Marzec już powinien zwiastować. Oczywiście, że inne jest światło, dłuższy
dzień, ale zimno i ponuro — cały czas. Po śniegu ani śladu. Stopniał w styczniu, pojawił się na początku lutego, znów stopniał i cześć. Nie ma go. Gołe,
bure łąki ze sterczącymi badylami, bezlistne drzewa i krzewy szargane wiatrzy-
skiem i to uczucie, że wilgotne zimno wciska się każdym otworem w ciuchach
— rękawem, nogawką, koło szyi… Chodzimy omotane jak syberyjskie die-
wuszki.
Korzystam z tego, że na dworze ohyda i dużo pracuję. Trzeba wykończyć
pensjonat. Zarobić pieniądze.
Niestety Konrad nie przywiózł optymistycznych wieści. Nikt z forsą nie rzucił się na teczkę z rysunkami Orlika mimo dokumentów i dowodów autenty-
zmu. Obraz, ten na sprzedaż, też pójdzie na aukcję dopiero wiosną. Trudno,
trzeba składać grosz do grosza.
Kaśka po tej długiej anginie wydobrzała, ale serce zostało słabsze. Szybko się
męczy, a EKG nie jest za ładne. W lutym złapała jeszcze zapalenie oskrzeli. To
było wtedy, jak zostałyśmy z Kaśką same, bo mama i Tomasz pojechali wreszcie
do Egiptu na dwa tygodnie. Ich opowieści słuchałam tydzień, a zdjęć narobili
ze dwieście. Później sortowali to i mnóstwo podarli, bo się dublowały i były
„pocztówkowe", albo „Tatry we mgle". Zostawili tylko te najlepsze i te, na których są oni.
Dostałam mnóstwo koszulek z napisami „Red Sea", z delfinami, piramida-
mi, sfinksem i Nefretete. Aż ostro zatęskniłam do lata.

Przywieźli też sziszę — fajkę wodną i zapas tytoniu. Tomasz z miejsca pokazał mi, jak to palić. Jabłkowy tytoń wcale nie dusi jak ten normalny. No i ten cały obrzęd — węgielki, wspólne pykanie...

Dobrze im zrobił ten wyjazd. Mama wygląda pięknie. Zeszczuplała, opaliła się i odmłodniała. Tomasz też opalił się na ciemno i wygląda, jak młody... dojrzały bóg.

— Będziemy teraz jeździć z Basią. Tak postanowiliśmy. Oczywiście wymaga to twojej, Gośka, akceptacji.

— Potrzebna wam moja zgoda?

— No, że w tym czasie zajmiesz się domem i Kasią. Możemy się wymieniać.

— Wariaci! Jasne, że się zajmę. Też chętnie kiedyś gdzieś czmychnę.

— Widziałaś się z Januszem?

Mama nie wytrzymała. Sekunduje mi wiernie od sylwestra w moich zmaganiach uczuciowych.

— Tak. Spędził tu kilka wieczorów... I nocy.

— No, no! To super! — zagrzmiał Tomasz. — A teraz napijemy się, bo w Egipcie rozpiłem się na dobre. Panie, której whisky z lodem?

W mokre i lodowate wieczory oglądaliśmy zdjęcia z ich wyprawy, film nakręcony niewprawną ręką Tomka, drugi film — „National", pt. *Poznaj tajemnice Egiptu*, kupiony w Warszawie na fali przeżyć z podróży, i tęskniliśmy do wiosny.

Zastanawialiśmy się, jak z przyjezdnymi do naszego pensjonatu, jak to wszystko urządzić. Rady mamy są nieocenione, bo ona w tym siedzi od lat, a ja nie.

Mama mimo całej swojej miłości do dzieci, nie chce, żeby pensjonat podejmował gości „odzieciałych".

— Przyjmujemy tylko starszych ludzi pragnących spokoju. Obecnie dzieci są chowane bezstresowo, więc są upiornie niewychowane.

— Możemy stawiać takie warunki?

— Dopóki mamy chętnych na ciszę i spokój, możemy. Ponadto myślałam o zabiegach dla ludzi st... w naszym wieku. Wiesz — masaże, ziołolecznictwo. Dzieci mi się z tym nie komponują.

— Szczerze mówiąc, mnie też...

Któregoś marcowego ranka usłyszałam po przebudzeniu kapanie z rynny! Odwilż! Odwilż! Inaczej świeci słońce. Jakoś tak cieplej, milej. Nareszcie!

Przypomniałam sobie mój sen o Januszu. Pomieszanie Egiptu i Mazur, wspinaczka po piramidzie, jazda saniami po piasku... Głupstwa jakieś. Pewnie zjadłam coś ciężkiego na kolację.

No tak. Zjadłam! Byliśmy z Januszem w Olsztynie u Greka. Rzeczywiście, dużo, za dużo oliwy, mnóstwo frytek, ryżu, ciężkostrawne mięso i mało ziół. Wypiłam za dużo wina i dlatego miałam ciężki sen. Wolę kuchnię mamy. Lżej się śpi.

Janusz po sylwestrze odezwał się szybko, bo zadzwonił, czy mogłabym przyjechać po niego, żeby mógł zabrać swój samochód.

Mogłabym.

Przywiozłam go koło pierwszej, z jeszcze lekkim bólem głowy. Podobno bardzo sobie z chłopakami popili.

— Ale ten wasz Fin ma łe…łeb! Piliśmy równo. Ja zdycham, a on?

— Jeszcze chyba śpią.

— Jeszcze?! No, ła…ładnie. To ja jestem gieroj.

Na podwórku szepnął tylko:

— Do zo…zobaczenia. Dzisiejszy dzień spisz na straty. Pa.

— Pa!

Tak właśnie zaczął się Nowy Rok.

Zwolniłam. Niczego nie planuję. Tomasz i Wiktor mają rację. Jeśli to dupek, to muszę sama się o tym przekonać i uwierzyć. Nie jestem Olą Karolakówną, nie mam cech ofiary. Rzeczywiście nie mogę wymagać od faceta, który wyszedł poobijany ze związku, żeby z mety wpadł mi w ramiona z deklaracją: „Mojaś ty na wieki".

My, kobiety, takie jesteśmy, szczególnie po czterdziestce. Albo boimy się i krygujemy jak dziewice: „Ależ, co pan! Ja jestem porządna!", albo jesteśmy gotowe do nowego związku.

— Nieprawda — zaoponowała mama, kiedy podzieliłam się moimi przemyśleniami. — Upraszczasz. Znam kobiety niezdolne nawet do myślenia o nowym facecie, bo utożsamiają go ze swoim byłym. Każdego. Zakładają, że wszyscy faceci to szuje i one nie będą już ryzykować. Właśnie takich gotowych do nowego związku jest mniej. Ty jesteś gotowa i odważnie myślisz, inna by nie mogła. To sprawa indywidualna.

— No racja. Ale przyznasz, że faceci rzadziej chcą nowego, jeśli na starym się sparzyli.

— Zgadzam się. Oni wtedy wolą „z kwiatka na kwiatek".

— Właśnie tego się obawiam, ale już nie naciskam.

— A ty, Gosieńko, odpowiedziałaś sobie na pytanie, czego tak naprawdę chcesz? Chcesz z nim zamieszkać? Być ze sobą dwadzieścia cztery na dobę? Czy po prostu, będąc w niezobowiązującym związku, boisz się niewierności?

— O cholera, mamo!

— Co?

— Chyba trafiłaś.

— Od razu wydało mi się dziwne, że tak to przeżywasz. Bardziej chyba chodziłoby o poczucie bezpieczeństwa niż o bycie ze sobą non stop. Boisz się, czy byłby ci wierny...

— No... — potwierdziłam, skubiąc stary biszkopt.

— Myśmy z Tomkiem też tak chodzili koło siebie, jak ten „lisek koło drogi", i do dziś, jak widzisz, nie mieszkamy ze sobą. Tak jest dobrze na razie, chociaż dojrzewamy do tego, żeby już być ze sobą właśnie tak bardzo blisko i na co dzień. No, bo jak inaczej ty to sobie wyobrażasz? Wyprowadzisz się do niego?

— Nie...

— On z tatusiem, tutaj?

— Nie...

— Wy razem, gdzieś od nowa całkiem?

— Nie...

Czułam się jak dziecko w okresie negacji. Nie. Wszystko — nie. Janusz — tak.

— A ty normalna jesteś? — spytał mój Gnom z chochliczym uśmieszkiem.

— Nie...

— OK. Przynajmniej jedno ustalone. Czas, córeńko. Wszystko pozostaw czasowi. Ułoży się. Chodź, trzeba posprzątać w kuchni i zająć się obiadem.

Przypomniał mi się mój kolega z liceum — najlepszy poeta wśród chemików i najlepszy chemik wśród poetów — jak mawiał o sobie. Dał mi wierszyk.

Motylek lata z kwiatka — na kwiatek.
Każda mu droga chwila.
Wszystko mu jedno — fiołek czy bratek,
Siada i go zapyla.
Wystarczy zatem okrzyk wznieść:
Wy, co jesteście sami,
Miast się w miłosny wątek wpleść
...zostańcie motylkami!

                                          Rysiek Grosset

Patrzę więc na moje sercowe sprawy z tej właśnie perspektywy. Mama ma rację i Tomasz ma rację. Czas.

U Greka Janusz wyjaśnił mi, ile załatwiania kosztowało go organizowanie gabinetu w Nartach. Ja głupia myślałam, że tylko remont i już! A to projekty, zezwolenia, sanepid, sama robota, przeprowadzka i szarpanina z byłą żoną o zadawnione duperele. Sądziłam, że owszem, jest zajęty, ale też szuka fartu. Nowych doznań. Nowej panienki.

— To ty…tylko twoja wyobraźnia. Nie chciałem wciągać cię w ten ca…cały młyn. Masz swój. Moja wina — za…zaniedbałem nasze kontakty. Chciałem przemyśleć, ale nie miałem czasu. Głupio wyszło.

— Ja też przepraszam. Naciskałam zupełnie bez sensu. Nie dałam ci się wytłumaczyć. Wiem, ile to pracy i łażenia. Szczerze mówiąc, zasugerowano mi, że spuszczony z łańcucha, latasz za babami…

— No, tak. Każdy są…sądzi według siebie. Ja już ci mówiłem. Potrzebuję sta…stałego gruntu pod nogami. Wtedy podzielę życie między zawód, tatę i ciebie. Dobrze? Inaczej, nie mogę.

— Jasne. Ja też dzielę i to chyba bardziej niż ty. Z lękiem myślę o sezonie. Czy sobie poradzę, czy dobrze zrobiłam… Też będę zajęta.

— Znajdziemy dla siebie czas. O…obiecuję ci. Tylko reszta musi grać.

Ulga. Uspokoiłam się. Moje uczucie nie jest odrzucone. Zależy mu na naszym układzie. Uff! Koniec szarpaniny, bolesnych skurczów niepewności, zazdrosnych myśli…

Po kolacji u Greka spokojnie pojechaliśmy do niego, kochać się. Obojgu nam puściło i wróciło pragnienie.

Leżałam z głową na jego ramieniu.

— Janusz, ale jak to jest? Nie szukałeś młodej laski? Powiedz. Nie pogniewam się. Powiedz.

— Szukali dla mnie ko…koledzy. Nawet była taka imprezka, swatali mi dziewczynę, ale jakoś nie…

— Fajna?

— Fajna.

— To czemu nie? Czy skubnąłeś ją?

— Nie skubnąłem, bo ja nie jestem jakiś podrywacz! Za… za kogo ty mnie masz?

— …bo ty jesteś młody i przystojny.

— A ty, stara i szpetna — dokończył.

— No właśnie.

— Ale ja mam spaczony gu…gust i lubię stare i szpetne.

— No to super!

Jest czuły. Obejmuje mnie i drapie po karku. Patrzy w oczy i śmieje się.

— Stara i szpe...szpetna. Ale wiesz, od czego muchy zdychają...

— Proszę?

— Masz doświadczenie ży...życiowe, kobiecą mądrość i w łóżku jesteś przesłodka.

— Lizus. Sam jesteś przesłodki. Pić mi się chce. I spać. Nie wracam do domu. Mogę? O której wstajesz?

— O siódmej.

— Dobrze. Wstaniemy razem.

I już! I tak jest dobrze.

Mail do Wika:

Kochany Wiku!

Zastanawiam się, czy rozmowa z Tobą o moich sprawach sercowych jest OK. Jeśli chcesz, wyłączmy to z tematów.

Wiosna przychodzi wraz z innym oświetleniem. W Warszawie myślałam, że to sprawa odwilży, temperatury... Nie. To zmiana żarówki. Słońce zaczyna inaczej świecić, inaczej padają promienie słoneczne, wydłuża się dzień. To takie tajemnicze, bo nawet jest mroźno, a już czuje się wiosnę. To Światło. Wiosna wchodzi w nas przez źrenicę. Już inaczej się czuję. Więcej we mnie oczekiwania, radości. Tak jest z pewnością u zwierząt. Wyczuwają ją intuicyjnie, jeszcze zanim zrobi się ciepło. Już słychać ćwierkania, kapie z dachów, a Kaczka Obrażalska siedzi dostojnie na jajkach. Piernacki wyswatał ją ze swoim Kaczorem Garbonosym.

Pozdrawiam wiosennie. Rób zdjęcia. Znajdź wiosnę. Pa!

— Gosia

Mail od Wika:

Chcę, żebyś mi pisała o wszystkim. Nie jestem mazgaj. Przyjąłem rolę przyjaciela z całym dobrodziejstwem inwentarza. To przyjemne cieszyć się zaufaniem.

Wiosna? Słońce? Tak... Biologia, optyka... A zapomniałaś dodać takie zjawisko jak Janusz?

Co tam? Jak tam? Dupek? Czy nie?

Mam masę zajęć i prawie zero czasu na wypady w poszukiwaniu wiosny. Nie robię zdjęć. Mam mnóstwo papierów, tabel, rozliczeń. Bilans. Mało romantyczne.

Czasem wpadam do pubu na męską wódkę z kumplem. Owszem. Tam wi-
dać wiosnę. Panienki gardłowo nawołują, pokazują nogi i posolaryjną opa-
leniznę. Już sam nie wiem, co jest prawdziwe, co sztuczne. Te silikony, kremy
opalające, pudry ze złotem. Reklama. Czego? Co jest w środku?
Wiesz, co mam na myśli. Idę zamówić pizzę i do roboty!
Całus wiosenny!
Wik

O tym, jak wykańczam pensjonat, a on mnie

Zaczęło się. Zadzwonił pan Adam z pytaniem, czy kończymy inwestycję. Kończymy! Uzbierałam trochę forsy przez zimę i mogę zacząć wykończeniówkę. Przyjechała ekipa i… zaczęło się. Znów słychać terkot mieszalników, bo kładziemy gładzie na ścianach. Początkowo marzyłam o tapetach, ale nie wiem, czy podołam finansowo. Chłopaki z ekipy mówią, że tyle jest teraz fajnych farb… Może i racja? Powoli pokoje nabierają wyglądu. Po gładziach przyszła pora na wygłaskanie sufitów i wreszcie podłogi. W tym czasie Sławek Maj zrobił mi łóżka i szafki nocne. W IKEA znalazłam supertanie komódki. Sławek poradził mi, żebym je trochę urozmaiciła ładniejszymi okuciami.

Umówiłam się ze Stefanem Karolakiem. W soboty wpadał z Krzysiem, poskręcał je wszystkie, i szuflady pooklejał dodatkowo ładnymi listewkami. Dodaliśmy te okucia, polakierowaliśmy i wyszły ekstra! Będzie problem z szafami, ale zobaczyłam w czasopiśmie świetne, wolnostojące wieszaki na ubrania. Na kółkach. Podobne są w IKEA. Nie widziałam, trzeba będzie jeszcze raz pojechać. To taki nowy trend, żeby ciuchy wisiały na wolnostojącym wieszaku. Bez szaf. Szafy są „de mode". Porąbać! No, ale szaf nie mam. Będą te wieszaki. Są o niebo tańsze.

W wolnych chwilach pomagam mamie szyć narzuty i poduchy. Paula obiecała przyjechać na weekend i pomóc. Przyjechali wszyscy, oczywiście. Dziewczynki z miejsca poszły pomagać babci w szyciu. Ja i Kaśka robimy posiłki, a Janne umila nam życie, pomagając, komu popadnie. Nawet obiera ziemniaki i trze je na tarce. Bardzo jest ciekaw baby ziemniaczanej. Nigdy czegoś takiego nie jadł, a placki ziemniaczane ukochał sobie w Polsce.

— Uważaj, Janne, na palce.

— Wiem, to trudne. Mój Ja… znajomy miał malakser. Tam fajnie kartofle tarli się same!

— Twój…? — zaryzykowałam.

Spojrzał na mnie czujnie.

— …mój partner. Jeszcze w Poznaniu — mruknął pośpiesznie.

— Robiliście placki? Lubisz?

— Tak! — ożywił się. — Jacek dobrze gotował. Miał kuchnię jak z żurnala. Włoski sprzęt…

— Dobrze. Kupię malakser. Teraz wymieszaj to. Ja umyję. Kasiu, rozpal w chlebowniku, będziemy piec babę.

— W chlebowniku?!

— No, smaczniejsza jest.

— Lepiej w prodiżu. Basia w prodiżu piecze babę. Tak…

— Tomasz mówił, że w chlebowniku jest smaczniejsza, no i mamy dużą blaszkę.

— Tak. Mówił. — Kaśka mruczy i pali w chlebowniku.

Znów jest dobrze siedzieć tak w kuchni i pitrasić.

Baba ziemniaczana jest kolejną biedapotrawą mazurską, którą lubię i chwalę przed wszystkimi. Najlepsza jest teraz, ze starych ziemniaków pełnych skrobi. Po ich utarciu na dnie miski leży twarda warstwa krochmalu. Po dodaniu mąki i wbiciu jaj trzeba dobrze mieszać właśnie tak, od dna, żeby rozprowadzić krochmal. Sól i pieprz, starta cebula, ale nie za dużo, i już. Mama nie dodaje ani posiekanego boczku, ani kiełbasy, ani majeranku. Po co — mówi — zabijać smak ziemniaka? I jak jest boczek i kiełbasa to już nie jest biedapotrawa. Za to na wierzchu układamy krążki cebuli i cienkie płatki wędzonego boczku. Potem w prodiżu piecze się to na złoty kolor. Tak, koniecznie muszę kupić malakser.

— Janne, jakie surówki?

— Mogę zrobić szwedzką z ogórka i cebuli. W Szwecji to robią z konserwowego ogórka i ze słodką musztardą. W Polsce ja lubię wasze, kwaśne ogórki.

— Dobrze, to je zrób. Bez cukru. Ja zrobię sałatkę z porów. Kasiu, przynieś kochanie, kompot.

— Jaki?

— Sama wybierz. Odpowiedni do baby. Tak?

— Taak — mówi Kaśka i idzie wypełnić misję.

Poduchy z haftami krzyżykowymi są piękne. Dziewczynki spisały się tak, że zasłużyły na porcję baby i pochwałę. Mama pokazała mi następną narzutę.

— Powinnyśmy otworzyć galerię rzeczy użytecznych! IKEA niech się chowa. Cudne!

Mama była z siebie dumna i postanowiła pójść za ciosem.

— Uszyję ich tyle, żeby było w każdym pokoju. Może spróbuję zrobić patchwork?

— Nie sądzisz, że to trudne, pracochłonne? Te są nadzwyczajne. Zwykłe, jednorodne, pikowane. Ładne.

— Co ja bym robić mógł? — spytał Janne.

— Co umiesz?

— Gotować i sprzątać.

— Sprzątać! — krzyknęłyśmy chórem. (Żadna z nas nie kocha tej roboty.)

— Proszę bardzo! Zobaczycie, co znaczy mężczyzna w domu! — Janne nadął się i wziął miotłę.

Dobrze, że przyjechali wszyscy.

Ekipa oddawała nam pokój po pokoju, wycofując się powoli. Podłogi, ściany, wszystko pomalowane i podłączone. Nawet nie zauważyłam, kiedy to się stało.

Dzieciaki wpadały już w piątki po południu i zabieraliśmy się wszyscy do pracy. W niedzielę kolejny pokój był zamykany uroczyście na klucz, żeby nawet Blanka nie nanosiła tam brudu na łapkach.

Paula wymyśliła kwiatowe i owocowe, pastelowe kolory ścian i dzięki temu pokoje mają owocowe nazwy. Jest pokój jagodowy. To słoneczny, południowo- -wschodni duży pokój z wnęką. Ściany w rozbielonej jagodowo–hiacyntowej tonacji, jedne ciemniejsze, inne jaśniejsze. Paula robi dyskretny malunek hiacynta w doniczce w trzech miejscach. Malunki jakby przytarte, zszarzałe. Narzuta w drobne kwiatki — niebieskie i zielone. Żółta pościel i zasłonki dają ładną kontrę.

Jest też pokój morelowy. Do niego mama uszyła narzutę w tonacji fioletowej. Też z zielenią. Także zasłonki. Ściany pełne ciepłych, morelowych odcieni, bo pokój jest północny, ciemny. Obok okien — gałęzie z owocami moreli. Też dyskretne dzieło Pauli. Bardzo włoskie w stylu.

Pokój błękitny. Ściany ledwo muśnięte błękitami. Właściwie białe. Lekko niebieski jest sufit. Narzuta biała w kwiaty lnu. Kupiłyśmy w szmatlandii takie zasłony. Teraz to narzuta. Ten pokoik jest niebieski. Bez kontry.

Pracujemy nad pokojem zielonym. Później czeka mnie dobieranie abażurów. Poczekam na dzieciaki i pojedziemy do Trójmiasta. Tam jest salon–gigant z lampami. Czuję zmęczenie. Mam przesyt i chaos w głowie.

— Mamo, zadzwonię do dziewczynek, żeby nie przyjeżdżały w ten weekend.

— Masz dość?

— Nie, ale…

— Przecież widzę, jesteś obolała, zmęczona, wyzuta z treści. Goniu, zrób sobie wolne. Pojedź do Warszawy, bo ja wiem? Gdzieś w cholerę, byleby było miło. Co? Pokaż ryjek. O, jaka zmarszczka ze zmęczenia… — Mama pogładziła mnie po twarzy i pocałowała.

— Pojadę. Tak. Gdzieś odpocząć. Może nad morze?

— Może… — Uśmiechnęła się znad okularów.

Niepostrzeżenie nadszedł kwiecień, a ja nawet nie zakodowałam tego faktu. Wielkanoc umknęła niepostrzeżenie. Jakby jej nie było. My po prostu odpoczywałyśmy, a Marysia wyjechała z Konradem i Adą do Wiednia.

Teraz otwieramy okna bez strachu, że wyziębimy kuchnię, mniej palimy w piecu, nie nosimy czap i szali, a ja tego nie dostrzegłam! Powietrze pachnie i to Wiktor zwrócił na to moją uwagę w ostatnim mailu, bo ja tego nie poczułam!

O, kochana! Źle z tobą.

— Janusz, popatrz na mnie. Jestem przemęczona, tak? — spytałam go podczas spaceru. Szliśmy polami w stronę domu Wrony, czyli pani Ani. Powietrze istotnie pachnie mokrą ziemią. Ciepłe i łagodne, samo wchodzi do płuc.

— Pokaż się. Otwórz szerzej oczy, teraz otwórz buzię, powiedz „aaa".

— …aaa

— Teraz ucho… Drugie. Tak. Myjesz się.

— Janusz! Ja poważnie!

— A ja, nie. Wiesz, co? Wyjedźmy so…sobie.

— To samo mówi mama.

— No, jak mama, to trzeba się słuchać.

— A gdzie pojedziemy?

— Zdaj się na mnie. Lu…lubisz niespodzianki?

— Nie wiem, pomyślę. Pod koniec tygodnia?

— No. Za…zamknę gabinet w piątek i jedziemy!

Kilka dni później wiózł mnie w świat.

— Do Krakowa mnie wieziesz?

— To miała być nie…niespodzianka.

— Ale mi niespodzianka! To szosa krakowska…

— Nie chcesz?

— Chcę!!! Kraków widywałam tylko podczas „Nocy reklamożerców" i na „Crackfilmie". Cały czas na salach albo w foyer — na piwie. Hotel jeszcze z czasów PRL–u, bardzo wielki i bezduszny. Było nieszczególnie, ale ja czułam, że to coś nie tak. Kraków, chyba ma inną aurę od tej, którą poznawałam podczas tych imprezek.

— Inną... — mruczy Janusz.

Jest spokojny i zadowolony z mojego słowotoku. Skoro gadam, znaczy jestem luźniutka, swobodna. No proszę, byle tylko kilka kilometrów od domu z Januszem obok i już mam nowe siły, czuję się zrelaksowana... Szczęśliwa. To takie uczucie, jak kiedyś, kiedy jako mała dziewczynka jechałam z klasą do jakiegoś Kazimierza... Dokładnie takie samo podekscytowanie, wewnętrzna, rozpierająca radość pomieszana z ciekawością.

Dotknęłam jego nogi.

— Poczekaj — powiedział, jakby nie zauważając tego czułego gestu.

Po chwili zjechał na pobocze, odpiął pas i przechylił się w moją stronę. Objął mnie i całował. Delikatnie, powoli i bardzo zmysłowo. Zupełnie, jakby zamierzał przejść dalej do rzeczy. Na szyi się zatrzymał. I już! Po chwili zapiął pas, westchnął i odpalił kierunkowskaz. Znów jechaliśmy szosą. Uśmiechał się. Ja też. Czasem drzemałam.

Ocknęłam się w Krakowie. Jak to dobrze, że Janusz zajął się wszystkim. Już wieczór. Wnieśliśmy bagaże do miłego pokoju.

— Kameralnie tu. Skąd wytrzasnąłeś taki fajny hotelik? Kiedy zrobiłeś rezerwację? Ale tu ładnie...

— Sporo ich tu. Ma...mały, prywatny, rodzinny. Kiedyś... Do...dobrze już, byłem tu z Lisowską.

— Twoją eks? I co, spodziewasz się napadu złości z mojej strony? Szkoda na to czasu. Chodź no tu.

Teraz ja zaczęłam trochę drobnych czułości. Chwilę kołysał mnie w ramionach.

— Co z kolacją?

— Na... na Rynku. Koniecznie. Chodź, Goniu.

Taksówka zatrzymała się koło kościoła. Poszliśmy w kierunku Rynku.

— Grodzka — przeczytałam. — To tutaj pada deszcz.

— Proszę?

— Według Turnaua. On tak śpiewa: „A w Krakowie, na Grodzkiej, pada deszcz. La la la lala...".

— Chyba na Brackiej?

— Jeśli na Brackiej, to i na Grodzkiej — uśmiechnęłam się.

— Ale nie pada. Widocznie nie zawsze.

— Gdzie siadamy, co jemy? Jaka jestem głodna!!!

— Wszędzie. Kraków to jedna wielka restauracja. Taki ka...karmnik. Masz ochotę na wielki wystrzał czy kameralnie jak u mamy?

— U mamy! I żeby było dobre.

Poszliśmy z Grodzkiej w lewo i szybkim krokiem dalej. Janusz wciągnął mnie w jakąś bramę.

— „Karczma u Zdzicha" — przeczytałam. — Tu ma być fajnie?

— Zobaczysz.

Miejsce było. Właśnie wychodzili jacyś młodzi Francuzi i uśmiechali się do nas. Sami posprzątaliśmy brudne naczynia za piękne „dziękuję" młodej kelnereczki. W zamian dostaliśmy menu. Same dobre rzeczy i mam kłopot z wyborem. Jak ja to lubię!

— Pieczony na ruszcie oscypek z żurawiną, jako entree. Zupa... Może bez zupy?

— Ka...kategorycznie zalecam wzięcie grzybowej. Pro...proszę cię, nie pożałujesz! I poproszę na szybko dwie pięćdziesiątki śliwowicy.

Janusz do wódeczki wziął śledzia. Tak zwyczajnie — śledzia.

Oscypek, cudo. Przyjemnie zrumieniony w paseczki od rusztu, skrzypi w zębach, jak cypryjski halumi, i kontrastuje ze słodkawą żurawiną. Mmmmm!

Śliwowica strzeliła we mnie mocą i zatkała na chwilę.

— Zw...zwariowałeś?! — wykrztusiłam.

— Siedemdziesiąt pięć pro...procent. I tyle ma! — powiedział dumny, jakby sam ją pędził. — Super, prawda?

Łapałam powietrze. No, na prawie pusty żołądek, zaleję się jak nic! Oscypek pochłaniałam bez pieczywa. Same smaki! W miskach, wielkich jak miednice, przyniesiono nam zupę grzybową. Już ją czułam, jak kelnerka niosła, parującą na pół sali. Jaki zapach! Jak u nas w kuchni przed Wigilią! Czysta, bez śmietany, z kawałkami grzybów, a w niej łazanki wielkie jak chustki do nosa.

— Rewelka! — szepnęłam pełna zachwytu. — Ale tej śliwowicy już dość. Później zamówimy herbatę, a teraz wodę z cytryną.

Przed nami wylądowały kolejne talerze. Janusz zamówił sine placki ziemniaczane ze śmietaną, ja michę pierogów. Różnych.

— Ze skwareczkami czy tylko z masłem? — pyta kelnerka.

— Muszę dbać o linię. Ze skwarkami! — Śmieję się i zamawiam do ruskich dodatkowo śmietanę.

— Super! Będzie cię więcej! — cieszy się Janusz i patrzy słodkim, miłym okiem. Uśmiecha się dumny, że znalazł taki dobry karmniczek!

Powoli jemy, nigdzie się nie śpiesząc, rozkoszując się tym, co każde z nas lubi najbardziej.

— Twoja była żona jest taka szczupła z natury, czy to ryzy?

— Liczy ka...kalorie, je chyba tylko sałatę jak święta Tereska i nie ma w sobie nic z sy...sybaryty, a przecież to takie przyjemne!

— Ale figurę ma...

— Jak chart. I taką na...naturę. Gnać do przodu. Polować na stanowiska, tytuły... E, potrzebna nam ona tu?!

— Nie.

— To jeszcze raz po pięćdziesiąt gram, ale wódeczki dobrze zmrożonej. Pod ostatnie kęsy. Do...dobre było?

Spacer po Rynku wolnym i dostojnym krokiem mimo chłodu był czymś arcyprzyjemnym. Snuliśmy się nocnym już Krakowem, bez planu. Ot, tak... Całował mnie też ot tak, byle gdzie, a potem znów brał za rękę i szedł dalej. Ma przyjemnie ciepłe dłonie. Przyjmuje radośnie każdy czuły gest. Jest dobrze. Tak ma być. Mimo zapewnień, że jesteśmy potwornie zmęczeni i padamy do łóżka jak kłody, by zaraz zasnąć, nie zasypiamy tak natychmiast. I nie potrzeba nam większych finezji, by osiągnąć szczyt szybko i namiętnie. Spać...

Rano budzi nas słońce. Nigdy nie zasłaniam stor. Nie lubię rano ciemności. Słońce jest lepsze od budzika. Janusz drzemie jeszcze, kiedy ja tak sobie leżę i dochodzę. Budzi się powoli każdy kawałek mojego ciała i umysłu.

Janusz dotyka mnie, głaszcze po brzuchu i z zamkniętymi powiekami mówi:

— Tu są pierożki, a tu oscypek... Jesteś słodka.

— Jestem tłusta foka... — dąsam się.

Tak, już tylko wspomnienia po mojej nienagannej figurze z czasów Agencji. Teraz mam moje pozimowe i pomamowe „czterdzieści", i to nie są kilogramy... To rozmiar. Nawet nie wiem, ile ważę. Nie chcę wiedzieć. Jakoś niespecjalnie się tym przejęłam.

— Foczka. — Janusz uśmiecha się i powtarza: — Foczka...

Dostaje ręcznikiem.

— Śniadanie tu czy na Rynku? — pytam po wyjściu z łazienki.

— Nie wytrzymam do Rynku! Tu. Zobaczysz, będzie mi...miło.

Mała salka i szwedzki stół. Szalenie dyskretna i miła obsługa. Kapryśny i rozmarzony Janusz mówi kelnerowi o jakiej jajecznicy marzy. Młody kuchcik przynosi mu to jego marzenie z boczkiem, na pomidorku, na okrągłej patelence. Bułeczki są małe i chrupiące. Patera z owocami kusząco malownicza. Dżem wiśniowy pyszny. Jest bosko. Znów taksówką na Rynek. Kraków składa się zapewne z innych miejsc, ale dla nas akurat z Rynku. Traktujemy go banalnie do bólu.

— Janusz, ja bym w regały, wiesz?

— Dobrze, to ja siądę tu na ka...kawę, a ty pobrykaj sobie po sklepach.

— Nie chcesz ze mną?

— Chcę, ale później. Poczytam ga...gazetę, a potem pójdziemy we Floriańską i dalej jak zachcesz. Tak, foczko?

— Nauczyć gówniarza, to chodzi i powtarza! — naburmuszyłam się za tę foczkę. Trudno. W końcu sama go nauczyłam.

— Za...zapamiętaj, gdzie mnie zostawiasz. Café Rodolfi.

— To pa.

Niestety sklepy te same, co w Warszawie. Co wszędzie. Nic to. Trudno. I tak kupuję kilka szmatek i piękną, lnianą koszulę Januszowi. Jest tak seledynowożółta, że aż radość patrzeć. Przy niej te jego oczy zazielenią się jeszcze bardziej. Ale będzie! Ja mam identyczne spodnie. Też z grubego lnu. Szerokie, powiewne. Na lato. Z księgarni wychodzę ponaglona Janusza telefonem.

— Uciekłaś? Porzuciłaś mnie?

— Już idę!

Na Floriańskiej trzymamy się za ręce. Oglądam buty, ludzi, szmatki i kleję się do Janusza. Przy sklepie z futrami trudno nam zdecydować, w którą stronę skręcamy. W prawo. Naturalnie docieramy znów do Rynku.

— Nie przeszkodzi nam to, jak zadzwonię do kolegi?

— Krakusek?

— Krakusek. Miły, zobaczysz! Znam go jeszcze z Agencji. Poznaliśmy się na „Crackfilmie". Młody z traumą życiową.

— A, co... co mu?

— Pochował starszego brata, rozwiódł się, walczy z nowotworem i depresjami.

— Smutas?

— Wręcz–absolutnie–odwrotnie.

Piotr wita nas wylewnie pod Sukiennicami koło kibla. Doskonały punkt. Nie można się nie znaleźć.

— U nas na Rynku ludzie się nie gubią tylko odnajdują — mówi Piotruś i z miejsca czuję, że faceci się polubią.

Opowiada Januszowi, jak musiał mnie szukać, bo urwałam się z sali kinowej „Crackfilm" i poszłam w miasto, a byłam potrzebna. Naturalnie komórkę zostawiłam w hotelu. Śmieje się, dogryza mi za tę historię, bo oczywiście znalazł mnie w sklepie z ciuchami. Jest miły i taki zwyczajny. Idziemy do Galerii Andrzeja Mleczki. Znów kawa z ciepłą szarlotką, pod opowieści Piotrusia. Panowie wymieniają uwagi o byłych żonach. Ja też jestem byłą żoną... Znów idziemy Floriańską. Z cukierni vis-à-vis McDonalda wysypuje się grupa Niemców. Głośno krzyczą po niemiecku, gestykulują i zajmują całą ulicę. Przystajemy. Piotr wchodzi w tłum z podniesionymi rękoma i woła:

— Nicht schissen!

— Sorry... — któryś przeprasza po angielsku i uśmiecha się.

Robi się cicho i Niemcy milkną. Szybko wchodzą na frytki i hamburgera, nie wiedząc, czym może ich ugościć Kraków. Profani. Kilka osób klaszcze. Piotr kłania się i ma na twarzy minę chłopczyka, który wie, że narozrabiał. Opodal jest gruzińska knajpka. Zjadam sałatkę pełną czosnku, chłopaki dodatkowo mięso z rusztu, pijemy wino i idziemy dalej słuchać anegdot Piotrka.

— Muszę spadać. Jestem umówiony z synem na mecz.

— Gdzie?

— Na Błoniach. Pokopiemy sobie. Przyjdą jego koledzy...

— Dziękuję, Piotruś. Było super — mówię i podaję mu rękę.

Żegnamy się czule i miło, bo taki jest Piotrek. Czuły. Dobry.

— Fajny — ocenia go Janusz. — Dobrze jest tu mieć taką du...duszę.

— No. Chodź, kupię coś Mani i Pauli.

— Ciu...ciupagę?

— Tak. Ciuciupagę.

Przedrzeźniam go pierwszy raz, bo wyraz jest śmieszny i zażyłość już taka, że się nie obrazi. Całuje mnie w nos, a potem go gryzie. Nie gniewa się. Coraz mniej się przy mnie zacina. Jak zluzuje, to prawie wcale.

— Brzuch mnie boli.

— Masz bolesną miesiączkę, czy zjadłaś coś „nie tego"?

— Nie wiem. Taki mam ciężki żołądek. Może za dużo tego wszystkiego?

— Chodź, pan doktor zaradzi. Cho...chodź!

Idziemy do „Alkoholi Świata". Janusz kupuje orzechówkę.

— Uważaj, to naprawdę dobra na żołądek wódeczka, cho...chociaż ma kolor i smak asfaltu.

Istotnie. Brązowa jak ta mamy — lecznicza. Mama robi ją sama, dodając greckie Uzo i kilka kropel wyciągu z mięty. Mam nie wąchać, tylko machnąć spory haust. Walę z gwinta na Rynku w Krakowie orzechówkę. Cierpko–gorzkawy, potem słodkawy, specyficzny smak rozlewa mi się w ustach. Brzuch czuje przyjemne ciepło. Po pół godzinie jestem lekka i głodna! Jest już późne popołudnie. Bolą nas nogi. Siadamy w koszernej knajpie na krakowskim Kazimierzu. Doszliśmy tu sami! Na nogach!

— Nie dam rady zjeść dużo. Poproszę żydowski kawior, rybę faszerowaną po żydowsku i złoty rosół, też żydowski! Nic mi więcej nie wejdzie!

— A kieliszek zimnej wódeczki do kawiorku? — pyta kelner z miłym uśmiechem.

— Brzuch ją bolał. Piła orzechówkę — tłumaczy mnie Janusz.

— O! To ja przyniosę coś! Na ten brzuch!

Kelner stawia przede mną kieliszek wódki i wsypuje do niej na moich oczach łyżeczkę mielonego pieprzu.

— No! Hauścikiem do dna!

Walę ten hauścik i oczy wyłażą mi na wierzch.

— Trzymać! Trzymać! Oddech! — mówi kelner.

Podaje mi literatkę wody, gdy już odzyskałam oddech i wzrok. Popijam… Żyję. O! Matko!

— Co to było?!

— Mamusia mi tak brzuch leczy, jak mam problem — kelner ma zatroskaną minę i uśmiecha się.

— To było mocne!

— Ale dobre! Proszę, już niosę kawiorek i rybkę.

Janusz nie ma pojęcia, co to kawior żydowski, więc oświecam go, opowiadając mu o moich wyprawach z tatą, na Starówkę do „Samsona". Nie lubi wątróbki, ale kanapka z masłem i tym kawiorem ujmuje go. Podkrada mi z talerza.

— Co tam jest?

— Siekana, usmażona wątróbka, cebula surowa, też posiekana, jajko na twardo, też usiekane, i to wszystko powinno być wiązane gęsim smalcem.

— I tak też jest. — Kłania się kelner, stawiając przed Januszem niebotyczną porcję śledzia.

Upasieni nieprzyzwoicie, spacerem docieramy do Rynku, ale już nam się nic nie chce. Wracamy taksówką do hotelu i zasypiamy.

Niedzielę spędzamy w Zakopanem. Jemy hałuski ze skwarkami, obżeramy się tłustą bryndzą z papierka na ulicy i pijemy z gwinta orzechówkę. Już ją lubię. Włazimy w boczne uliczki, oglądamy domy, jakże inne od mazurskich! Jestem zaskoczona, ale i zniesmaczona „góral–burgerem", chociaż Janusz słusznie gada, że trzeba nagradzać wszystko, co może wykopać amerykańskie pierwowozory.

— A po drodze sam mówiłeś, żeby się zatrzymać w McDonaldzie, bo byś coś przetrącił?

— No, ale sama powiedz — dobrze, że tu…tutejsze. A po drodze nic nie było, ty…tylko budy z frytkami i kiełbasą z mi…mikrofali.

Decydujemy się wracać do domu w poniedziałek. Za duży ruch na szosach, za dobra wódeczka w knajpie „Watra" pod grzybki w occie i tłustą bryndzę. Jem ją palcem z talerzyka. Ach! Gdzie te czasy, gdy żył–był sobie „Poraj" i jego słynne rydze solone do wódki (Daniel Olbrychski je uwielbiał) i z patelni! Taka kochana knajpa! Szkoda jej… Przyszło nowe. Szlag! Wieczorem spotykamy znajomych Janusza i spędzamy miły wieczór w „Watrze". Chłopaki nie widzieli się kilo czasu i wspominają namiętnie studia. Żona kolegi — urokliwa, ruda, okrągła jak bułeczka pani psycholog, jest zabawna i wesoła. Z mety się zaprzyjaźniamy. Zdumiewa mnie jej imię — Józefina. Mąż mówi do niej od niedawna, od premiery *Shreka*: Fiona. Są zabawni.

— Mów mi jak wszyscy — Ziuta, albo jak chcesz, Fiona. Podobna jestem, co? Kiedyś, jak ona, byłam szczupła niczym igiełka, ale po dzieciach nie okiełznałam hormonów.

— I taką cię wolę! — wtrącił jej mąż, nie tracąc wątku z Januszem.

Przy stole robi się wesoło i nawet trochę tańczymy. Z zazdrością patrzę, jak ona się rusza! Ma murzyńskie wyczucie rytmu, uśmiech i masę wdzięku. Widzę, jak patrzą na nią faceci. Fiona z mężem szaleją na parkiecie, my trochę skrępowani, przyglądamy się.

— Mili. Dobrze, że się z nimi bawimy — mówię.

— To jego druga. Pierwsza — Magda, zmarła po urodzeniu Julki. Józia urodziła mu jeszcze dwójkę ba…bachorków. Jest fantastycznie dzielna i mądra. Nie mają ślubu. Wiesz?

— Mamy! — Józia–Fiona nachyla się nad nami zdyszana tańcem. — Wzięliśmy dwa lata temu, na prośbę dzieci. Tylko dzieci, świadkowie i my. Czują się bezpieczniejsze.

— Zdrowie! — Pijemy kolejny toast.

Rano Janusz ma kaca, więc ja prowadzę. Decydujemy się wracać okrężnie, żeby zahaczyć o Kazimierz nad Wisłą. Ten, do którego zawiozła nas pani w podstawówce. Chyba nie ma nikogo w Warszawie w moim wieku, kto nie był jako uczeń w Kazimierzu. To była obowiązkowa wycieczka… Teraz jadę z Januszem, a nie byłam tam od podstawówki! Pamiętam, że jest duży, wielki rynek. Że stud-

nia i lizaki wielkie, czerwone, i kogut z piekarni kupiony dla taty. Nadgryzłam
go w drodze i tato dostał ujedzonego koguta. Jest stosunkowo wcześnie. Drogi
puste, bezpieczne. Widzę Wisłę mieniącą się w porannym słońcu i jest pięknie.
Pogoda doskonała na podróż! Już niedaleko. Rynek wydaje mi się jakby mniejszy... Odnajduję dawne obrazy, choć już skażone współczesnością. Reklamy co-
ca–coli, browarów... Dużo kawiarenek na ulicy, a kiedyś było pusto. Łazimy po
bocznych uliczkach, które zachwycają mnie i mamią galeriami.

Mało sztuki, jakiej pragnę. Za to dużo tanich bohomazów dla turystów.
Obok rynku targ. Trochę Rosjan z ichnią tandetą, trochę naszych handlarzy
wszystkim. Udawane starocie, takie tam... Koło pierwszej robimy się głodni.
Po zapachu trafiamy „Na pocztę". Żydowski złoty rosół pachnie na całą ulicę.
Uwielbiam go! Janusz zamawia dla siebie kawior. Oczywiście żydowski. Jest ab-
solutnie uwiedziony tym nowym dla siebie smakiem.

— A, przecież nie lubię wą...wątróbki! — Cieszy się.

Pochłaniamy pysznego karpia z ziemniakami z wody i surówką z młodej kapusty. Nigdy mi się taka nie udaje.

— To będziemy tu przyjeżdżać na surówkę!

Z boku przysuwa się starszy pan i mówi:

— Wpadajcie w zwykłe dni, to będzie jak teraz, bo w weekendy, nie daj
Boże, co się tu dzieje! Ja na niedziele i święta uciekam!

— Pan tu mieszka?

— Tak. Tam wyżej, mam galerię. Rzeźbię trochę, takie tam... Kazimierz jest
cudny, ale ma jedną wadę. To turyści. Ja z nich żyję, ale jak cała Polska wpada na
pomysł i tu zajeżdża, to nie ma gdzie szpilki wcisnąć.

Wracamy drogą na Ostrołękę. Powoli. Jesteśmy upojeni i zmęczeni.

— Janusz, jestem ci bardzo wdzięczna. Odżyłam. Wiesz?

— To dobrze, tak miało być. Fo...foczko.

Gęsi smalec. Przepis od Ani Wrony

I wersja: Cały żółty tłuszczyk z gęsi wyjąć, przełożyć do rondelka i porządnie
wytopić na małym ogniu. Wlać do miseczki wypełnionej odrobinką starte-
go czosnku i ciutką majeranku.

II wersja: Ten żółty, surowy tłuszcz z gęsi przesiekać ostrym nożem na desce
wraz z ząbkiem czosnku i zieloną pietruszką. Mocno uklepać w miseczce.
Wstawić do lodówki.
Do smarowania chleba (na surowo!) i jako dodatek do sosów i zup.

— Mamo, Kasiu! Jaka wspaniała była wyprawa! Jak fajnie znów być w domu!

— Siadaj i daj głos.

Mama uśmiecha się, bierze swoją kawę, a moją stawia przede mną. Kaśka siada i pogryza ciastka maślane. Też chce posłuchać. Opowiadam im wszystko jednym tchem, zadowolona i wypoczęta, choć trasa powrotna była nielekka. Odległość, fizyczne zmęczenie...

— A tu u nas? Co nowego?

— A co może się zdarzyć w trzy dni, Gosiu? — Mama z okularami na czubku nosa ma zabawny wyraz twarzy.

— No nie wiem, jakieś nowe plotki? Kto, z kim, za ile, dlaczego?

— Zdziwiłabyś się, o kim teraz głośno.

— ...no?

— Baby we wsi gadają... — zaczęła mama naszym ukochanym tekstem. — No, więc baby we wsi gadają, że gabinet miał być dziś otwarty, ale nie będzie, bo pan doktor włóczy się z tą warszawianką. Zamknął go na piątek, ale mu mało, więc i dziś jeszcze pozamykane i z leczenia zębów nici! Przez tę warszawiankę! Bo on biedak dał się takiej omotać!

— To o mnie?! Skąd te rewelacje?

— Elwira mi sprzedała te wieści, a parskała przy tym jak foka.

— Jaka foka? Skąd wzięłaś fokę?

— Co? Coś ty? No tak się mówi. Skocz do miasta do Elwiry, będziesz miała wszystko z pierwszej ręki. Jesteś bohaterką miejscowych plotek! Nie lubią cię, bo sprzątnęłaś im sprzed nosa kawalera z odzysku.

— Jutro. Dzisiaj mówcie, co tam z pensjonatem. Co nowego? Co jeszcze zostało do zrobienia?

Jeszcze ciut życia mi starczyło na wysłuchanie opowieści o kanalizacji, umowie, którą trzeba podpisać, i że łóżka skrzypią, i jakiej farby zabrakło. Mam mnóstwo roboty przed sobą i cieszę się, bo mam taki power! Dziś spać! Jutro — do walki!

Jeszcze tylko poczta.

Mail od Mani:

Mamciu!

Pozdrowienia od dzieci — Janne i Paula, całują mocno. Tata ma kiepskie wieści z aukcji. Do naszego obrazu nie doszło. Ktoś o niego pytał, ale jakoś nie konkretnie. Szkoda, pewnie potrzebna Ci kaska. Mogę Ci pożyczyć. Serio!

Kuba pisze inne maile. Konkretne do bólu, jakiż to on zapracowany i jak tyra. Też Cię pozdrawia. Mamo! Możliwe, że po powrocie nie będzie jak dawniej?

Czas leczy rany, ale i powoduje napływ nowego. Zmienia ludzkie relacje...
Moje zmienił. Nie ryczę z bólu i ochłonęłam jakoś. Czy to możliwe, że już go nie kocham?

Brak mi go jako kumpla, żartownisia, opiekuna, ale czuję się inną kobietą. KOBIETĄ.

Co u Was? U Ciebie i dentysty? Kocha Cię? Dobrze Ci z nim? Jak nie, to nie martw się: "Tego kwiatu to pół światu" — pamiętasz, jak babcia Zosia mówiła?

Całus. Mania

Mail do Mani:
Manieczko!
Jak to dziwnie brzmi: "Jestem kobietą" w Twoim liście! Jasne, że jesteś kobietą, i to bardzo fajną, ale dla mnie zawsze jesteś i będziesz moją malutką Mysią. Tęsknię bardzo. Wiem, że czas, w którym stajesz się tą kobietą, umyka mi jako matce, ale tak bywa najczęściej. Stajemy się kobietami jak motyle — po cichu, niezauważalnie, z poczwarki wyłuskujemy nasze ciało i umysł i któregoś dnia konstatujemy przed lustrem: Jestem kobietą!

Jest taki polski film, Kolejność uczuć, z Olbrychskim i Marysią Seweryn (jej debiut), kiedy to ona ma romans ze starzejącym się aktorem (Olbrychski). Po nocy (jej pierwszym razie) spędzonej z nim stoi naga, tylko w jego marynarce, przed lustrem, w hotelowym korytarzu, i kontempluje siebie nową. Napotyka ciekawy wzrok małego chłopczyka i mówi do niego taka dumna:
— Jestem KOBIETĄ!

To nie tylko seks nadaje nam kobiecości, kochana moja. Ty masz taki dobry charakter, taka jesteś mądra! Ładna... Ciepła. Wzruszyłam się. Wiesz?
Całus — mamcia.

Mail od Wiktora:
Kochana podróżniczko!
Jeśli to czytasz, znaczy, że wróciłaś. Jak było? Jak Kazimierz? Ja bywałem w Kaz. często ze znajomymi. Znam tam prawie wszystkie knajpy. Z Tobą poznałbym chętnie kazimierską plażę, na której nigdy nie byłem, i okolice — jesienią.

Napisz, jak było w Krakowie, tylko oszczędź szczegółów erotycznych.
Zdjęcia pokoi — świetne. Pokoje znaczy, świetnie urządziłaś. Ten mały, żół-
ty, może być mój?
Masz pozdrowienia od Kaśki, Iwony i dziewczyn z promocji i... Prezesa.
Chyba szczere, choć źre go ciekawość, skąd ja tyle wiem o Tobie.
Pozdrawiam. Pisz!
Wik

Mail do Wika:
Istotnie, czytam tuż po przyjeździe. Kazimierz uroczy, bo poniedziałkowo
— pusty. Jedzenie „Na Poczcie", super! Miasto jakieś mniejsze niż w dziecień-
stwie. Kraków jak zwykle nieziemski. Bardzo wypoczęłam.
Żółty pokój oczywiście może być Twój.
Jutro dopiszę więcej. Dziś padam. Masz pozdrowienia od Piotrka z Krako-
wa. Pamiętasz go? Całus.
Gosia

Klik. I poszło!
Przed snem dostałam SMS-a: „Całuję. Czulej niż zwykle. Tęsknię. J.".

Rano obudziłam się radośnie, bo za oknem słońce zapowiadało ciepły dzień.
Nareszcie!
— Cześć, ladies! Zdaje się, że dziś będzie cieplutko! — powiedziałam do
mamy, Kaśki i Blanki, wchodząc do kuchni.
— Już ciepło jest, Gosiu — zabuczała wesoło Kaśka, podając mi kubek.
— Byłam na dworze i już ciepło zrobiło się. Taaak.
— Goniu, ja muszę pojechać z Tomkiem do Olsztyna na EKG i inne tam...
Nie będzie nas do popołudnia.
— Jego, czy twoje też?
— Badania? Teraz już nasze. Tak. Moje też.
Zachciało mi się jajecznicy z jajek od kur Piernasia. Pyszne, świeże i żółte.
A jajeczniczka taka lekka, nie zanadto ścięta.
— Kaśko, zrób mi kakao.
— Grzać czy zimne chcesz?
— Grzane! Zagrzej lekko w mikrofalówce.
— Dobrze. Taaak. — Kaśka z namaszczeniem robi mi kakao rozpuszczalne
i grzeje je w mikrofali. Na patelni jajo rozpływa się z masłem i kaloriami. Sta-

wiam je sobie razem z patelnią na stole, bo wyłożone na talerzyk ostygnie szybciej. Taką jajówkę kładę sobie na chlebie, jak Lidka z *Czterech pancernych*, jak mama w czasie wojny jak... ja teraz.

Błogie chwile. Śniadanie. Poranny rozruch w towarzystwie najbliższych. Bez pośpiechu i lęku, że dokądś się spóźnię. Taki napęd na cały dzień.

Piknął SMS: „Jestem niedaleko. Mogę na kawę? S. Maj".

Odpisałam: „Chodź! Jesteśmy co prawda w szlafrokach".

Piknęło: „O! Mój dobry Boże! To cudownie!".

— Mamo, Sławek wpadnie na śniadanie. Nie wstawajcie. To normalny facet. Szlafroki widywał.

— Za moich czasów... — zaczęła mama, ale zaraz złowiłam jej chochliczy uśmieszek znad okularów. — A niech tam! Olać dawne czasy. Ja zostaję!

Kaśka wstała i poszła do siebie. Sławek, w ogóle obcy, mniej znani jej ludzie krępują ją.

— Dzień dobry! — zagrzmiało od progu i ukazał się w drzwiach Sławek, wielki jak kloc. — Nie przeszkadzam? Jakie ładne szlafroki!

— Prawda? — Mama uśmiechnęła się promiennie. — Ładny to i nie wstyd pokazać! Pan chadza w szlafroku?

Sławek tylko roześmiał się głośno.

— Gosiu. Likwiduję ten mój zakład. Jeśli potrzebowałabyś jakichś mebli, to ja mam jeszcze w magazynie co nieco. Wpadnij, zobacz.

— Kiepsko stoję z forsą. A czemu się likwidujesz?

— Pieniądze to nie problem. Dogadamy się. Za grosze, po kosztach, na raty... A dlaczego? Nie ma komu pracować. Ci ludzie z popegeerowskiej osady to koszmar! Nie nadają się. Są niechętni, niechlujni. Bez przerwy palą papierosy. Na hali pełnej wiórów i drewna! Opieprzają się. Trzeba nad nimi stać z batem... Ja tak nie umiem. Mam brygadzistę, ale to na nic. W stolarce dwa milimetry to nie pięć! To ogromna różnica. Oni walą otwory jak chcą. Im wszystko jedno — dwa czy pięć. Zmarnowałem tyle czasu na przyuczanie ich. Opór. Oni nie chcą pracować. Oni chcą dostać pieniądze. Za nic. A druga sprawa to kontrahenci. Nie płacą w terminach i ja zamiast zajmować się pracą, jestem non stop windykatorem. No ile czasu można skamleć o własne, ciężko zarobione pieniądze?! To upokarzające. Mam dość.

— To twarz drapieżnego kapitalizmu... — Mama popatrzyła na nas już bez chochliczego uśmieszku. Poważnie, a nawet z pewnym smutkiem dodała: — I to samiśmy chcieli. Pamiętam jak po skoku Wałęsy i tych flarach radości, że to koniec komunizmu, ludzie piali z zachwytu, że wreszcie będzie kapitalizm i będzie dobrze. No i jest?!

— Wie pani, sądziliśmy... Ja byłem w Solidarności, ale to jakoś inaczej miało być. Sprawiedliwie, demokratycznie, jakoś tak...

— Tu właśnie widać całą naszą indolencję historyczną i ekonomiczną. Nie wypracowaliśmy nic, co by choć stało blisko demokracji i sprawiedliwości. Wiadomo było, że wczesny kapitalizm jest taki właśnie, drapieżny i krwiopijczy. Trzeba było podpatrywać inne wzorce — Finlandię, Islandię, Irlandię. To kraje podobne do naszych i przeszły już tę drogę. Są na dalszym, lepszym etapie. My, oczywiście, zamiast powielać ich wzorce, wynajdujemy rower po raz drugi. Kiepski zresztą. Żadnych zmian na lepsze. Po prostu zmieniły się ryje przy korycie i zawyły: „Teraz ja!". Smutne. Okropne.

— Ma pani rację. Była pani w Solidarności? Przepraszam. To intymne pytanie.

Gnom spojrzał na Sławka poważnie.

— Byłam. W partii też byłam. Krótko. Wywalili mnie za miłość i idealizm. I dobrze! Po partii wstąpiłam do Solidarności. Uwierzyłam jak wszyscy. Później jednak zaczęło wyłazić na jaw, po co niektórym była Solidarność. Odeszłam pełna niesmaku jak Kuroń i jemu podobni, bo oczywiście nie było żadnej dyskusji. Ktokolwiek z nas coś krytykował, przypisywano mu komunistyczny garb. Paranoja! Patrzyłam, jak ktoś pod naszym sztandarem robi prywatę i jak ten sztandar przejęli ludzie z kamienia. Oszuści, egoiści, prymitywy. Ktoś to dobrze ujął: „To, co władze PRL opowiadały nam o socjalizmie, okazało się nieprawdą, a to, co mówiły o kapitalizmie — prawdą, niestety". Musimy tak od rana?

— Przepraszam. Przyniosłem tu paniom moje frustracje. Małgoś, zrobisz mi kawy?

— O Matko! Przepraszam!

Siedzieliśmy, gadając smętnie o tym, że niełatwo być tłustym kapitalistą, i o planach Sławka. Chce założyć hodowlę królików. Taką wielkoprzemysłową. Bez potrzebnego kapitału zajmie mu to sporo czasu, ale uparł się.

— Znasz się na królikach?!

— Nie, ale mam maturę, poradzę sobie.

— I tak cię podziwiam... A mówiłeś, że masz studia?

— Mam. Z tą maturą to takie powiedzonko.

Mama zaśmiała się i poszła do siebie pisać listy.

Fajny ten Sławek. Odważny. Dobrze mi zrobiło spotkanie z nim, bo ciągle mam obawy, czy ten mój pomysł na pensjonat, na to wszystko, co się z nim wiąże — ma sens. Czy poradzę sobie? Poradzę. Ja przecież też mam maturę!

Zatrudniłam Krzysia i jego kolegę do posprzątania podwórza po ekipie budowlanej. Niedługo, jak zapowiedział Tomasz, przyjadą goście z Holandii i Irlandii do nadleśnictwa i pojadą później nad Biebrzę i do Puszczy Augustowskiej. Na razie zatrzymają się u nas i zapłacą mamie w euro!

Pan Adam kręci głową, że za wcześnie urządziłyśmy pokoje. Za wcześnie na kwiatki i serwetki. Jeszcze próbny rozruch instalacji. A jak coś się nie uda?

Udało się. Znam go. Lubi tak postraszyć.

Parter pensjonatu jeszcze niegotowy, więc gości przyjmiemy u nas na górce.

— Mamo, w jakich konfiguracjach ich kłaść?

— Proszę?

— No, czy Tomek mówił, ilu facetów, kobitek…

— Same chłopy. Pościelcie im dwie dwójki. Aha! I będą tylko na śniadaniach, bo obiady i kolacje nadleśnictwo i burmistrz biorą na siebie.

— Wiem. Tomasz uprzedzał, że wieczorem może być śmiesznie, bo oni mają słabe głowy.

— Holendrzy, tak, ale ja wierzę w Irlandczyków. Zresztą zobaczymy. Trochę nam to ułatwi życie, bo nie trzeba pitrasić.

— Jak to? Zawsze mówiłaś, że przy gotowaniu odpoczywasz, lubisz to…

— Tak. Tak mówiłam, bo tak było. Teraz jakoś mi przechodzi. Lubię zrobić coś prostego dla nas i… Wiesz, odeszła mi fantazja.

— Mamo, ja miałam się nauczyć gotować! Przy tobie! No, taki miałam zamiar, jak już stanie pensjonat, i co?

— Nic straconego. Udzielę ci wskazówek, nieodpłatnie. Poważnie. Pomogę ci, jak tylko będę mogła, ale czasem zwolnij mnie. Ciut się rozleniwiłam. Postarzałam. Kasia ci pomoże. Kasiu? Pomożesz Gosi gotować?

— Ja nie umiem gotować, Basiu. Nie. Ja kroić umiem.

— No to super, Kaśko! Ty pokroisz, ja zamieszam, a mama powie, jak z tego zrobić jedzenie.

— Kaśko, a zupę Feli z jajem umiesz przecież? — Mama zapytała Kaśkę o coś, o czym nie wiedziałam. Uśmiecha się do niej porozumiewawczo, zdejmując okulary.

— Taaak — przypomina sobie Kaśka.

— Naucz mnie! Jestem ciekawa, co to za zupa.

— Dobrze. Tak. Dzisiaj?

Pokierowałam chłopakami na podwórku i poszłam do kuchni nauczyć się robić zupę Felicji — z jajem.

Kaśka podała mi obranego selera, pora i pietruszkę.

— Pokrój to, Gosiu, trochę. Byle jak może być.

Jest poważna, bo mnie uczy.

— Czemu byle jak?

— Zobaczysz. Wsyp do garnuszka tego tutaj. Wody daj. Tak. Nie za dużo.

Postawiłam garnek na gazie. Woda ledwo przykryła kawałki warzyw. Teraz Kaśka obrała i opłukała ziemniaki i też pokroiła w kostkę. Pięć minut od zagotowania warzyw dorzuciła je.

— Teraz muszą się prawie rozgotować. Uważaj! — Podniosła palec do góry. Ostrzegła mnie. Sama przypalała kiedyś zupy, więc zrobiła się czujna.

Sól, pieprz, można dać kostkę rosołową, albo grzybową, ale Felicja nie dawała. To biedazupa. To już informacje mamy.

Teraz trzeba to zmiksować. Kaśka wyjmuje z szafki blender i miksuje zupę na gęstą paprę, tylko trochę rozchlapując dookoła.

— I gdzie ten cud? Robiłam Marysi taką brejkę, jak miała trzy miesiące.

— …brejkę! — Kaśce podoba się określenie i się śmieje.

Wyjmuje jajka z lodówki. Jej twarz wyraża teraz skupienie. Delikatnie rozbija skorupkę i ostrożnie, robiąc ryjek z ust, wlewa jajo do wrzącej papry… I następne.

— Trzeba mało gazu, Gosiu, teraz — instruuje mnie.

Po paru minutach Kaśka zdejmuje garnuszek z gazu i kładzie na zupie kłaczki masła. Łyżką wazową ostrożnie, najostrożniej na świecie, nakłada zupę z jajem ściętym już w środku, na talerz. Widzę koszulkę białka otaczającego żółteczko. Jeszcze tylko pietruszka na wierzch i już! Kaśka patrzy na mnie zwycięsko. Udało się!

— Kasiu! Jakie to smaczne i łatwe!

Zupa–krem jest delikatna, jarzynowa z tym półpłynnym jajem ma smak dzieciństwa i beztroski. Łatwa i przyjemna, i można ją urozmaicić… Tak. Zaraz o tym pomyślę.

— Mamo! Fajna ta zupa Feli. Kasia się popisała.

— No, widzisz. To proste!

— Nie robimy im kolacji?

— Nie. Tylko herbatę i ciasto. Jadą prosto z nadleśnictwa. Byli już na sutej kolacyjce. Mama pana leśniczego zawsze podejmuje gości w swoim zajeździe. Tam to dopiero podają smakołyki!

O tym, jak się nie bałam zalotów krasnala
i jak przestraszyła mnie doktor Lisowska

Dwóch Irlandczyków i dwóch Holendrów w towarzystwie Tomasza przyjechało około dziesiątej wieczór. Byli rozbawieni, podchmieleni i rozmowni. Chętnie zasiedli do herbaty, ciasta i wódeczki, którą przynieśli ze sobą. Rozkochali się w Wyborowej jabłkowej i taką nabyli w nocnym u Elwiry.

Irlandia zaprezentowała się bardzo po irlandzku — Thomas ma twarz jak indycze jajo, cały w piegach. Ryże, falujące kudły tworzą aureolę. Rozmowny erudyta. Ornitolog. Donald, cichy i spokojny, też pewnie kiedyś był rudawy, ale teraz ma potężne zakola na podłużnej czaszce, wydatne oczodoły i szeroki uśmiech. Thomas gada za nich dwóch. Donald mikrobiolog, ekolog, „Zielony" i w ogóle zakręcony greenpeace'owiec, cicho konwersuje po niemiecku z Holendrami.

Holendrzy obaj bardzo weseli: Cedrik — jowialny, łysiejący zawadiaka. Ma mocny łeb i nosi okulary w złotej oprawie. Śmieje się salwami. Specjalista od ekopaliw. Też greenpeace'owiec. Jego kolega Peter ma półtora metra wzrostu i jest Koreańczykiem albo Japończykiem. Mieszka w Holandii od urodzenia i jest obrażony na wiatraki, że od nich ptaki giną i że już ich w Holandii prawie nie ma. Ptaków, bo wiatraków — jak nasrał (to wtrącił Tomasz). Kłóci się o to z Cedrikiem. Terkocze, śmieje się i pije jak smok.

Z mamą po niemiecku, ze mną po angielsku, panowie poświergotali o naszej polskiej kuchni i przyrodzie, i z trudem Tomasz wyciszył ich tak, że wreszcie pojęli, że pora spać. Miło konwersując, zaprowadziłam panów na górę.

Peter — ten skośnooki kurdupel, złapał mnie za rękaw, kiedy wychodziłam z ich pokoju, pokazawszy Cedrikowi łazienkę.

— *Have you got another free room?*

— *What for?*

— *For us...* — Zrobił minę taniego Banderasa.

— *But I'm not free* — bąknęłam dobitnie.

— *Thomas told us, that you're divorced... Do you remember?*

— *Excuse me* — powiedziałam już rozwścieczona namolnością tego dupka. Rzeczywiście, jakoś tak głupio wypadło przy stole, że padło to nieszczęsne *divorced*. Nie chciałam się wikłać w nasze układy nie całkiem jeszcze rozwikłane. Cholera!

— Mamo, Tomek! Ten mały żółtek ciągnie mnie do łóżka!

Tomasz był rozbawiony:

— I co? Pytasz się tatusia o zgodę?

— Tomasz! — Dałam mu ścierką po plecach. — Z takim konusem?! Pijanym, małym, holenderskim krasnoludkiem? Zwariowałeś?! Za kogo mnie masz? Tomasz śmiał się, a mama pogładziła mnie po twarzy.

— Widzisz, jakie robisz wrażenie?

— Na konusie. Pijanym Tamagoci. Pewnie wszystko ma na bateryjkę. Kurczak. Japoński kogucik.

— Masz rację, Gosiu. — Tomasz wstał do wyjścia. — Oni są do bani w te klocki.

— A ty skąd wiesz? — zdumiała się mama.

— Mam znajomą, ty też ją znasz, Basiu. Ta Irka z Warszawy, co przyjeżdża do leśniczego z Nowin. Była w Japonii na kontrakcie. Owszem, mówiła, że napaleni na Europejki, ale jak króliki — robią to bez finezji.

— Nie chcę z królikiem i to jeszcze miniaturką! On mi sięga do sutka! Karzełek. Idę spać. Pa, mamo. Cześć, Tomasz.

Rano chłopaki dość grzecznie zjawili się na śniadaniu. Odespani, ogoleni, czyści i pachnący. Tylko Cedrik nieogolony. Nosi taki dwudniowy zarost, modny kilka lat temu... Łeb mu pęka. Dałam mu etopirynę.

Karzełek–królik Peter, puścił mi oczko przy śniadaniu. Ale głupol!

— Będzie od nich dwa dni spokoju, moje panie, bo jadą po południu do Biebrzańskiego Parku Narodowego. Na dwa dni.

— Ty z nimi?

— Nie. Nadleśnictwo się porwało. Mam wolne. Mogę pomóc w sprzątaniu podwórza. Jeszcze trochę tego jest, co?

Do późnego popołudnia prawie wykończyliśmy teren wokół pensjonatu. Wywieźliśmy resztki gruzu i zakopaliśmy go z tyłu, w dole, tam, gdzie zrobimy skalniak z wielkich kamieni i karpy starego drzewa, co nam uschło przy drodze.

— Skorzystam z okazji i pojadę odwiedzić Piotrusia.

Mama raz na kwartał jeździ do Piotra. Przyrodniego brata. Jest stareńki i mieszka w domu opieki, prowadzonym przez siostry zakonne. Ciągle przytomny umysłowo, oczywiście raz bardziej, raz mniej, ale jednak...

Byłam tam raz, bo mama chciał mnie pokazać Piotrusiowi. Jest trochę jak dzieciak. To demencja, ale bywa śmieszny.

— Kto ty jesteś taka ładna?

— To moja córka, Piotrusiu — tłumaczy mama.

— Córka! Córeńka... — Rozkleja się. Uśmiecha. Łzy mu cieką po twarzy, nie wiadomo czemu. Nigdy nie miał własnych dzieci.

Raz miał zapalenie napletka. Boląca i przykra to przypadłość, no i konieczna była wizyta chirurga. Siostry zaraz mamę zawiadomiły i ona usłyszawszy, że Piotr cierpi — pojechała. Przypadła do brata, jak ten akurat siedział na łóżku po obiedzie, w niebieskim dresiku i oglądał komiks: *Tytus, Romek i A'Tomek.*

— Basiu! — Ucieszył się na jej widok.

— Piotrusiu! I jak tam twój siurek? — spytała mama nastawiona na cierpiętnicze wyznania.

— No nieźle, Basiu. I lekarz nie musiał nic nacinać! Teraz codziennie przychodzi pielęgniarka, moczy mi go w rumianku i wyobraź sobie: naciera kremem!!!

Piotr był zachwycony metodą leczenia zleconą przez doktora. Pielęgniarka zapewne mniej.

— Coś ty! — oświeciła mnie mama. — To młoda, świecka dziewczyna z Białorusi. Polka de facto. Ninka. Taka koło trzydziestki. Bardzo ją bawią takie karesy z grzybami, jak ich nazywa. Chyba nawet sobie trochę dorabia…

— Jak to? Prostytuuje się?! U zakonnic?

— No coś ty? Nie. To tylko taka posługa, czasem ostatnia. Stawia im Prawdziwka — jak oni to nazywają. Niejeden przed śmiercią woła tę Ninkę, jeszcze przed księdzem i rodziną, żeby mu postawiła Prawdziwka ostatni raz. Wolą to niż ostatnie namaszczenie… Ty wiesz, że oni latami cierpią na uwiąd, a w rączkach Nineczki im sztywnieje?

— Niesamowite. Nina–Viagra! U mnie na roku mówiło się, że nie ma impotentów, tylko paluszki za leniwe.

— Kto mówił o leniwych? Ja poproszę z cukrem i cynamonem! — Tomasz zagrzmiał od drzwi donośnym głosem.

Po sprostowaniach prosił mamę, żeby mu załatwiła miejsce u tych zakonnic. Boże! Jakeśmy się wszyscy zaśmiewali!

Tak więc mama pojechała odwiedzić Piotrusia. Od dawna nie wstaje, źle sika, marudzi, ale tęskni za Bachną, jak ją sobie przypomni. Hania odwiedza go, jak jej zdrowie pozwala, ale rzadko…

Z Kaśką i Tomaszem kończyliśmy już zamiatanie werandy w pensjonacie. Tomasz poszedł gdzieś zadzwonić do mamy pokoju i wrócił szary na twarzy.

— Co ci jest?

— Wkurzyli mnie w nadleśnictwie. Nie będzie łatwo z tą moją leśniczówką. Wszystko musi pójść drogą urzędową, a to oznacza przetarg, czy coś tam takiego…

— Ale z pewnością masz prawo pierwokupu!

— Z pewnością, Gosiu, to ja jestem chłopczykiem. O ku… .

Zgiął się z bólu. Zabrakło mu tchu.

— Tomasz! — krzyknęłam.

— Dobrze — wyszeptał. — Jedźmy. Coś jest niewesoło.

W szpitalu został migiem podłączony do aparatury. Znów leżał w towarzystwie siostry, doktor Lisowskiej i monitorów.

Siedziałam na korytarzu, bojąc się wszystkiego. Kolejnego zawału, telefonu do mamy… Aż wyszła pani doktor — elegancka, zdystansowana, spokojna.

— Pani jest…?

— Prawie córką.

— Zapraszam do gabinetu.

Szłam za nią, nie odzywając się. Z lekkiego uśmiechu wywnioskowałam, że tragedii nie ma.

— Proszę pani, stan jest dobry. EKG i enzymy wskazują, że to nie serce.

— Jak to?

— No, nie tym razem na szczęście. To typowa nerwicówka. Ma skurcze klatki piersiowej, żeby to pani przybliżyć. To takie bóle nerwicogenne, udające zawał, ból serca.

— Ale objawy towarzyszące…

— Owszem wszystko jest: i ból lewej ręki, i duszność, i ból serca. Tylko że to nie serce i trzeba się cieszyć!

— Do domu?

— Tak. Ale zanim się ubierze, czy ja mogę…? Oczywiście jest pani na tyle asertywna, że może mnie pani spławić. Czy mogłybyśmy porozmawiać o Januszu?

— Skąd pani…

— Świat jest mały, no i po prostu, wiem! Proszę mi nie brać za złe tego, co powiem. Ja nie walczę o Janusza. Nie po to rozwodziłam się z nim, żeby teraz pałać zazdrością, jątrzyć. Ja sobie układam życie i jemu życzę tego samego.

— W czym więc sprawa?

— Ja, proszę pani, nie jestem jakąś harpią, choć i tak mnie nazywano, bo w pracy nie uznaję kompromisów i bylejakości. No i lubię awansować. Ale ja nie o tym. Czy pani coś wiadomo o słabości Janusza?

— Do kobiet?

— To naturalne. Kobiety go lubią, bo budzi instynkt opiekuńczy. Słabością Janusza jest alkohol. Kilka razy był na odwyku. Cztery lata temu spotkał swojego guru — Olgierda, eremitę, i jakoś się trzymał. Do rozwodu, a nawet i po… Ostatnio mi mówiono, że sobie odpuścił. Szkoda by było.

— Sądzi pani, że ja…?

— Nie, miła moja. Nigdy żadna z nas nie jest prawdziwą przyczyną. To choroba. Genetyczna. Można ją uruchomić albo niekoniecznie. Alkoholicy lubią mówić, że to przez kogoś albo coś… Proszę pani. Tu jest telefon do skarbnicy wiedzy na ten temat. Pan doktor Wiciak. Proszę porozmawiać z nim. On panią pokieruje.

— Dlaczego pani sądzi, że Janusz pije teraz?

— Jeśli popił w Nartach, z kolegą w Zakopanem, to z pewnością popłynął. On to ma w systemie trzy–, czterotygodniowym. Nie zdarzało się przypadkiem, że się nie zgłasza na telefon? Ginie gdzieś na kilka dni, a potem mówi, że był tam, gdzie nie było zasięgu, takie tam…? Kłamstewka. Wkrótce je pani załapie. Proszę szczerze pogadać z tatą Janusza. To miły, ale prosty chłopina. Nie mieliśmy ze sobą feng–szui, jak to mówią, ale w tym jednym trzymaliśmy sztamę.

— Jak?

— Janusz, jak chce, jak czuje ciąg, chowa się u taty. Jak przeginał ostro, tatko Janusza dzwonił i ja przysyłałam pielęgniarkę z kroplówką. Również jak potrzebował szybko wytrzeźwieć.

— Ile trwa taka… sesja alkoholowa? — spytałam ogłupiała.

— Przeciętnie, dwa–trzy dni. Czasem cztery. Potem wstaje i w jeden dzień dochodzi do siebie. Jak przeciągnie, trzeba go odtruć, bo „klinuje", a to tylko pogarsza. Przepraszam. To nie jad. To kobieca solidarność. Jeśli chce pani z nim być, to ta wiedza jest pani niezbędna.

Milczałam. Nie miałam pojęcia… Nie wiedziałam, jak się zachować. Kompletnie nie umiałam rozpoznać, czy to prawda czy fałsz.

— Do widzenia. — Wstałam i podałam jej rękę.

— Do widzenia. Panem Tomaszem proszę się nie przejmować. Nie może się denerwować. Dostał środki rozkurczowe i uspokajające. Jest OK. Aha! I jeszcze jedno. Ten jego guru — Olgierd, mieszka w lesie, w okolicach Biebrzy. To koło Goniądza, taka dziura zabita. On Janusza ustawia na długo i mądrze. Jak Janusz zapragnie, proszę go tam zawieźć. Bez lęku. Tylko jak sam zapragnie. Tylko wtedy to działa. Do widzenia.

Wracałam zamyślona. Tłukło mi się po głowie zwątpienie, żal, bo ja wiem, co jeszcze? Lęk. Czy ona miała prawo? Czy to prawda? Może żmija, tak tylko chce mu dowalić? A jeśli nie? Jeśli to kobieca solidarność? Forma pomocy kobieta — kobiecie? W końcu rzeczywiście zdarzało się, że Janusz ginął na kilka dni.

Był w Olsztynie, tam działo się coś z komórką... A tak. Pamiętam. Nie wziął ładowarki. Nie wziął?

A wtedy, jak pojechał do Nart? Niby na rekonesans? Też nie było ani widu, ani słychu kilka dni. Ponoć tam nie ma zasięgu, bo to las...

No, ale po sylwestrze nie miał trzydniówki... Czy miał? Nie pamiętam aż tak dobrze, były dziewczynki...

Koło Prejłowa Tomasz nie wytrzymał:

— No, powiesz wreszcie, co ci jest?

— Martwię się tobą.

— I dlatego masz czoło jak tara do prania? Jak kobieta martwi się o mężczyznę, to go zauważa, kląska do niego, głaszcze po głowie, a ty mnie wieziesz jak wór ziemniaków, a w głowie coś ci się kotłuje tak, że to ja się martwię o ciebie! Gadaj.

Przekazałam Tomkowi, co mi powiedziała doktor Lisowska. Milczał i myślał.

— Tak czułem, że coś... Ale nie wiedziałem co. Ja mam nosa! Nie sądzę, żeby to było z jej strony świństwo i pomówienie, bo życie zweryfikowałoby to szybko.

— Jak?

— No, okazałoby się, że to gówno prawda, jak mawiał ksiądz Tischner. Radziła ci kontakt z jego tatą. Pogadaj.

— Za Janusza plecami?

— No, zrób to dyskretnie. Nie żebyś od razu wpadła do staruszka, pod ścianę go i z piąchy. Wy kobiety umiecie tak, że gościowi będzie się zdawało, że ci sam wszystko wypaplał. No? Spróbuj!

— Nie wiem. Może najpierw powinnam z Januszem?

— Wkurzy się. Poczuje się osaczony, zaprze się i zwali to na jej podły charakter. Jeśli to prawda, poczuje zagrożenie, pójdzie w zaparte i zakamufluje się. Nie na długo, bo szydło wyjdzie, ale będzie wam podwójnie przykro.

— Czemu?

— Tobie, bo poczujesz się oszukana. Jemu, bo oszukał. Będzie kwaśno. Załatw to tak, żebyś zaczynając z nim rozmowę, miała pewność. No i coś tak pokombinuj, żeby nie poczuł się jak gnój. I tak mu ciężko, że nie wiesz. Boi się, czeka na dzień, w którym to wyjdzie. Ułatw mu, ale nie bądź nianią. A w ogóle — chcesz w tym uczestniczyć?! Może rzuć go w cholerę? Po co ci to?

— Pomyślę, Tom. To niełatwa decyzja. Kocham go. Głupia. Chcę dać nam szansę. Są ludzie, którzy z tym żyją. W sensie, że nie piją pod kontrolą — latami.

— A ty wiesz, jak mu pomóc? Jak sobie z tym radzić?

— Dała mi telefon do doktora, zaraz…

— Wiciaka?

— O! No!

— Dobry adres. Będziesz musiała pójść chociaż raz do grupy.

— Ja? Po co?

— Pijaki spotykają się w AA. Ich bliscy, często niepijący wcale, w Al–Anonie. Jak chcesz, będziesz musiała przez to przejść.

— O kurczę… — Byłam przerażona.

Wieczorem przyjechała mama. Ostrożnie opowiedzieliśmy jej o skurczach klatki piersiowej Tomasza, o wizycie w Olsztynie i o tym, jak to wspaniale, że to nie serce. Mama słuchała spokojnie, robiąc na kolację leczo. Siedzieliśmy przy stole. Kaśka kroiła chleb, Tomek obierał cebulę, a ja paplałam.

— No, to masz szczęście — westchnął Gnom i pocałował Tomka w czoło.

Udało nam się jej nie zdenerwować zanadto. Później omówiliśmy problem leśniczówki. Trzeba poczekać, a tymczasem zdobyć maksimum informacji prawnych i nieformalnych, czyli: kto dybie na Tomaszowy dom. Kasia pozmywała i poszła na serial. Przy herbacie i z nogami wyciągniętymi wygodnie na taboretach, zaczęłam opowiadać o mojej rozmowie z żoną Janusza. Mama miała zatroskany wyraz twarzy. Myślała, kiwając się na krześle.

— Goniu, chcesz rady czy tylko akceptacji?

— Mamo, ja pierwszy raz w życiu, tu, u ciebie, kładę swoje sprawy na kuchennym stole. Pierwszy raz moje życie przeżywam wspólnie z wami. To nowe, nieznane mi uczucie. Nie wiem, co począć. Może tak tylko przeżujemy ten temat, żebym nie odczuwała takiego strachu, jaki czuję?

— Boisz się? Że będzie to katorga, dramat, podsiniaczone oczy, łkanie po kątach?

— Może nie aż tak. Nie skazuję się na niego przecież, ale go kocham. Ma swoje zalety. Jest urokliwy, jakoś tak… odpowiada mi, i dentysta z niego dobry… — Oj! Plątałam się w zeznaniach jak egzaltowana panna.

Tomasz odezwał się tak:

— Gocha, nikt nie powiedział, że to trąd. Że od razu trzeba go odstrzelić, separować. Nie gadałaś jeszcze z jego tatą, nie wiesz, czy to w ogóle prawda.

— No… Teoretyzujemy, ale coś mi się zdaje, że prawda. No jasne. Zweryfikuję to. O Boże. Ale mam kocioł!

— Córeńko. Odpowiedz sobie na pytanie, czy masz siłę do tego tematu. To nie musi być gehenna. Gehennę przeżywają kobiety silnie uzależnione od faceta alkoholika i to takiego, który wali równo na dno albo się znęca. Bywają też takie związki, że kobieta jest na tyle silna, że sobie radzi, jeśli alkoholik jest... niedestrukcyjny.

— Nie wiem, o czym mówisz. Nigdy się z tym nie zetknęłam, mamo. Widywałam uszczanych pijaków na ulicy i ich biedne zastraszone żony, ale ten obraz nie pasuje mi do Janusza.

— No widzisz? Katharine Hepburn całe życie borykała się z piciem Spencera Tracy. Lauren Bacall miała ten problem z bożyszczem Bogartem, takich przykładów jest mnóstwo i co związek, to inaczej to się toczy... Powszechnie wiadomo, że Wiktor Osiatyński poradził sobie z tą przypadłością i mówi o tym otwarcie, że żona mu bardzo pomogła. Ewa Woydyłło, jego żona, znana psychoterapeutka, twierdzi, że łatwo nie jest, ale jaka satysfakcja! Wszystkich to może dotknąć, wielkich i małych.

— A Marina Vlady? — twarz Tomasza była zagadkowa. Patrzył na mamę pytającym wzrokiem. — Jak wszystko, to wszystko. Opowiedz Gosi.

— Lepiej dam ci jej książkę, ale pamiętaj, to nie musi, ale może tak wyglądać. To od twojej postawy wobec alkoholika zależy, czy się uzależnisz czy nie.

— Od picia?!

— Od niego.

— No, to czekają mnie studia na ten temat.

— Najpierw rozmowa z tatą Janusza, no i z nim.

— Taaak — powiedziałam jak Kaśka.

Wieczorem leżałam w łóżku z pamiętnikiem Vlady.

Wiedziałam, że była muzą Włodzimierza Wysockiego, ale nic więcej... Czytałam zachłannie, żądna wiedzy. Pożarłam jej historię w jedną noc. Piekło, jakie przeżywała, przeplecione z ich nieziemską miłością, przerażało mnie. Nie, nie jestem stworzona do takich historii ani histerii!

Zasnęłam późno, zdecydowana zerwać ten toksyczny związek. Już widziałam siebie, jak na wpół oszalała szukam po melinach mojego sflaczałego, otępiałego tanią wódą faceta... Myślałam o Marinie — pięknej, subtelnej Francuzce, której wróżono karierę równą Brigitte Bardot. O jej toksycznym związku z czarującym szamanem — Wysockim, który zawładnął jej sercem, „zawiązał jej świat", kochał do bólu i powoli niszczył siebie i ją. Ją bardziej.

On umiał tak żyć, choć żył krótko. Może gdyby nie pił, nie miałby skrzydeł? Nawet na pewno by nie miał. Tworzył, śpiewał tak, że serca pękały — podlany wódą. Zaszywał się w moskiewskich melinach, na śmietnikach, a ona obca, paryżanka, wielka aktorka wlokła go takiego zaropiałego do domu, znosiła szykany milicji, bezpieki. Wszystko z miłości. On ją po postu tarzał w błocie, poniżeniu, łzach. Niechcący, chcący. Trubadur pieprzony. Ale byłam zła na niego! Za nią, za nas.

Matko, jak ja mam postąpić? Leżałam i bałam się jutra. Na dwa SMS–y Janusza odpowiedziałam, stosując unik. Czeka mnie rozmowa. Zasnąć... Jutro pomyślę o wszystkim.

O tym, jak trudno jest wybierać mniejsze zło

Janusz zaskoczył mnie. Przyjechał rano, bez uprzedzenia, bo podobno zaniepokoiły go moje lakoniczne odpowiedzi na SMS–y.

— Musimy pogadać — powiedziałam, a on już wiedział, że coś wiem. Ma szósty zmysł? Ma.

— Wiem, foczko. Też chciałbym. Mo...może na spacer?

— Chodź na rozlewisko.

Nachylił się i pocałował mnie lekko. Objął ramionami, tak jak lubię. W jego oczach widziałam troskę, lęk, prośbę... A może to wszystko sobie dopowiadałam?

Rozlewisko jest już zielone i po kolei daje czas kwitnienia rosnącym tam ziołom i chwastom. Są piękne. Dopiero tu u mamy dowiedziałam się, że to żółte, co pierwsze kwitnie, to jest podbiał, a nie mlecz.

Idąc, depczemy jaskry, przydrożną koniczynę i rozsiane z maminego ogrodu niezapominajki. Słońce aż razi, gdy tak idziemy dróżką w stronę kładki, miejsca wybuchu naszych zmysłów. Czy tylko moich? Z pamiętnika Mariny wynika, że alkoholik potrzebuje osoby od siebie uzależnionej, bo ona jest jak boja na otwartym morzu. Jestem boją?

— Janusz.

Pojęcia nie mam, jak zacząć. Przez tę jego wizytę sypie mi się scenariusz.

— Wiem, że wiesz. Wczoraj dzwoniła do mnie Li...Lisowska i powiedziała mi o waszej ro...rozmowie. Tak jest lepiej, bo oszczędzimy tatkę. On to od dawna przeżywa, a rozmowa z to...tobą... No, nie wiem, czy zrobiłaby mu dobrze. Kocha mnie.

— Nie on jeden.

— Wiem i zrozumiem, jeśli będziesz chciała o...odejść. Na to nie ma aspiryny.

— Nie ma — powtórzyłam jak echo.

— Nie wypieram się, ale nie mówiłem ci ze strachu. To, co prawda, nie jest za...zaraźliwe, ale męczące. Trochę też obrzydliwe.

— ???

— No, jakbyś wi...widziała mnie w trakcie. Lisowska, na...nagrała mnie, kiedyś na wideo, ja...jak się zachlałem. Okropne.

— Jak jest dziś? Piłeś w sylwestra, później też miałeś odejścia...

— „Odejścia"? Ładnie po...powiedziane. Tak trafnie. Bo to są odejścia. W inny świat. Tylko po...powroty są paskudne.

— Jak jest dziś? — ponaglałam. — Tylko, proszę, do bólu szczerze. Jestem tu, to znaczy chcę współpracować, ale nie być oszukiwana.

— Staram się. Miałem „odejścia". Nie ukrywam.

— Ale ja ich nie chcę! Chcę, żebyś był silny i zapanował nad tym!

— Panuję nad sytuacją.

— Nie zgadzam się.

— Na co?

— Na narkozę. „Panuję nad sytuacją", to znaczy, że teraz nie pijesz. A za tydzień? Jak cię diabeł weźmie? Podkusi?

— Panuję. Postaram się dla ciebie — powiedział dobitnie. — Dla siebie, dla nas.

— Janusz... — Przytuliłam go, bo potrzebowałam tego teraz. Pokazałam mu żółtą kartkę, a teraz chcę ciszy i jego ramion, zapachu i miłości. Objął mnie mocnym, kochającym uściskiem i kołysał w ramionach. Tulił i mruczał:

— Moja kochana. Moja...

Gładko poszło. Bęz zaprzeczeń, których się bałam, bez kłamstw. Dobrze tak. Szczerość. Tak.

Pogadaliśmy też o pensjonacie, o jego gabinecie i pracy. O tym, jak mimo wszystko ważne są te durne pieniądze. Wydawało mi się, że jestem taka przebiegła pedagogicznie, bo jak uświadomi sobie konieczność bycia trzeźwym, żeby nie tracić klientów, ich zaufania, forsy, to może ostrzej spojrzy na to chlanie?

Tak myślałam.

Po powrocie pożegnaliśmy się i Janusz szepnął mi do ucha:

— Dziękuję. Jesteś cudowna. Z tobą mi się uda. Foczko.

O koszmarze urządzania kuchni
i jak bardzo brakuje mi kasy

Nasi kochani goście — Donald, Thomas, Cedrik i Peter pojechali już, zostawiając mamie zapłatę w euro i suty napiwek. Dobrze, bo właśnie zaczęłam się spieszyć z urządzaniem pensjonatu. Połowa maja, zaraz się sypną goście, a my w powijakach.

Dokumentacja kuchni to jakiś absurd. Wymysł złośliwych krasnoludów. Ja rozumiem troskę o klienta, ale aż tak daleko posunięta władza, jaką są przepisy, to po prostu horror! Wiadomo, że nie chcę nikogo otruć, że mam mieć czysto, ale wszystko ze stali kwasoodpornej?! Prawie. Że w korytarzu nie mogą się krzyżować drogi czyste i brudne?! Co to znaczy? Że jak niosę korytarzem mięso z magazynku, to tym samym korytarzem nie mogę nieść nic brudnego — ani talerzy, ani ziemniaków, ani worka ze śmieciami. Muszę mieć inny korytarz. Zupełnie tak, jakbyśmy w domach też mieli plątaninę korytarzy czystych i brudnych. Obsługa musi mieć osobne sanitariaty, umywalki w przebieralni, prysznice i duperelstwo takie, że mnie grząska cholera bierze. Muszę kupić te sanitariaty i prysznice, chociaż nikt nie będzie z nich korzystał. Mieszkamy tu w podwórku, dwa kroki dalej, i tu są nasze łazienki. Po co to mnożyć?! Magazynków, łazienek tyle, że pozabijamy się drzwiami od nich, jak amen w pacierzu! Zmywak od kuchni musi być oddzielony szafą przelotową. OK. Ale ona musi być z kwasówki! Kosztuje, bagatela, około czterech tysięcy. Zmywarko–wyparzarka dwa do trzech tysięcy, zlew z mikserem jakieś dwa tysiące, basen, czyli zlew do garnków w kuchni, znów tysiąc lub półtora, lodówki osobne do mięs, osobne do potraw gotowych i innych, jakieś trzy tysiące. Piekarnik konwekcyjny lub zwykły, kuchnie ze dwie, to też kilka tysięcy. Regały do magazynów, szafki dla personelu…

— Po co nam to było? O Boże!

— Długo, tak bardzo prywatnie jak teraz, by się nie dało — tłumaczy nam Piernasio, nieoceniona pomoc w tym gąszczu absurdów. On już to przerobił lata temu, jak zakładał swoją agroturystykę.

— Sanepid, jak się wda, to jak ospa albo cholera. Tak nawymyślali, że tylko siąść i płakać, bo śmieszne to już dawno nie jest. Tak, pani Gosiu.

— Większość tych wymagań jest z sufitu! Kompletnie nieżyciowe, sztuczne, bzdurne. Rozumiem, walka z brudem, chorobami, ale gdybym tak postanowiła robić wszystko zgodnie z tymi przepisami sanepidu i BHP, nie robiłabym już nic ponadto!

— Tak — przyznał mi rację Piernasio.

— I co?

— I nico.

Tak zakończyliśmy nasze konsultacje.

Sierść zjeżyła mi się na plecach. Skąd ja, do cholery jasnej, mam wytrzepać taką kasę?! Piernacki mówił, że ludzie biorą na to pożyczki w bankach. Starają się o unijne pieniądze, ale od razu mnie odwiódł od tego.

— W „naszej" komórce do spraw funduszy unijnych siedzi facet, pani Gosiu, co bardzo lubi pić.

— I…?

— I na to picie potrzebuje, więc się pani musi z nim podzielić, zanim jeszcze on pani tę dopłatę załatwi. A że często pije, to czasem zapomina, że od pani już wziął i dopomina się powtórnie. Odmowy nie akceptuje. To znaczy, jak mu pani powie, że raz już wziął, to do widzenia z dopłatami!

— Skąd pan to wie?

— Pani Graczyk, ta, co ma pensjonat między dwoma jeziorami. Tam, wie pani, co pani mówiła, że piękna lokalizacja… to ją tak trafiło.

— A w mordę nie można mu dać?

— Jak najbardziej, kochana — powiedział Piernaś, całując mnie w rękę na odchodne. — I zobaczy pani: jakby nie patrzeć — dupa z tyłu… Ach! — Machnął ręką.

Siedziałam na werandzie kompletnie ogłupiała. Wściekła i wystraszona. Wszystko to przytłoczyło mnie potężnie. Janusz, sanepid, pijaczyna w urzędzie, brak forsy. Poczułam ścianę. Nie, to nie dla mnie. Ja nie jestem jakimś Don Kichotem, żeby walczyć z pijanymi wiatrakami. Ja chcę zwyczajnie, jak mama latami, przyjmować zwykłych ludzi, w zwykłym domu. Robić im dobrą atmosferę i zwykłe obiadki. Czy do tego potrzebuję stali kwasoodpornej? Zmywarko–wyparzarki?! Nieprzecinających się dróg w kuchni? Tabliczek z instrukcją obsługi mikrofali i maszynki do mielenia mięsa?! Tyle lat działały hoteliki, pensjonaty, domowe wczasy pod gruszą, w które nikt się nie wtrącał, i dobrze było!

— Cholera! Szlag! Co ja mam robić?!

Mama weszła na werandę z kawą i ciasteczkami od Piernasia. Obie byłyśmy bezradne. Mama już dawniej zapoznała się z przepisami. Teraz siedzi i kręci stopami kółka w powietrzu.

— No cóż. Głową muru nie przebijesz. Trzeba Bogu świeczkę i diabłu ogarek.

— Rozwiń.

— Umów się na kawę z żoną pana Pawła z Dźwierzut. To bardzo miła i życzliwa osoba. Krynica kompetencji. Pracuje w sanepidzie.

— Przymknie oko?

— No skąd! Ona jest bardzo porządna i uczciwa. Ona po prostu wszystko na spokojnie ci powie. Nakieruje, poradzi. Jakoś trzeba to wszystko załatwić, ogarnąć. Odbiera komisja, przychodzi na kontrolę komisja, więc wszystko musi być legae artis, ale czuję, że nie wszystko jest takie restrykcyjne i straszne.

— Nie mam sił.

— Masz. „Pływakowi sił brakuje przy brzegu". Już finiszujemy. Umów się. Dowiedz.

Mail do Wiktora:

Cześć , Wik.

Mam ochotę wyć i zabijać. Jakieś poturbowańce wymyślili przepisy sanepidowskie, według których muszę wyflaczyć się finansowo na konieczny sprzęt, bez którego nie ruszę pensjonatu. Technologia kosmiczna. Koszt — równy małemu samochodowi.

Kiedyś jadaliśmy u gaździn ziemniaki „bryzgane", one potokały talerki w potocku i dobrze było.

Teraz, żeby nakarmić gości, muszę używać stali z nierdzewki, talerzy — arcopal, bo dobrze im w zmywarko–wyparzarce, a instrukcję obsługi noża i widelca mam powiesić w widocznym miejscu. Muszę mieć osobny stół do mięsa, osobny do jarzyn i kuchnię całą w instrukcjach, bo jak nie, kucharka się pomyli i zmiele mięso w mikrofali.

RATUNKU!

Już nadaje się do czubków.

Wybacz. Nic więcej nie mam w głowie. Jestem zła, rozżalona i trochę wystraszona, czy aby podołam. Czy potrzebne było to wszystko? Zrobiłam sobie i mamie rozpierduchę i teraz nad tym nie panuję. Pa.

Mail od Wika:

Droga moja!

Wzruszasz mnie i rozumiem Cię. Chciałbym przyjąć Twoje łzy na klatę. Czujesz, jaki tekst mi wyszedł?

Moi znajomi od nart, mieszkańcy Krakowa, postanowili otworzyć w górach pensjonat. Dostali po ojcach działkę koło wyciągu, więc grzechem byłoby nie pójść w to. Podam Ci ich telefon. Pogadajcie sobie, bo oni to już przeżyli i udzielą ci dobrych rad.

Będąc w Alpach, specjalnie zaglądali do kuchni w każdym miejscu. W Szwajcarii, Austrii, we Francji… Nigdzie, poza najnowszymi, nie było tych tam,

głupot. *Właścicielki wychodziły ze zdumienia. „Ma być czysto! No i bezpiecznie. Smacznie, ciepło i tyle!". Dziwiły się i śmiały. Prowadzą swoje pensjonaty od dawna. Owszem, miewają kontrole, ale nie muszą świrować z tymi tam, kwasówkami i instrukcjami. Jest dla gości plan ewakuacji w razie pożaru i dużo sprzętu p.poż. Niektórzy mają te sufitowe czujki na dym i prysznice p.poż.*
Pomogę Ci. Pozwól. Mam wolną kasę. Pożyczam Ci. Oddasz, kiedy zarobisz, i już. Bez dyskusji, proszę. Jutro robię przelew na Twoje konto.
A tak na marginesie, co to ziemniaki „bryzgane"? Coś mi się kojarzy, ale nie pamiętam. Pa. W.

Mail do Wika:
Ziemniaki bryzgane, legendarne świństwo z gór. Moi koledzy autentycznie na to trafili. Gaździna postawiła im na stole michę ziemniaków gorących, parujących, a, że był to piątek, okrasiła je maślanką z rozbełtaną bryndzą. Tylko że tę maślankę brała do pyska i bryzgała nią na ziemniaki tak, jak spryskiwało się kiedyś prasowane rzeczy. Onegdaj, jak to mówią...
Z kasą może za wcześnie wyskakujesz? Chcę się postarać o dotację unijną, choć to trudna sprawa. Dziękuję. Zobaczę, może poradzę sobie bez tego? Wybacz, że mało romantycznie. Mam doła i już! Pa.

Mail od Wika:
O Matko! Pamiętam! W Poznańskiem to się nazywa „pyry z gzikiem", ale tam nikt nie bierze do pyska i nie bryzga. Cóż, inna cywilizacja.
Kasę bierz. Liczy się czas. Może wpadłbym na weekend? Pogadamy. Tel. do tych moich z Bieszczad wysyłam Ci esemesową wizytówką. Całus. 3. V. się.
PS: Dotacja trudna? Dla Ciebie? Why?

Mail do Wika:
Bo u nas w Urzędzie siedzi fiut, co jest spragniony.
PS: Kisses 4U :-)

W wolnej chwili postanowiłam złapać Janusza i pójść na mały spacer. Jestem już potężnie zmęczona wysiłkiem zdobywania wyposażenia kuchni. Pan Adam jest nieoceniony, bo zdjął koronę z głowy i postanowił mi pomóc. Z powodu problemów z tą kuchnią mamy przestój. Czytamy ogłoszenia, dzwonimy, łapiemy okazje — firmy niestety padają i wyprzedają się. To nic miłego.

Pan Adam jeździ i kupuje wszystko, co trzeba tak, jak mi powiedziała żona pana Pawła. Fakt, że rozmowa z nią bardzo nas uspokoiła. Przyjechała, obejrzała i udzieliła nam prostych i zwykłych porad. Niektóre rzeczy muszą być profesjonalne. Taki wymóg. Inne powinny spełniać warunek czystości. Żeby można było je myć detergentami i wrzątkiem. Instrukcje? Olać to. Niech wiszą, bo muszą. Kosztują grosze.

Jakoś to idzie.

Forsa od Wiktora rzeczywiście przydała się. Od Konrada nie chciałam już nic ciągnąć. Wiem, że gdybym zadzwoniła z pytaniem, jak ta aukcja, czy obraz poszedł i za ile, to nawet gdyby nie poszedł, Konrad z mety coś by tam pokombinował z Adą i przysłał mi pieniądze. Ale ja tak nie chcę. Już i tak mi głupio z powodu tej biżuterii po Zosi, którą ode mnie odkupił. I to, że Ada w tym uczestniczy... Czuję się tak, jakby Ada była starszą siostrą, która znosi moje fikołki — tej młodszej, głupszej.

Ona nie porwała się na ucieczkę na wieś, nie buduje pensjonatu, choć się na tym nie zna, nie ciągnie kasy od byłego męża, nie ma narzeczonego alkoholika i w ogóle, kurczę, idealna jest! A ja? Walnęłam w życiu wszystko na żywioł i proszę, jak to teraz wygląda. Zabrnęłam i mam!

Mama włączyła się w urządzanie kuchni, jak tylko skończyła badania wysiłkowe serca. Nawet bardzo ją to wciąga, jak widzę. Gadają z panem Adamem, chichoczą, jeżdżą i urządzają kuchnię. Jestem im wdzięczna.

W Nartach nie zastałam Janusza. SMS-y sprzed dwóch dni jakieś nieskładne. Poczułam gulę podchodzącą mi do gardła, jak bomba na konnych wyścigach.

Wracając z Olsztyna, zajechałam do nich. Do Pasymia. Drzwi otworzył tatko Janusza. Zmieszał się na mój widok. Przeprosił za wygląd, ale właśnie coś tam robi w sadzie. Ma flanelową koszulę, spodnie drelichowe, robocze. Normalka. Taki miły jest, skromny i zakłopotany. Zaprosił mnie do ogrodu.

— Pani siądzie. Janusz... śpi — powiedział to, spuściwszy wzrok.

— Popił? — spytałam, dziwiąc się, że w ogóle o to zagadnęłam.

— Tak. Tak. O mój Boże — westchnął i spojrzał na mnie z bezbrzeżnym smutkiem. — Szkoda pani, szkoda takiego chłopca. Zdolny, uczciwy... Pani. Taka zła ta wódka. Ja, to jak się napiję kieliszek czy dwa, odstawię i nic! A on, jego wciąga zaraz, jak w lej po bombie. Synowa, znaczy się była, tłumaczyła, że to choroba. Mój ojciec pił. Może na Januszka przeszło? Pani. Jaka szkoda... I wstyd.

— Co się pan ludźmi przejmuje — westchnęłam, żeby tylko coś powiedzieć.

— Jak to? To lekarz! Wstyd! I przed panią wstyd. Pani taka miła.

— Mało mnie pan zna...

— Ale jak Januszek kocha panią, przepraszam, jeśli uraziłem, jak kocha, znaczy dobra. I Piernacki mówi, że pani to taka Basia, tylko młodsza.

— Pan znał mamę?

— Nie, jakoś osobiście nie, ale pani mama to znana w okolicy osoba. My tu od niedawna mieszkamy. Dopiero ze siedemnaście lat. Przedtem w Nartach mieszkali, to i nie zdarzyło się pani Basi poznać. Piernacki mówi, że wy obie życie mu rozświetlacie.

Siedziałam, milcząc. Chciałam pójść zobaczyć Janusza, ale już z książki Mariny Vlady wiedziałam, że nie powinnam. Z pijanym się nie gada. Pewnie wygląda okropnie, zacznie coś bełkotać, usprawiedliwiać się.

Jednocześnie bardzo chciałam wtargnąć tam, do tej jego gawry, przytulić go nawet takiego... A, co tam. Najwyżej!

— Gdzie on jest? — spytałam cicho.

— Nie idzie pani. Po co? Śpi.

— Chciałabym...

— Na górce, pokój na wprost drzwi.

Zapukałam, ale nie było odpowiedzi. W środku ciemnawo, bo zasłony były zaciągnięte. Na tapczanie leżał Janusz w głębokim śnie. Poduszkę miał głęboko pod ramionami, więc głowa zwisała mu poza nią. Miał chrapliwy oddech. Z kącika ust sączyła mu się ślina. Usiadłam i poprawiłam poduchę. Poczułam woń skisłej wódy, potu, pijany smród. Leżał nieogolony. W ubraniu. Nieświeży. Nieświadomy. Siedziałam zaskoczona i obserwowałam go. Jest taki piękny. Zielonooki, śliczny i wrażliwy. Nie teraz, ale na ogół. Jak nie pije. Garnie się, przytula, szepcze czułości. Taki kochany jest! Dlaczego pije? Po cholerę mu to? Co to daje, takie ulanie się? Splotłam moje palce z jego. Przecknął się i na jego twarzy pojawił się błędny uśmiech.

— ...Gosia — wyjąkał jakoś tak boleśnie.

Nawet nie otworzył szerzej oczu. Już je zamknął. Już znów śpi.

Wyszłam. Było mi zimno. Szłam na dół obca sobie. Zaskoczona tym widokiem, mimo że Vlady mnie dobrze przygotowała. Poczułam jej obecność. Jakąś wspólną nić, łączącą mnie i ją. Widziałam kilka lat temu film z nią. Współczesny. Ładnie się zestarzała. Jest dostojna, z siateczką zmarszczek na wciąż jeszcze świetlistej i pięknej twarzy. Jak Anna Dymna — taka szlachetność i piękno kobiety z ciężkimi, życiowymi doświadczeniami. O, właśnie. Wiesiek Dymny też wódeczką tłumił bolący go świat. I ojciec Marka, mojego przyjaciela z dzieciństwa. Cudowny facet. Urokliwy cukiernik. Pił jak cholera. O Boże, też w systemie comiesięcznym! Nawet pani Teresa, jego żona mówiła: „Ma miesiączkę". Wrażliwcy chorzy na alkohol! Jestem w szeregu razem z ich kobietami. Trwam przy facecie, który pozwala sobie na komfort odfruwania od bólu tego świata, a ja muszę zostać i z tymi jego lękami, i ze swoimi, i jeszcze z całym światem.

Jestem trzeźwa, patrzę na to i czekam, aż on wróci. Biedne my wszystkie…

W domu opowiedziałam mamie o tym. Stała i gładziła mnie po włosach.

— Sama chciałaś. Jesteś wolnym człowiekiem. Decyduj. Zawsze możesz odejść.

— To łatwe. Zostawić go, bo ma feler. Jakbym wzięła psa ze schroniska i odniosła, bo ma wszy.

— Pchły.

— No to pchły.

— Ale pchły można wytępić…

— Wódę też. I można znów te pchły załapać i wrócić do picia.

— Twój wybór. Mówiłam ci. Masz o tyle dobrze, że nie żyjesz jak Marina w Moskwie, na pustyni, bo ona mało tam miała przyjaciół. Ty masz nas wszystkich tu. No i komfort, że nie mieszkacie razem.

— A może gdybyśmy mieszkali? Może upilnowałabym go? Uchroniła?

— Mówisz bzdury i sama o tym wiesz. To jego problem. Jego choroba. Nic nie zrobisz. Ani go nie uchronisz. Przed czym?

— No… — odpowiedziałam inteligentnie.

Majtałam łyżką w talerzu i miałam Niagarę myśli i wątpliwości.

Będę jęczącą, wiktymologiczną, zapłakaną i nieszczęśliwą babą, która nie radzi sobie, ale cierpi. Albo będę jak Vlady, Dymna, Hepburn i tysiąc innych, które były i są silne, świadome stać murem przy tych swoich pijakach, bo choć oni mają ten wódczany feler, to dla nich — kobiet, są w jakiś sposób wyjątkowi i one — kobiety, pozwalają im na tę słabość, choć zadowolone z niej nie są. Nie! Nie słabość. Przypadłość. Coś jak napady migreny, nasze PMS, czyli „wkurwica przedmiesiączkowa", jak mówił mój kolega z liceum, Wojtek.

Właśnie, Wojtek… Nasz śliczny, kochany Wojtunio. Klasowa maskotka. Blondyn, cherubin o wrażliwym i dobrym sercu. Strasznie kochał naszą koleżankę Asię. Strasznie. Ona jakoś nie. Pije do dziś ten Wojtuś. Nie z powodu nieodwzajemnionej miłości. Tłumaczył mi to na zjeździe maturalnym.

— Wojtuś, jak z tematem tabu?

— Oj, Gocha…

— Aż tak źle? Bożena mówiła, że żona cię zostawiła.

— Nie tylko. Dzieciaki też. Rozumiem je, nawet. Jak mają zaakceptować takiego tatusia?

— Próbowałeś odwyku?

— Masz na myśli AA?

— No…

— Byłem w AA, chodziłem do Woronowicza, znalazłem się w Programie „Atlanta", zaszywałem się, na pewien czas zaczarował mnie Grodzki…

— Kto to?

— Taki nawiedzony Amerykanin. Guru pijaków. Przejrzałem go. Biznesmen. Żadne guru. Nami robi sobie nazwisko.

— Czemu tak szperasz? Może za dużo szukasz? Analizujesz? Przy terapii potrzeba wiary, pokory, pokuty.

— Nie pieprz, Gosiu. Nic nie wiesz. Może ja w ogóle nie chcę przestać pić?

— Nie mów tak!

— Dlaczego? Ja to lubię! Nikt niczemu nie jest winny. Ja tak mam — kocham tę naftę.

Dopiero teraz to zrozumiałam. Latami mieliśmy do Asi żal, że nie odwzajemniła miłości Wojtka i przez to on tak pił… Co jej szkodziło poromansować z nim trochę? Dziś wiem, że Asia zrobiłaby Wojtkowi krzywdę udawaniem, a i tak, czy byliby razem czy nie, piłby. To choroba. Tak mówi doktor Lisowska, mama, Tomasz, książki… Choroba. Okropna. Coś jak padaczka, cukrzyca, migrena… i tylko tak trudno ją zaakceptować w kategorii „choroba". Ja ciągle łamię się, że to zła wola. Po cholerę idzie i kupuje?! Po cholerę?

„To silniejsze od niego"? No właśnie, więc jednak choroba woli.

Wieczorem SMS: „Musimy pogadać, błagam, nie gniewaj się. Tulę Cię w myślach. J.".

Najpierw napad złości. Później znów czytam: „Tulę Cię", i jeszcze raz miękę. Myśli o mnie. Kocha. Jest mu przykro. O co mam się złościć? Że leżał sobie cichutko, pijany u tatusia? Przecież mnie to nic nie obchodzi. Mam swoje życie i już! Mamy niezobowiązujący związek. Nie wplątał mnie, jak Wysocki Mariny w lepkie bagno życia, na co dzień, w obcym mieście. Ja sobie przędę swoją nitkę, Janusz swoją, i dobrze jest! Spotykamy się tak, że nawet mogłabym nie zauważać tych jego odfrunięć.

Mogłabym, ale zauważam, przeżywam je i drżę z niepewności, lęku i bardzo tego nie lubię!

„Tulę Cię" — czytam i już się roztkliwiam. Już chcę jego ramion, spojrzenia, głosu, ekspiacji zamkniętych pocałunkiem, przebaczeniem i powrotem do normalności. Tak. Zapomnę o tych okropieństwach. Poproszę go o podjęcie jakichś działań, żeby już nie pił. Są jakieś leki…! Chyba.

Wysyłam SMS–a: „Jutro spacer konieczny. Całus. Śpij dużo. G.".

Przyszła odpowiedź: „Kocham Cię :-)))".

Niewiele, ale aż mi się zrobiło gorąco. Kocha. Pierwszy raz to zwerbalizował. Druhna Ania tak by to skomentowała:

— No co ty, Gosiu? Oślepłaś? Ogłupiałaś? Omotuje cię słodkimi słówkami, bo chce tak kupić twoje przebaczenie. Nie daj się, dziecko, jakiemuś alkoholikowi wodzić na łańcuchu! Znajdź sobie porządnego, uczciwego…

— …bla, bla, bla. Druhno. Jego chcę. Porządny mnie nie podnieca. Już miałam porządnego. Janusz jest inny, druhno. Druhna nigdy nie kochała tak mocno, prawdziwie. Tatę kochała druhna miłością idealną. Romantyczną. Nie wie druhna, co to orgazm wielki i spazmatyczny w Janusza ramionach. Nie wilgotniała druhna na sam jego widok. A może…? Jeśli tak, to już druhna wie. Ten. I żaden „porządny". Jego oczy, oddech, zapach, ramiona, słowa. Wszystko! Razem z tą jego paskudną przypadłością. Będę walczyć!

— Walczyć. To rozumiem — mruczy z nieba druhna Anna.

Jadą goście, jadą, a my niegotowi

Jakoś poszło. Był spacer i łzy, i zapewnienia, że on wie, co zrobić, i że kocha, i dla tej miłości… Potem pojechaliśmy do Nart, gdzie był czysty i śliczny pokoik Janusza, i tam czysta i piękna miłość, pełna głębi i bliskości nieopisanej wprost! To był chyba najfajniejszy seks. Jak dotąd.

Janusz zachowywał się jak wygłodniały kochanek — czuły, stęskniony i romantyczny. Wyrafinowane pieszczoty zastąpił tkliwością i żarliwością. Ja poddałam się aurze i też odrzuciłam za siebie wszystkie żale. Ekspiacje. Bardzo chciałam utonąć w zapomnieniu i tonęłam. W łóżku już nie było czasu na nic poza namiętnością. Byłam tak bardzo podniecona, że to ja pierwsza szczytowałam, prawie natychmiast, i potem jeszcze raz i jeszcze. O czymś takim tylko czytałam w prasie kobiecej, w artykułach pod tytułem: „Poznaj tajniki prawdziwej miłości" albo „ Szczyty do zdobycia — jak osiągnąć wiele orgazmów". Omijałam to, bo prawdziwsze wydawały mi się przepisy na przepiórcze jaja w turbanie albo tatar z łososia w avokado w sosie koperkowym. W diety i multiorgazmy to ja nie wierzyłam. Techniki, żeby osiągnąć wiele szczytowań, wydawały mi się śmieszne i zbyt odromantycznione. I miałam rację.

Leżałam z głową otuloną jego ramionami po takiej serii, że byłam zmęczona najlepszym zmęczeniem świata. W literaturze przedwojennej byłoby napisane tak: „Opadła na poduszki omdlała z rozkoszy". Nie byłam omdlała, ale taka na wpół obecna. Przyklejona do niego chłonęłam każdą chwilę tej bliskości, autentycznego wybuchu pragnienia, pożądania. Za każdym razem drżał razem ze mną, jakby towarzysząc mi w tych uniesieniach i cichych już okrzykach, które same wyrywały się z mojego oszalałego ciała.

Głuchy Grześ słyszał, jak krzyczę. Nigdy tak nie reagowałam. Przeżyłam tyle lat… Nieważne. Jestem wybrana. Jestem w grupie kobiet, które nie muszą czytać instrukcji obsługi własnych narządów — gdzie i jak ścisnąć, potrzeć, wstrzymać, puścić, bo samo mi to wychodzi. Grześ mnie odkrył i ja, jak kocham, to tak mam!

Janusz ma zamknięte oczy i pomaleńku głaszcze mnie najdelikatniej na świecie. Dobrze tak jest. Na razie…

Kiedy przyjechałam do domu, mama pokazała mi list. Zwykły list w białej kopercie. Już dawno nic takiego nie widziałam. Na ogół wszystko ze skrzynki na listy to druki, rachunki i reklamy. Jako dziecko i nastolatka, owszem, korespondowałam ze znajomymi. Teraz od dawna już funkcjonuje poczta elektroniczna. Ja traktuję ją jak poprzednie listopisanie. Ale fakt, że to czekanie na listonosza, zaglądanie do skrzynki, rozrywanie koperty, papier, literki pisane ręcznie… Szkoda tamtych klimatów — tego komponowania, żeby było ciekawie, zachłannego czytania…

Biała koperta była starannie zaadresowana do mamy, a w środku znajdował się list napisany atramentem, lekko już rozedrganą ręką, ale pięknym wciąż charakterem pisma:

Droga Pani Bachno!

Jak co roku, wiosną, planujemy letni wypoczynek i nieodmiennie pokoik u Pani, „na górce", jest myślą błogą i serdeczną. Zarówno ja, jak i Haneczka kochamy wręcz rozlewisko, las i klimat, jaki tworzy Pani i Kasia.

Jeśli to możliwe, potwierdzam zeszłoroczną rezerwację z wielkim moim i Haneczki aplauzem. W zeszłe lato, jak nam wiadomo, miałyście Panie plac budowy i my — sieroty biedne, musieliśmy się tułać po świecie, nie mogąc delektować się śpiewem ptaków, rozmowami na werandzie i Pani opowieściami, moja droga Przyjaciółko!

Z nagłej potrzeby odpoczynku wyrwałem Hanusię, wbrew jej protestom, za granicę. Było owszem, owszem, ale my już wiekowi, źle znosimy trud podróży dalszej niż na nasze Mazury kochane.

Tak więc, Pani Basieńko kochana, czekaj na nas w połowie czerwca!

Hanusia jak zwykle serduszko ma skołatane i żylaki dokuczają jej setnie. Ja jak zwykle, czerstwy, zdrowy — rzekłbyś: chłop do żeniaczki gotów!

Żarty. Reumatyzm i kręgosłup dają mi się we znaki, ale skoro Bóg dał dwa metry wzrostu — cóż!

Raczki całuję i mamy z Hanusią nadzieję Panią, Kasię i pana Tomasza w dobrym zdrowiu zastać. Córki ciekawi jesteśmy ogromnie, jak też i zmian.

Hanna i Tadeusz Soplicowie

— A to, co za oryginały?

— Moi coroczni goście. Dziś już niemal muzealne eksponaty. Mają koło osiemdziesiątki albo lepiej, a zjeżdżają tu do mnie od lat! Polubisz ich. Wychowali się w przedwojennych majątkach. Arystokracja. Od pewnego czasu lubują się we wskrzeszaniu dawnych powiedzeń, manier. A list, prawda, że kompletnie odjechany? Tak by powiedziała moja wnuczka, a pani Hanna Soplicowa nie zrozumiałaby, o co chodzi.

— Będą w połowie czerwca?

— Tak, ale nie przejmuj się, oni mieszkają zawsze na górce, tam gdzie Janne ostatnio.

— Arystokracja i tolerują brak kibelka w pokoju?!

— Arystokracja to maniery, a nie kibel! Podaj mi okulary, bo nie pokroję tej dymki.

— A co dziś robisz na obiad?

— Idę na łatwiznę. Świeżonkę drobno krojoną na gorących ziemniaczkach ze zsiadłym mlekiem. Sałatka z białej młódki i już!

— Jakiej „młódki"?

— Młoda, biała kapusta. Właściwie to ona teraz jest seledynowa, ale o tym to ja mogę rozmawiać z Paulą. Ona wie, co to wiosenny seledyn.

— A ja?! Ja, sądzisz, wiem tylko, co to jest wapno, rura do kanalizy i cegła dziurawka?

— Moja kochana. Moja. Przepraszam. — Mama w poczuciu winy przytuliła policzek do mojej brody.

Kroi cebulkę. Za chwilę razem nam popłyną z oczu łzy. Młoda dymka jest mocna!

— Wiem, że rozróżniasz kolory, Gonisiu, tak mi się powiedziało, bo dawno panienek nie widziałam. Wiem, co u Mani, bo pisze do mnie maile, ale Paula leży mi na sercu. Lubię tę wariatkę.

— Ona też adaptowała się do rodziny. Na ile osób nakryć? Gdzie Kasia?

— Na cztery. Kaśka piele. Wszystko zarasta jak szalone. Lekko idzie motyczką teraz. Później jak chwastom zdrewnieje łodyga, to już ciężko z nimi walczyć. Zresztą, Kaśka do tego nie dopuszcza. Ona lubi mieć porządek na grządkach. Szkoła starej Felicji. Przynieś kompot. Trzeba go skończyć, bo zaraz słoiki zaczną być potrzebne.

— Został tylko ten mieszany!!! — drę się ze spiżarni.

— Dawaj! — woła Gnom.

Tomasz staje w drzwiach i widać, że coś załatwił. Cieszy się i podnosi do góry ręce z heinekenami.

— O! Pijemy? — pytam. — Za co?

— Wyjaśniłem sprawę leśniczówki. Pić mi się chce nieludzko.

Otwiera butelki jedna o drugą, po tutejszemu, i nalewa sobie pienistą szklanicę.

Sobie i mamie ja nalewam, bo Tomasz już pije łapczywie z zamkniętymi oczami. Kocha to piwo. Łyka je hałaśliwie, niewytwornie, radośnie. Jak chłop. Zaraz zacznie bekać.

— Będzie moja! To wam mówię, kobiety!

Kaśka otwiera słój z kompotem z agrestu i porzeczek, i też pije radośnie.

— No? — ponagla Tomasza Gnom, polewając parujące ziemniaki kawałkami smażonego, wieprzowego mięsa. Są malutkie jak skwarki. Szybko się smażą i chrupią. Mama posypuje to wszystko grubo ciętą dymką. Ja podaję kubki do zsiadłego mleka. Kaśka już myje ręce. Bierzemy wszystko i idziemy na werandę. Talerze niepotrzebne. Każdy sięga przez stół łyżką, jak w *Chłopach* Reymonta. Uwielbiam tak z nimi jeść! Trzymamy nawet łokcie na stole!

Pamiętam, jak podałyśmy Mani i Kubie takie ziemniaki ze skwarkami, szczypiorem i kefirem. Jak oni cieszyli się tym żarciem! Jak Kuba zachwycał się, że tylko na wsi w dzieciństwie tak jadał. U dziadków w Koniakowie. Łyżką ze wspólnej michy.

— Na jakim etapie, Gosiu, jesteś? — pyta Tomasz.

— Raczej mama. Ona urządza kuchnię. I ona boryka się z dostosowaniem się do przepisów. Mnie tylko dusi brak pieniędzy, bo tę kuchnie trzeba urządzić technologią kosmiczną.

— Jak z dotacjami?

— Już wypełniłam papiery. I tak nie dostanę…

— Skąd pewność?

— Bo baby we wsi gadały, że ten od pomagania w uzyskaniu unijnych pieniędzy lubi pić.

— I co?

— I nico. Mam marne szanse, bo jakoś nie umiem, nie chce mi się dawać łapówek.

— Jak mnie to...!

— Tomasz! — mityguje go mama. — Serce!

— Chciałabym wywalić go z tego ciepłego stołka. Mam koleżankę w Warszawie, pracuje w radiu. Ona zrobiłaby taką prowokację.

— Szkoda czasu — mruczy Gnom. Wystawia twarz do słońca i napawa się ciepełkiem. — Moim zdaniem, szkoda czasu i atłasu. Lepiej zająć się pracą, a nie jątrzeniem. Jego jeszcze jakaś cholera dopadnie, a my wciąż mamy małe braki. W pieniądze z Unii to ja nie wierzę. Już bardziej w krasnoludki.

— Co nam jeszcze w tej kuchni zostało?

— Zmywarko–wyparzarka, regały magazynowe, zamrażarka. Reszta, to te durne instrukcje obsługi i krajalnica do chleba i wędlin. Jadalnia to zajęcie Pauli. Trzeba urządzić salę. Mają przyjechać w ten weekend i zająć się tym.

— Mamo, mam ambitny plan odciążyć cię od gotowania. Zbieram przepisy i z coraz większą ochotą popatruję na kuchnię. Przecież to nie takie trudne?

— Nie. Potrzeba tylko duszy, apetytu i wyobraźni kulinarnej, a ty ją masz!

— Skąd wiesz?

— Mam nadzieję, że ją odziedziczyłaś.

Po obiedzie poszliśmy wszyscy do kuchni pooglądać to, co zrobiła mama z panem Adamem.

— No proszę, zostawić was samych na tydzień, a tu kuchnia już prawie działa!

— Prawie — powiedział Gnom i pokazał nam całe swoje królestwo. Po kolei zaliczaliśmy je tak, jakbyśmy nigdy nie byli w kuchni.

— Jakie to szczęście, że nie kupiliście białych kafelków!

— Było blisko, bo w tej hurtowni „Kwadrat" w Olsztynie były właśnie białe w promocji. Tanie jak barszcz i pan Adam już był skłonny wmówić mi, że to optimum dla nas. Zresztą to mężczyzna i dla niego białe czy różowe to ganz rybka, ale w ostatniej chwili wypatrzyłam nieco resztówek. Za grosze!

— Ślicznie wyszło, prawda, Kaśko?

— Tak. Ja pomagałam tu sprzątać Basi.

— No to ty też jesteś autorką sukcesu! To też twoja kuchnia, Kasiu.

Mama kupiła kwadratowe kafle jakby stare i pokancerowane po bokach w kolorze oliwkowo–szarym. Było tego kilka odcieni, jak to resztówki, więc powstał ciekawy melanż, bo mama układała jak popadnie.

Wyciąg mama obstalowała u kowala w Rumach. Kupiła arkusz stali kwasoodpornej i kowal zrobił go rustykalnie z wykrętasami. Później machnął na szaro–grafitowo, z cieniami. Wygląda jak „babciny". Pan Adam zamontował wyciąg elektryczny tak, że jest głęboko schowany, tuż pod okapem. Jest bardzo profesjonalnie i wyszło dwa razy taniej niż w sklepie.

Basen do garnków chłopaki wymurowali mamie z kafelków. Regały magazynowe kupimy w Olsztynie, zamrażarkę... Z ogłoszenia. Najpewniej.

Teraz znów wertuję gazety z ofertami sprzedaży rzeczy używanych. Musi się w końcu coś trafić. Dzwoniłam w kilka miejsc, ale wożenie sprzętu kuchennego z Gliwic jakoś nie bardzo mi się opłaca. No, nie jest łatwo, ale w końcu przecież trafię! Przypadkowo kupiłam tanio naświetlarkę do jaj. Chociaż to.

Na pierwszego czerwca zapowiedziała się inna para stałych bywalców mamy, których umieścimy w nowym domu. Też już niemłodzi. Siedemdziesięciolatkowie czynnie zwiedzający Mazury na rowerach. Teraz robią od kilku lat krótkie wypady, bo pani Czajkowska jest po zawale i nie może się forsować.

— Od dawna ich znasz? — pytam Gnoma.

— Trzydzieści lat z okładem. Znamy się jeszcze z Warszawy. Wandę poznałam jakoś przypadkowo u znajomych. Była zjawiskowo piękna. Ciemne, tajemnicze oczy i burza czarnych włosów. Ocean spokoju. On bez lewej ręki, artysta — malarz. Stanisław Czajkowski, robotniczy syn.

— Czemu to podkreślasz?

— Bo ona pochodzi ze znanej przed wojną żydowskiej rodziny. To był ładny mezalians!

— Jak to — ładny?

— Oj wiesz, bo właściwie bez fochów. Jej ocalała rodzina była neoficka.

— ...?

— No, przechrzcili się jeszcze w czasie okupacji, a wojna i cała ta zawierucha sprawiła, że Staś nie musiał staczać o Wandę specjalnych walk. Został oceniony, że porządny, że kocha, i tylko to malarstwo... No, ale skoro Wandzia chciała, to ją wydali. Nie znam drugiej tak kochającej się pary. No i Wandzia na przyjęciach burzyła facetom krew, bo nawet nie spoglądała cieplej na absztyfikantów prawiących jej komplementy. Trzymała się Stasia, zapatrzona w niego. On wówczas przystojny, dowcipny, no i malarz! To w latach sześćdziesiątych, w śmietance młodzieżowej stolicy było coś! A jeszcze aury dodawał mu ten wojenny kikut i to, że, owszem, kokietował kobiety, ale Wandzi nigdy nie uchybił. Okazywał jej zawsze...

— ...atencję.

— Skąd wiesz?

— Bo to słowo doskonale pasuje do tego, co chcesz powiedzieć. Który pokój im dajemy?

— Morelowy? Jest blisko schodów, a oni rano wstają.

— No dobrze. Czyli za kilka dni, bomba w górę!

Mail od Mani:

Mamcik kochany!

Pamiętasz ten tekścik?: „Jeszcze tylko mały wpierdol i wakacje!". To o mnie!
Szłam wczoraj do pana Wieśka po włoszczyznę i świeży imbir, i tak sobie
powtarzałam. Jeszcze ciut–ciut, jeszcze troszkę i jadę do Ciebie! Nie mamy
żadnych konkretnych planów wakacyjnych. Chciałabym pojechać z Paulą
do Paryża. Taki pomysł. Janne ciągnie nas do siebie, do Finlandii, na ty-
dzień. Gdyby się okazało, że nie jestem Ci potrzebna w środku lata, to plan
Pauli jest taki, żeby pojechać do Gdyni, wsiąść na prom i dalej przed siebie!
Zatoczyć półkole przez Szwecję i Norwegię i osiąść na wsi u jego dziadków,
w Finlandii. Do Paryża chcemy pojechać we wrześniu przez Prowansję, bo
Paula twierdzi, że wtedy kolorystyka jest najlepsza, chyba że wypali robota
w sierpniu, ale o tym sza! Żeby nie zapeszyć. Cały czerwiec i wrzesień (chy-
ba) jestem dla Ciebie! Tak?

Całus — Mania

PS: Kuba przyjeżdża. Nawet trochę mnie to bierze, ale jak będzie — nie
wiadomo.

Mail do Mani:

Kochana moja!

Plany wakacyjne — super! Bardzo, ale to bardzo chcę Cię tu mieć u siebie.
Stęskniłam się. Na starość robię się ckliwa. Z Kubą — nic pochopnie. Niech
się toczy po swojemu. Jest fajny, a zauroczenie nie jemu jednemu się zdarzyło.
Czas pokaże, czy to miłość czy przyjaźń. Wiktor szybko pojął różnicę. I chyba
też woli serdeczną zażyłość od byle jakiego seksu raz na jakiś czas.

Ups! Przepraszam, chyba nie tak powinnam pisać do córki.

Tu przydasz się bardzo, bo musi być ktoś, kto będzie się opalał, śmiał i roz-
świetlał sobą nasz dom. No i oczywiście czasem skoczysz do miasteczka po
sól... :-)

Przyjeżdżaj już! Całuję. Mama

Klik i poszło! Kiedyś dyliżans wiózłby to i wiózł...

Mama z Kaśką w nowej kuchni czynią ostatnie przygotowania. Wieszają na kratkach łyżki wazowe, widelce do pieczeni, tasak, noże... Na półkach pod stołami ustawiają garnki, rondelki, patelnie. Są nowe. Każdemu się przyglądają i mama mówi do Kasi:

— Zobacz, jaki fajny do sosów akurat! Ten, to rosołowiec. A w tym będziemy robiły gołąbki.

— Z kaszą albo ryżem — przytomnie zauważa Kaśka.

— O! Ta patelnia będzie do naleśników, bo jest płaska. Tu druga, żeby szybciej szło.

— Taaak.

— Zobacz, jaki ten jest poręczny! Ma grube dno i jest taki szeroki. Dobry do duszenia mięs. O, a to sito jak wietnamski cedzak. Do wyjmowania pierogów. Powieś to na kratce.

Doskonale im to idzie. Mama mimo zapewnień, że gotowanie ją znudziło, bawi się w najlepsze. Urządzanie kuchni pochłonęło ją bez reszty.

Tomek nie narzeka, bo szykuje się do przetargu leśniczówki i obwozi zagranicznych gości chcących fotografować nasze skarby lasów. Czarne bociany gniazdujące w okolicy Grzegrzółek, orła bielika — młodego samotnika mającego swoją samotnię w głębi lasu między Budami i Elganowem, bobrze żeremie z pięknymi tamami koło Starych Kiejkut, bo w Płozach i w Rutce nie budują żeremi, mają tylko nory w ziemi. Głuptasy... No i jest cudne rykowisko koło Korpeli, w Ułańsku i w leśniczówce Wykno. Oprócz tego tyle tu tego! Łażą sobie niespiesznie po polach łanie z młodymi, dzików całe watahy można spotkać zimą. Wiosną i latem też, z pasiastymi młodziakami chodzą po obrzeżach lasu niedbale i bez lęku.

Niedawno widziałam sarenkę z małym Bambi na leśnej ścieżce. Też mi się przyglądała. Biega tu masa lisów, jenotów, borsuków. To wszystko wiem od Tomasza, ale jeszcze nie byłam na takim podglądactwie. Może jak dzieciaki przyjadą? Może jesienią?

Na razie wystarcza mi to, co spotykam w lesie na spacerach, na rozlewisku... Tyle tego, a ja mieszczuch nawet nazw nie znam. Mama mnie uczy. Zna się na wszystkim. Na ziołach, ptactwie, zwierzętach. No i jako wiedźma — uzdrawia.

Ostatnio tak było, że przyszłam do niej na werandę.

— Mamo, głowa boli i plecki. Pomasuj.

— Chodź. Jakie masz ciśnienie? I w ogóle wiesz, od czego?

— Głowa to ciśnieniowe, a plecy... Źle spałam, czy jak?

Mama zdejmuje okulary, kładzie mi dłoń na czole, a drugą na karku. Zamyka oczy i sączy energię. Jej ręka, ta na moim czole robi się ciepła i wreszcie gorąca. Po paru minutach zdejmuje ją i strząsa. Teraz zmiana. Ta gorąca idzie na plecy, a chłodna na brzuch. Znów zaczyna sączyć. Ma skupioną twarz, bardzo zluzowaną i zamknięte oczy. Gorąco włazi mi w kości kręgosłupa. Świetnie.

— Teraz oddechy. Cztery na dwa. I pamiętaj, wdychasz nosem i wydychasz powoli ustami. Przepona pracuje.

— Skąd to umiesz?

— Nie gadaj teraz. Andrzej tak robił. Trenował coś. I tam go mistrz uczył, jak wydychać ból i zmęczenie. Masz kulki z napięć na karku. Rozmasuję ci i pójdziemy z Funiem się przejść.

Poszłyśmy spokojnym krokiem w stronę lasu. Czasem robiłam wdechy i wydechy. Mama też. Chodzimy tak, prawie nic nie mówiąc. Mama co jakiś czas podnosi głowę i uśmiecha się tym swoim specyficznym uśmiechem, zarezerwowanym dla najbliższych. Jej oczy robią się świetliste i takie kochające. Dobrze tak iść razem. Czasem bierze mnie wpół. Ja ją też. To wtedy zadaje mi trudne pytania i trzyma, żeby mi dodać otuchy:

— Jak tam między wami?

— Układa się. Mamy mało czasu. Ja pensjonat, a Janusz gabinet. Wiesz…

— Wiem. Wystarcza ci to, nie masz wrażenia marginesu?

— Mam wręcz potrzebę marginesu. Jakoś odeszła mi chęć budowania stałego związku. Może to lęk? Może wygodnictwo? A może pensjonat mi zapewnił poczucie tego czegoś — na stałe?

— Może wszystkiego po trochu?

— Nie wiem, mamo, czy ja się nadaję na Marinę Vlady. Czy to, co jest między mną a Januszem, jest silnym uczuciem, czy tylko zaklajstrowaniem samotności?

— Przekonasz się.

Las jest nagrzany i pachnie suchym igliwiem. Z zeszłorocznego poszycia, starego i suchego wylazło mnóstwo ślicznych roślin.

— Chodź, pokażę ci konwaliowy gaj.

Mama prowadzi mnie przez chaszcze, podnosi nogi i depcze z trzaskiem jakieś suchości. Potem brnie przez trawy, sięgające nam prawie do pasa rośliny podobne do łopianu, ale z ażurowymi liśćmi. Piękne. Wreszcie mam przed sobą stok wąwozu pokryty drzewami, a pod nimi same liście konwalii! Ocean. Kwiaty ukryte pod ich spodem pokazują się niechętnie, po jakimś czasie. Tu jest chłodniej.

— Ale cudo!

— Prawda? Pokażesz to Marysi, jak przyjedzie.

— Mamo… Może ja go kocham, bo jest taki nieuchwytny? Niby mój i nie mój…

— Kochaj. Na razie nic złego się nie dzieje. Czas pokaże, czy jesteście dla siebie. Myśl o sobie. Bóg żąda od ciebie, żebyś była mądra, szczęśliwa. Wtedy tylko przeżyjesz życie tak, jak powinnaś.

— A jak powinnam?

— Powinnaś czuć radość istnienia, powinnaś czuć się potrzebna innym, mieć ochotę na każdy następny dzień. Każdy powinien być Messnerem swoich własnych szczytów.

— Jak Kaśka?

— No…

Wracamy. Jej spokój zawsze mi się udziela. To też uzdrowienie. Teraz mocniej zatęskniłam za Januszem.

W domu wysłałam SMS–a: „Jesteś? Tęsknię".

Odpowiedział mi: „Bądź jak najszybciej. Jestem w Nartach".

I pojechałam. W poczekalni nie było już nikogo. Słyszałam tylko cienki pisk maszyny. Ostatni pacjent. Po nim weszłam do gabinetu. Janusz wyraźnie zmęczony wstał i rozprostował kręgosłup. Podszedł i położył sobie moje dłonie na twarzy. Potem zamknął je w swoich i patrzył na mnie.

— Moja kochana — szepnął, przytulając mnie do pachnącego lekarzem fartucha.

— Jesteś padnięty? Przyjmujesz od rana?

— Uhmmm. Fizycznie padam na ryj. Chodź na spa…spacer. Tu jest ładne jezioro.

Powoli, trzymając się za ręce, szliśmy w kierunku jeziora. Już czwarta, a to pierwsze w tym roku takie dwa upalne tygodnie i teraz czuje się w powietrzu rozedrgane gorąco. Lekko nachylony brzeg zakończony jest bardziej dziko niż w pobliżu turystycznych zabudowań. Kilka drzew i kładka. Nikogo nie ma. Za to widać, jak na przeciwległym brzegu baraszkują w wodzie ludzie. Leniwie płynie kajak środkiem jeziora. Siadamy na kładce. Janusz zdejmuje wszystko do majtek. Czarne CK. Elegant! Ja co prawda też mam czarne majtki, ale za to w ten upał nie włożyłam stanika. Zdejmuję spodnie, ale zostaję w bluzce. Moczymy nogi w zimnej wodzie i od razu wraca nam krążenie.

— Zimna.

— Nie. Wczoraj się ką…kąpałem.

— Zimna!

— Zobaczysz za chwilę, jak się przyzwyczaisz. Jesteś rozgrzana.

— Zimna.

— Dobrze. Sponsorem te…tego odcinka jest słowo: „zimna".

Leżę na rozgrzanych dechach. Janusz też leży i ma zamknięte oczy. Trzyma mnie za rękę cały czas. Bawi się naszymi palcami. Czuję zapach zgniłych wodorostów, ryb, i wody. Wysoka olszyna porusza liśćmi, a ich cienie pełgają nam po twarzach. Jest cicho i dobrze. Woda rzeczywiście jest ciepława. Byłam rozgrzana po samochodzie, więc wydała mi się zimna. Teraz łagodnie chłodzi mi stopy.

— Po południu masz przyjęcia?

— Dziś nie. W poniedziałki i czwartki mam popołudnia.

— Poniedziałek, bo po niedzieli, a czwartek, bo…?

— Bo nic… Tak sobie. W piątki po południu wszyscy tu już myślą o ba… balowaniu.

— A ty?

— Co ja?

— Myślisz o balowaniu?

— Nie. Popływałbym. Chodź!

— Nie mam kostiumu.

— Przestań! Kogo to interesuje? To nie plaża w So…Sopocie. Chodź tak, jak jesteś. Idziemy na żywioł. Chodź!

Powoli wchodzimy do wody. Dno jest piaszczyste, pewne. Trochę kamyków. Obok trzcina nawet się nie porusza. Mówi się, że „powietrze stoi".

Janusz trzyma mnie i pozwala przyjmować kolejne chłodne fale — na kolana, na uda…

— Najgorzej zamoczyć jaja. Wiesz? — mówi to zwyczajnie i śmieje się, podnosząc ciało do góry, bo woda już podeszła mu pod same gacie. Próbuje się zanurzyć.

— No. Mnie też. Też się spinam, jak woda dochodzi mi do majtek. Na obozie nad morzem wszystkie piszczałyśmy, jak nam woda zalewała cipki.

— Ouuuuch! — krzyknął i położył się dziarsko na wodzie. Szybkimi ruchami popłynął do trzcin, gdzie jest jakby brama na jezioro. Odwrócił się i wyciągnął ręce.

— No! Chodź do mnie!

— A niech to! — wrzasnęłam desperacko i zimna fala pochłonęła mnie całą. Zostawiłam tylko głowę na powierzchni i popłynęłam do Janusza. Najpierw zimno usztywniło mnie, zabrało oddech, zaraz potem puściło. Przy nim już było lepiej. Przytulił mnie do swojego ciepłego ciała z całej siły i pocałował.

— Moja. Śliczna. Foczka. Płyńmy, bo zmarzniemy.

Spokojną, ale dziarską żabką płynęłam pierwszy raz od dawna tak na żywioł w tych majtkach bieliźnianych i koszulce. Obok Janusz płynął leniwie. Miał spokojny wyraz twarzy i zielone oczy szczęśliwe i uśmiechnięte. Parskał. Tafla jeziora jest niezmącona. Ciemnooliwkowa, wielka, chłodna przyjemnie. Po lewej przy brzegu zobaczyliśmy zanurzone w wodzie drzewo. Musiało wpaść do wody ze starości albo pod naporem zimowych wiatrów. Teraz jest naszym celem. Wdrapałam się za Januszem na pień. Było fantastycznie. Ani trochę zmęczenia, a nie pływałam już dawno, no i dystans taki... ze sto pięćdziesiąt metrów. Relaks, najlepszy z najlepszych na taką pogodę.

— Ładnie tu, co?

— Tak. Szkoda, że koło mnie nie ma miejsca do pływania. Rozlewisko się nie nadaje. Ma okropnie muliste dno, mieszkańców...

— Zapraszam tu do mnie. Nie mam swojego wejścia do je...jeziora, ale wiesz już, dokąd przyjść. Wychowałem się tu. Zawsze, jak byłem u dziadków, ką...kąpałem się tu, przy tej kładce.

Mimo upału mokra koszulka stygła szybko, więc zaczęłam szczękać zębami. Wróciliśmy na kładkę.

— Wiesz, Janusz, słuchałam w radiu takiej dyskusji o kładkach na Mazurach właśnie. Starsze inteligenckie pokolenie jakichś zwariowanych ekologów wybrzydzało na te setki kładek, że szpecą. Bla, bla. Ja uważam, że jezioro jest wtedy takie też nasze, ludzkie. Po kładkach, pomostach widać, że tu żyjemy. One nie mogą być tylko pięknym widoczkiem dla turystów. Żyją razem z nami. Prawda?

— Jak zawsze masz rację.

— Janusz, ale ja poważnie!

— Ja też. Daj buziaka i nie gniewaj się. Kładki tak, o...oczywiście, ale teraz mam straszną ochotę dotykać twoich cy...cycuszków, bo tak fajnie sterczą ci sutki.

Pod drzewem przytulił mnie, a ja zrobiłam coś, przez co druhna Anna dostałaby zawału. Głaskałam go i bawiłam się jego ślicznym, mokrym i zimnym tyłeczkiem, zupełnie nie przejmując się światem. To dla mnie nowość, bo Grzesiek był pierwszym facetem, którego dotykałam w ten sposób. Konrada nigdy. Nie odważyłabym się. Według niego to wyuzdanie. Szczególnie jak się to robi poza łóżkiem.

— Chodź, bo mi się już namiocik zrobił — wyszeptał Janusz.

Leżałam w jego ramionach, senna, szczęśliwa i głodna.

— Janusz, zgłodniałam.

— Sorry. Mam pu…pustą lodówkę. Zamierzałem dziś jechać do tatki.

— Mam mokrą koszulkę. Masz coś suchego?

— Tylko fartuch lekarski.

— Dobrze. Może być. To chodź, bo mi w brzuchu burczy. Pojedziesz do mnie?

— Nie, tatko czeka. Nie pa…patrz tak. Naprawdę jadę do niego na kolację. Nie będę pił. Mu…muszę zabrać świeże fartuchy, ręczniki i pobyć z nim. W piątek możemy pojechać do Olsztyna, na zupę.

— Do tej knajpki ze „Świeżymi zupami"?

— No! Albo czmychniemy na wędzone ry…ryby.

— A potem wrócimy do ciebie na megaorgazm? — spytałam, jak nie ja.

— Zrobię, co będę mógł!

Nie poznaję siebie. Aż tak mi odbiło? Robię się czerwona na samo wspomnienie tego, co robiliśmy godzinę temu. Jak rzeczywiście dużo, dużo w nas pragnienia. Janusz miał wzwód jak wieża Eiffla, ja byłam rozpalona i gotowa. Ledwo trafiliśmy na łóżko. Potem bardzo zwolniliśmy. Bardzo.

Janusz patrzy na mnie, uśmiecha się i przechyla głowę. Jest taki szczęśliwy, zadowolony, luźny… Więc dlaczego? Dlaczego nagle idzie do sklepu i kupuje wódę, a potem zalewa się w trupa?! Tylko chemia? Metabolizm?

Dobrze. Nie myślę o tym na razie. Jest pięknie. Nie psujmy tego.

— Pa, Janusiu — mówię jak jego tato.

— Pa.

Każde z nas wsiada do swojego samochodu. Ja w kitelku lekarskim Janusza. Koszulka została na wszelki wypadek. Niech schnie.

Mail do Wika:

Szczerze mówiąc, skoro taki jesteś zmęczony, jak mówiłeś przez telefon, to może rusz się i wpadnij?

Chociaż do św. Jana daleko, już są upały. Kąpałam się w jeziorze. Wiesz? Pływałam zupełnie tak, jak w dzieciństwie — na dziko, bo później, jako dorosła już osoba, zaliczałam baseny hotelowe, nadmorskie kąpieliska, kurorty. Tam były parasole, kosze, leżaki i kostiumy kąpielowe starannie dobierane przed wakacjami. Byłam wtedy o jakieś siedem kilo młodsza i bardzo dbałam o formę. Dziś treść stanowi dla mnie większą wartość. Zdecydowanie.

Nad pięknym jeziorem wśród trzcin z facetem, który... no wiesz. Kostium, jego kolor i fason już nie zajmują mojej uwagi. Kąpaliśmy się w bieliźnie. Mam nadzieję, że nie wyglądam jeszcze jak Mamoniowa z Rejsu. W tym kapelutku i bieliźnianym staniku. Nawet jeśli, to co mi tam!
Pozdro — Gosia Mamoń

Mail od Wika:
Moja Ty Mamoniowo! Uśmiałem się. Kocham Cię za autoironię! Wiem, że życie przewartościowuje nasze poglądy i priwyczki. Podobno tylko krowa nie zmienia poglądów. Warszawskie lato jest, jak pamiętasz, szare od kurzu, parne, duszne. W biurze mamy klimatyzatory. I wiesz co? Mam na nie alergię! Ja, stary chłop! Pierwszy raz w życiu. Leje mi się z nosa, łzawię... Cholera. Starzeję się, Gocha. Nie śmiej się. Niedawno byłem u lekarza z kręgosłupem. Jak jakiś zgrzybielec.
Spotykam się teraz z taką panią od angielskiego. Miła, fajna. Młodziutka. I w trakcie (no, wiesz...) tak mnie coś łupnęło! Dobrze, że ona ma elastyczne poglądy, bo pozycja misjonarska na razie nie wchodzi w grę (i dobrze!). Tą kąpielą rozpaliłaś moje zmysły. Pomyślę i poplanuję. Zabiorę białe, bieliźniane gacie i przyjadę. Koniecznie.
Masz rację, kiedy dorastamy, dojrzewamy, zjadamy życie i dobieramy się do jego jądra mądrości. Wtedy forma musi ustąpić na rzecz treści. Starsi panowie, którzy są już po andropauzie i drugiej młodości, przesiadają się z wyczesanych bryk do wygodnych, szerokich i bezpiecznych aut. Niektórzy żałują, że się rozwiedli ze starymi, kochanymi, szerokimi żonami...
Nostalgiczny całus...

Mail do Wika:
Masz babę?! I nic nie zakablowałeś? No proszę, ale mi przyjaźń! Zeznasz wszystko na werandzie. Tak. Z tymi wartościami to taka fajna teoria. Widocznie nie cała zmądrzałam, bo zamiast „szerokiego i bezpiecznego auta" przesiadłam się na ładne, lśniące enduro i jeżdżę dość niebezpiecznie. Druga młodość? Kobiety też to mają?!
Przyjedź. Pa.

Mail od Wika:
Porównałaś Janusza do enduro?!
Chyba nie znałem jego prawdziwych wartości. Mamoniowo.

O tym, kto do nas przyjechał na wakacje i jak łatwo być hotelarzem

O tydzień wcześniej, uprzedzone telefonem, powitałyśmy państwa Sopliców. Przywiózł ich znajomy wygodnym busem i kiedy wyszli z niego, zobaczyłam ogromną kobietę i wysokiego niegdyś, dziś nieco zgarbionego pana.

Po radosnych powitaniach, skąpych i szybkich, umówiliśmy się za piętnaście minut na werandzie. Trzeba powiedzieć, że są świetnie zorganizowani. Kierowca został poproszony o pomoc w noszeniu waliz, a oni sprawnie potoczyli się na naszą „górkę", bo mama postanowiła nie zmieniać im pokoju.

— Wiesz, Goniu, starzy nie lubią zmian. Są niekłopotliwi i dobrze wychowani. Dogadają się z Manią.

— No, coś ty! Pewnie! Ona zawsze taka śliczna?

— Ty złośliwy małpiszonie. Tak. Zawsze miała dużą nadwagę, ale jest w tym taka majestatyczna. Jego coś pokręciło. Zawsze był wysokim, wręcz chudym huzarem. No, podaj dzbanek, wyłóż ciastka. Zaczynamy!

Zaniosłam wszystko na naszą werandę. Wkrótce przypłynęła, sapiąc, pani Hanna, i pan Tadeusz.

Rozmowa potoczyła się zgrabnie i miło. Rzeczywiście — arystokracja, to widać w każdym geście, zdaniu, sposobie picia herbaty. Pani Hanna z niezwykłym wdziękiem, jak oficer śledczy, wypytała nas o naszą historię. Widocznie mama nie wspominała o mnie za dużo.

Oplotkowanie kogoś to wspaniały ratunek w sytuacji, gdy nie ma o czym gadać. Ogromnie podoba mi się to, że oni tak żywo reagują, okazując tym samym zaangażowanie w to, o czym się mówi: „Coś takiego!", „No, popatrz, Tadeusz!", „Och! Naprawdę?!'.

Zwróciłam uwagę na jej dłonie. Tłuściutkie, zadbane, z pięknymi paznokciami polakierowanymi rubinowym lakierem. Obrączka już na maleńkim paluszku, bo serdeczny wyrósł z niej zapewne. Żadnych świecideł. Trwała ondulacja, włosy dyskretnie pomalowane na ciemny blond.

— Tadziu, wziąłeś kosmodysk na plecy?

— Tak, Haneczko. Mam go na sobie.

— Pani Basiu, widzi pani, jak Tadziowi plecy wygięło? Znajoma utwierdziła nas w przekonaniu, że to telewizyjne cudo rzeczywiście działa. No, przynajmniej przynosi ulgę w bólu. Prawda, Tadzieńku?

— Tak, Haneczko.

I w tym tonie bla, bla, toczyła się rozmowa.

Przeprosiłam państwa Sopliców, bo musiałam do miasteczka po zakupy. No i zahaczę o Janusza. Na chwilę.

Zastałam go w kuchni u taty, jak razem gotowali obiad.

— Co robicie?

— Botwinkę z jajkiem i ziemniaczki młode z wędzonym boczkiem i śmietaną.

— O! To musi być pyszne! Polewacie, czy zapiekacie?

— Podduszamy ciutkę, pani Gosiu, kochana. — Tatko uśmiechnął się miłym, nieśmiałym uśmiechem. — Zje z nami?

— Nie, dziękuję. Dziś mamy inaugurację sezonu. Przyjechali pierwsi goście. Ja na trochę wyskoczyłam po takie tam, babskie duperelki.

— To idźcie sobie do ogródeczka, a ja tam zaraz kompotu przyniosę. Idźcie!

Usiadłam z Januszem pod starą gruszą na ławce i położyłam mu głowę na ramieniu. Powietrze pachnie kwiatami i gorącą ziemią. Pszczoły uwijają się na grządce. Jest leniwy upał, a Janusz ma takie chłodne, wilgotne usta…

— Hmmm. Hmmm. Ja tu tylko z kompocikiem i już mnie nie ma! — Tatko przerwał nam, filuternie się śmiejąc.

Odcedzony kompot z rabarbaru i szklanki pomalowane w żółte wzorki. Jak w przedszkolu.

— Jak tam, foczko? Dużo pracy? — Janusz spytał szeptem, żując moje ucho.

— Jeszcze nie wiem. Chyba sobie poradzimy, a jak nie, chcemy zatrudnić panią Anię. Wiesz, tę, która straciła córkę Karolinkę.

— To chyba dobra myśl. Będziesz mniej zmęczona, będziesz miała więcej cza…czasu dla mnie…

— Uhmm.

Drzemię pod tym drzewem na Januszowym ramieniu. Jego palce przeczesują moje włosy. Jest tak dobrze, że aż mi się nie chce wracać.

— Muszę iść. — Wstałam niechętnie.

— Szkoooda — mruczy i mruży oczy, patrząc na mnie.

— Janusiu, zupkę tu podać? — Tatko podszedł z uśmiechem. — No, pani Gosiu, zje z nami, co?

— Nie. Naprawdę bardzo dziękuję. Lecę jeszcze do sklepów. Do widzenia. Masz dziś popołudnie?

— Tak. Po południu jestem w Nartach, przyjedziesz?

— Jasne!

U Elwiry kolejka po piwo. Stoję cierpliwie, aż zostajemy same.

— No, kochana! Aleś się schowała, w ogóle do mnie nie zaglądasz!

— Przepraszam. Wpadłam kilka razy, ale twoja mama była zamiast ciebie za ladą. Gdzie byłaś?

— Urwałam się z Andrzejem do Szwecji. Na krótko. Nie miałam wakacji, od kiedy pamiętam. Zabrał mnie. Ma tam kolegów. Posiedzieliśmy u nich na wsi, takiej dużej. Super było. Dominice się podobało.

— O! To widzę, rodzina się z was zrobiła?

— Tak jakby. Ja tam jeszcze mam go na okresie próbnym. Cholera wie, co chłopu może odwalić. Nie? A ty kwitniesz. Doktorek ci służy! I co, było, jak mówiłam? Przyszła koza do kapusty?

— Wiesz, Elwira, upraszczając: przyszła, ale to taki lekki związek.

— Lekki — prychnęła. — Żadna z nimi nie ma lekko. Jak nie teraz, to jeszcze wyjdzie szydło z worka! Ten twój też nie święty. Wiesz, o czym mówię.

— Wiem.

— Kochana. On u mnie bywa, jak mu źródełko wyschnie. Cwany jest, w kilku sklepach kupuje.

— A ostatnio?

— Ostatnio nie, ale może ma zapas? Sorry, że się wcinam, ale wiem, kto ile potrzebuje, po co kupuje… On nie balangowicz, tatuś jego niepijący, to po co mu było tyle?

— Ile?

— No, kilkanaście dni temu na rogu kupił litra, widziałam z okna, a u mnie dzień później wieczorem, taki lekko ciepły — połówkę i dwa piwa.

— Boże. Tak mi wstyd!

— Co ty, Gosia? Przede mną? Tu u nas chyba tylko księża nie piją. To pryszcz, no, tylko że on, ten twój chrabąszczyk, za dużo pije. Ale za to tylko czasem. Inni ciągle łażą zaprawieni i już im mózgi powyżerało. Dobrze ci z nim?

— No…

— Ale cię wzięło! Aż przyjemnie popatrzeć. Nie przejmuj się. Ja tak gadam, a też tęsknię, jak tego mojego wilka długo nie ma… Pa, kochana.

— Pa, Elwira. A! No ja przecież po koniak. Daj ten bułgarski.

— O! Widzę, że to dla pani Basi?

Pod wieczór wraca z wyprawy Tomasz. Piwo już się chłodzi w lodówce, a mama ma dziś kłopot z ciśnieniem, więc zażyczyła sobie koniak.

Dzisiaj kolacja na zimno — wędzone ryby od rybaka z Rum, sałatka ziemniaczana z małosolniaczkami i jajka szpinakowe. Ryby, żeby były lepsze, podgrzewamy przez moment w mikrofali. Kiedyś mama zanurzała je w woreczku, w gorącej wodzie. Są wtedy jak świeżo z wędzarni. Wszystko to już podajemy na werandzie pensjonatu. Bardzo zgrabnie wyszła pod dachem górnego tarasu.

Zrobiliśmy ją z podkładów kolejowych i kostki Bauma. Jest prawie na równi z podwórkiem. Jeszcze tylko pnącze się po niej nie wspina, ale już niedługo. Wąsy clematisu już zaczęły szukać zaczepki. Ze skrzynek zwisają pelargonie. Jak sobie wymarzyłam — łososiowe. Na werandzie stoją drewniane stoły z ławami. Grube, ciężkie. Pięknie wykonane przez chłopaków z tartaku. Z werandy wchodzi się dużymi, przeszklonymi drzwiami do sali jadalnianej. Paula zrobiła ją bardzo po domowemu. Kilimki, obrazki, zdjęcia, kanapy i stolik do brydża na nogach od maszyny do szycia. Z sali jadalnianej bezpośrednio wchodzi się do kuchni.

Jest późne popołudnie. Soplicowie poszli do siebie, wypakować się i odpocząć.

— Teraz, pani Bachno, nasze życie polega głównie na odpoczywaniu. Ja mam chore serce, Tadzinek kręgosłup. Ale nic to! U pani nabierzemy sił! — zapowiedziała pani Hanna przy podwieczorku.

Mama i Kaśka dostały prezenty na „dzień dobry". Pokazały mi: mama — śliczny futerał na okulary, Kaśka — chorwacki, haftowany serdak.

— Jakeśmy go z Tadziem zobaczyli na straganie, od razu pomyśleliśmy o pani Kasi!

Kaśka po prostu spuchła z dumy. Było za ciepło, ale i tak go przymierzyła w pokoju. Jest spontaniczna w swoich radościach tak, że poszła do Soplicó w i powiedziała:

— Dziękuję. Piękny podarek. Piękny jest. Tak... Tak...

To takie miłe i świadczące o dużej zażyłości. Lubią mamę, Kaśkę. Inaczej nie przyjeżdżaliby tu od tylu lat, nie przywozili suwenirów, nie witali się jak z rodziną.

Ciekawa jestem, czy łatwo mi będzie zaakceptować taki stan rzeczy, że mimo wszystko pełnię tu funkcję służebną. W końcu ja nigdy... Chociaż praca w Agencji była służebna. Fakt. Tylko tam jakoś inaczej, krótko, szybko, czego klient chce i już. A tu trzeba będzie dzień po dniu, całe lato być na zawołanie... E tam! Zapytam mamę.

— Mamo? Jak to jest, że masz swoje życie, swoją godność, swoje poczucie niezależności, a przecież goście są pewnie czasem wymagający, niecierpliwi, marudni. Mają swoje fochy. Trzeba im usłużyć? Jak to znieść?

— Oczywiście, kochanie moje, bywają i tacy, którym musisz się poświęcić. W granicach rozsądku. Piernacki to by ci naopowiadał! Moi są już starzy i przyzwyczajeni do tutejszych warunków. Wiesz, że kiedyś była tylko ta łazienka na dole? Że sami sobie robili śniadania, kolacje? Ja im gotowałam potrawę jednogarnkową i oni sami, jak zgłodnieli, ją sobie odgrzewali, albo prosili Kasię. Ja miałam wtedy bibliotekę. Pracowałam nawet w lecie.

Po tylu latach nie mamy do siebie pretensji, żalów. Oni umieją tu u mnie żyć tak, żeby nas nie umęczyć. Ludzie z klasą. Starzeję się i ja, i oni zapewne doceniają komfort, jaki mają obecnie. To dzięki tobie. Zobaczysz, Czajkowscy i Soplicowie nie są marudni. Nawet jak nie ma prądu czy wysiądzie ciepła woda, oni zamiast stroić fochy, pomogą, pocieszą, powspominają, jak w okupację niczego nie było i się żyło.

— Dobrze, bo ich najbardziej się bałam. Buziak. Odpocznij. Ja przygotuję kolację. Mam, co prawda ochotę położyć się, bo upał dał mi do wiwatu, ale jestem hotelarką. Mam obowiązki! Idę.

Wieczór na werandzie był miły. Musiałam wysłać do Janusza SMS-a, że nie mogę przyjechać i przykro mi było, ale absolutnie nie wypadało mi zwiać.

Soplicowie powitali Tomasza radośnie i serdecznie. Pan Tadeusz, ku zdumieniu żony, zdecydował się na piwo.

— Tadziu? Piwo? Ach tak. Zapomniałam. Tadzio pije piwo tylko tu, u państwa. Tylko tu mu smakuje. W Warszawie pijamy czasem wino. Czerwone jest dobre na cholesterol i w ogóle…

I oczywiście: „Ach! Jakie pyszne rybki. Tadziku, tylko tu są takie pyszne, nieprawdaż?". „Tak, Hanusiu!".

Później poszło na wspominki, bo Tadeuszowie koniecznie chcą mnie wprowadzić w swoją tu u nas, historię. Opowieść jest dostojna, ciepła i zabawna. Pani Hania ma poczucie humoru, Tadeusz również wybucha śmiechem na cięty język żony. Ona jest wspaniale autoironiczna. Jest wesoło.

— A państwo Czajkowscy przyjadą w tym roku, pani Basiu?

— Tak. Zapowiedzieli się za tydzień.

— Może te upały wygonią ich prędzej z Warszawy, jak nas.

Gwiazdy obsypują niebo. Nocne rozmowy ciągną się mile. Tomasz zapalił świeczkowe latarenki, nam pozapalały się oczy po koniaczku. Sypią się dykteryjki, opowiastki, żarty. Mama ma rację. To przyjemne być hotelarzem. Przynajmniej dziś.

Jajka szpinakowe

Jajka na twardo przepołowić i wydrążyć. Zagotować szpinak w mleku z solą i zmiksować wraz z żółtkami. Doprawić drobno posiekanym szczypiorkiem i pieprzem. Jeśli nadzienie zbyt wodniste, zagęścić tartą bułką, twarożkiem lub na gorąco purée ziemniaczanym. Napełniać białka wyciskarką do zdobienia tortów.

Czajkowscy zajechali na podwórko leciwym jeepem objuczonym rowerami, wzbijając tumany kurzu. Nawet Funiowi jest tak gorąco, że nie zareagował. Wiem, że mieli być dzisiaj, ale sądziłam, że pod wieczór.

— Dzień dobry!

Do naszej domowej kuchni wszedł siwy, łysiejący pan bez ręki, ale za to z pięknymi, uśmiechniętymi oczami.

— Pan Stasiu! — powiedziała Kaśka. — A pani Wanda?

— Tu jestem! — Zza pana Stasia wynurzyła się niewysoka, zaokrąglona starsza pani z burzą siwych włosów. — Dzień dobry? A gdzież to pani Basia?

— Mama jest u Tomasza. Teraz ja ją zastępuję z Kasią. Bardzo mi miło, jestem Małgorzata.

— Córka?

— Córka.

— Miło nam, Czajkowscy. No, to będzie o czym opowiadać! — zatarł ręce pan Staś. — Pani zawsze była Wielka Nieobecna.

— Miło mi. Zaraz podamy obiad, ale najpierw Kasia pokaże państwu ich nowe lokum. Mama mówiła, że lubicie zmiany i nie pogniewacie się za eksmisję z domu do pensjonatu?

— Patrz, Wandziu, na co nam przyszło. Wygnały nas z domu, na poniewierkę… — powiedział smutno pan Stanisław, zasłaniając oczy aktorskim gestem.

— Staniu! Pani Małgosia jeszcze nieobeznana jest z twoim poczuciem humoru! Naturalnie! My jesteśmy eksplorerami. Lubimy nowości. Pani Basia pisała, że mamy mieć nowy pokój. Jak to było, Stasiu? Pokój morelowy.

— Proszę za Kasią, a o drugiej obiad.

— Do zobaczenia!

Słyszałam jeszcze, jak pan Staś pytał Kaśkę, czy będą w tym roku Soplicowie.

Przy obiedzie poproszono mnie, żebym usiadła i pogawędziła, ale musiałam zająć się pracą, bo mam dwie książki do zrecenzowania i *Poradnik wędrowca* do korekty. Leżą już wystarczająco długo, a nagadać się jeszcze zdążymy. No i Janusz czeka wieczorem, w Nartach. Obiecał kolację przy świecach i komarach.

Jest tak gorąco, że pocę się jak w saunie. Na werandzie goście już się rozgadali. Dobrze. Zaraz wróci mama, zajmie się finansami, konwersacją. Powiedziała mi, że po rocznej przerwie stęskniła się za tym letnim gwarem, rozmowami, bo są na poziomie, ciekawe. Nigdy o polityce i telewizji.

— Wiesz, kochanie, oni są jeszcze z tego pokolenia, które czyta, myśli, przetwarza to, co jest dookoła, i potrafi o tym rozmawiać, a nie kłócić się.

Wieczór oddałam więc mamie i Tomaszowi. Pojechałam do Janusza stęskniona i zmęczona. Wśród wysokich sosen miło jest siedzieć na małej werandce, jeszcze niewykończonej, i jeść jajecznicę z pomidorami, pić białe zimne wino. Janusz dzielnie popija sok pomarańczowy z tonikiem.

Zapaliliśmy kopcidełka na komary i siedzimy, gadając ospale. Niezauważalnie zrobiło się ciemno, znów się rozsiały gwiazdy z wielkim jak talerz pasterzem.

— Chodź, popływamy.

— Janusz, ja znów nie mam… A co mi tam! Chodź!

Poszliśmy do pustej kładki nad puste i ciche jezioro. Cisza? A skąd! Hałas nieludzki, bo to czerwcowa noc pełna ciurlikań, pohukiwań, kląskań i kumkań. Bajka! Las aż grzmi od tego zwierzęcego rejwachu. Towarzystwo dobiera się w pary, zakładają rodziny, kłócą się, rozmnażają, budują. Wszystko to nocą. Rozebraliśmy się do naga i pływaliśmy spokojną żabką po lustrzanej, zimnej jednak jeszcze tafli, pełnej gwiazd. Kicz doskonały. Gadaliśmy półgłosem albo leżeliśmy nieruchomo na wodzie. No, kto by mi w Agencji uwierzył? Nocą, bez modnego kostiumu, z nadwagą? A w wodzie są bakterie i robaki — fuj! Oni kochali śmierdzące ozonem albo chlorem baseny. Całe zmęczenie mi uciekło. Janusz już wszystko wie o naszych przyjezdnych, ja wiem wszystko o budowie jego werandy. Wiemy, że się kochamy w tej wodzie pełnej gwiazd i że jest fajnie.

Wracamy do domu mokrzy, trochę ostygli, ale tylko z temperatury, z temperamentu — nie. Cała ta romantyczna kąpiel była grą wstępną. Seks jest gorący i finezyjny. Janusz porusza się powoli, jesteśmy blisko finału już dobre pół godziny. Wreszcie nie wytrzymujemy i wyrywa nam się głośne: „Jaaauuu!". Jak na filmach. Tylko, że oni tam udają, a my — nie. Zasypiam szczęśliwa.

Rano pojechałam do domu i po drodze kupiłam bułki. Te, które urzekły mnie, kiedy jadłam z mamą parówki, zaraz po pierwszym przyjeździe.

Kaśka miała chochliczą minę.

— No, co tam, Kaśko? Mów, bo cię połaskoczę!

— Mania jest… — mówi cicho, konfidencjonalnie.

— Mania? Skąd? Kiedy?

— Późno wczoraj zajechała. Śpi na górce.

— Sama czy z Paulą?

— Sama.

— Chodź, pomogę ci przy śniadaniu. Basia gdzie?

— W pokoju, pisze coś.

Śniadanie na werandzie toczy się spokojne i miłe. Wszystkim świetnie się spało. Zachwycają się i wspominają ser Karolakowej, biadolą nad jej śmiercią i skupiają się nad smakiem maminych konfitur. Czajkowscy już planują wypad do lasu do odległego strumienia z piaszczystym brzegiem i polanką. To ich samotnia.

Soplicowie może poczłapią na rozlewisko?

— Tadziu, a dasz radę zanieść tam leżaczek i parasol?

— Oczywiście, Hanusiu.

Z domu wyszła ciut jeszcze zaspana Marysia z Basią i pomachały nam radośnie.

— To wnuczka, pani Gosiu? — spytał pan Stanisław.

— Jeśli o mnie chodzi, to osobista córka. Mamy wnuczka. Tak.

— O, jaka dorodna! — szepnął pan Staś z uznaniem.

Rzeczywiście, Marysia szła w szortach i maleńkim topie. Jej bardzo kobieca figura i długie nogi budziły zachwyty nie tylko artystów. Pęczniałam z dumy. Obok mama z siwym kucykiem radośnie rozmajtanym od jej dziarskich kroków.

Nasza Kaśka wnosi na stół ciepły jeszcze kompot z rabarbaru i truskawek i macha do Marysi.

To my. Kobiety jednego rodu. O Matko! Jak mi dobrze, że je mam, że do nich należę!

Marysia została wszystkim po kolei przedstawiona przez mamę.

— Pani podobno studiuje? — spytał pan Stanisław Marysię.

— Tak. Finanse i bankowość.

— O mój Boże! Jak to zabrzmiało! Ma pani może jakieś bardziej romantyczne zainteresowania, bo ja o forsie nie umiem i nie lubię rozmawiać — sumitował się, sondując Mani intelekt.

— Ma pan rację. Forsa ma pracować, a nie być tematem konwersacji. Mam zainteresowanie, nawet dość romantyczne i bliskie panu zapewne, bo mama mówiła, że pan maluje i wykładał malarstwo?

— Tak, zgadza się.

— Mam maturę liceum muzycznego. Gram na fortepianie, opanowałam flet i klarnet. Gramy z kolegami klezmerskie kawałki.

— O, widzi pani! To już mamy do siebie bliżej. To skąd ta bankowość?

— Lubię matematykę, a z muzyki się nie utrzymam. To hobby. Cudowne, ale nie karmiące.

— Jak malarstwo. A… — kontynuował pan Staś — pani gusta muzyczne? Wiem już, że jazz, zapewne współczesne łomoty…

— Naturalnie „łomoty" też. Przy koncercie Rachmaninowa tańczyć się nie da, a ja lubię poszaleć. Wychowałam się jednak na klasyce. Niedawno zakochałam się…

— Tak przypuszczałem — rzekł smutno pan Staś. — Jako malarz, zapewne nie mam szans. To muzyk? Może bankier? Finansista?

— Raczej wariat. Nigel Kennedy. Chodziliśmy do filharmonii na jego próby z Warszawską Orkiestrą Kameralną. Jest czarującym interpretatorem i czarodziejem w ogóle!

— Nie przecenia go pani? Ja sądziłbym raczej, że ciut pajacuje. Nie dla taniego populizmu?

— Po co mu tani populizm, skoro ma sławę na cały świat? Razi pana jego wygląd? Zachowanie? Może to pan ma kajdany z konwenansów, jakiś obyczajowy gorsecik?

— Brawo, pani Marysiu! — odezwała się Wanda, żona pana Stasia. — Stach kocha prowokacje. Zawsze zbijał młodzież z pantałyku. Wykładał w Liceum Sztuk Plastycznych, wsadzał kij w mrowisko i czasem doprowadzał dzieciaki do wściekłicy. Musiało minąć sporo czasu, zanim poprzyzwyczajali się do stylu prowadzenia rozmów przez Staszka. Pani jest fantastyczna! Stasiu, masz wspaniałego interlokutora!

— Wandziu, nie przeszkadzaj, proszę! Mówi pani — konwenanse?

— Pan zapewne pamięta, bo ja to znam z ust naszej pani profesor, ile szumu swoją fryzurą i interpretacją narobiła niegdyś Martha Argerich? A Ivo Pogorelić? Niezapięte mankiety, nonszalancja, brak manier i jeszcze to, co wyprawiał z Szopenem… Dziś to uznane autorytety. Nigel, owszem, ma wariacki wygląd, tupie sobie do rytmu wielkimi butami, ale jest mistrzem techniki skrzypiec. Słyszałam II Partitę Bacha w jego wykonaniu, a to trudny technicznie utwór. Ale maestro jest super! Słyszałam żachnięcia na to, jak interpertuje *Cztery pory roku* Vivaldiego. Jasne, że mogło się zdarzyć, że popłynął ledwie tylko, ale ja słyszałam, jak interpretuje w natchnieniu. Jak on to czuje! Czy pan wie, że Vivaldi cierpiał na katar sienny? Nigel nawet to czuje w *Lecie*. Sam też ma alergię na trawy. *Zima* jest tak przejmująca, że mi ciarki przechodzą. *Zimę* lubię najbardziej… I nie przeszkadza mi to, że tupie. On kocha ludzi mądrych i wrażliwych. Wie pan, że na koncertach schodzi ze sceny do ludzi na wózkach inwalidzkich i gra im? Tak, tylko dla nich? Jest inny niż wszyscy. Ja sądzę, że to wynika z poczucia wolności.

— Lubicie szafować tym słowem. Pojęciem. Pani może mi wyjaśnić, co to jest wolność?

Marysia spojrzała na pana Stanisława badawczo, czy jej nie podpuszcza, a ja zamarłam. Nie wiem, co bym mogła odpowiedzieć... A Mania wypaliła:

— Wolność... to jest stan umysłu.

Gdybym mogła, uklękłabym. Moja Mania! Taka mądra!

— Noooo. No — w zamyśleniu pomruczał pan Staś i odnajdując sens w słowach Mani, spytał: — Mogę pocałować panią w rękę? Ze szczerego szacunku, pani Marysiu.

— Owszem, ale proszę, żeby państwo mówili mi po imieniu. Dobrze?

— Z przyjemnością. — Pan Stach ucałował dłoń Mani. Uwodziciel! Starsi państwo przeprosili nas i poszli do lasu.

Wreszcie zostałyśmy same.

— Zostańcie tu. Ja pomogę Kasi — zaproponował Gnom Marysi. — Nagadajcie się.

— Ale jak tylko coś, babciu, to ja lecę! W końcu, po to tu przyjechałam! — Marysia sięga po bułkę i zaczyna: — No, to jest cień szansy na tę teczkę rysunków Orlika. Kuzyn Ady zadziałał i zdaje się coś z tego będzie. Ada z tatą pracują i planują urlop w lipcu. Znów w Austrii. W górach. W domu spokój. Zostawiłam na czatach Paulę, bo ona ma jeszcze jakieś zobowiązania do tego swojego butiku. Jak Paula tu zjedzie, to do domu będzie wpadał Janne. Dostanie klucze, podleje kwiatki i wywietrzy. Zaliczyłam wszystko jakoś, choć nie było łatwo. Podaj mi dżem. Sesja po cholerze i ten Kownacki, profesor, prawie połowę uwalił! Mówiłam ci, jaki on jest? I daj mleko. To sklepowe czy od Karolaków? On jest starym kawalerem i nie ma życia osobistego, to tak właśnie sobie odbija — uwala, kogo może, i tłamsi, znęca się. A jak już klient skamle w ostatnim terminie, profesorek uśmiecha się i mówi: „No? Jak chcecie, to góry poprzenosicie. Proszszszsz... trója".

Mania milknie na chwilę. Taka erudytka przed chwilą i taka moja Mania — teraz! Objada się tą bułką, z zamkniętymi oczami i mruczy.

— A co u ciebie? Jak plombiarz?

— Mańka!

— Oj, no co? Przecież w życiu miłość najważniejsza? Mamo, nie przejmuj się. Ja go nawet lubię. Fakt, że na Wigilii był milczący i nie wykazał się erudycją, ale już w sylwestra pokazał, że jest fajnym, zabawowym gościem. Ty wiesz, kogo on mi przypomina?! Bon Joviego. Coś w sobie ma... To się nazywa „chłopięcy urok?". No i życzenia w sylwestra złożył ci ślicznie.

— Skąd wiesz?

— Nie słyszałam, bo byłam za daleko, ale tak cię objął, że aż miło się zrobiło. Tata tak nigdy... Sorry! No, więc jak?

— Jest dobrze. Tak, niezobowiązująco.

— Mamo. Proszę cię. „Niezobowiązująco", brzmi rozpaczliwie. Pachnie otwartym związkiem. To jakiś wytrych. Co to znaczy?! Miłość musi, rozumiesz, musi zobowiązywać.

— Do... czego?

— Nie udawaj. Pomyśl, co by o tym powiedziała ci druhna Anna.

— To nie tak, Maniu, że my coś ignorujemy. Zresztą. Potem pogadamy. Teraz muszę skoczyć do Szczytna na rynek po jarzyny i owoce. Zostań i pomóż Kasi.

— Pójdziemy wieczorem na spacer? Szkoda, że tu nie ma kąpieliska. Można gdzieś pojechać w fajne miejsce?

— Można. Jak wrócę, pokażę ci.

Jechałam do Szczytna polami żółtymi jak żółtko jaja. Rzepak. Mnóstwo rzepaku. Ma taki dziwny zapach i pyli niemiłosiernie. Ciut za wcześnie zakwitł, ale to wina pogody. Dalej łąki dzikie, niezadbane, porosłe chwastami kolorowymi i pachnącymi. Niektóre z nich zbierają miejscowi na potrzeby Herbapolu. Mijam wieś z napisami na niektórych zagrodach: „Zimmer Frei". Jakieś zabudowania stojące pośród pól, poza wsią. Kobiety wieszają pranie. Dzieciaki huśtają się na huśtawce. Że też im się chce. Takie gorąco... Jazda przez lasy milsza, bo w cieniu.

Już Szczytno. Na rynku piekło, dzień targowy. Kupuję mnóstwo pomidorów ze szklarni z Łęgajn, bo są wielkie i kuszą głęboką czerwienią. Cena umiarkowana. W taki upał dojrzewają szybko i nawałnicą. Jest ich dużo i trzeba je sprzedać. Jeden gruby plaster zakrywa całą kromkę chleba.

Biorę jeszcze łubiankę małych truskawek na pierogi. Jest mało gości, więc porozpieszczamy ich trochę. Wielki pęczek kopru, szczypior z dymką i lubczyk u dziadka zielarza. Kaśka się obruszy, bo przecież mamy ogródek, ale tam wszystko dopiero zasiane w tym roku, małe jest i niech rośnie. Przyda się w sierpniu.

Muszę pomyśleć o nawadnianiu ogródka. Zaraz, zaraz. Jak byłam w Warszawie rok temu, w tej wielkiej sieciówce, w której kupiłam kolorowe kaloszki, był tam reklamowany taki wąż ogrodowy z dziurkami, do kładzenia w rabatkach.

Można kłaść go dziurkami do góry, na boki, do dołu... Kaśka miałaby ułatwienie, chociaż i tak ten zraszacz, na który się ostatnio szarpnęłam, zakrywa wachlarzami wody prawie wszystko.

Jeszcze tylko jajka z Dębówka. Pani mnie już zna i lubi, bo ja kupuję te największe (jak Piernacki nie widzi. Złości się, że nie tylko od niego jajka bierzemy). Dostaję wytłaczankę świeżutkich olbrzymów. Niektóre bywają dwużółtkowe.

Wracając, rozmyślam o tym, co mówiła moja córka. Skąd ona taka mądra? „Miłość musi zobowiązywać". Jej pokolenie tak nie uważa. Może generalizuję? Mnie zobowiązywała? A kogo ja kochałam? Najbardziej Marysię. Tak. Ta miłość mnie zobowiązywała. Do troski, oddania, czułości, wierności.

O Matko! Jaka filozofia mi się wkrada! No pewnie, że kochając, nie można być łajdakiem. Nie...? Nie? Znów pole do dywagacji. Nie chce mi się zaprzątać tym głowy. Dzwonię do Janusza w sprawie kąpania się w jeziorze. Nie odpowiada. Pewnie wwierca się komuś w nerw!

Po obiedzie obie z Manią lądujemy na kładce na rozlewisku. Soplicowie siedzą pod wierzbą po drugiej stronie pensjonatu. Czytają, drzemią. Czajkowscy czmychnęli gdzieś na rowerach. Zadziwia mnie pan Staś. Z jedną ręką!

Leżymy i łapiemy popołudniowe słońce. Na pewno opala!

— Marysiu, nie jesteś zła, że mnie nie ma?

— No coś ty. Przecież jesteś. Tylko ciut dalej. Warszawa — Mazury, to nie odległość. Nie sumituj się.

Bierze mnie za rękę. Ma zamknięte oczy i profil Konrada.

— Szarpnęło cię, jak ci powiedziałam tak o tej miłości? Mamo, ja głównie myślałam o sobie i Kubie. Ale to zabrzmiało strasznie ogólnie. Prawda?

— Nie odkrywasz Ameryki. To jest prawda uniwersalna i to właśnie sprawia, że brzmi jak banał. Teraz wszyscy boją się banału, więc i takie objawienia są wypaczane.

— Co masz na myśli?

— Myślę, jak daleko można się posunąć w miłości, do akceptowania błędów, słabości partnera.

— Aż cię to nie zaboli. Aż poczujesz opór.

— Za proste.

— Za trudne. To temat na pracę filozoficzno–psychologiczną. Za gorąco jest. Masz coś do picia? Ja bym raczej pogadała z tobą o tym, czy jesteś tu szczęśliwa, jak dogadujesz się z babcią, Tomaszem. Czy widzisz tu swoje dalsze lata? Znalazłaś szczęście? Z Januszem? Bez Janusza? Nie żal ci warszawskich klimatów? Nie miałaś cofki?

— Czego?

— No, że, owszem, tu jest fajnie i inaczej, ale nagle zatęskniłaś za Agencją, Marszałkowską, wielkim warszawskim śmietniskiem? Nie chcesz się cofnąć?

— Sama odpowiedziałaś sobie na pytanie. Nie. Nie tęsknię. Patrzę na reklamy i dziwię się, że tak długo to robiłam. To takie dalekie od prawdy. Reklama dziś, to właściwie kłamstwo. Tu żyje się prawdą.

— To co? Jesteś już świętą Tereską?

— Nie… Tak. No, wolę prawdę i to, w czym tkwię teraz. A ty? Co z wami? Z Kubą? — Odbiłam piłeczkę.

— Nie wiem. Mailujemy nawet dość czule. On… Ja chyba wystygłam.

— Masz wolne serce?

— Raczej smutne. Jak się nie kocha, smutno jest.

Piękna myśl…

— Mamo, a jakby zrobić tu kąpielisko? Małe. Nie musi być moloch.

— Właśnie, miałam zawieźć cię nad jezioro. Przepraszam. Powiedziałaś „kąpielisko"? Nigdy o tym nie myślałam. To mamy rozlewisko i chyba nie chciałaby…

— Ale ja nie myślę o sopockim molo i basenie olimpijskim, tylko o czymś ładnie wkomponowanym w rozlewisko, a jednocześnie użytecznym.

— Pogadajmy z Tomkiem. Zobacz, tam teren się obniża. Można by wykopać staw kąpielowy.

— Jak duży?

— A ile zgarniemy za tego Orlika? Jak jest forsa, to koparka kopie i kopie!

— Pogadajmy z Tomaszem, bo jak narozrabiamy ekologicznie…

— A ty zadzwoń do Ady.

O tym, jak narozrabiałyśmy i jak się mama nie gniewała

Długo rozmawiałyśmy z Tomaszem. Najpierw oczywiście był przeciwny, ale później pomyślał i podjął temat:

— Nie ma co się łudzić. Rozlewiska nie zamienimy w skansen. Z czasem stracicie tych gości starszych, nadejdzie młodsze pokolenie… I będą chcieli moczyć gdzieś dupsko. Przepraszam, ale taka jest kolej rzeczy. Rzeczywiście staw kąpielowy byłby dodatkową atrakcją. W lipcu chcemy jechać z Baśką do sanatorium. Wtedy można byłoby wykopać staw, bo chociaż powiemy jej o planach i zapytamy o zgodę, lepiej będzie, jak ona przyjedzie na gotowe.

— Pogadam z babcią — zaofiarował się anioł Marysia, i poszła pogadać.

Niepokoi mnie cisza w telefonie Janusza. Zaszczepiona niepokojem przez Lisowską liczę dni od tej ostatniej wpadki. Trzy tygodnie. Dzwonię do jego domu w Pasymiu. Odbiera tatko.

— Halo. Dzień dobry panu. Mówi Małgosia. Jest Janusz?

— Ma dziś rano przyjęcia w Nartach. Nie odpowiada? — pyta z niepokojem tatko Janusza.

— Nie. Próbowałam kilka razy. Jakby miał wyłączony telefon.

— Ojej — mówi tylko i czuję, że głos mu drży.

— Pojadę tam.

— To zadzwoń potem, złotko — prosi tatko Janusza.

Niepotrzebnie go zdenerwowałam. Może to nic takiego? Znajduję wolną chwilę i jadę. Samochód stoi. Okna gabinetu zamknięte. Na drzwiach karteczka, „Chwilowo nieczynne". Serce mi łomocze. Już czuje, że stało się...

O Boże! Dlaczego? Tak było fajnie. Pracujemy, spotykamy się, odpoczywamy w swoich ramionach, znów pracujemy, urywamy się do Olsztyna do „Świeżych Zup" na soljankę. Kochamy się... Więc dlaczego? Drzwi zamknięte. Po stronie mieszkalnej uchylone okno. Rozglądam się i włażę jak złodziej, zakasując kieckę. Cholera! Podrapałam sobie kolano do krwi. W kuchni nic. Cisza. Zaglądam do sypialni.

Łzy ciekną mi po twarzy. Mój książę leży skulony i śpi. Pod łóżkiem widzę flachę po Absolwencie. Najtańsza, ohydna wóda. Mama zalewa nią owoce na nalewki. Tylko do tego się nadaje.

— Janusz... — nachylam się.

— Gonia? — Jest zdziwiony. Jego uśmiech jest nieszczery i śmierdzi wódą. — Co ty tu robisz?

— Nie odpowiadasz na telefony...

— Miałem ciężki dzień wczoraj i pacjenta, który...

— Janusz. Nie kłam. Przynajmniej to.

— Goniu, ja naprawdę!

— A to? — Pokazuję mu butelkę.

— No, miałem ciutkę. Tak mnie głowa bolała! Kochanie, chyba mi wierzysz?

— Nie. Trzeba było wziąć saridon. Nie możesz pić. Wiesz to. Janusz, albo się weźmiesz za siebie, albo nie chcę tak.

— Proszę cię. Nie demonizuj. Nic się nie stało. O, widzisz, gadamy sobie...

— Przemyśl, co powiedziałam. Chcę cię trzeźwego.

Wyszłam, płacząc. Jestem głupia. Głupia!

W domu poszłam do siebie. Anioł wsunął się niepostrzeżenie do mojego pokoju.

— Co się stało, mamcik?

— Nic takiego. Jest dobrze, Maryniu. Zmęczenie, menopauza…

— Nie zwalaj na menopauzę, ale jak nie chcesz, to nie mów…

— Mam niepewność, żal, złość i to wszystko z powodu Janusza. Nie chcę teraz o tym. Dobrze?

— Dobrze. Wobec tego, szukaj kopacza.

— A pieniądze?

— Już idą.

Ma rację, zamiast się mazać, muszę wziąć się od pracy. Na razie nad pensjonatem panuje mama z Kaśką. Jednak to był mój pomysł i muszę przejąć część obowiązków. A może rzeczywiście, jak się rozkręci, zatrudnić Wronę?

Jak się rozkręci…

Już dawno dzwoniłam do Sławka Maja, a on podał mi kontakt na Mirka — kogoś, kto rozwiąże nasze problemy związane z kąpieliskiem.

Przyjechał młody, przystojny, uśmiechnięty mężczyzna. Pachniał dobrym, męskim dezodorantem, miał ogoloną głowę i wyraziste oczy.

— Dzień dobry pani. Ja od Sławka. Mirek Książkiewicz. Podobno ma pani dla mnie zadanie?

— Witam. Małgorzata. Tak. Musimy pójść tam, na rozlewisko, o tam, w lewo, i obejrzeć miejsce, w którym wymyśliłyśmy staw kąpielowy.

— E, ładnie tu! — powiedział pan Mirek z nieudawanym zachwytem. — To co? Chodźmy!

Do połowy rozlewiska szliśmy ścieżką. Później skręciliśmy w lewo, za wielkim krzakiem wierzby prosto i lekko w dół.

— To tutaj. Jest zagłębienie, jakby naturalne. Tam, proszę zobaczyć, jest rów z wodą, który chyba melioruje ten teren. Tu kiedyś było pole uprawne. Bardzo dawno temu. Później przekwalifikowano to na szóstą klasę. Ten rów wypływa o, tam — w delcie rozlewiska.

— A skąd woda tu?

— Z lasu. Przez cały las ciągnie się potok, przechodzi w rozlewisko, wychodzi już jako rów melioracyjny i idzie pod szosą, aż na tamtą stronę. Dokąd płynie, nie wiem, chyba rowami do jakiegoś dużego jeziora?

393

— Super! Ma pani jakiś podkład geodezyjny?

— Muszę wyciągnąć z urzędu. Mam pozwolenie z nadleśnictwa, właściwie opinię, że to w niczym nie zachwieje ekologią. Byli tu już.

— To pani teren?

— Mamy i mama o planach wie. To zresztą ma być naturalny staw, a nie Tropicana ze zjeżdżalniami i tak też proszę skalkulować koszt.

— Dobrze. Z tym, że ja pani wykopię staw, ale zagospodarowanie terenu wokół to już pani sprawa. Nie moje kompetencje. Chyba, że podnajmę kogoś...

— Nie! Odebrałby pan mamie i Marysi masę radości. One już projektują, choć jeszcze nie znają konkretów.

— Dobrze. Ciekawa inwestycja, bo ma być pięknie, jak rozumiem?

— Naturalnie! No i kształt tego stawu, też naturalny. Jakieś załamane jajo, czy coś...

Ustalenia i uzgodnienia potrwały trochę, ale nie tak długo, jak myślałam. Fajny ten pan Mirek. Cywilizowany gość, to się słyszy. Chyba nie miejscowy... Może z Olsztyna?

Wpadł jeszcze raz, po podkład i ten rysunek. Pogadaliśmy chwilę na werandzie.

— Przepraszam za pytanie, pan tutejszy?

— Niezupełnie. Imigrant z Legionowa.

— Tego pod Warszawą?

— Tego właśnie. A pani?

— Też z Warszawy. Z Saskiej Kępy. Mieszkam tu już ponad rok u mamy.

— Na stałe?!

— Jak najbardziej. Napije się pan kompotu? Rabarbarowo–truskawkowy.

— A, z miłą chęcią. To widzę poważna inwestycja. I ładna. Sławek mi opowiadał. Pyszny kompot. Już zapomniałem, jak to smakuje.

— Może przejdziemy na ty? Będzie łatwiej pracować. Małgorzata.

— Mirek. Miło mi. To co? Zjawiam się z maszynami po niedzieli i kopiemy? Akurat mam czas i sprawne maszyny.

— Czekam. Do zobaczenia.

Tak poznałam Mirka Książkiewicza, dzięki któremu rozlewisko zyskało na urodzie. Maszyny pracowały z dala od domu i na razie od rozlewiska, więc nie przeszkadzały hałasem. W ogóle tam nie zaglądam. Niech kopią!

Z Januszem głównie gadamy przez telefon. Jest bardzo zajęty, bo pracuje czasem w obu gabinetach. Rano w Nartach, po południu w Pasymiu, z Mariuszem. No i jest mu głupio, bo zawiódł mnie i siebie.

Przystopowałam ze spotkaniami. Nie narzucam się, nie sprawdzam go. Mam ostrożnie nastroszone wąsy i uważam na siebie. Na swoje emocje. Tak mi poradziła moja córka — psychoterapeutka moja osobista. Przyznałam się jej do słabości Janusza, powiedziałam o książce Vlady i o rozmowie z Lisowską.

— Tak mi głupio, Marysiu.

— Że co? Że masz problem, jak co druga Polka?

— Nie przesadzaj. Nie co druga.

— Czepiasz się. Chodzi o to, że wstyd byłoby, gdyby to był jakiś patolog. W sensie, że jakiś oszołom, schizo–agresant albo złodziej, mafiozo… A tak? To tylko kwestia tego, czy sama masz siłę na taki kłopot. Bo to po prostu kłopot i tyle.

— Skąd ty taka mądra jesteś?

— Dużo gadam z Jannem na te tematy. On studiował nauki dalajlamy. To takie mądre, mamo. I jakby to była nauka powszechna, może byłoby lepiej na świecie? Bądź z Januszem, jeśli cię to uskrzydla, jeśli czujesz z nim bliskość transcendentalną.

— A jak to tylko seks?

— To szybko ci przejdzie. Oszołomienie seksualne mija po jakimś czasie. Szczególnie jak przechodzi w rutynę. Jak nic nie ma innego, wypełniacza, jakiejś miłości, to koniec, klapa. Następny, proszę.

— Co by na to powiedziała babcia Zosia?!

— Że to skandaliczne i żebym nie gadała głupstw i posprzątała swój pokój.

— To posprzątam swój.

— Pojedziemy gdzieś, mamo?

— Gdzie? Do Szczytna, na bazarek?

— Może pojedziecie do Reszla? — Mama Basia stanęła między nami i objęła nas.

— A dom? Goście?

— Poradzimy sobie z Kasią. Dzisiaj mają przyjechać jeszcze jacyś ludzie. Wszystko jest gotowe, Tomasz ma czas, więc jedźcie. Byłyście w Reszlu?

— Nie.

— To jazda!

Mama poprawiła nam kosmyki we włosach i uśmiechnęła się promiennie, zadowolona ze swojego pomysłu. Mama wie, że ostatnio jestem kiepska. Miewam mokre oczy bez przyczyny, bywa mi smutno i potrzebuję wtedy jej obecności, głaskania i cichego szeptu: „Kup sobie preparat sojowy, Gonisiu. To u ciebie hormony. Wiesz?".

Wiem. Ale to pogłaskanie też działa.

Rozdział 7

O wyprawie do Reszla,
o niezwykłym barszczu i nowym kąpielisku

Jak sugerowała mama, zebrałyśmy się z Manią i pojechałyśmy przez Dźwierzuty do Biskupca. Tam, za rondem, na Bęsię i dalej!

Lato już rozbuchało się na dobre. Jest pięknie, gorąco i beztrosko. Po obu stronach szosy falują pola zbóż, ziemniaków, zwykłe łąki albo uprawy rzepaku. Słuchamy Zakopowera, folkowej grupy z Podhala, i jest dobrze. Z zachwytem patrzę na wielkie rośliny rosnące na poboczu drogi. Ogromne jak parasole liście, powcinane palczasto, zdobią smętne pobocze pegeerowskiego osiedla, które mijamy. Ich wielkie jak miednica kwiatostany — baldachy są kosmicznie, nierealnie wielkie.

Nagle, po prawej stronie drogi za krzewami, wyrasta wielka wieża wiatraka. Nie ma skrzydeł, ale jest wielka, ceglana budowla z pięknym dachem z maleńkich klepek. Hamujemy.

— Zobacz, co za ruina. Szkoda. A tam w środku, patrz, mamo — knajpa była chyba. Ale cudo! — Marysia zagląda przez piwniczne okienko.

— Żeby to można było przenieść do nas, na łąkę! Patrz, tu chyba leży żelazny mechanizm. Ale kolos!

Poruszone wiatrakiem mającym w sobie coś magicznego, jedziemy dalej. Jest nam wesoło i dobrze. Zapach lata uskrzydla nas i wołamy głośne: „Hej", razem z Sebkiem, solistą Zakopowera. Mijamy kolejno mazurskie miejscowości i wreszcie lądujemy w Reszlu.

— Jakaś niewysilona ta miejscowość — mówię do Marysi.

Wjazd nie robi wrażenia. Osiedle popeerelowskie, ulice normalne, wcale nie zabytkowe… Jedziemy powoli. O, sklep spożywczy. Drugi… szmatlandia, części do rowerów…

— Patrz! — Marysia pokazuje mi uliczkę prowadzącą do rynku.

No, tak. Jesteśmy gdzie trzeba. Pośrodku rynku budynek administracyjny. Przed wojną chyba ratusz. Biedny, ale ładny. Dookoła domki piętrowe i promieniście rozchodzące się uliczki. Rzeczywiście ładne to wszystko, małe i przytulne, choć biedne. Nieodnawiane, niezadbane. Ewidentny brak pieniędzy. Kawiarenek i piwiarni mało. W ogóle, cisza jakaś marna. Żadnych turystów. No, chociaż może tamci, po drugiej stronie…

— Chodź, mamo. Coś tu jeszcze musi być.

Idziemy w stronę narożnika, na którym stoi spora grupka starszych, zadbanych osób. Tak. To jacyś Niemcy. Gapią się na pokazywany im przez pilota budynek.

— Patrz. Ładne, co? To chyba jakiś kościół. Protestancki? Zaraz się dowiem. Nie. To kościół grekokatolicki. Taki sobie. Żółto–biały.

Po lewej widzę ciekawy most. Jest zawieszony nad przepastnym jarem. Głęboko w dole płynie potoczek, rzeczka. Strome, urwiste brzegi porastają krzewy czarnego bzu i podagrycznik. Mazurski chwast i jednocześnie roślina okrywowa. Nie mam mu za złe tej jego inwazyjności. Porasta wszystko, co szpetne i zaniedbane, zielonymi rozcapierzonymi liśćmi i na dodatek potrafi kwitnąć. Miejscowi mówią o nim: kurza stopka.

— O! Rzeczka Rudawka!

Marysia tak nazywa wszystkie rzeczki — bylejaczki.

Most jest odnowiony. Niestety nową cegłą, co widać. Ma ciekawą konstrukcję starego akweduktu. Nigdzie tu, na Mazurach, takiego nie widziałam. Wracamy.

Koło kościoła idziemy uliczką Podzamcze, na podzamcze. Jest mała i krótka i istotnie prowadzi nas do zamku. Już go widzę. Na razie, po prawej stronie w niskich, małych domkach mamią nas wystawy. Drogeria, szmatki i pośrodku wystawy śliczny, ręcznie tkany haftem Richelieu obrus lniany. Niestety, nie na sprzedaż. Szkoda! Nad tym oknem piękny, stary balkon, cały z rzeźbionych kantówek. Mnóstwo kwiatów w doniczkach. To najładniejsza tu kamienica.

Zameczek jest istotnie czarowny. Mały, ale zadziorny wielką, pękatą wieżą. Koniecznie chcemy ją zobaczyć od środka. Do wnętrza zamku prowadzi wysoka, strzelista brama. W środku — podwórzec brukowany i ładnie wtopiona weń restauracyjka. Drewniane ławy, ciężkie stoły, trochę bluszczu i ludzie przy szklance whisky. Jest też część hotelowa. Widać to po nowoczesnych oknach. Mnie to nie razi.

To pewnie tu Franciszek Starowieyski ma swój pokój.

— Ale ma tu fajnie! Prawda, mamo? Chciałabyś tak pomieszkać?

— Nie wiem. A ty?

— Tak. Tam z wieży, z wykuszu, spuściłabym plastikowy warkocz. Może wciągnęłabym jakiegoś księcia na górę?

Na wieżę wchodzimy powoli, oglądając wszystko — schody, lampy, cegły. Na samej górze podziwiamy widoki spaprane, niestety, cywilizacją… Pod drewnianą konstrukcją dachu — gruchają gołębie. Srają na podłogę, ale co tam! U siebie są, no i ktoś to sprząta, to widać.

Schodząc po stromych schodkach, skręcamy za wcześnie i trafiamy na coś, co wygląda na… kloakę?

— Ciekawe… — mruczymy.

Wychodzimy na półpiętro i idziemy na krużganek, który okala zamek z zewnątrz. Tym razem gołębie łażą nam pod nogami. Trochę przeszkadzają. Liczą na okruchy, ale ich nie mamy. Koniec. Obeszłyśmy wkoło i zajęło nam to kilkanaście minut.

Mijamy jakiś płot. Zaraz się rozwali. Zaglądamy przez szparę.

— To ten fajny budynek, który widziałyśmy z góry. Szkoda, że nie mam aparatu. Masz, Maniu?

— Nie. Ale ruina! Taka smutna. Nikt już w nim nie mieszka… Szkoda tego domku. Musiał być kiedyś ładny. Byłaby w nim niezła knajpa. Taka staroświecka…

Wieża pobliskiego kościoła wabi reklamą niebotycznych schodów. Kupujemy bilet wstępu i wchodzimy. Są piekielnie strome. Na trzecim podeście bolą mnie łydki. Twarde jesteśmy. Wspinamy się dalej. Języki nam wiszą, dyszymy jak lokomotywy, ale twardo leziemy. Na szczycie jest… zwycięsko i też ładne widoki.

— Widać stąd całą Warmię. I Mazury. Pięknie jest, mamcik, prawda?

— Zobacz, to mechanizm zegara, chyba…

Schodzenie nie bawi mnie już tak, jak wchodzenie. Jest stromo i niewygodnie, a na dodatek mam, nie wiem skąd, lęk przestrzeni. Drewniana konstrukcja dzwonnicy daje się podziwiać od środka. Od czasu, kiedy pan Adam pokazał mi konstrukcję naszego dachu, potrafię docenić to, co widzę.

Na dole czujemy radość, że tam wlazłyśmy.

— Jak aerobik, co? — pytam Marysię. — Czuję wszystkie ścięgna i mięśnie nóg.

Spacer po miasteczku jest smutny. Kilka milionów euro, porządna reklama i to miejsce mogłoby być perłą północno-wschodnich rejonów Polski!

Przy małej kawie i pączku Mania opowiada, jakby to wyglądało…

— Mogłoby być północnym Kazimierzem. Fura knajpek, pamiątkarstwo, malarskie plenery, fotograf, co robiłby zdjęcia w sepii i na porcelance. Antykwariaty, księgarnie, lodziarnie. Niech ci Niemcy się dogadają i, zamiast się użalać, dofinansują!

— Idź im to powiedz…

Wracamy inną drogą. Zachwycają nas czerwone, ceglaste obory. Mają piękną linię i wyrobione w łuki ceglane nadproża okien. Nasza tak nie ma… Mijamy pojedyncze domy i biedne wsie. Niestety, brudne i zaniedbane posesje, ulice bez ładu i składu, śmieci wszędzie, mówią wszystko o naszej gospodarności.

Wiemy, że okolica naszpikowana jest starymi pałacykami, dworkami i nawet, jak który trafił w prywatne ręce i jest odnowiony, to i tak powszechny brud niweczy urok takiej wycieczki.

W Biesówku zamieramy. Jest wszędzie czysto. Jak to możliwe?

— Albo mają mądrego, wpływowego księdza, albo może jest we wsi menedżer jakiś, może sołtys, jakaś grupa nacisku? Ktoś, kto im narzucił, że porządek jest od wszystkich dla wszystkich.

— Aż przyjemnie popatrzeć. Zobacz, tu wszędzie stoją jakieś rzeźby. Pewnie jest silna grupa…

Wracając, oplotkowałyśmy Paulę, Kubę i całe męskie towarzystwo świata. Marysia prowadzi, ja pluję pestkami za okno. Oj, daleko owocom do tych lipcowych, pękatych od miąższu i soku! Tamte mają marmurkowy wzorek, są twarde, wezbrane słodyczą i utęsknionym smakiem lata. Szosa jest porośnięta drzewami jak wszystkie tu, na terenie byłych Prus. Dają miły cień. Kiedyś też miały dawać cień wędrującym wojskom, a wiją się jak nieszczęście też z powodu wojska. Pan Adam, znawca historii, powiedział mi, że jak je budowano, to razem z tymi drzewami, żeby samolotom utrudnić bombardowanie…

Polne drogi bywają tu obsadzone starymi jabłoniami. To na pewno nie dla wojska, a dla urody…

Towarzystwo w domu już zebrało się na obiad. Są też dwaj nowi panowie. Starszy i młodszy.

— Obiad! — woła mama, wnosząc na werandę zupę. Za nią Kaśka. Zapachniało zielonym chłodnikiem. Mama robi go z pachnącego zielska, na łagodnym rosołku! Z odrobiną ryżu albo kaszy manny, żeby nie był taki wodnisty. No i jaja oczywiście. Piernacki sam ma gości, więc już nie przynosi nam jajek od swoich kur. Te są z Dębówka.

Pod jednym z okien zrobiłyśmy szwedzki stół. Nie ma latania do każdego stolika. Goście podchodzą i nakładają sobie. Pomagam Soplicom, bo im się ciut ręce trzęsą. Pan Tadeusz zawsze całuje rękę, która mu niesie talerz. Galant!

Czajkowscy opowiadają Soplicom, gdzie byli i co wzbudziło ich zachwyt. To pani Wanda jest oczarowana kolorystyką pól i łąk i pięknie o tym mówi, mimo że to pan Staś jest malarzem.

— …tak jak pisał Mickiewicz: „pola malowane zbożem rozmaitem", a w tym zbożu, mówię wam! Mnóstwo czerwonych maków. Impresjoniści byliby zachwyceni!

— Narkomani pewnie są zachwyceni — rzuca pan Stach.

— O! Słyszę sarkazm? — Marysia ośmielona pogaduszkami o muzyce zaczepia naszego malarza.

— Ja — tłumaczy pan Staś — od zawsze kocham impresjonizm i to wcale nie sarkastycznie. A ty, dziecko, co lubisz w malarstwie?

— Ja jestem prymitywna i zachowawcza. O! Tu ja mam gorsecik. Lubię Klimta, ze starszych Vermeera i proste malunki japońskie.

— A z naszych?

— Aż mi pana żal, bo pana nie zaskoczę: Wyspiańskiego, a ze współczesnych — Korolkiewiczów, szczególnie Łukasza i... Yerkę.

— Boże! Nie rań mnie! Yerkę?! Oszaleję! A czemu Korolkiewicza? ·

— Uwielbiam jego nadnaturalne rośliny. To, jak postrzega roślinność w ogóle... Jak ją nam przekazuje.

— O właśnie, mamo — mówię do Basi. — Widziałyśmy po drodze takie nienaturalnie gigantyczne rośliny. Mają wielkie liście, grubaśną łodygę, takie... ze dwa i pół metra! Kosz kwiatowy — baldach, jak to ty mówisz, ogromny jak antena satelitarna! Jakieś mutanty?!

— To zapewne barszcz Sosnowskiego. Rzeczywiście kolosalna roślina. W czasach PRL-u była uprawiana w pegeerach jako roślina pastewna. Niestety nadawała się tylko na kiszonki, bo jej liście są parzące. Krowy nie chciały tego żreć. Może poparzyć zwierzę, dziecko... To samosieje. Teraz nikt tego nie uprawia. Ładne, co?

— Czemu — barszcz?

— Z podobnej rośliny — barszczu zwyczajnego — przed laty wiosną na przednówku robiło się kwaśną zupę — barszcz właśnie.

— Skąd to wiesz?

— Od starej Felicji! U nas się tego nie jadało.

— Może zasadzić go do ogrodu, jako ozdobę?

— Ryzykowne. Trzeba by pamiętać, żeby nie dopuścić do rozsiewu, bo narobimy bałaganu w przyrodzie.

Na drugie danie były kotlety rybne. Mama je robi z dobrych, morskich ryb z siekanym koprem. Na koloniach i obozach nienawidziłam tego. Tu pożeram. Są do tego dwa sosy. Pomidorowy i koperkowy. Oba domowe. W pomidorowym pływają pestki. Ma ładny kolor i zapach. Pomidorowy.

Zerkam na nowych gości.

— Kto to? — szepczę do mamy.

— Pan Bogumił i pan Bogdan. Ojciec i syn. Bardzo małomówni. Wędkarze.

— Skąd się dowiedzieli?

— Z twojego internetu!

— Z mojej reklamy? Super! Jednak na coś mi się ta moja robota w Warszawie przydała.

Obaj panowie, przy osobnym stole, jedli, cicho rozmawiając. Młodszy, na oko jakiś trzydziestolatek, wysoki i szczupły. Ciemnowłosy, choć na skroniach ma srebrzyste nitki. Zaobrączkowany. Śniady i w miarę przystojny. Za to starszy, bardzo szpakowaty. Niższy o kilka centymetrów. Też ma oliwkową cerę i ładne dłonie.

— Gosiu. — Mama przerywa mi obserwację. — Był pan Książkiewicz i mówił, że najdalej za tydzień staw kończą. Na razie to wygląda okropnie, ale sądzę, że jak poprosimy chłopaków z tartaku, pomogą nam. Trzeba wygładzić brzegi, zasiać tam trawę i posadzić coś ładnego. Zejście do wody jest łagodne. Wypiaszczone. Brzegiem, tym lewym, jest ten rów z wodą, co biegnie do szosy. Teraz wożą żwir na dno i piasek. Mówił, że bardzo naturalnie to wyszło. Bał się, że z napływem wody będzie problem. Środkiem zrobił głębiej, na półtora metra, ale ciut niżej trafił na jakąś wodę podskórną. Wody, mówił, będzie w opór!

— Trzeba pomyśleć o pomoście, jakiejś małej wiacie z daszkiem…

— Po co?

— A Soplicowie i im podobni?

— Racja.

Zostawiam Marysię pogrążoną w potyczce z panem Stasiem. Idę do pokoju. Ciągle jestem pod wrażeniem jej dorosłości, wiedzy. Nie zauważyłam, kiedy stała się taka… wartościowa.

Póki pamiętam — przepis na maminą zupę:

Zielony chłodnik na ciepłe dni

Zagotować wywar z włoszczyzny Julienne (mrożonka — oczywiście!) i kostki rosołowej. Z indyka, kury lub włoszczyźniany. Można wykorzystać kurzy albo cielęcy wywar. Dodać ryż albo kaszę manną, aby zagęścić zupę. Nie za dużo. Posiekać w dwóch równych częściach: świeży szczaw (duża garść) i lubczyk — górne liście. Zagotować w tym warzywnym lub drobiowym bulionie, w którym już pławi się ryż lub kaszka. Zaciągnąć śmietaną. Schłodzić. Można podać z jajem na twardo. Ładnie wygląda z przepiórczymi jajeczkami. Koperek świeży, posiekany — konieczny!

Siadam do komputera.
Mail do Wika:
No, kochany!
Tak się nie robi! Zaglądam do poczty (co prawda pierwszy raz od tygodni), a tu cisza! Nic! Śladu wiadomości od Ciebie. Rozumiem, że jesteś spracowany w opór i że ledwo dyszysz gorącą Warszawą.

Ja tu też mam swój młyn. Jest nas, co prawda, cztery — mama, Marysia, Kaśka i ja. (Paula nie dojechała. Podejmuje w Warszawie mamusię wraz z braciszkiem i motocyklistą.) Ale i tak mam mnóstwo zajęć. Staram się wygospodarować czas dla Marysi i nie wykorzystywać jej jako służącej. Mój aniołek twierdzi, że właśnie po to tu przyjechała, żeby mi pomóc. Miło. Wykrawam też jakieś szczątki czasu dla Janusza. On wkopał się w tę robotę w Nartach. Kiedy rano przyjmuje tam, po południu ma też przyjęcia tu, w Pasymiu. Narobił sobie zaległości, to ma! Zresztą niektórym nadmiar wolnego czasu nie służy.

Pod koniec lipca Marysia i mama zostawiają mnie samą. Piętnastego mama jedzie z Tomaszem do Nałęczowa. Do sanatorium. Że też ten stary, leśny dziad się dał? Myślę, że po szpitalu wie, że serce to nie przelewki, no i chce, żeby Basia nie była sama.

Mania i Paula jadą w świat. Przez Europę Zachodnią do Finlandii, do Jannego. Jak to dobrze, że są komórki i roaming!

Tyle nowości. Halo! Jesteś tam?

— Gosia

Dwa dni cisza. Zastanawiające…

W tym czasie spotkałam się z Januszem na krótko. Po kolacji wpadłam na chwilę. Był padnięty po przyjęciach i dziwnie rozdrażniony.

Siedzieliśmy w sadzie u niego w Pasymiu.

— Nie wiem, po cholerę ja tak za…zapieprzam — warknął, odchylając głowę na ławkę.

— Nie grzesz. Wszyscy zapieprzają. Jak nie, to żebrzą o pracę. Masz dobrą robotę, nie masz pryncypała oszusta i sam ustalasz reguły.

— Niby racja, ale nie do końca. Mój pro…protetyk, Mariusz, ustalił sobie urlop na sierpień. Akurat jak roboty po cholerze.

— Ludzie mogą poczekać na zęby. Szczególnie sztuczne.

— Przyjezdni nie mogą.

— No, tak…

— Do dupy z tym i…interesem — rzuca zły.

Nie po to przyjechałam, żeby wysłuchiwać takich żalów. Nieuzasadnione. Głupie. Wolałabym się przytulić, pośmiać… Mogłabym opowiedzieć mu o kąpielisku i o tym, że się martwię o dziewczynki. Same w takiej wielkiej Europie! Kiedyś jechałam z dwiema koleżankami do Miczurina w Bułgarii. Pociągiem! Ale to były inne czasy… Milczę. Czuję niechęć Janusza do wszystkiego. Jest mi przykro, że przyjechałam. Też jestem zmęczona i też mam swoje lęki, frustracje, ale mieliśmy być dla siebie niedzielą…

— Chodź na górę — mówi nagle z uśmiechem.

Też tego chcę. Chcę go takim, jaki jest w łóżku — skupionego na naszej przyjemności, na mnie. Zalotnego, uwodzicielskiego bez tych jego humorów.

Tatko Janusza drzemie przed telewizorem. Czmychamy na pięterko.

Jest mocno, żarliwie, ostro… Za szybko. Jakoś tak, jakby przed czymś uciekał. Leżę, milcząc. Zdyszana i zdumiona, że tak się to odbyło pędem, jak nigdy.

Wyczuł moje rozczarowanie. Przytulił mnie i szepnął:

— Przepraszam. Nie wiem, co… co mi jest. Przepraszam.

— To nic — szepczę i przytulam go.

Widocznie czasem tak jest, że seks ma zastąpić walerianę.

Nocą wracam do domu. Nie zostaję u Janusza, bo on rano jedzie do Mariusza. Są goście i muszę być na posterunku. Obiecaliśmy sobie piątkowy wieczór i kawałki soboty. Wały ziemi i szlamu piętrzą się obok naszego nowego kąpieliska, a Stefan i Krzysiu rozjeżdżają to ciągnikiem ze spychem. Powoli brzegi nabierają kształtu. Są wygładzone, ładne. Mirek Książkiewicz wziął mniej niż się spodziewałam i dodatkowo przeczyścił rowek koło drogi nad rozlewisko. Nie będzie się woda zbierała.

Moje dziewczynki wyjeżdżają. Marysia wycałowała nas wszystkie i obiecała na siebie uważać i nie robić głupstw. Co to znaczy? Przecież człowiek dopiero post factum wie, że zrobił głupstwo. Mama szykuje wyprawę do sanatorium i gubi się biedna, chcąc wziąć jak najmniej.

— Dres weź koniecznie! I kostium. Może się będziesz pławić w jakimś basenie? A jak nie, zapiszesz się na aerobik. Getry weź. Tu masz te moje, co mi je zrobiłaś na Boże Narodzenie.

— Nie ja…

— To kto?

— Święty Mikołaj! — Chochlik już siedzi w jej oczach. — Ale tej sukienki — nie!

— A dlaczego? Mamo, tam są dancingi. Potańczycie…

— Ja tam jadę podciągnąć się na zdrowiu, a nie balować!

— Balowanie to też podciąganie się na zdrowiu.

— Tomasz nie lubi.

— Tańczyć?! Mówił, że tango tańczy jak Argentyńczyk.

— Tej kiecki nie lubi.

— To weź inną. I pantofle na obcasie, o te. Weź!

— No, za dużo tego!

— W adidasach tango będziesz wywijać?! Jedziecie samochodem. Niech leżą w bagażniku. I tę drugą, na ramiączkach z falbaną też. Proszę, mamo, tak ci w niej ładnie!

— Jadę jak jakaś tancerka na konkurs tańca, a nie schorowana, starsza pani do sanatorium sercowego.

— Starsza i schorowana to jest pani Hania. Ty przy niej wyglądasz jak dziki wamp. Szczególnie jak się umalujesz.

— Kosmetyków nie biorę!

— Pewnie! Niech Tomka uwodzą wymalowane czupidrony. Chociaż może się też zdarzyć nobliwa, miła laska koło pięćdziesiątki z niebanalnym makijażem i ci Tomka sprzątnie.

— To niech sprząta — naburmuszył się Gnom.

— Mamo, co ci szkodzi? Sama mnie namawiasz, żebym się malowała i nie wyglądała jak zapyziała rusałka... Pani Hania się maluje.

— Daj...

Uwielbiam ją. Ma takie zadziorne spojrzenie i jest zabawna w tym udawaniu, że niby jej nie zależy. Uśmiecha się, kapituluje. Pakuje ładne szmatki, suszarkę, kolorowe grzebienie do włosów, te ładne pantofelki na francuskim słupku, kosmetyczkę. Oprócz tego oczywiście, dresy i strój do ćwiczeń. Wsuwam jej perfumy do kosmetyczki. Niech zakasuje wszystkie baby na stołówce! Była u fryzjera, ma dobrze podcięte włosy i podbarwione na srebrzysto. Rozpuszczone ładnie się układają. Związane w ogon majtają się radośnie, bo ona tak chodzi. Jest atrakcyjna mimo siwizny, okrągłej figury, mimicznych zmarszczek. Gnom.

Tomasz cieszy się, że wyciągnął Basię. Basi się wydaje, że godząc się na ten wyjazd, podeszła Tomasza, bo według niej to on potrzebuje sanatorium. Ona nie!

Wreszcie odjeżdżają. Za nimi — pył na drodze, jak za Marysią. Stoimy z Kasią objęte wpół. Dwie sieroty.

— Poradzimy sobie, Kaśko. Prawda?

— Tak, Gosiu. Taaak. Poradzimy — buczy moje Kasisko kochane, przytula się i idziemy obierać ziemniaki na obiad.

Dziś rosół rybny z ziemniakiem i zapiekanka makaronowa ze szpinakiem i serem pleśniowym. Pomidory ze śmietaną i dymką i kompot z byle jakich już truskawek.

Tydzień temu pani Hania Soplicowa i pani Wanda z mamą i Kaśką odszypułkowały coś koło dziesięciu kilo truskawek. Później porobiłyśmy z nich masę konfitur i dżemów. Panie uwielbiają te babskie prace, bo ani jedna, ani druga już od lat nie robią przetworów. Ponadto twierdzą, że takie wspólne dłubanie i pichcenie „jest czarowne" — tak mówi pani Wanda. Ona jest miękka, urokliwa i jakby nieśmiała. O wszystko pyta jak grzeczna panienka i umie się zachwycać. Widać, że była piękna za młodu.

Już wiadomo, że chcą zrobić, jak co roku, „dzień pierogowy". Mama mi mówiła, że robią dużo różnych nadzień, stają razem przy stole i lepią leniwie, gadając o wszystkim. Naturalnie dzieci i wnuki to priorytet. Jakoś to zniosę. Umówiłam się z nimi na poniedziałek.

Mail od Wiktora:

Kochana, kochana, kochana!

Wybacz zaniedbanie. Pani od angielskiego szalenie mnie zaabsorbowała, bo okazało się, że nie jest tylko ładną nauczycieleczką, ale też drzemie w niej kocica i śmieszka. No i domatorka. Wpadłem! Choć początkowo traktowałem tę znajomość dość konsumpcyjnie. Monika — nie córka ratownika, ma rodzinę na Kaszubach, owszem, ale na wypoczynek poniosło nas dość spontanicznie (spontanicznie... To dziwne, bo ja nigdy nie byłem spontaniczny) do Grecji. Ona jest morskim zwierzakiem i kocha siedzenie, pływanie i taplanie się w morzu. W Grecji. Koniecznie.

Zakotwiczyła nas na maleńkiej wyspie Simi koło Rodos. U znajomego rybaka. Warunki bardzo spartańskie, więc przed wyjazdem wyśmiała mnie, jak pakowałem laptopa. Nawet nie zdążyłem Cię uprzedzić, pożegnać. Sorry!

O tym pobycie na łonie natury i gościnności rybaka opowiem przy okazji. Cieszę się, że masz „obłożenie". Może wpadnę, skoro jesteś taka osamotniona? Jakoś to z Moniką załatwię. Całus.

Wiktor

Mail do Wika:

Kochany Wikciu! Mam wolny pokój Marysi. Wpadaj z Moniką. To nie problem.

Mail od Wika:

Zwariowałaś. Chcę pobyć w Twoim towarzystwie. M. jest urocza, ale byłaby ciągle obok. To młoda panna i jak już zaiskrzyło u niej i u mnie, stała się taka... absorbująca. Tam, u Ciebie, byłoby to kłopotliwe. Chcę pogadać! Całus.

O tym, jak się wściekłam
i jak dobrze robi skrobanie ryb

W piątek nie mogłam się skontaktować z Januszem. Nie chciałam sprawdzać u tatki, bo żal mi tego suchego staruszka, jak mówi nieśmiało:

— Janusio śpi — i spuszcza wzrok, albo jak to jest przez telefon, głos mu drży. Wtedy wiem, że Janusio zapił.

Wieczorem pojechałam przez Pasym, ale na podwórku nie było jego samochodu, a w otwartym garażu też pusto. Tatko coś majstrował w środku, więc mnie nawet nie zauważył. Pojechałam do Nart...

Jadąc, próbowałam jeszcze się dodzwonić, ale nie było sygnału. Wyłączony. Po cholerę tam jadę? Sprawdzić go? Domyślam się, że zalał. Po co jadę? Po co? Zrobić sobie przykrość? A jednak potrzebuję pewności. Że tylko zalał, że nie śpi z inną. Tylko? No, ładnie. Wolę już, żeby pił, niż zdradzał? To podłe i egoistyczne. Marina też zapewne drżała z tego samego powodu. Wysocki miał powodzenie u bab. Nie pisała o tym. Dyskretna... A może nie dawał jej powodu? Janusz też mi nie daje. To moja wyobraźnia i kompleksy. Kompleksy? Odurniałam?! O Matko! Po co mi to wszystko...

Na podwórku stoi jego samochód. Drzwi do domu otwarte. Gabinet zamknięty. Idę do kuchni. Ślady po kolacji. Obiedzie? Dwa talerze, dwa nakrycia, flaszka pusta już, po whisky. Z kim pił? Serce mi się tłucze stanowczo za szybko, tętno zaraz rozwali mi żyły. Boże, co za niepokój! Idę cicho do sypialni i ziemia usuwa mi się spod nóg. Na fotelu śpi jakaś młoda lafirynda, a na tapczanie Janusz urżnięty jak ta lala. Wyszłam. Rozbeczałam się dopiero w samochodzie i ryczałam tak aż do Pasymia.

U Elwiry pustawo. Jakiś jeden gówniarz wychodzi obładowany piwami.

— Cześć, Elwira — mówię, wchodząc i siorbiąc nosem. — Masz wiadro?

— O, kochana! Wiadro wody? Na głowę? Twój doktorek nic u mnie nie kupował. A co, zalał ryja?

— Uhmmm.

— Masz tu ręcznik papierowy. Wytrzyj nos. Co, pewnie umówił się z tobą i zapił?

— Gorzej.

— ...?

— Nie sam... — Trzewia ściska mi żal i łkanie.

— A to kutas zbolały, no! Gosia, ty go spuść w kanał, bo z tego nic nie będzie.

409

— No... — Siorbię nosem i beczę Elwirze w bluzkę.

Nagle słychać doniosłe:

— Elwirka! Daj trzy wina!

— Spierdalaj! Nie widzisz, że udzielam pierwszej pomocy? Idź do Adamczewskiej.

— Chodź, Gosia. Usiądź. — Elwira zamknęła drzwi i głaszcze mnie po głowie. — Mówiłam, że sprawa niełatwa z pijakiem. Niby można nie zauważać, jak nie mieszkacie razem, ale jak wóda ważniejsza od ciebie, to po cholerę z takim być? Szkoda nerw! Znasz ją? To jego była?

— Nieee. Cipcia jakaś. Pewnie wczasowiczka, może zęby sobie robiła? Śpi na fotelu. Nie z nim.

— Pewnie po pijaku mu nie staje... — mruczy Elwira. — Ale chujek marny, no! Rzuć go. Będzie inny. Lepszy. Ja ci to mówię.

— A jak ci z Andrzejem? — pytam z ciekawości. — On nie pije?

— Pije, ale do śledzia i nie w trupa. Jak chłop. Łeb ma jak sagan. Nawet jak połówkę obali, nic po nim nie widać i w łóżku sprawny! Fajny jest...

— To fajnie, że fajny, cholera — szepnęłam przez zatkany nos. — Pójdę już. Dziękuję. Już mi lepiej. To, pa!

— Pa! Jedź, Gosia, ostrożnie.

Kolację przygotowałam już wcześniej i poustawiałam z Kaśką na „szwedzie". Kaśka miała tylko sprzątnąć. Na werandzie przy prawdziwej, naftowej lampie siedzieli Soplicowie i Czajkowscy, gadając miło. Przez okno widzę, że Kaśka ogląda z Blanką telewizję. Blania śpi na jej ramionach jak biała etola.

— Pani Gosiu! Zapraszamy! — wołają Soplicowie.

Wykręcam się zaległymi pracami i idę pocałować Kaśkę na dobranoc. Pod nieobecność mamy ja to robię i nie mogę zapomnieć, bo Kaśka pilnuje tego rytuału.

— Dobranoc, Kasiu.

— Pa, Gosiu. Śpij, Gosiu. Pa — mówi zajęta serialem.

W pokoju siadam ciężko na łóżku.

— Szlag! Cholera jasna! — mówię głośno, wywołując wojnę sobie samej.

Nie chcę tak. Nie będę drugą Vlady. Albo miłość, albo nic. Żadnego cierpienia, łez, bólu. Tak za darmo?! Mowy nie ma. Nie pozwolę, żeby mnie to niszczyło. Znam z jej książki to tętno, ten skurcz w żołądku, ten ból w sercu. Nie kocham aż tak, żeby się pogrążyć. Latać, sprawdzać, gdzie jest, z kim się upił.

Wysocki mógł najwyżej złapać trypra, a na to teraz są antybiotyki, a Janusz, sypiając po pijaku z byle kim, bez gumy, może złapać AIDS i się ze śmiechu nie pozbieramy. Albo opryszczkę... O! Nie! Wygarnę mu na trzeźwo tak, że cała wieś usłyszy. O Boże! Ale mam ochotę wywrzeszczeć mu wszystko do cna! O tym, jaki jest durny, jaki mi sprawia zawód i ból, i jeszcze w pysk bym mu dała, w ten jego... śliczny, kochany pysk. Już widzę, jak mnie przeprasza, tłumaczy się i wiem, że zmięknę. Już teraz to wiem. Och, Marina! Jak ja cię rozumiem!

Odezwał się w sobotę po południu, ale nie odebrałam. Nie chciałam być miękka. Zresztą mieliśmy dużo pracy, bo panowie Bogumił i Bogdan przynieśli mnóstwo ryb i rybek. Całe wiadro, tak im brały w leśnym stawie! Mruknęli, że chcieliby to nam i sobie dać na kolację i sami sprawią, ale widać było, że są zmęczeni, więc wysłałyśmy ich spać i same — wszystkie kobiety, siadłyśmy do skrobania. Pani Hania towarzyszyła nam tylko, podając herbatę i gadając. Brzydzi się rybich flaków, więc zwolniłyśmy ją ze skrobania i wyflaczania.

Rozmawiałyśmy o dzieciach i musiałam zarzekać się, że Marysia i Paula dobrze przemyślały trasę, że mają w Prowansji gdzie się zatrzymać, że są mądre i nie rozmawiają z obcymi, że bla, bla, bla i brekekes, jak mawiał mistrz Wańkowicz, bo i on został tu wspomniany.

— Czytałyście, panie, *Ziele na kraterze*? No, tam rzeczywiście opisano inny świat. Europa pełna była młodzieżowych schronisk i w nich nic złego nie mogło się stać. Ja też korzystałam z dobrodziejstwa takich przystani. Byłam z siostrą i bratem, przed wojną jeszcze, na takich wyprawach do Austrii — mówiła pani Soplicowa.

— Też rowerami? — spytałam.

— Nie, myśmy z bratem podróżowali, aż wstyd powiedzieć, pięknym BMW naszego ojca.

— Czemu — wstyd? — Pani Wanda przechyliła głowę pytająco.

— Bo wychodziło na to, że tacy nowobogaccy, a dużo naszych rówieśników podróżowało koleją i rowerami, jak córki Wańkowicza. One jednak podróżowały do Europy Zachodniej, a my tylko na Morawy i do Wiednia. No, nie samego. Opodal Wiednia nasz stryj miał piękny majątek. Tam spędzałam wakacje. Stryjenka — cudowna kobieta, rozmawiała z nami tylko po francusku. Ze służbą gadało się tylko po niemiecku. Języki same weszły nam do obiegu! Ach, co za czasy! Za to w Czechach i na Morawach zatrzymywaliśmy się gdzie popadło i żyliśmy śmiechem i przygodami. Tam nie było ciotek, stryjen, wujów... Nikogo! Dobrze, że brat był pełnoletni. Mogłyśmy mieszkać pod jego opieką w zajazdach, prywatnie u chłopów... Ach, te czasy! Uwielbiałam to uczucie niepewności, gdzie też dziś będziemy spać? Co robić? Zawsze przez te Czechy i Morawy jechaliśmy za długo i zawsze brat udawał, że się samochód psuje. Słał do tatki telegram, że koło się popsuło czy coś, i już! Nawet raz byliśmy na chłopskim weselu...

— Pani Kasiu, to chyba karaś? — spytała pani Wanda Kaśkę, pokazując sporą rybę.

— Karasek. Tak. Duży jest! — pochwaliła nasza znawczyni.

— I tak cud, że rozróżniam, gdzie ogon, a gdzie głowa — mruczę, rozpruwając kolejny brzuch martwej ryby.

— Ja też nie za bardzo — sumituje się pani Wanda. — Tyle, ile ze Stasiem na żaglówce, za młodu.

— Pływali państwo? — pytam szczerze zdumiona. — Pan Staś dysponuje tylko jedną ręką, więc chyba mu niełatwo?

— O, on ma takie możliwości! — Pani Wanda jest wyraźnie dumna z męża. Zresztą słusznie. Świetnie się trzyma. Jest wciąż przystojny, młodzieńczy, dowcipny i żywotny. — Mieliśmy... — zaczęła pani Wanda nieśmiało. — Mieliśmy kiedyś taką łódź, że miała i żagiel, i motorek, i wiosła. Nazwaliśmy ją „Krasula" i pływaliśmy po jeziorach i rzekach. Z dziećmi. Wtedy nauczyłam się sprawiać ryby.

— A gdzie państwo nocowali? — zapytałam. — Na lądzie, w namiotach? Na łodzi?

— No właśnie tak! Ania była maleńka, jak ją zabraliśmy w pierwszy rejs. Bo Misio był... w przedszkolu. Tak. W maluchach. Stasiu! — zawołała do męża, który rozprawiał sobie z panem Tadziem na podwórzu.

— Co, kochanie?

— Ile Michałek miał lat, jak go wzięliśmy na „Krasulę"?

— Malutki był!

— No tak. Moim zdaniem chodził do przedszkola i to była dla dzieci świetna szkoła dzielności. Ale dla mnie... Oj! Jeszcze większa! Bałam się robaków, glist, żab, a już po jednym rejsie Staś nauczył mnie wszystkiego. Sprawiania ryb, kopania rosówek, gotowania w deszczu na pokładzie pod parasolem. Nawet kradliśmy ziemniaki z pola. Do dziś mi wstyd!

Pani Hania machnęła ręką.

— Nie zbiednieli!

Zapomniałam o Januszu. Pochłonął mnie ten babski krąg, a jak sprzątałyśmy, całkiem mi przeszło. Nic nie czułam. Nic! Przy smażeniu znów pani Wanda opowiadała o życiu na tej ich łodzi. Pani Hania położyła się. Znała tę opowieść z poprzednich lat.

Słuchałam pani Wandy z uwagą. Opowiadała powoli i dość dokładnie. Starannie dobierała słowa, chcąc, by to, o czym mówi, było barwne. O suszeniu pieluch na maszcie, o dojeniu czyjejś krowy, jak zabrakło dla dzieci mleka, a do sklepu nie wiadomo ile, o burzy i czekaniu na pogodę w szuwarach i kąpieli nago, przy księżycu, z panem Stachem, jak dzieci już spały.

— Wiele takich wakacji spędziliśmy na „Krasuli". Mogłabym książkę napisać — zakończyła pani Wanda.

— Proszę napisać! Jak Wańkowicz — podrzuciłam temat.

— Ależ skąd to porównanie! Ja nie umiałabym. Nie mam talentu... — Zakłopotana przeczesała włosy.

— Pięknie pani mówi. Wystarczy dyktafon.

— Nigdy o tym nie myślałam. Może... Myśmy ze Stasiem mieli takie ciekawe życie!

Zapach smażonych ryb obudził naszych rybaków. Pan Staś pojechał z panem Tadziem do miasta po piwo i wieczór zrobił się fantastyczny. Zestawiono stoły, bo panowie Bogusiowie zostali zaproszeni do wspólnej biesiady. Bardzo się opierali.

— Nnnie. Dziękujemy, ale my tylko łowimy. Będzie nam miło, jak państwo się poczęstują...

Nasi panowie nie rozumieli tych wykrętów, więc nacisnęli mocniej i wówczas pan Bogumił wyjaśnił:

— Proszę nas zrozumieć. Jesteśmy w żałobie. Pochowałem żonę.

Zrobiło się cicho. Pokiwaliśmy głowami ze zrozumieniem, a pani Hania szepnęła: „Ach, mój Boże!".

— Przepraszam — powiedział pan Staś. — Ja nie zapraszam panów do tańca, tylko na wspólną kolację.

— Tato. Może już pora między ludzi? — Syn powiedział to tak delikatnym tonem, że aż się miło zrobiło. Widać w nim troskę o ojca i takt, a jednocześnie dbałość o to, by jednak go nie urazić.

— Racja, Boguniu. Może fakt, państwo jesteście tacy mili. I tak dość długo epatujemy was naszymi nastrojami.

— Dawno to się stało? — spytała pani Wanda.

— Pół roku temu. Jakoś nie mogę... No, ale dobrze już. Jak Boguś zasugerował, czas między ludzi. Przedstawię się — Bogumił Tarnawski i mój syn...

— Bodgan. Też Tarnawski.

— Rybki stygną — powiedziała pani Hania.

Zasiedliśmy do kolacji. Nasi smutni panowie z radością, że nie muszą nic mówić, słuchali opowieści o tym, kto skąd tu się wziął, jak tu było przedtem i takie tam historyjki ciągnęły się do późna… Telefon zostawiłam w pokoju. Słyszałam, jak dzwonił, ale nie odbierałam. Cały dzień!

Poszłam spać późno. Zadzwoniłam jeszcze tylko do Marysi. Zbeształa mnie, że nie mogła się do mnie dodzwonić. Cały dzień. A ja myślałam, że to Janusz! Powinnam spojrzeć na wyświetlacz. Głupia!

O tym, jak przyszła burza

Sporo faktów mi uciekło tego lata z pola obserwacji. Z zeszłego roku pamiętam, w jakie zdumienie wprawiał mnie krzyk żurawi i jak polubiłam ten dźwięk nawet o piątej rano. Zwłaszcza o piątej. W tym roku nie słyszę żurawi, rzadziej obserwuję nasze łabędzie na rozlewisku. Nie zauważyłam, kiedy i ile się ich wylęgło. Pracuję, buduję i nawet robię przetwory! Na przyrodę mam mniej czasu…

Dojechała jeszcze jedna para gości z małymi dziećmi. Dowiedzieli się o nas… z internetu. Świetnie, że z internetu. Szkoda, że z bachorami. Trudno. Z korespondencji wynikało, że nie są kłopotliwi i panują nad dziećmi.

A więc, jeszcze jeden terenowiec na podwórku. Porządnie spracowany życiem. Mój biały wygląda przy tamtym jak baletnica. Z terenowca wysiadła burza ciemnych loków, szerokie bary i bródka jak u D'Artagnana.

— Piotr Kwinta — przedstawił się. — Zaraz wyniosę resztę.

Z samochodu wyskoczył chłopczyk na oko dziesięcioletni i pomógł wydostać się mamie, objuczonej niemowlęciem.

— Moja żona Ania z córką Martą i syn. Józiu, przedstaw się.

Błękitnooki szczupak skłonił po staroświecku głowę i przedstawił się nieskrępowany:

— Tak to prawda! Józek jestem. Miło mi. To moja siostra Martusia i mama.

Pani Ania, pulchna, różowolica blondynka powitała mnie szerokim uśmiechem.

„Matka Polka" — przemknęło mi przez myśl, kiedy spojrzała na córeczkę i zauważywszy plamę na bluzce, wyjaśniła prosto:

— Karmię jeszcze… Ania Kwinta. Miło nam bardzo.

Pan Piotr, na oko trzydziestolatek, wielce urokliwy troskliwy tata i znakomity organizator — co widać było po tym, w jaki sposób rozładował samochód, jak zwracał się do Józka, jak panował nad wszystkim. Wrażenie wszyscy zrobili miłe. Bałam się jednak tego, co będzie dalej. Ryk małej po nocach? Dziecięce wścibstwo tego małego?

Zabrałam ich do domowego błękitnego pokoju, bo jest dość izolowany i duży z wnęką. Ciekawa jestem, jak ci nowi zaaklimatyzują się wśród naszych starych grzybów?

Było nas sporo, więc obie z Kaśką miałyśmy cały czas co robić. W niedzielę Janusz się nie odezwał i nawet mnie to nie obeszło. Nie zastanawiałam się. Posiłki, sprzątanie, nasz dom, pensjonat, wszystko to pożarło moją uwagę bez reszty.

W niedzielę wieczorem, padłam jak śmieć.

Obudziło mnie dalekie dudnienie. Szło i mruczało daleko za lasem. Bardzo daleko. Leżałam w łóżku, nasłuchując w półśnie. Przez otwarte okno wiało innym niż dotąd powietrzem. Ostatnio noce były parne, gorące i ciężkie. Spałam pod samym prześcieradłem kąpielowym. Sadzik i bzy pod oknem zaczęły szemrać poruszanymi wiatrem liśćmi. „Idzie burza" — pomyślałam radośnie. W maju prawie nie było burz. Jedna mała, byle jaka, i druga sucha, taka bez deszczu. Dawno już nie przeżyłam burzy. Nasłuchiwałam. Zerwał się wiatr i nawet poruszył las. Aż stąd słychać jak szumi. Daleko walnął piorun. Drugi. Usłyszałam szuranie w kuchni. Kaśka chodziła w koszuli niezdarnie, zaspana i dziwna.

— Kasiu, co ci?

— Burza. Taak. Nie lubię.

— Boisz się? To chodź do mojego łóżka. Tak? Chodź, Kasiu.

Kasisko ochoczo podreptało do mnie, a za nią Blanka udająca, że ona nic, tylko tak dla towarzystwa. Funio leżał na swoim kocyku i miał to wszystko gdzieś. Przeszkadzamy mu. Jest noc, do licha! Kaśka skuliła się na brzegu łóżka, tyłem do okna. Nakryłam nas, objęłam ją i pogłaskałam po plecach. Nie mogłam spać. Cudowne były te pioruny. Co jakiś czas niebo przeszywał dudniąco–ryczący grzmot. Wkrótce pojawiły się błyskawice. Rozświetlały pokój jak flesz i po chwili łomotało tak, jakby rozwalało jakieś skały na pół. Coś cudownego!

Nastąpiła przerwa. Pozorna, bo po minucie znów potężnie gruchnęło gdzieś za tartakiem, a po chwili zaszemrał deszcz. Najpierw subtelnie zabębnił w okna, takim cichym werbelkiem, a potem szybko przeszedł w mocne padanie, takie, że aż zrobiło się głośno. Jakby stado dzięciołów waliło w parapety i szyby.

— Ale leje — wymamrotała Kaśka.

— Super! Ogródek ci podlewa za darmo!

— Taaak.

— Teraz już nie będzie grzmiało, Kasiu. Śpij sobie. Śpij.

Przytuliłam ją. Ona zasnęła szybko, bo deszcz zrobił się miarowy, cichszy i burza poszła sobie dalej, jak Buka z *Muminków*. Zwariowałam?! Skąd mi się wzięły te Muminki? Tak dawno czytałam je Marysi, jak była malutka. Żal jej było Buki. To pamiętam. Leżałam, nie mogąc zasnąć. Jeśli w poniedziałek Janusz się nie odezwie, mam go w nosie. Pocierpię trochę i przejdzie mi. Coś mi się zdaje, że mogłam nie zauważyć różnicy między zauroczeniem a miłością. Zresztą, mama powiedziała, że czas mi to pokaże. Marysia też uważa, że to zauroczenie.

Myślałam tak i myślałam, aż zrobiła się szarówka. Leje i leje. Miarowo. Równo i dokładnie. Zdałam sobie sprawę, że nie słyszę wycia małej Marty. W ogóle nie słyszałam jej płaczu... No, to dobrze! To ostatnia myśl, jaką pamiętam, bo zasnęłam wreszcie.

Zaspałyśmy, ale to nie problem, bo prawie wszyscy zaspali.

Śniadanie jakoś sprawnie nam poszło, i wszyscy gadaliśmy o nocnej burzy. Kwintowie opowiadali, że Marty nic nie budzi i od czwartego miesiąca śpi jak anioł. Józio był zachwycony burzą i mówił wszystkim o piorunach, a pan Piotr przyszedł nam pomóc do kuchni.

— Coś pozanoszę, może wyrzucić śmieci? Ja jestem domowy, normalny facet! Moje panie się właśnie karmią sucharkiem, bo Marta wcześniej była przy bufecie u mamy. Józek im towarzyszy.

Chętnie dałyśmy panu Piotrowi się wykazać. Pozanosił na stół chleb, gorące parówki i przyprawy.

— Mmm — mruknął. — Dżemik, domowy... Tylko mleko i buła i nic więcej do szczęścia! Józek! Patrz, jaki dżem! Jak u babci!

Śniadanie minęło mile. Deszcz kropił sobie poza werandą. Było wilgotno, ale ciepło. Chmurzyska przerzedzały się już i zapowiadały słońce. Z rynien wylewało się jeszcze mnóstwo wody, co ciekawie obserwowała Kaczka Obrażalska i jej kaczuchy. Kiedy podszedł do nich Józek, rozkwakała się i poszła sobie nadęta.

— Rzeczywiście — obrażalska! — Zaśmiał się i siadł koło mamy.

Starsi państwo popatrywali na nowo przybyłą rodzinę z zainteresowaniem, zastanawiając się, czy obecność ich będzie miła czy dręcząca. Zaniemówili, kiedy Piotr nakrył do stołu, podał śniadanie żonie i Józiowi, po czym usiadł i złożył dłonie, oni też i zmówili cicho modlitwę! Potem radośnie wzięli się do jedzenia.

Pani Wanda miała wielkie oczy pełne uśmiechu, a Bogdanowie zerkali z uszanowaniem. Z naszych tu nikt nigdy nie modlił się przed posiłkiem. Nawet w niedziele nie chodzili do kościoła. Wcześniej Tadeuszowie podobno chodzili. Teraz w niedzielne poranki odmawiają modlitwę w pokoju. Pan Staś jest niewierzący, pani Wanda owszem. Sama jeździ do kościoła. W tygodniu.

— Panowie! — powiedziała pani Hanna Soplicowa, wstając ciężko z krzesła. — Macie dziś wolny czas dla siebie, aż do obiadu. Ogłaszam „dzień pierogowy"!

Pan Stanisław też wstał i zaproponował wyjazd na wycieczkę do Kętrzyna, do kwatery Hitlera. Kwintowie wyrazili też ogromną chęć wyjazdu, pytając dwukrotnie, czy ich dłonie na pewno nie są potrzebne. Wreszcie Ania Kwintowa zdecydowała się zostać.

— To męska wyprawa. Nie będę wam przeszkadzać i polepię z paniami. Można? — spytała serdecznie. — Marta nie jest absorbująca!

— I nauczy się lepić pierogi — dodał Józio. — Mamo, co ci przywieźć?

— Ładny kwiatek poproszę. Pa, chłopaki!

Panowie wsiedli do terenowców i odjechali w resztkach deszczyku.

Niebo się przejaśnia. Z rynien kapie już tylko i słychać ćwierkanie ptaków. To oznacza koniec deszczu!

— Zaraz się przetrze na dobre i znów będzie lampa — powiedziałam do zebranych.

Pani Wanda i ja zaczęłyśmy już sprzątać po śniadaniu. Ania Kwinta natychmiast poprosiła, żeby jej mówić po imieniu i przyniosła z kuchni kompot czereśniowo–porzeczkowy. Jeszcze ciepły. Wypiłyśmy z nią brudzia. Starsze panie sumitowały się, że przecież jest dorosła i matka — dzieciom, ale w końcu stwierdziły, że Ania mogłaby być ich wnuczką, więc dobrze, będą jej mówić „ty".

Na stole pojawiły się misy z nadzieniami — ruskie, szpinakowe, z soczewicy i wędzonego boczku kręconego przez maszynkę, oraz z kaszy gryczanej z białym twarogiem.

— No właśnie! — zakrzyknęła pani Soplicowa. — Mam coś! Poczekajcie!

W czasie jej powolnej i dyszącej podróży na piętro, pani Wanda opowiedziała Ani Kwintowej, że co roku jest taka tradycja właśnie, że one lepią pierogi w „dzień pierogowy" i jak to dawniej bywało.

— Cudne! — powiedziała Ania. — Taki krąg wiedźm! U mnie w domu też tak jest, jak mama i babcia…

Nadeszła pani Hania, dysząc jak lokomotywa, bo się spieszyła.

— Proszę, Kasiu, to dla ciebie. Maszyna do ciasta pierogowego i makaronów prosto z Włoch! Patrz kochanie, robisz z ciasta niedbale gruby wałek i wkładasz go tu, jak w wyżymaczkę, a tu wychodzi płaskie ciasto! Nie trzeba wałkować!

— Nie umiem tak — wstydzi się Kasisko.

— To każda będzie kręcić po kolei i nauczymy się wszystkie! — pani Wanda wie, że Kaśka nie lubi być w centrum uwagi i boi się nowości.

Nie ma nic lepszego na babskie stresy niż babski krąg. Stałyśmy tak i siedziały koło stołu, lepiły te ogromne ilości pierogów i gadały bez końca.

Kaśce bardzo spodobała się maszyna do ciasta. Co prawda zagnieść i tak trzeba ręcznie, ale kręci się korbą i ma się długi placek do wykrawania kwadratów i krążków. Rośnie armia pierogów na sąsiednim stole, pod lnianą serwetą.

Krzysiu przyjechał z bańką śmietany od prawdziwej krowy i, spłoszony, odjechał. Nie chciał siedzieć przy komputerze, odkąd ma własny. Czasem przysiada przy internecie, bo go nie mają w domu. Jak Bartek albo któreś z nich potrzebuje, wpadają do nas.

— To był Krzyś? Ten z tartaku? — dziwi się Hanna Soplica.

— Tak, pani Haniu.

— Maleńki był dopiero co! Nogawki taty się trzymał…

— Teraz jest już w gimnazjum! Dzieci rosną!

— Tak, to prawda.

Oderwał mnie od nich telefon.

— Halo… halo, pani Gosia? — to tatko Janusza.

— Tak. To ja. Coś z Januszem?

— Tak, kochana. Tak. Musiałem poprosić pielęgniarkę. Od tygodnia pije. W piątek, sobotę i niedzielę, to już non stop. Pojechałem tam. Kto mu wódkę donosił? Nie wiem… Zmarnuje się chłopak. — I rozpłakał się.

— Skoro jest na kroplówce… U pana czy tam?

— U mnie. Zwieźlim go z sąsiadem.

— Dobrze. Niech śpi.

— Nie śpi. Gapi się w sufit i mówi, że wszystko, za przeproszeniem, do dupy jest. Płacze i znów w ten sufit. Przyjedź, złotko. Pociesz go.

— Nie mogę, bo jak bym przyjechała, to bym go poturbowała.

— O! To! To! Nalać by mu w dupsko, jak gnojowi! Tylko, czy to co da… Przyjedź, złotko, tak cię polubiłem, że sam bym się z tobą ożenił! Wybacz staremu żarcik taki. Do widzenia, pani Gosiu!

Przeprosiłam mój kobiecy krąg i pojechałam do Janusza, wściekła jak osa. Leżał w zaciemnionym pokoju. Drzemał. Ślady po kroplówce, blada, ziemista cera, strzęp faceta.

— Foczko. Moja foczko — mruknął boleśnie na mój widok. Wyciągnął rękę, ale zignorowałam gest. Nie mogę się rozkleić. Doktor Wiciak pisał w swojej broszurze, że teraz trzeba go kopnąć w tyłek i dać popalić. Docucić i zmotywować do leczenia. To jest ten moment, bo widzi, że przegiął.

— Nie! Nie „foczko". Zapomnij.

— Wiem. Przegiąłem. Przepraszam.

— Można człowieka zabić i powiedzieć: „Przepraszam". A ty jesteś po prostu głupi. Wiesz, że nie możesz pić. Dużo już wiesz o swojej chorobie, a mimo to, durniu, pijesz? Mnie robisz przykrość, to oczywiste, ale zawalasz swoje życie i udowadniasz Lisowskiej, że jesteś śmieciem i że miała rację, pozbywając się takiego balastu. Ona zrobi karierę, czego byś o niej nie mówił, a ty stoczysz się i będziesz stał pod „Kalwą" z tutejszymi obszczymurami.

— Mocno wa…walisz.

— A co innego do ciebie dotrze?! Poza tym, dopóki nie zrobisz badań, nie pójdę z tobą do łóżka. W ogóle nie pójdę! Cholera wie, co ta mała nosi…

— Skąd wiesz?

— Byłam i widziałam.

Poryczałam się na wspomnienie tamtej wizyty i jestem teraz zła na siebie. Miałam być jak skała!

— Gonia, do ni…niczego nie doszło. Tylko piliśmy. Ty…tylko. Przysięgam.

— W dupie to mam! — wrzeszczę. — W dupie!!! Takie sceny, takie tłumaczenia! To szczeniackie i nieodpowiedzialne, żeby lekarz, dorosły facet robił takie głupstwa ze swoim zdrowiem! Zgniły wyrostek to byś wyciął!? To dlaczego nie leczysz choroby alkoholowej?! Co, może „masz wszystko pod kontrolą"???, może: „panujesz nad tym"? Jakiś inny tekścik? Może to my wszyscy wyolbrzymiamy?! Tylko że nie zawalamy naszej pracy, nie lekceważymy pacjentów, klientów, znajomych. Nie przyjeżdża do nas pielęgniarka z odtrutką na zatrucie alkoholowe. Najwyżej pogotowie, bo twój tatko ma słabe serce. Wiesz to. Załatwisz go tym chlaniem.

— No, dawaj. Mo…mocniej. To już szantaż uczuciowy.

— Jaki, kurwa, szantaż?! — drę się już wulgarnie, wściekła do oporu. Jego spokój mnie powala. — Co, a ty nie szantażujesz? Nie jeździsz po naszych uczuciach?

— Jakich — waszych?

— Tych, co cię kochają, pajacu!

Spojrzał na mnie boleśnie, jakby usiłował zrozumieć prawdę. Z oczu pociekła mu łzawa strużka.

— Idź już — szepnął. — Do…dość na dziś.

Westchnęłam i… poszłam, a raczej wymiotło mnie.

Na dole tatko chwycił mnie za rękaw.

— Dobrze, złotko. Tak czasem trzeba. Może coś zrozumie? To dobry dzieciak, tylko pogubiony.

— Tak — powiedziałam spokojniej i pocałowałam go w suchy policzek. — Do widzenia panu.

I pojechałam do Elwiry. Zawołałam ją z ulicy jak koleżankę z podwórka. Ale głupio! Stoję w Pasymiu przed jej domem i drę się: „El–wi–ra!".

Zbiegła uśmiechnięta.

— Co tam? W porzo?

— Eeee tam. Wytrzeźwiał i tak go opieprzyłam, że teraz mnie znienawidzi.

— Super! Właśnie taki opierdol mu się należał! On się, Gosia, rozmemłał! Użala się nad sobą. Dupek. Usłyszał teraz ludzką rację i niech myśli. Jak się nie zaweźmie, to znaczy, że jest nic nie wart. Chujek i już!

— Nooo — odpowiedziałam. — Ale wiesz, jakoś mi lżej.

— No pewnie! Ich trzeba czasem opierdolić, bo inaczej świrują.

— A jak nie ma za co?

— Już u nich zawsze coś się znajdzie! Jak ty nie wiesz za co, to on na pewno wie! Andrzej w takich sytuacjach bardzo przeprasza. Za nic. Tak se. Lubi przepraszać. I fajnie jest potem...

— Kwitniesz przy nim. Udał się.

— Nie narzekam. Długo go nie bywa, nie zdążymy się sobą znudzić, ale jak siedzi w domu dłużej niż tydzień, zaczyna iskrzyć. Wiesz, ja też potulna nie jestem!

— I za to cię kocha. Jadę już. Tam wszyscy czekają.

— A pani Basia? Kaśka?

— Mama pojechała z Tomaszem do sanatorium potańczyć, a Kaśka czeka na mnie z gotowaniem masy pierogów.

— No to leć, Gosia. Nie przejmuj się. Niech on się przejmuje! Pa!

Z pierogami spóźniłyśmy się trochę, bo panowie przyjechali o czasie, a ja nie. Na stoły taszczyłyśmy michy z pierogami tak, jakbyśmy niosły poduszki z odznaczeniami. W każdej parowały inne. W sosjerkach — stopione masło, zrumieniona słoninka, śmietana, a w ostatniej wędzony boczek. No i nie ma zmiłuj, towarzystwo dosłownie rzuciło się na rabunek. Każdy brał po jednym, ale za to jak często! Rozmowa dotyczyła farszu — jak go robią w ich rodzinach, jaki jedli, gdzie i który im smakował. A przed wojną u mamy w majątku, a na wsi u babci, a w barze mlecznym... tratatataa. Uwielbiam ich słuchać. Ginący świat.

No, bo kto dziś wspomni przedwojenne majątki? Zastępy podkuchennych robiących setki pierogów, kołdunów? Wielkie kuchnie całe w mące i śmiechach? Szpikowe kluseczki do rosołu? Zupę rakową?

Po pierogach Piotr znów przyszedł do kuchni pomagać, więc sprawnie poszło i po obiedzie wszyscy trzeszczeli w szwach i wzdychali, że już nigdy tak się nie objedzą. Że to grzech tyle zjeść i zaraz umrą.

Piotruś, bo poprosił i on o mówienie mu na „ty", zrobił herbatę dla wszystkich.

Umówiliśmy się, że przed ich wyjazdem powtórzymy taki dzień, tylko, że pierogi będą z wiśniami i jagodami.

Znów się zasnuło. Zaraz się rozpada... Wszyscy rozeszli się powolutku do swoich zajęć — drzemać, czytać, oglądać telewizję. Ja do telefonu, spytać Manię jak tam ich wyprawa.

Potrzebny mi jest taki babski dzień.

Od Janusza przyszedł SMS: „Jadę do Olgierda nad Biebrzę, bez telefonu. Zaglądaj do mojego tatki. Wybacz mi, jak możesz. Całuję. J.".

Zadzwoniłam i rozmawialiśmy krótko. Janusz był zwięzły. Wie, że narozrabiał i jeszcze raz zapewnił mnie, że z tamtą panienką nic nie było. Nic nie obiecuje. Gabinety pozamykał i umówił się z Mariuszem, że obaj teraz urlopują, a od połowy sierpnia — pracują.

— Bardzo cię ca...całuję. Pa. Foczko.

I tyle. Na podwórko zajechał samochód Wiktora i wysiadł z niego Wiktor cały promienny.

— Wybacz, że bez zapowiedzi. Odwiozłem Monikę do rodziców, do Pucka, i wracając, postanowiłem wstąpić. Jest na tyle wcześnie, że jak nie masz miejsc, to wrócę do Warszawy...

— Są! Wszystkie u nas, na górce. Soplicowie przenieśli się jednak do pensjonatu, żeby być bliżej Czajkowskich, jest też wolny pokój Marysi i ten obok... Mówiłam ci, że ona wyjechała z Paulą do Francji. Ściślej do Prowansji. Paula ma tam jakąś ciocio–babkę, czy coś takiego. Później jadą do Danii, Holandii i przez Szwecję do Jannego.

— Ładnie wyglądasz.

— Ty też.

Wiktor został kilka dni, łagodnie wtapiając się w towarzystwo. Nigdy bym go nie posądziła, że tak się będzie dobrze czuł w gronie osiemdziesięciolatków i karmiącej piersią młodzieży. Najwięcej czasu spędził jednak z panem Bogumiłem i Bogdanem. Obaj są inżynierami i konstruktorami samolotów, obaj pracują w tej samej firmie. Wreszcie znaleźli interlokutora szczerze zainteresowanego ich tematami. Patrzyłam na nich, jak siedzieli przy kolacji, kompletnie zajęci rozmową. Szczupła, pociągła i dotąd smutna twarz pana Bogumiła rozjaśniła się, ożywiła. Ciemne oczy nabrały blasku, mimika ruszyła obolałą maskę. Szpakowate, niemal siwe włosy wcale go nie postarzały.

„Jaki przystojny, jaki elegancki, twardy mężczyzna. Miło popatrzeć. A Boguś, pewnie podobny do swojej mamy, bo krągłolicy i ma inne włosy. Tylko nos i oczy — ojca. No i dłonie. Też szczupłe. Ładne" — myślałam, pijąc piwo.

Kwintowie zajęci byli sobą. Ania bez żenady uniosła bluzkę i dokarmiała Martę wielką, różową piersią. Soplicowie i Czajkowscy — jak zwykle razem. Prym wiedzie pan Stanisław i pan Tadzio. Panie przysłuchują się, wtrącają. Pani Hania leniwie, pani Wanda żarliwie. Jest po kolacji. Ciepły, wilgotny wieczór. Pozapalałam kopcidła na komary. Żrą jak opętane.

Kaśka już nauczyła się obsługiwać zmywarkę, która chwilowo stoi w pensjonacie, więc nie mamy za dużo pracy wieczorem. Siedzę często na werandzie z gośćmi, bo oni są wszyscy tacy... niewymuszeni. Rodzinni. Piotr i Józio zawsze zbierają brudne naczynia i noszą Kaśce do zmywania. Myślałam, że będzie tak jak w hotelach — obco, oficjalnie. Ja, jako służąca, a oni — jaśniepaństwo. Jaka pomyłka! Już rozumiem zapewnienia mamy, że to naprawdę miłe, gdy letnicy są zaprzyjaźnieni i na poziomie.

Wyszłam na podwórze i spojrzałam przez bramę na łąki i rozlewisko. Czuć, że na trawie zbiera się rosa. Jest późno, ale nadal przyjemnie. Lekkim powietrzem dobrze się oddycha. Las śpi, bo to już lipiec, więc wszyscy gniazdują. Nie ma awantur o miejsce, nawoływań, majowego bałaganu. W gniazdach śpią pierzące się dzieci. Cisza. Czasem słychać puszczyka, a nad głową latają nietoperze. Nisko i cichuteńko. Odwracam się. Weranda jarzy się świecami, dom — zapalonymi światłami. Rozmowy i śmiechy nie ustają.

Teraz Czajkowscy i Soplicowie zabawiają Kwintów i ich dzieci. Boże! Jaka słodycz. Zwariować można! Grzeszę. Sama tego chciałam. Bałam się, że przyjadą kapryśni dziadowie z marudzącymi babiszonami albo pociumane mamuśki z wrzeszczącymi bachorami. Mama zrobiła dobry casting na gości, więc jest jak jest.

— To sprawa kultury, Gosiu. Klasy.

— Tak myślisz, Wiktor? A Kwintowie?

— Co, Kwintowie? Religijni, ale normalni. Piotrek, fascynat — harleyowiec. Józek też zwykły dzieciak.

— Nie zwykły. Nie słucha hip–hopu, nie klnie, nie strzyka śliną przez zęby.

— A z tym chłopaczkiem z tartaku, Krzysiem — tak? Łażą po drzewach, kopią jakieś doły, skaczą do wody. Tak... normalnie, jak ja kiedyś. Co chcesz?

— Jednak ciut inny. Cieszę się, że właśnie tacy tu u nas się zalęgli.

— Jasne. Twoja mama i ty roztaczacie taki czar. Trudno to nazwać facetowi, ale u was jest tak, że nie mógłbym tu… rzucić peta czy przekląć. Rozumiesz, co mam na myśli? Jest jak w domu.

— Staram się. Jak tam w firmie?

— Ciężko. Coraz gorzej. Wielkie sieciówki już dobrały się nam do d… ciała. Konkurencja jak cholera. Wielkie pożera małe.

— A co z tobą?

— Ja się postanowiłem sprzedać do banku. Chcą mnie. Zaczynam od września.

— Żartujesz? Prezes wie?

— Już się zwolniłem.

— O Matko. Chyba płaczą tam po tobie.

— Znalazł na moje miejsce panią Elę, która właśnie odeszła z jakiegoś banku. Starsza, z doświadczeniem, i wie, co można, a czego nie. Znajoma Zygmunta. Jakaś jego ciotka, czy coś… Nie gadajmy o firmie. Dobrze zrobiłaś, że odeszłaś.

— Wiktor. Ja nie odeszłam. Oni mnie wywalili.

— Racja. Sorry, ale na dobre ci wyszło. Spadłaś na cztery łapy. Co z Januszem? Miłość kwitnie?

— Jesteś sarkastyczny?

— Nie. Tak zabrzmiało? Przepraszam.

— Pojechał do Olgierda, swojego guru od picia, zaczarować się.

— Ciężko ci?

— Było. Cierpiałam, ale teraz jakoś mi lżej. Ja nie wiem, Wiktor, czy to było, jak to twierdzi Marysia, oszołomienie erotyczne czy zauroczenie, miłość?

— Mówisz jak nastolatka.

— A ty myślisz, że to jest do opanowania? Że z biegiem lat mądrzejemy? Obrastamy w doświadczenie? Zapewniam cię, że każdy głupieje, jak go dopadną takie emocje. Zalazł mi za skórę, aż do serca. Bardzo.

— Wiem.

— Co — wiem?

— Monika prawie mi odebrała zdrowy rozsądek. Wiesz, że ja po moich sercowych problemach z tą wariatką, artystką — Królową Śniegu, obiecałem sobie emocjonalną wstrzemięźliwość. Że to ja będę wampirem, że będę zimny jak lód i konsumpcyjny. Już ty zburzyłaś moją twierdzę. Wiesz to. Warto było zakochać się w tobie. Poczuć prawdziwy ból, obudzić się jak Kaj. Moniśka obudziła mnie do reszty. Po historii z tobą byłem częściowo nieuzbrojony, trochę ranny i rozmemłany, nastawiony na kogoś, kto mnie pogłaszcze. Byliśmy oboje — ona i ja, po jakichś tam rozstaniach. Najpierw udawaliśmy zabawę w obojętność. W końcu Monika pierwsza powiedział mi, że mnie kocha i chce mi robić rano śniadania. Żadna kobieta nigdy tak odważnie… Więc wiesz, zgłupiałem, zmiękłem i pomyślałem: jak długo będę jeszcze sam? Jak długo będę uciekał od normalności? Bo tu u was, Gocha, zobaczyłem normalność. Rodzinę. To, jak kochacie Kaśkę, jak Tomasz kocha twoją mamę, jak ty kochasz ich wszystkich, oni ciebie… Też tak chcę. Kupiłem pierścionek z brylantem i powiedziałem Monisce, że chcę jej zrobić dziecko i to piorunem, bo chcę mieć rodzinę, święta, choinkę i dom.

— A ona co?

— Jak to baba, poryczała się jak na amerykańskim filmie. Faaaajnie było. Mówię ci. Myślałem, że jestem twardy, zimny singiel, czytałem o sobie, o takich jak ja, w męskiej prasie, i sądziłem, że tak już będzie zawsze.

— No, to ci rura zmiękła, jak mówi moja koleżanka Elwirka!

— Zmiękła. A jak patrzyłem na tę waszą świętą rodzinkę, tych z małym dzieckiem… Widziałaś, jak ona tak po prostu, przy wszystkich karmi piersią? Właściwie normalne, choć początkowo szokujące.

— Zachciało ci się tego miodu?

— No. Ten Piotrek, takie chłopisko, motorami jeździ, sporty ekstremalne uprawiał, a teraz ze skóry wyskakuje dla tych swoich bab i tego Józka tak fajnie traktuje. Jak pomagiera. Widziałaś, jak reperowali samochód? Obaj upieprzeni smarami. „Józek, podaj siedemnastkę!". Też bym tak chciał!

— No, to będziesz miał! I kto mówi, że marzenia się nie spełniają? Kiedy ślub?

— Jak najszybciej. Potem zamiana mieszkań. A nie! Jeszcze przed tym zakup testu ciążowego.

— Naprawdę ci odwaliło.

— Naprawdę.

Siedziałam z Wiktorem na naszej werandzie i poczułam, że teraz jest mi naprawdę bliski.

O tym, jak dostałyśmy prezent — niespodziankę na imieniny pani Hani

Wik wrócił do Warszawy czekać na Moniśkę, kupować test ciążowy i budować swoje nowe życie. Ale go uskrzydliło! Ja wróciłam do swoich zajęć, bo zaniedbałam pracę dla wydawnictwa i narobiłam sobie zaległości. Na szczęście są wakacje i jakoś nikt nie dzwoni z ponagleniami. Dajemy sobie radę, obie z Kasią, bo nasze panie bardzo nam pomagają. Takie są. Jak w sierpniu dojedzie więcej ludzi, a tak ma być, trzeba będzie jednak zatrudnić Wronę na stałe, bo same powinnyśmy liczyć na siebie, a nie na letniczki. Pani Wanda, Ania Kwinta i pani Hania wyjadą i nie będą już lepić pierogów, robić domowego makaronu, piec ciast i ciasteczek, gotować dżemów i robić ogórków. Bardzo dobrze się przy tym bawiły, ale nie mogę już na to liczyć. Przyjadą nowi, nieznani nam letnicy. Musimy dobrze wypaść. Mama nie powinna się przepracowywać, a ja mam sporo pracy do zrobienia dla wydawnictwa. I Wrona sobie zarobi.

Pod koniec lipca przyjechała z sanatorium mama z Tomkiem. Akurat jedliśmy kolację, kiedy samochód Tomasza zajechał z chmurą pyłu przed nasz dom. Józio zaraz pobiegł otwierać bramę. Wjechali na podwórko i wysiedli, oboje uśmiechnięci i zadowoleni. Mama opalona na oliwkowo, z rozpuszczonymi włosami za szeroka opaską, w kolorowej kiecy — jak stara, piękna Indianka. Pomachała do nas i uśmiechnęła się szeroko. Tomasz też opalony, wielki jak rzymski wojownik. Ma dwudniowy, siwy zarost ładnie wyglądający przy czerwonej koszuli. Chyba ciut podciął włosy. Wszyscy witamy się serdecznie, a Kaśka całą sobą przytula się do mamy i dopiero teraz widzę, jak bardzo tęskniła.

— Co tam, Kaśko? Wytrzymałaś beze mnie?

— Tak, wytrzymałam, Basiu. Umiem zmywać w zmywarce i robiłam zupy! Sama gotowałam! Tak.

— Sama? Mój ty mądrasku!

Mama gładzi Kaśkę po plecach i jest wzruszona powrotem i powitaniem.

— A moja wnuczka? — pyta mnie o Marysię.

— Twoja wnuczka i Paula dostały pracę u ciotki we Francji i do października robią to samo, co my tutaj, tylko w Prowansji i za euro!

— Coś ty? Załapały się do hotelu?

— Syn tej ciotki prowadzi knajpę i pensjonat. Dogadali się. Wiesz, że własne pieniądze smakują lepiej. Pannom kasa się przyda. Do nas wpadną pod koniec września albo jakoś w październiku.

— A co z Kubą?

— Są przyjaciółmi. Trochę go to zabolało, ale musiał się z tym liczyć, że teraz nie ma Penelop.

— A co jest?

— „Związki otwarte".

— Proszę?

— Wierz mi, nie chcesz wiedzieć. Twoja wnuczka też tego nie akceptuje. Kuba się sparzył na nowoczesnych poglądach. Chyba żałuje, ale przecież nic nie jest ostateczne i jak są sobie pisani, to będą!

— Hmmm. Lubiłam go. Janne też był miły. Jak dawałyście sobie radę beze mnie?

Gadałyśmy już u nas, w kuchni i w mamy pokoju. Kaśka była z nami i pomagała mamie posortować ciuchy, zanosiła brudne do prania, słuchała i uśmiechała się szczęśliwa, że odzyskała Basię. Tomasz został na werandzie pensjonatu, z naszymi gośćmi. Później wzięłyśmy swetry i też poszłyśmy na werandę. Mimo pełni lata i niedawnych upałów, ochłodziło się i popadało wczoraj. Powrót letnich temperatur zapowiadają na jutro.

Ostatnim akcentem przed wyjazdem Czajkowskich i Sopliców są imieniny pani Haneczki, zawsze podobno barwnie obchodzone. Teraz będą dubeltowe, bo dołączy Ania Kwinta. Nas całkiem wyłączyły z przygotowań. Robimy swoje do obiadu, potem mamy wolne.

Rano obie nasze solenizantki dostały bukiety polnego kwiecia i życzenia, a dalsze obchody mają być wieczorem, podczas uroczystej kolacji.

Po śniadaniu panie namawiały się, a panowie — prawie wszyscy, nawet Tomasz, gdzieś znikli. Swój powrót zapowiedzieli na późny obiad.

Zanim usiadłam przed komputerem, pogadałam z mamą.

— Podobno przetańczyłaś całe to swoje sanatorium?

— A, jakoś tak wyszło, bo w pokoju nie było na szczęście telewizora, za to blisko dancing. No, właściwie dyskoteka, ale muzykę tam puszczali całkiem retro. Tomasz się rozochocił, a jak zakręciliśmy walca angielskiego pod *Delilah* Toma Jonesa, sala biła nam brawo. Byliśmy sami na parkiecie! Poza tym bywaliśmy w kawiarni, w której można było spotkać profesor Marię Szyszkowską, no wiesz, tę filozofkę. Jest fantastyczna. Przegadałyśmy kilka miłych popołudni, o… życiu i jego zawiłościach.

— Jak Tomasz to zniósł?

— Początkowo siedział onieśmielony i był pewien, że to będzie „żucie szmat", jak on to nazywa. Potem jednak pani profesor urzekła go erudycją i celnością spostrzeżeń. Zna się na ptakach, wiesz? Jest urokliwa i dowcipna. Ma taki kobiecy, łagodny głos i sposób mówienia. Pominęliśmy milczeniem sytuację polityczną w kraju i na świecie, sprawy gospodarcze i inne brudy. Pozostaliśmy przy rzeczach mądrych i ciekawych.

— To zupełnie jak my tutaj, chociaż facetów ciągnie do politykierstawa i analiz gospodarczo-ekonomicznych. Lubią popyszczyć sobie, ponarzekać, zakląć.

— Kto klął?! — spytała mama szczerze zdumiona.

— Czajkowski. Rząd wyzwał od nieporadnych kutasów, a pan Tadzio dodał, że Piłsudski dałby im popalić, kazał kury szczać wyprowadzać, wiesz, takie tam. I że drugiego takiego nie ma, więc jesteśmy w zasranej sytuacji.

— Tak powiedział?! Przy paniach?

— Nie. To był męski stół. Panie w tym czasie robiły ogórki.

— Żartujesz? Zapędziłaś je do ogórków?

— Same chciały. Ania Kwinta opowiadała, jak jej babcia robi ogórki, a w „Gazecie Olsztyńskiej" jakiś redaktor dał przepis na ogórki koprowe, z samym koprem, i zaczęło się. Poszłam po Nienackiego, te jego *Skiroławki*, i przeczytałam, jakie ogórki robiła gospodyni doktora Niegłowicza. Narobiłyśmy sobie smaku, więc wysłałyśmy Wandę po ogórki do Szczytna. Ja przywiozłam z Pasymia pięćdziesiąt słoików, bo już nie mamy żadnych.

— Były jeszcze...

— Małe. Już są w nich dżemy.

— Kto robił?

— My wszystkie... Mamy ogólnie: sześćdziesiąt cztery słoiki dżemów różnych, pięćdziesiąt kompotów, pięćdziesiąt litrowych ogórków różnych i dwadzieścia samych koprowych. Piętnaście słoi, takich dużych — dwulitrowych, samych zacukrzonych wiśni do ciast, także moreli i agrestu.

— Powariowałyście. Nie można was na chwilę zostawić samych! — Mama była wyraźnie rozbawiona i zaskoczona naszymi wyczynami i dodała: — Muszę dokupić słoików, bo jeszcze przed nami jabłka, grzyby, śliwki i gruszki. Dobrze, Gosieńko. Odpocznij teraz, a ja przejmę pałeczkę. Pobawię się papierkami, przejrzę rachunki. Daj buziaka. Dobrze sobie radzisz. A... jak z Januszem?

— Pojechał się odczarować. Pił. Nie wiem, co z tego będzie i czy będzie. Widać nie ten mi pisany...

— Tomasz ci mówił: „Tego kwiatu to pół światu". Znajdzie się taki dla ciebie. Zobaczysz.

Lubię, jak Gnom mnie przytula. I jak tak mówi, bo jej wierzę. Jestem dzieckiem, któremu mamusia obiecuje lepszy świat.

Po śniadaniu pani Wanda zabrała panie do miasta po tajne zakupy i teraz zamknęły się w kuchni. Ale pachnie! Wanilią, drożdżami, karmelem... Piję zieloną herbatę i nic mi się nie chce. Ciężko mi się skupić, ledwo, ledwo łapię sens czytanych słów. To efekt rozleniwienia. Długo mnie nie było przy komputerze i muszę się wdrażać jak dziecko z ADHD. Odwracam się, wącham powietrze, zmywam paznokcie ze starego lakieru i parzę kolejną herbatę. Wiercę się. Chce mi się pracować, jak psu — orać.

Cholera! Dzisiaj, teraz, nic z tego. Po obiedzie może dam radę... Panowie zadzwonili, że się spóźnią i o piętnastej trzydzieści ma na nich czekać Bartek, a o siedemnastej wpadnie niejaki pan Kazio ze Szczytna. Są bardzo tajemniczy...

O szesnastej zajeżdża na podwórko jeep Piotra Kwinty z przyczepą, na której stoi coś wielkiego pod plandeką. Panowie wysiadają i mają lisie miny. Pan Tadeusz podśpiewuje i zaciera ręce. Idzie tanecznym krokiem, nucąc stale, w stronę kuchni. Z tymi zgarbionymi plecami, wygląda jak tańczący Quasimodo.

— Pani Małgosiu, pani Basiu, pani Kasiu! — woła nas Staś Czajkowski.

Piotr rozmawia z Bartkiem, który przywiózł z tartaku wózek — paleciak. Po co?

— Moje panie!

Pan Stanisław wyraźnie wymawia nasze imiona, składa dłonie, zwleka, aż dobiega do niego dziarskim truchtem pan Tadeusz, zgięty wpół.

— Nasze panie dołączają się, ale mają ręce w cieście i będą obecne tylko duchem!

— No, więc jeszcze raz: moje panie, Basiu, Kasiu i Gosiu! Wszyscyśmy tu wzruszeni niezwykle waszą uprzejmością, i pragnąc docenić wysiłek, jaki włożyłyście w ten nowy pensjonat — żeby się nam milej żyło, chcemy mieć swój wkład w urodę tego domu. Bo to jest dom, a nie pensjonat, hotel, czy co tam... Otóż uradziliśmy, że zrobimy sobie na „Hanny" prezent. To znaczy to prezent dla was, ale i dla nas, a dla pani Haneczki szczególnie. Teraz proszę nie podglądać z okien i dać nam się wykazać. Później zapraszam na oględziny. Wyślemy umyślnych.

Na podwórko zajechał mały samochód, a z niego wysiadł równie niewielki mężczyzna. Podszedł do jeepa i przedstawił się cicho. Nasi panowie, usłyszawszy, kim jest, syknęli i nakazali mu milczenie, dopóki my nie umkniemy. Poszłyśmy do domu zdumione do oporu. Co knuli?

— Mamo, zróbmy sobie niespodziankę. Nie patrzmy z okien, jak prosili.

— Chodź do ciebie. Od ciebie nie widać podwórza. Niech mają. Pewnie jakaś fajna szafa albo komoda, bo mówiłam, że nie mam gdzie trzymać obrusów i takich tam... Jak myślisz?

— No... może być. A może fotel jakiś ładny, dla starszej pani?

— Cholera ich wie... Spiskowcy.

W moim pokoju mama zdała mi szczegółową relację z pobytu w Nałęczowie, opowiedziała o zabiegach i stanie serc — jej i Tomasza.

Długo to trwało, więc poszłyśmy do kuchni i spojrzałyśmy przez okno. Jeep stał bliżej werandy, przyczepa otwarta i już pusta. Wszyscy byli w środku.

— Zapomnieli o nas — powiedziała mama.

— Nieeee. Coś knują. Może składają, skręcają?

— Co?

— To coś!

— Za niecały tydzień przyjadą całkiem nowi letnicy. Kwintowie jeszcze zostają. Od połowy sierpnia sama Ania z bachorkami, bo Piotr ma pracę. Będzie dojeżdżał. Spodobało im się.

— A ci pozostali, co za jedni?

— Jedna pani samotna z Warszawy, małżeństwo w wieku średnim i dwa małżeństwa za euro — Szwedzi z przyjaciółmi. Bez dzieci! I już masz górę załadowaną. Pozostaje jeszcze nasz dom i piętro. Zapowiedzieli się jeszcze tacy państwo sprzed kilku lat. Cisi, spokojni.

— Mili?

— Czemu pytasz?

— No, bo w domu…

— Gosieńko, przecież ci tłumaczyłam…

— Racja. Przepraszam. Chciałabym chronić twój spokój.

— Doceniam to, ale jak będę miała dość, ucieknę do Tomasza! Dom niech zarabia. Musisz przecież zwrócić Wiktorowi pożyczkę.

— Ano tak.

— Kogoś jeszcze chce mi na sierpień wcisnąć Piernacki, a we wrześniu… Już mam pytania o wrzesień! Wiesz?

Mama była zadowolona z obłożenia, bo jesienią pani Karolina, dowiedziawszy się o naszym remoncie, straszyła, że jak raz się straci klientów, trudno ich odzyskać, a o nowych też niełatwo. I że takie czasy i że ludzie są niewdzięczni za okazane im serce.

— Rozmawiałam mamo z Wroną i od sierpnia przyjdzie do pracy, na popołudnia.

— Od której?

— Od piętnastej, chociaż to przecież się okaże. Dałam jej rower, żeby nie dygała taki kawał piechotą.

— O, widzisz. Myślisz. Madamme Karolina jest zniesmaczona, że Wrona będzie u nas pracować. Wczoraj w piekarni coś tam fuknęła na ten temat.

— Olewam, co ona myśli.

Rozmowę przerwał nam Józek z Krzysiem, którzy weszli do naszej kuchni i uśmiechając się tajemniczo, mały Kwinta powiedział:

— Zapraszamy do jadalni. Już gotowe.

Kiedy szłyśmy przez podwórze, pan, zdaje się Kazio, odjeżdżał.

— Kto to? — spytałam Józka.

— Stro... — ugryzł się w język i powiedział obojętnie: — Taki pan!

Przed wejściem, zawiązano nam oczy apaszkami pani Hani. Pięknie pachną jej perfumami! Krzysio i Józek już ledwo wytrzymywali napięcie, chichocząc nerwowo. Postawiono nas gdzieś w sali jadalnianej i nakazano ciszę.

Nagle zabrzmiała głośno przygrywka grana na pianinie bardzo ozdobnie i sprawnie. Jakieś akordy i kaskady dźwięków, tremolo i wreszcie... chór naszych gości zaśpiewał rodzimą śpiewkę *Sto lat!*

Zerwałyśmy opaski i zobaczyłyśmy wszystkich naszych gości stojących w rzędzie, śpiewających z natchnieniem. Zza nich wydobywały się dźwięki akompaniamentu. Rozstąpili się, wciąż śpiewając. Pianino! To było prawdziwe stare, czarne pianino, a przy nim pani Haneczka, wygrywająca pulchnymi paluszkami tło muzyczne.

Mama chwyciła mnie za rękę i spojrzała mokrymi już oczami. Stałyśmy obie, oniemiałe ze wzruszenia i jakiejś niesamowitej czułości dla tych naszych starych grzybów, przyjaciół wiernych mamie, którzy uknuli cały ten spisek i sprawili nam i sobie ten prezent. Ciężki i niełatwy w transporcie — to pewne.

— To... pianino? — spytał Gnom, po to tylko chyba, żeby upewnić się i powiedzieć cokolwiek.

— Tak, kochane moje. Dla was, dla nas, dla każdego, kto zagra tu coś miłego. — Pani Haneczka wstała z trudem od klawiatury i dodała: — Od dawna mi tego brakowało.

— Ale... to są pań imieniny — powiedziałam zażenowana tym darem.

— Więc i dla nas to prezent, pani Gosieńko! Dla wszystkich, ale dla tego domu przede wszystkim, bo dobrze nam tu, u was!

Pani Hania była bardzo zadowolona z naszych głupich min i śmiała się serdecznie.

— No — dodała jeszcze. — Teraz musimy do kuchni, robić uroczystą kolację, a wy róbcie, co chcecie!

— To kosztowne... — bąknęła mama do pana Stasia.

— Wszyscy ściepli się do kapelusza, droga pani Baśko. Jakoś wytrzymaliśmy. To przecież sprzęt używany, wytargowaliśmy bardzo przystępną cenę. No i przy okazji to antyk. Wieźliśmy to cacko aż spod Hajnówki!

— A ten pan Kazik, to stroiciel, jak się domyślam?

— Tak. Ze Szczytna. Prowadzi tam w Domu Kultury taką kapelę z chórkiem folkowym „Pofajdoki". Średnia wieku — sześćdziesiąt pięć lat! Słyszeliśmy ich na Dniach i Nocach Szczytna, jak pojechaliśmy z Kwintami. O, tu jest jego wizytówka, bo podstroił tak na razie, a przyjedzie jutro pobawić się dłużej, no i w ogóle, czasem powinien wpaść i dopieścić sprzęt!

Byłyśmy zaskoczone, oszołomione i rozbawione pomysłem naszych gości. Najmniej odzywali się obaj Bogusiowie, ale uśmiechali się i cieszyli jak wszyscy.

Wieczorem na werandzie pensjonatu czciliśmy imieniny naszych pań — Ani i Hani. Podano kunsztowne zakąski, koreczki, kanapeczki na krakersach i zimną wódkę. Później wjechały torty. Pani Hani cud: tort kawowo–bezowy ozdobiony kwiatami nasturcji, i pani Ani: biszkoptowy z malinami w galaretce, na bitej śmietanie. Pani Wanda zrobiła stefankę z karmelowym kremem. Szampana nikt nie chciał. Pili go głównie Józio, Krzysiu, Kaśka i Ania Kwintowa. Malutko, „bo karmi".

Wieczorem zrobiło się chłodno, więc weszliśmy do środka i pani Hania zasiadła do pianina, a Czajkowscy z panem Tadeuszem, moją mamą i Tomaszem rozśpiewali się na dobre. O dziwo, dołączył do nich nieśmiało pan Bogumił. Popłynęły pieśni legionowe sprzed lat, dumki ukraińskie na głosy i inne jakieś mniej mi znane. Co za wieczór! Mali chłopcy oglądali telewizję w sali bilardowej (ciągle jeszcze bez bilarda), a my kołysaliśmy się, śpiewali i bawili doskonale, bo jak skończył się repertuar muzyczny, namówiłam je obie — Wandę i Hanię — na wspominki. Wanda Czajkowska opowiadała, jak poznała swojego Stacha i jak początkowo ją drażnił, jak się pokochali i jak żyli w okupacyjnej codzienności. Później wspomniany został przedwojenny bal Sopliców i pierwsza Hani muślinowa suknia, satynowe prunelki w kolorze sukni, pan Tadeusz w mundurze, z tremą i karminowymi różami. Pierwszy i ostatni bal młodej damy, „bo po wojnie, drodzy moi, to już nie było takich bali". Okupacja spędzona u ciotki w Austrii, powrót do kraju, szukanie Tadeusza... Barwna opowieść snuła się długo w noc. Słuchaliśmy naprawdę bardzo zainteresowani tymi wspomnieniami, których przywołanie wyraźnie wprawiło panią Hanię w dobry nastrój.

Na pożegnanie podziękowała nam:

— Już dawno nie spędziłam tak cudownego wieczoru. Znów poczułam się młoda, lżejsza o tonę i zakochana w Tadziu... Chodź, kochany. Dobranoc państwu!

Powoli ruszyliśmy do pokoi.

Maleńka Marta spała na rękach Piotra snem anielskim.

Od świętej Hanki zimne wieczory i ranki

Nasze kochane dziady, jak też Bogusiowie, pojechali. Pożegnanie było miłe, nie za łzawe, serdeczne i pełne ciepłych słów za to, co zrobiłam. Przekonałam się, że podejmując obcych ludzi, nie muszę czuć dyskomfortu, tracić życia osobistego, oddawać siebie całej. Mama tak to ujęła:

— Musisz się nauczyć oddzielać pracę od prywatności. W Warszawie to proste — wsiadasz do pojazdu i wracasz z pracy do domu. Tu jesteś cały czas w pracy i w domu jednocześnie. Oddziel to w głowie. Postaw granicę i znajdź czas dla siebie. Jest nas dużo. Dajemy radę!

Mądra jest.

W sierpniu niewiele czasu poświęcałam pensjonatowi, bo musiałam sporo zrobić, żeby zarobić. Mamy dziurę w budżecie. Nasz stawek zrobiony przez Mirka Książkiewicza sporo nas kosztował, w sali bilardowo–rozrywkowej świeci tylko telewizor i nie stać nas na resztę, a w gabinecie do masażu sypia pani Ania — Wrona, bo jak kończy koło dziesiątej wieczór, to jazda rowerem do domu nie należy do przyjemności. Widać, że woli taki układ i że nic ją do chałupy nie ciągnie. Mąż pije. Mniej niż przed śmiercią Karolinki, ale nie poradził sobie, chleje nadal.

Jest sporo potrzeb, a główna to pozbyć się długów.

Nowi przyjezdni okazali się mili i sami zajmowali się sobą. O takiej zażyłości jak z Czajkowskimi i Soplicami już nie ma mowy, ale to sprawa czasu — jak twierdzi mama. Jej znajomi letnicy sprzed lat, Gołowiczowie ze Śląska, są cisi i małomówni. Powolni, bo on po zawale, ona po wylewie. Samotna pani z Warszawy — wyalienowana zupełnie. Mnóstwo czasu spędza na spacerach albo czyta pod drzewem Soplicóów na ławce, otulona szalem. Jest w moim wieku. Ładna. Smutna. Polsko–szwedzkie towarzystwo zabawiało się samo, jeżdżąc po okolicy, zwiedzając Malbork, Trójmiasto, Reszel i co tylko jeszcze się da. Wieczorami grają w brydża, czasem do rana. Piernacki rzeczywiście podesłał nam młode małżeństwo, które szybko zainteresowało się Anią Kwintową, bo sami byli w pierwszej ciąży.

Źle sypiam. Tęsknię za Manią. Rozpiera mnie dziwne nostalgiczne uczucie nieopisanego żalu, smutku... Jakbym straciła kogoś, coś... Budzę się w nocy i natychmiast to mnie dopada. Leżę i próbuję odnaleźć źródło tego stanu. Nosi mnie tak czasem aż do szarówki. Idę wtedy do kuchni, otwieram kredens i nalewam sobie maminego, bułgarskiego koniaku. Potem owijam się jej wielką, wełnianą chustą wiszącą zawsze w korytarzu obok łazienki i wychodzę na werandę.

Jest zimno już, w porównaniu z gorącymi, lipcowymi nocami. Nocą na ławce i balustradzie często zbiera się zimna rosa. Tak już będzie…

Siadam z pękatym kieliszkiem i gapię się na spokój ciemnego lasu, stoicką taflę rozlewiska, śpiące łąki. „No i czego? Czego?" — pytam sama siebie. Sama uciekłam z miasta. Już nie mogłam znieść tego wiecznego udawania, że wiem, co robię, że akceptuję pozłotkę mojej pracy, że forsa usprawiedliwia wszystko. Nienawidzę przerw reklamowych w telewizji. Patrzę na spoty i wiem, jak powstawały, wiem, kto jest ich „target — grupą", wiem, jakie wytyczne daje socjotechnik, aby dotrzeć do najszerszego grona odbiorców. Sztaby dobrze opłacanych, wykształconych pracowników dbają o to, żeby ludzie nie decydowali sami o tym, co kupią. Wymyślne chwyty mają dotrzeć do podświadomości i stamtąd kierować klientem, na co ma wydać swoje pieniądze. Pamiętam, jak mnie to wszystko gniotło, przeszkadzało i z jaką radością wylądowałam tu, u mamy. Ciągle mnie to denerwuje, ale już nie biorę w tym udziału. Nareszcie żyję prawdą i naturą. No, to o co tym razem chodzi? Koniak łagodnie spływa mi do brzucha. Jest ciemno i nie ma księżyca. Okropne jest takie niebo! Dobrze, że posesja licho, bo licho, ale oświetlona. Chłód jeszcze się do mnie nie dobrał. Gołe stopy w kapciach leżą na taborecie i są ciepłe.

Do niedawna czułam taką satysfakcję z tego, co zrobiłam z moim życiem! Zbudowałam pensjonat, kąpielisko, robię prawdziwe, pyszne przetwory bez konserwantów i barwników „idiotycznych" z naturalnymi. Dbam o mamę, Kaśkę i pensjonat — bez kłamstw i socjotechniki. Czuję, że jestem potrzebna, kochana… To czemu mi tak… byle jak? Przez Janusza? Nie mogę się bez niego obejść? Efekt pustki emocjonalnej? Może rzeczywiście nie mogę poradzić sobie z samotnością? Nawet taki zatwardziały singiel jak Wiktor też uległ ciepłym piersiom, dłoniom, słowom. Jak to on napisał ostatnio? „W nocy Moniśka zwija się w rogalik, ale zawsze mnie dotyka. Stopą, kolanem, dłonią. Kocham to. Coraz bardziej lubię jej obecność, nawet jak siedzi cicho i czyta. Lubię słyszeć, że coś robi w kuchni, w łazience… Nawet jak odkurza, kiedy ja liczę bilans. Dziadzieję? Powiedz, Goniu?". Nie dziadziejesz, Wiku. A jeśli tak, to ja z tobą. Mania, mama, Kaśka to nie wszystko. To inna półka w sercu. Brak mi chyba kogoś, kto zaspany wyjdzie z łóżka poszukać mnie, znajdzie tu, na werandzie i powie zgorszony: „Gdzie łazisz? W całym łóżku cię nie ma! Nie mogę bez ciebie spać!".

No… Chyba tak.

Wstałam o dziwo wcześnie, jeszcze zanim mama przyjechała od Tomasza. Za oknem już w miarę słonecznie, ale czuję poranny chłód. Zakładam welurowy dres, skarpety, które przeleżały w zapomnieniu prawie cały maj, czerwiec i lipiec. Zawsze byłam gorącokrwista i nosiłam drewniaki, klapki i sandałki na gołą stopę. Teraz jednak skarpety i adidaski. Czuję, że inaczej zmarznę.

W pensjonacie pali się już światło w kuchni. Pewnie Ania — Wrona, sprząta i robi śniadanie. Kaśka też już wstała i wraca z ogrodu przez podwórze. Niesie pęczek zieleniny i sałatę do dekoracji półmisków.

Ania ma duże wyczucie estetyki i szybko się uczy. Jest małomówna i mrukliwa, ale lubi pochwały. Wędliny, sery układa zawsze bardzo starannie i równo. Dałam jej książkę o dekorowaniu stołów i potraw i już nic więcej nie muszę. Jest dobrą obserwatorką. Szybko łapie, o co chodzi. Pilnuje, żeby w jadalni były kwiaty, czyściutka podłoga, żeby wszystko dookoła pachniało świeżością. To był dobry pomysł, żeby ją zatrudnić.

Mama weszła do domu.

— Cześć, Goniu. Masz coś smutne oczka. Zrób kawę, jestem bez.

Dobrze, że przyszła. Kręci się po kuchni, majta końskim ogonem i też jest w dresie. Klepie mnie po plecach, uśmiecha się troskliwie i mówi dalej:

— Zimno, co? Zawsze sierpień jest taki. Przesilenie lata. Spójrz na niebo, będzie dziś ciepły, ładny dzień.

Piję z mamą kawę jak zawsze, kiedy rano jest trochę czasu. Rozmawiamy, mama robi prasówkę, opowiada o tym, co się dzieje w mieście, chociaż znacznie mniej ją to interesuje niż kiedyś.

— Wolę nasze podwórko i nasze sprawy. — Mama pije i patrzy na mnie znad okularów.

— Źle sypiam, mamo, i mam melancholię.

— Posłuchaj matki i idź na badania. Poproś panią doktor o skierowanie na hormonogram. Nastolatkom i dziestolatkom burzą się hormony. Może wystarczą ci preparaty roślinne?

— Wiesz, co by na to powiedziała Elwira? Że mi chłopa trzeba, bo mam OZN.

— ...?

— Ostry Zespół Niedopchnięcia.

— Fajne! — zawołał Gnom. — Wulgarne, ale fajne! Stara Felicja też by tak rzekła, ale to uproszczenie. Sama wiesz. Ogarnij się i zacznij od tego, na co można kupić pastylki. Później pofilozofujemy. A w ogóle, to ty niedokołysana jesteś, wiesz? I to moja wina.

— OK. Pasuje mi to. Dziś mam bad day. Nic nie zrobię, więc pojadę po to skierowanie. Jak wrócę, zapalę marihuanę i zostanę hippie. Potem będę marudna i upierdliwa, a ty będziesz to znosić.

— Sobie bądź! — Mama wstała i pocałowała mnie w czubek głowy.

Wróciłam późno, bo w przychodni była kolejka. Dobrze, że krew na hormony pobierało prywatne laboratorium w Szczytnie nawet po południu. Byłam w kilku szmatlandiach, w księgarni i... nie pomogło. Cierpię, bo mi źle.

Pod wieczór byłam już tak rozstrojona, że włożyłam znów dresy i poszłam na kładkę na rozlewisku, potarmosić duszę. Zobaczyłam z daleka, że na mojej (!) kładce siedzi nasza wczasowiczka — samotnica, i gapi się w wodę. O Boże, jeszcze się utopi... Policja, gadanie, problemy. A niech tam! Chciałam zawrócić, ale poszłam, bo mi jej żal. Ciąga się sama, je przy stole sama, czyta, rozmyśla i ma twarz... jak ja dzisiaj. Usiadłam na ławce, na której piłam wódkę w sylwestra, kiedy nadszedł Janusz. Teraz pewnie łowi ryby w Biebrzy i gada ze swoim guru. Oczy mi załzawiły, a w środku zafalowało coś mglistego i tęsknego. Czułam się jak bohaterka wyciskacza łez. Rozmemłana, rozżalona, godna politowania. Jak mi go brak! Prasa kobieca udzieliłaby mi rad: Terapeuta! Preparaty ziołowe na depresję! Modna fryzura, tipsy i masaż! Pozytywne myślenie i samoakceptacja! Dajcie się wypchać. Dobrze mi jak tej tam, nad wodą.

Pani letniczka siedziała, nieruchomo prawie, już dość długo. Nie marznie? Już chłodno, a ona ma na sobie tylko tę swoją kolorową chustę. Merdała patykiem w wodzie i też zapewne użalała się nad sobą, jak ja. Co mama mówiła? Że to aktorka? Wstała i obejrzała się. Zobaczyła mnie i patrzyła, myśląc, kto ja jestem i czy uciekać, czy nie. Wyglądała trochę jak dziewczynka, która zgubiła się w metrze, ale szybko przybrała minę obojętnie grzeczną i skinęła głową.

— Ja też mam dzisiaj bad day — powiedziałam do niej z usprawiedliwieniem w głosie.

Szła kładką spłoszona i zamierzała wykpić się jakoś i uciec do nory. Mijając mnie, zawahała się i podniosła wzrok. Miała czerwone oczy, jak ja. Widać walczyła w niej chęć do powrotu w bezpieczną samotność i zarazem ciekawość, dlaczego ją zaczepiam? Podeszła i usiadła obok trochę tak, jakby grała tę scenę w teatrze.

— Moje zachowanie pewnie drażni państwa?

— Kogo? — spytałam ogłupiała.

— Nnno, letników... Psuję im nastrój?

— Sądzi pani, że przysłano mnie, żebym panią ofuknęła?

— Przepraszam. — Zamilkła.

— Ja też tu przed czymś uciekłam. Mama i Kaśka dają sobie radę w pensjonacie, a ja mam zły dzień i przyszłam poużalać się nad sobą — powiedziałam pojednawczo, jak mi się zdawało.

— Sądzi pani, że się użalam nad sobą? — popatrzyła na mnie jak zraniona sarna.

Wkurzyła mnie.

— Dlaczego wszystko odnosi pani do siebie? — spytałam ostrzej. — Powiedziałam o sobie, że przyszłam, bo mam zły dzień i użalam się nad sobą. Mam swoje lata, problemy, pewnie początki menopauzy i wolno mi! Pani też może, i każdy inny. Sądzi pani, że nasi goście nic, tylko patrzą na panią i szepczą: „Jaka nieszczęśliwa. Cicho, coś ją gryzie"? No, dezintegruje się pani, ale po to są wakacje, żeby każdy robił, co chce. Chce pani samotności, to ją ma. Nikt się do pani nie wtrąca, nie gapią się na panią i nie jest pani, jeśli o to pani chodzi, w centrum zainteresowania.

— Celnie… — powiedziała cicho.

— Przepraszam.

— Ależ proszę nie przepraszać! Celnie pani strzeliła. Jestem egocentryczką. Skupiam się wyłącznie na sobie i ludzie mnie drażnią. Fakt…

— To może pójdę? Wdarłam się chyba w pani samotność.

Milcząc, przyglądała się swoim butom, a potem zaproponowała:

— Mówmy sobie po imieniu, dobrze? Ewa.

— Małgosia.

— Małgosia… — powtórzyła jak echo. — Czemu nie — Małgorzata?

— Bo dziś czuję się Małgosią. Mówiłam pa… ci, że mam kiepski dzień. Mama zdiagnozowała to jako niedokołysanie.

— Pani Basia to twoja mama?

— Uhmmm.

— Wiedźma. To widać. Wie.

— Co wie?

— Wszystko. Każdego widzi na wylot. Jest świetna. Na pewno ma życiowy bagaż, doświadczenie, jest spostrzegawcza, mądra… Zazdroszczę ci. A skąd to niedokołysanie? Nie masz męża?

— Formalnie miałam. Dziś mam z nim dobry kontakt. Mam też cudowną córkę, mamę, Kaśkę, swoje miejsce na ziemi… Nie wiem, co mi jest. Zrobiłam badania, bo w naszym wieku czasem już brakuje hormonów. Ich brak blokuje produkcję endorfin.

— Wstrętne. Chemiczne. — Otrząsnęła się.

— Dlaczego?! Wróg jest odkryty, namierzony i zwalczony. Najpierw fitohormony, a jak nie, to HTZ, i po sprawie!

— Tabletki nie pomogą na ból duszy.

— Jeśli ból jest pochodzenia organicznego, pomogą — mądrzyłam się, bo czułam jej słabość. — Jeśli to emocje, to rzeczywiście trudniej.

— To idź, weź tabletki, a mnie zostaw w spokoju — powiedziała bez złości, markotnie i smętnie.

— Na niedokołysanie nie ma tabletek.

Nieproszona, pokrótce opowiedziałam jej o mamie i sobie, o Konradzie i naszym rozstaniu, o tym jak wyrzucili mnie z Agencji i jak zamieszkałam tu. Początkowo słuchała grzecznościowo. Była zła, że dała się wciągnąć w moje życie. Poruszyła ją historia mamy, sprawa Kaśki już spowodowała jej współczucie, a przy wygnaniu z Agencji dostała nawet wypieków.

— Chodźmy do domu. Jest już zimno, a ty marzniesz — zakończyłam, wstając.

Zadała mi jeszcze kilka pytań w drodze do pensjonatu. Była zainteresowana, a to już dobrze, bo zaczęła zapominać o sobie. Wytrąciłam ją z jej cichego zaułku.

— Przyjdź do mnie do pokoju po kolacji. Czuję, że powinnyśmy pogadać. Ja powinnam. Ty też... — poprawiła się. — Przyjdziesz?

Wzięłam mamy koniak i poszłam.

— Czuję tak potworną pustkę, że aż mnie to przeraża. — Ewa siedziała z podwiniętymi nogami na fotelu i trzymała kieliszek na udzie.

Po cholerę tu przyszłam? Mam swoje bóle, mam teraz ją leczyć z jej?! O Boże!

Skoro przyszłam, słuchałam.

— Wiesz pewnie, że jestem aktorką. Byłam... Niektórzy mówią, że to jak lekarz albo nauczyciel — zawód na całe życie. Inni, że nie zawód, a powołanie, sposób na życie. Rzeczywiście jako młoda laseczka miałam lekko. Po skończeniu krakowskiej szkoły wpadłam w oko reżyserowi i już debiut i oklaski, kolejne filmy, kolejne oklaski. Och! Jak mi zazdroszczono! Byłam gwiazdą końca siedemdziesiątych i początku osiemdziesiątych lat. Pamiętasz tę modę? Okropność! Trwała, loczki, kolorowe powieki, plastikowa biżuteria, legginsy i watowane ramiona. Brrr!

Pamiętam! Rozbawiła mnie tym wspomnieniem. No jasne! A faceci nosili krótkie marynarki, debilne dwurzędówki. Fioletowe, szare, błyszczące. Włoski na Limahla. Zwężane spodnie — pumpy. Ohyda! Powiedziałam:

— Nosiłam wtedy fryzurę „na cebulę", taka kitka na czubku głowy. A ty… zaraz, pamiętam cię! O Matko! Dopiero teraz cię skojarzyłam!

— Postarzałam się.

— Nie, to nie to. Miałaś taką burzę loków, kopę włosów!

Jej włosy, proste i szpakowate, łagodnie układały się na jej głowie krótką fryzurką. Po dawnej kaskadzie ani śladu. Wtedy była blada, krzykliwie umalowana, a teraz ma naturalną opaleniznę, żadnego makijażu i szlachetne, spokojne rysy angielskiej damy. Maleńkie, złote pchełki w uszach, blady lakier na krótkich paznokciach. Rzeczywiście, śladu po tamtej… Opowiedziała o swoim dzikim, krzykliwym życiu. O pijanych imprezach i kupowaniu ról za łóżko. O Poznaniu, do którego się przeniosła, i córce, którą tam urodziła. Wszystko było jakoś tak, obok niej… Później wyszła za mąż za dobrego i bogatego człowieka, na szczęście nie z branży. Jednak córka została w Poznaniu u cioci — babci, a ona u boku męża, w wypasionej willi w Warszawie, żyje takim życiem — nieżyciem.

Siedziała rzeczywiście zagubiona, zatracona, pusta… Już chciałam jej współczuć, kiedy pomyślałam o babci Broni, o mamie. Co one powiedziałyby Ewie? I czy ja też myślę jak one? Jakiś czas temu też taką pustkę czułam w sobie i to mama właśnie uświadomiła mi, że wtedy warto na chwilę zapomnieć o sobie i zacząć robić coś dobrego — po prostu. A babcia Bronia parsknęłaby ze zdumienia i zgorszenia. Kobieta czuje pustkę? To do roboty! Zwolnić gosposię albo iść do pracy, ale jakiejś solidnej! O, tak. Tak właśnie powiedziałyby kobiety z mojego rodu. Wiedźmy. One wiedzą, czym leczyć pustą duszę. Ewa popatrzyła na mnie pełna poczucia winy, jakby wiedząc, że zostanie posądzona o coś głupiego. To Janusz mi powiedział, że takich chorób jak hipochondria, histeria, melancholia nie można lekceważyć. To też choroby…

— Chcesz rady? — spytałam. — Czy tylko wygadałaś się i ci lżej?

— Chcę. Wygadywałam się milion razy. Mój mąż ma już tego po kokardę. Jest w porządku, ale nie umie mi pomóc. Funduje kolejną wycieczkę, atrakcje… A mnie to nie cieszy. Tęsknię za córką, ale między nami nie ma więzi. Głupio.

— No, to poczekaj. Naleję sobie koniaczku i wprowadzę ducha babci Broni. Nie myśl tylko, że ja pozjadałam wszystkie rozumy. Też byłam taka memeja, jak mnie wywalili z pracy. Wszystko miałam popieprzone, rozpadł mi się świat i żyć się nie chciało. Moja teściowa, obecnie już niestety nieżyjąca, powiedziała mi, że powinnam uporządkować wszystko od początku. Największy bałagan miałam w moim życiu osobistym, w emocjach, bo zrzuciłam na mamę całą odpowiedzialność za naszą separację i trwałam w tym.

— Mówiłaś, że ona też zrezygnowała.

— Tak, bo mój ojciec nie dopuszczał jej do nas długo i skutecznie. Nawet jej listy do mnie odsyłał. Ale Zosia — moja teściowa, wypchnęła mnie z tego toku myślenia, że niby tak ma być i kropka. Odnalazłam mamę. Bałam się, że będzie mi obca. A okazało się, że obie nawiązałyśmy przerwaną więź szybko i mocno.

— Obie chciałyście.

— Tak. Jestem dorosła i bardzo chciałam. Mówisz, że masz pustą duszę? To ją wypełnij! Jest tyle sposobów. Najprostszy to zwykła praca, taka najzwyklejsza. Jutro pojedź ze mną na bazar. Kupimy paprykę, ogórki i seler. Zrobimy pikle do mięs i chutneye z pomidorów, cebuli i moreli. Zobaczysz, ile to daje satysfakcji. Może pomóż Kaśce w ogródku? Ty pewnie masz ogrodnika...

— Tak. Firma przyjeżdża co dwa tygodnie zrobić porządek w ogrodzie.

— Pograbić mogłabyś sama. Kupić książkę, podcinać krzewy, hodować hortensje, tulipany.

— Mówili, że to ogród bezobsługowy...

— To po cholerę ci taki ogród? Bezobsługowy ogród, bezobsługowe dziecko... Przepraszam, ale tak nie można. Żyje się po to, żeby mieć satysfakcję i powiedzieć na koniec Panu Bogu: „Upieprzyłam się, naharowałam i oto masz, Panie Boże — moje dzieła, może niedoskonałe, ale własnoręczne!".

Roześmiała się. Nareszcie.

— Tak, do Boga?

— Ja nie jestem katoliczką, Ewciu. Sądzę, że jeśli On jest, to normalny, nie żaden bigot. Erudyty wysłucha tak samo jak śmietnikowego nura.

— Mów dalej, co jeszcze.

— Bo ja wiem? Hodowałaś w życiu coś? Psa, kota?

— Mąż ma alergię...

— No, dobrze, a co robisz z wolnym czasem?

— Czytam, porządkuję rzeczy, organizuję przyjęcia mężowi.

— O rany. Czyli nic porządnego. Wartościowego.

Wczułam się. Już siedzi we mnie babcia Bronia. Już wiem, jak uleczyć tę biedę.

— Ewa, wszystko można naprawić. Na wszystko jest klej, trzeba tylko cierpliwości. Twoja córka wyrastała w przekonaniu, że jest ci niepotrzebna, że twój mąż zabrał cię od niej. I miała rację, zważywszy jej odczucia. Bądź empatką. Obudź w sobie macierzyńską miłość. Ona tyle potrafi!

— A jak nie obudzę? Jak jestem za stara na to?

— Obudzisz. Każda z nas to ma. Boisz się, to naturalne, ale spróbuj. Samo wyjdzie... Na to potrzeba czasu. Nie jesteś na nic za stara. Najpierw napisz to sobie. Opisz swoje uczucia, bo ja wiem? Grzechy młodości, wszystko. Napisz do córki. O wszystkim. Jak jej? Magda? Umówcie się na spotkanie. Ona jest dorosła. Inna, niż kiedy była nabuntowaną nastolatką. Odzyskajcie się.

Znajdź sobie porządne, satysfakcjonujące zajęcie. Zostań wolontariuszką w Domu Małego Dziecka, opiekuj się kimś w hospicjum, poprowadź zajęcia teatralne w jakiejś świetlicy osiedlowej, szkole... A może kurs jogi? Garncarstwo? Ogrodnictwo? Na nic nie jesteś za stara! Jesteśmy obie w cudownym wieku! Hania Bakuła powiedziała o takich jak my: „jeszcze nie szpetna, a już nie głupia!". Powinnaś to sobie wyhaftować na makatce i powiesić nad łóżkiem!

— ...nie wiem. Nie obiecuję ci, ale na bazar pojadę.

— No. To już coś. Pójdę już. Zacznij myśleć nie jak zraniona łabędzica, a jak mądra kobieta. Dobranoc.

Ufff! Ale numer! Terapeutka od siedmiu boleści. Dziś rano sama się memłałam, a teraz leczę płaczącą duszę. Wszystko ma! Urodę, talent, wrażliwość, porządnego męża i forsę, a nic z tym nie umie zrobić. Jutro pewnie wykręci się bólem głowy...

Na bazarze w dzień targowy i o tym, jak Janusz przywiózł sobie aureolę znad Biebrzy

Nazajutrz słońce rozjarzyło się już od rana i robiło się naprawdę ładnie. Bezchmurny błękit ucieszył Józia, bo Ania Kwintowa i jej nowi znajomi postanowili plażować aż do obiadu. Krzysiu i Józio, jakby mogli, zamieszkaliby w wodzie, jak wydry. Pływają aż do zsinienia warg, a woda już chłodna. Wszyscy bawią się świetnie i Ania zapowiedziała nam już swój przyszłoroczny przyjazd. Dobrze. Bogusiowie też coś bąkali, że przyjadą. Ewa zeszła na dół odmieniona. Uśmiechała się. W drodze do Szczytna rozmawiałyśmy.

— Wiesz, Gosiu, po twoim wyjściu byłam na ciebie zła. To przykre usłyszeć o sobie, że się jest „Żabusią".

— Kim?

— To z Zapolskiej, tylko że ona nie czuła się pusta. Ona była pusta. Więc nie czuła bólu. Skoro poczułam się urażona, zła, to znaczy, że coś jednak czuję. Miałaś rację. Żyję głupio. Za wygodnie. Zanadto skupiłam się na sobie. Mam już dość tej banicji. Moja koleżanka, starsza ode mnie, też aktorka, tak mądrze żyje! Też za młodu wybuchła jak flara, a potem przygasła. Odnalazła się w filozofii. Jest joginką, medytuje, żyje dla dobra świata i otaczających ją ludzi.

— Wolontariuszka?

— Nie. Tym jej światem jest jej rodzina i przyjaciele. Każdy, kto czuje podobnie, ma do niej dostęp. Przed głupotą zamyka drzwi — jak mówi.

— Czemu ona ci nie pomogła?

— Bo ja nie chciałam. Nie odkryłam się. Właściwie gram na spotkaniach towarzyskich, że niby tak mi dobrze. Ona ma prawdziwą rodzinę, przyjaciół…

— Ty też możesz mieć. Musisz tylko być szczera i otworzyć się. Zacznij dawać więcej siebie, nawet jak cię głowa boli. Tu się tego uczę. Muszę być miła dla moich gości, chociaż mam chandrę. Muszę pojechać po mięso i warzywa, nawet jak mam wszystkiego „potąd". Muszę gadać, wymyślać obiady, chociaż mój facet pije i wyjechał na leczenie, a ja tęsknię i kombinuję, czy to poważny związek…

— Żartujesz…

— Dlaczego?

— W moim środowisku nikt by się do picia swojego ani partnera nie przyznał…

— To masz do dupy środowisko. Ich nie zmienisz. Sama się zmień!

Nie ma gdzie stanąć, bo to dzień targowy i wszystkie miejsca zajęte. Wreszcie ktoś odjeżdża i możemy zaparkować.

— Chodź. To co prawda za wcześnie na tanią paprykę, ale jak chcemy pożenić ją z ogórkami, musi być teraz, bo one się kończą i już takich maleńkich się nie kupi. Tak trzeba wycelować, żeby papryka była w miarę tania i jeszcze ogórki były gruntowe, malutkie i kostropate.

— Skąd to wszystko wiesz? Mówiłaś, że w Warszawie byłaś agencyjną dziumdzią.

— Od mamy. Taka mama to niezła instytucja. A mama od babci Broni, Bronia od starej Felicji i tak dalej… Patrz! Tam są piękne kolory. Musi być czerwona, żółta i pomarańczowa. Zdarza się fioletowa.

— Zielona…

— Zielona nie, bo ma cieńszą skórkę i jest mniej słodka. Ogórki są zielone, jeśli idzie o kolorystykę.

— A, prawda. Co jeszcze?

— Mogą być kawałki kalafiora. Brokuł nie, bo w kwasie robi się zgniłozielony — brzydki. Seler jak najbardziej. Smaczny jest taki marynowany. Pieczarki…

Poszłyśmy do „mojej" budki.

— Dzień dobry! Jest sałata dębowa?

— Dzień dobry, pani Gosiu! Dębolistna? Jest, ale mam też świeżą roszponkę z naszej hodowli i zwykłą masłową, i lodową też. Dziś jest wielka jak kapusta.

— Dobrze, to każdej sałaty po główce, dwa kilo malinowych pomidorów, bakłażana, włoszczyznę i trzy cukinie. I jeszcze fioletowego kalafiora… Jak on się zachowuje w gotowaniu?

— Dodać soku z cytryny, pani Gosiu, to będzie miał ładny kolor i nie zmięknie zanadto. Dymkę dać?

— Nie, mamy w ogródku, dziękuję.

Ewa uśmiechała się i pakowała wszystko do kosza. Szłyśmy objuczone, mimo że pierwszą partię zakupów już zapakowałyśmy do samochodu. Kupiłyśmy mnóstwo warzyw. Ewa łaziła między straganami i patrzyła zachłannie na wszystko. Słuchała rozmów, obserwowała ludzi.

Wracałyśmy. W bagażniku leżały pełne siaty zakupów. To praca na dzisiaj. Terapia.

— Biednie tu. Dużo biednych ludzi. Liczą każdy grosz, a przecież te warzywa są dość tanie — zauważyła.

— No. Jest tak, że rzeczywiście jest straszna bieda, ale i im też nie chce się siać w ogródkach. Hodować choćby kur dla siebie. Gadają, że pasza droga. Za komuny hodowali i karmili, czym się dało: ziarnem pośladem, otrębami, pokrzywą, ziemniakami. O, ziemniaki każdy miał. Ze świniakami podobnie. Mogą hodować, tylko mówią: po co? To kłopot, bo trzeba te ziemniaki, te otręby, tę pokrzywę… Później mięso do badania dać, bo jednak boją się chorób. No i podaż jest ogromna. Wolą marudzić i płakać, że drogo, ale hodować dla siebie nie chcą.

— Ta wiedza też od mamy?

— Też. No i żyję tu. Jestem już tutejsza. Pamiętasz? Redliński tak pisał w *Konopielce*: „Ja nie jestem żaden Polak, ja jestem tutejszy".

— A co to za facet, co mówiłaś?

— Redliński?

— Nie. Ten twój, co pije.

— Też tutejszy. Stomatolog. Po niedawnym rozwodzie. Piękny, atrakcyjny i czuły w łóżku. Alkoholik. Jąka się i kocham go.

— Ale ty wszystko nazywasz po imieniu!

— Bo tak, okazuje się, łatwiej.

— Tobie z ludźmi, czy ludziom z tobą?

— …nie zastanawiałam się. Porzuciłam reklamę, jako megagigaoszustwo i postanowiłam żyć w prawdzie. Jak komu się to nie podoba, nie musi ze mną być.

— Dość proste, ale jak się całe życie grało, jak się żyje w środowisku dość obłudnym, to trudno tak od razu. Sama rozumiesz, Gosiu. Małgorzato. Bo dziś już jesteś Małgorzatą. Prawda?

— Prawda. A twój mąż też jest obłudny?

— Nie. To dobry i mądry człowiek. Cierpliwy i kochający. Nie ma wpływu na ludzi, z którymi pracuje. Z niektórymi musi się zadawać, bo robi interesy. Nasze prywatne grono jest niewielkie. Ale ich też nie jestem pewna.

— Ich lojalności czy szczerości, otwartości?

— Otwartości. Do dziś mi to nawet w głowie nie zaświtało, ale wszystkiego na pewno sobie nie mówimy. Oni też coś udają. Są mili, lojalni i bezpieczni. Tylko tyle.

Zamyśliła się. I dobrze. Niech kombinuje. Zdaje się, że ją pozbawiłam bezpiecznego bagienka. Musi się nauczyć nowego życia w szczerości. Trudu mówienia i słuchania prawdy. Też się tego uczę.

Po obiedzie zabrałyśmy się za pikle. Ewa chętnie myła słoiki. Razem czyściłyśmy i obierały paprykę, ogórki, cebulę, czosnek, kalafiora i pieczarki. Układanie tego w słojach, dekorowanie koprem, listkiem laurowym, kolorowym pieprzem i krążkami cebuli, ząbkami czosnku obudziły w niej artystkę. Spodobało jej się. Ja robiłam zalewę z octu, soli i cukru. Opowiedziałam jej o tym moim nieszczęsnym romansie z Januszem i nawet mi się lżej zrobiło. Błysnęła przy tym, jak powołałam się na Marinę Vlady. Poznała ją, okazało się, na jakimś festiwalu, ale była za młoda i za głupia, żeby to docenić. Podsumowała to tak:

— Widać było jej klasę i sumę przeżyć. Wiesz, nasi chcieli w niej widzieć muzę Wysockiego. Słynny bard, męczennik systemu, romantycznie zakochany w pięknej Francuzce. A czy ją ktoś pytał, jak ona się z tym czuła? Czy chciała być ikoną, świętą Mariną z dzieciątkiem Wołodią? Nie czytałam jej książki, ale akurat w naszym teatrze mówiło się o ich romansie, bo kolega „się specjalizował w Wysockim". Dla niego była głupią babą, która nie doceniła skarbu.

— Tak, tylko że ten skarb zgotował jej niezłe piekło — powiedziałam.

— Tak. On i ten ich reżim. A nasi faceci przywykli do matek Polek, które za swoim mężczyzną — na Sybir. Tylko, że ona nie matka Polka, on nie Sybirak, a pijak. Artysta. Mogła mieć dość. Mam stawiać wieczkiem do dołu?

— Tak. Lepiej się zasysają, bo później ja już ich nie gotuję i papryka jest chrupiąca, i reszta też.

— Będę mogła wziąć sobie słoik? Mój mąż nie uwierzy, że sama to zrobiłam. No, z tobą.

— Jasne! A jak mu posmakuje, zagoni cię do kuchni i co rok będziesz musiała robić!

— Chyba nawet chciałabym. To takie… Prawdziwe.

— No. Pikli nie da się zagrać.

Parsknęła. Naprawdę parsknęła!

Zajęłam się Ewą tak intensywnie, że zapomniałam o moim „skowycie duszy", o Mani, o reszcie świata. Marysia dzwoni z relacjami jak może, więc ja się nie narzucam, bo w pracy nie powinna gadać. Po śniadaniu zabierałam Ewę i robiłyśmy wszystkie zakupy rano, razem. Potem siadałam do komputera. Ewa miała swoje sprawy — porządki w głowie. Wieczorami robiłyśmy wymyślne przetwory. Chutneye do mięs, różnorodne i dziwne marynaty, nawet nalewki. Dostałam książkę o takich dziwadłach i zaprawiałyśmy po kilka słoiczków na próbę. Na przykład zielone pomidory w occie, dżem z nich, bo u Kaśki w ogródku — zielonych najwięcej. Przeciery pomidorowe z ziołami i bez. Ostre, faszerowane fetą papryczki w oliwie z czosnkiem, perłową cebulkę w marynacie słodko–pikantnej, gruszki marynowane w różowej zalewie. Wszystko wprawiało Ewę w euforię. Gromadziła te przetwory robione razem i cieszyła się na myśl o tym, co powie jej mąż. Kupiła zeszyt i pisała w nim przepisy. Również na zupy i inne dania, bo postanowiła spróbować gotowania na poważnie. Uśmiechała się i kiwała głową, łowiąc moje spojrzenie, jakby chciała powiedzieć: „Wiem, wiem, to takie normalne, że aż się muszę tego uczyć…".

Z Ewy byłam dumna. Z siebie mniej.

— Mamo — mówiłam, będąc w leśniczówce. — Ja ją ustawiam, klepię życiowe mądrości, a sama przecież nie jestem jakaś święta… Czuję się, jakbym ją oszukiwała.

— Nie przesadzaj. Nie mówisz jej niczego, mam nadzieję, niezgodnego z etyką. Prawdą.

— No tak, ale samej mi daleko do ideału, a ją pouczam.

— Dobrze jej z tym?

— Chyba tak. Zmieniła się. Nie łazi już sama ukąpana w smutach, tylko robi ze mną zakupy, przetwory, i pisze list do córki.

— No, to ty święta jesteś!

— Nie kpij.

Odezwał się Tomasz zza gazety:

— Gośka, a tobie o co chodzi? Przecież w porzo jest?

— No tak, ale jakie ja mam prawo ją pouczać, skoro sama czuję się niedoskonała? Żaden ze mnie ideał…

— A ty myślisz, że trener musi być lepszy od zawodnika? Może trenować sprintera, a sam jeździć na wózku, bo wpadł po pijaku pod taksówkę. On ma widzieć jak sprinter ma… Zresztą wy, kobiety, tak filozofujecie, że zgłupieć można. Dzielisz zapałkę na czworo. Marysia dzwoniła ostatnio?

— Dzwoniła. Mają dużo pracy i już nie są na zmywaku. Od dwóch tygodni kelnerują w kawiarnianym ogródku. To awans. Mają sporo z napiwków i tego ich szefa to nie obchodzi. Nie zabiera im. W środku, na sali, jest chłodniej, więc kelnerują tam starsze stażem kelnerki, ale na zewnątrz jest więcej młodzieży i szybsza rotacja. Zaczynają dopiero od dwunastej w południe i każda ma jeden dzień w tygodniu wolny z wyjątkiem sobót i niedziel, bo wtedy jest największy ruch. Nawiązują różne znajomości... Wiesz.

— Super dziewczyny. Przyjadą we wrześniu do nas?

— Jak nie we wrześniu, to w październiku. No i nie mówiłam wam, ale zadzwonił Konrad i podpytywał się, czy mógłby tu przyjechać z Adą.

— No. Świetnie! Nawet lubię gościa. Niech przyjadą. A ta jego Ada, jaka jest?

— Dystyngowana. Więcej nie wiem. A czemu pytasz?

— Bo my z Basią mamy taki plan, żeby we wrześniu, albo jakoś tak, zrobić wielką bibę, bo leśniczówka jest już formalnie moja. Jeszcze tylko papiery.

— Tak?! Gratulacje! Teraz sorry. Wracam. Pa, mamo. Cześć, Tom!

Wracałam rowerem przez las. Staram się ruszać trochę, bo za dużo siedzę. Las jest nagrzany, sosny pachną żywicznie, a ściółka liśćmi i ziemią. Słońce przesiewa się przez wierzchołki drzew. Jagodniki puste, bo wyzbierane przez miejscowe kobiety, co do jagódki. Żeby cokolwiek uzbierać, trzeba w inne lasy albo bardziej w głąb.

Piknął SMS. Zatrzymałam się. „Jestem już. Będę wieczorem u ciebie. J.". Serce skoczyło mi do gardła, puls przyśpieszył. Jak nastolatka. Stara nastolatka! Uśmiecham się i cieszę. Czemu nie u niego? A tam! Czepiam się. Pewnie śpieszno mu.

Ewę skierowałam do ogrodu. Wykręciłam się pracą. Ona to rozumie. Teraz szybko manikiur, pedikiur. Ale się zapuściłam! Skrobię, szoruję, piłuję, nacieram kremem, maluję paznokcie i niecierpliwie suszę. Cieszę się! Tęsknię już do jego zapachu, słów, zająknięć i pieszczot.

Teraz włosy. Muszą być puszyste i pachnące. Nie podcinałam ich. Są długie. Rozpuszczę je. Tak wysuszę na lokówce, że muszą się ładnie ułożyć. Kaskadą fal... Albo nie, bez fal. Proste, zwyczajnie. Może zwinąć je w subtelny kok? Zwariowałam. Odbiło mi dokumentnie. Rozpuszczone. Tak.

Przyjechał po kolacji.

Idziemy powoli jak na filmie. On z samochodu, ja w stronę furtki. Nieśmiałe przywitanie. Delikatne. Janusz milczy i uśmiecha się. Bierze mnie za rękę i spacerem drepczemy sobie przez łąkę. Nic nie mówi. Pewnie robi nastrój do opowieści, bo na pewno chce mi dużo opowiedzieć. Ja mu też. Mam tyle wrażeń, tak zmądrzałam od jego wyjazdu! Wiem już, czego potrzebujemy oboje. Wiem, jak to zaaranżować, żeby było dobrze.

— Goniu. Mam mnóstwo za…zaległości.

— Wiem…

— Nie przerywaj i spróbuj ro…rozumieć. Muszę teraz dużo pracować zawodowo i nad so…sobą. Nie mogę szarpać się e…emocjami. Wyciszyłem się i tak musi po…pozostać jak najdłużej.

— Ja ci przeszkadzam?

— Te e…emocje między nami. Pozwól mi teraz skupić się na…na sobie. Olgierd pomógł mi i nie mogę te…tego zaprzepaścić. Chcę wy…wypracować w sobie silną wolę. Związek, nawet najlepszy, będzie mnie ro…rozpraszał. Mam nadzieję, że to ro…rozumiesz. Kobieta i sercowe sprawy utrudnią mi po…powrót do pionu.

— Tak ci powiedział? To seksistowskie.

— Uprzedzał mnie, że tak może być.

— Jak?

— Że będziesz za…zaborcza.

— Ja?! Ja tylko czekałam, chciałam wszystko na nowo…

Jakbym dostała w brzuch. Nie mogę oddychać. Jest zimny i daleki. Uprzejmy i stanowczy. Nie chce mnie. Nie chce mnie!

Boże, jak boli. Nie wiem, co powiedzieć. Nie potrafię nic sensownego wymyślić. Patrzę na niego i nie rozumiem, co się stało, a on spokojnie bierze mnie za ręce i uśmiecha się, jak jakiś święty Franciszek. Ojciec Pio.

— To dalsza część terapii. Muszę stać się silny. Muszę odnaleźć sens ży…życia. Mężczyzna robi to w samotności. Seks, u…uczucia przeszkadzają w dążeniu do celu. Wybacz, tak jest lepiej dla nas o…obojga. Przekonasz się, jak ci minie złość.

Kurczę! To nie on mówi! To włożył mu w usta ten jego guru! To całe bleblanie to nie są myśli Janusza! Jestem przerażona tym jego świątobliwym tonem, słowami, uśmiechem. To nie on…

Żegnamy się sztucznie. Ja udaję obojętność i ukrywam głębokie rozczarowanie, a Janusz mieni się świętym światłem dobrotliwości. Kiedy wsiada do samochodu, machając mi przyjaźnie, mam ochotę krzyknąć: „Uważaj, bo ci aureolka spadnie!".

W pokoju siedzę oniemiała. Próbuję zrozumieć, co się stało. Dostaję spazmów. Wszystko mnie boli. Do mamy!

W leśniczówce Tomasz tylko spojrzał na mnie i powiedział:

— No tak, to ja prześpię się na górze.

Przyniósł nam karafkę swojej ziołówki i dyskretnie wyszedł.

Rano obudziłam się w łóżku, obok mamy, skacowana łzami i nalewką, ale spokojna. Gnom też się obudził i poskrobał mnie paznokciem po nosie. Leżymy cicho.

Potem poszłyśmy do kuchni. Miałam oczy zapuchnięte aż miło, czerwone plamy na twarzy, ale za to lekką duszę. Mama długo w nocy tłumaczyła mi, co się stało i że to dobrze. Robi to tak, że dziś już nie boli. No, może troszkę. Zakropliła mi visine do oczu, zrobiła okład z herbaty i tak siedziałam przy stole z płatkami na oczach.

Ugotowała jajka na miękko i pokroiła chleb w paseczki.

Tomasz wszedł i tylko położył mi wielką, ciepłą łapę na głowie, a obok mojego talerza — kapelusz kani.

— Zobacz, jakie rosną na tej polance koło strumienia. Tam, gdzie spotkałyście sarny wiosną.

— Już są grzyby? (Ale bystra jestem!)

— Kanie i kurki. Na razie. Jadę, dziewczynki, do starostwa i do… no wiesz, Basiu.

Jak mi dobrze! Zwariowałabym bez nich. W domu odzyskałam pion. Kaśka miała temperaturę i kasłała głębokim, ciężkim kaszlem. Nie było długo prądu i Wrona była zła, bo wtedy w kuchni jest niezbyt jasno i wyciąg nie działa. Ewa pisała szóstą wersję listu do córki, więc do Pasymia, do apteki pojechałam sama.

Ledwo zaparkowałam, podbiegł do mnie jakiś chłopaczek i podał list. Koperta i tylko moje imię. Rozejrzałam się. Otworzyłam.

Elwira Pawelczyk i Andrzej Parchuć
mają zaszczyt zaprosić
Panią Małgosię znad Rozlewiska
na ślub, który odbędzie się dnia… w kościele parafialnym w Pasymiu

A więc jednak! Usidlił ją! Jak dobrze. Spojrzałam na okna Elwiry. Pomachała mi radośnie i krzyknęła:

— Wpadnij wieczorem!

— Zobaczę… Dobra, wpadnę!

Zrobiłam zakupy, pogadałam z napotkaną starą Zuzią. Też kupowała leki, bo Ania zaniemogła na gardło.

— Takie zimne ranki, a my do kościoła jak szły na szóstą, to Ania w kałużę wdepnęła i w mokrych butach siedziała. W kościele zimno, to i zaziębiła się!

— To trzeba może chodzić później, na dziesiątą albo na dwunastą, pani Zuziu?

— A tak przywyklim... Pozdrowienia dla Marysi i Paulinki! — zawołała Zuzia, uśmiechnęła się i poszła.

Pod mięsnym stało kilka kobiet, bo świniaka późno przywieźli i mięso dopiero zaczęli rozbierać. Stoją tu te babska i tylko tyłki wszystkim obrabiają. Jedna z nich pokazała drugiej zaproszenie Elwiry.

— Idzie za tego chłopa, kierowcę.

— A on mnie się nie podoba — prychnęła tamta. — Spojrzy tak spode łba, jak jaki zbój. I chodzi o tak. O! — Baba pokazała niby chód Andrzeja.

„Ale się czepia!" — pomyślałam zła. „Nie zna go przecież".

Trzecia dała głos, taka mała, sucha, widać po częściowym paraliżu nerwu twarzowego:

— No, niefajny. Za wielki taki i ogolony na łyso, jak jaki z więźnia. Taki... jak drwal jaki. Jak ten Walek.

— A jak nazwisko! Parchuć! Co za nazwisko! Jak Parch! To od Żyda! Ha! Ha! Ha! — Następne babsko śmiało się, bezzębną szczękę wystawiając na widok publiczny. — Już ja Parch bym się nie chciała nazywać!

Skoczyło mi wszystko do gardła. Byłam wściekła jak osa. Wrzasnęłam na nie:

— To już szczyt wszystkiego, moje wy gorliwe parafianki! „Modli się pod figurą, a diabła ma za skórą"! Kto was pyta o zdanie?! Jakie macie prawo oceniać człowieka, nie znając go?! Co macie do Żydów? Bo naziści mieli. Pani jest nazistką? — zaindagowałam tę małą, z krzywymi ustami.

— Ja nie wiem, czy on Żyd — zapiszczała mała sucha. — Ja nic nie mówiłam.

— No jasne! A wy, jakie macie nazwiska? Jakich mężów? Piją, bekają przy stole, a o was mówią: „moja stara". Pojebani królewicze z bajki! A wy głupie i zawistne. Do kościoła! Modlić się! A nie tu plotki rozsiewać!

Darłam się wulgarnie, jak wariatka. Trzęsło mną. Nie kupiłam mięsa, trzasnęłam drzwiczkami i pojechałam do domu.

— Będzie bezmięsny obiad, bo mnie małpy wkurzyły — wyjaśniłam Wronie i powtórzyłam całą scenkę spod mięsnego. Anię ewidentnie ucieszyło moje szczekniecie na temat Żydów, choć ona sama jest już od dawna katoliczką. To wiem. Spojrzała na mnie z uśmiechem i powiedziała z satysfakcją:

— Dobrze tak cholerom, plotkarom. A na drugie zrobię makaronu swojego, gniecionego, z serkiem, bo został ze śniadania i kto chce, to z sosem warzywno–pomidorowym. Takim, jak pani czytała z gazety — z bazylią.

— A zupa dzisiaj jaka?

— Krupnik na skrzydłach.

— No to w porzo, pani Aniu!

Nie wiem dlaczego, ale ulżyło mi baaardzo. Dlatego, że się wywrzeszczałam? Teraz gorliwe parafianki zwrócą na mnie swoją nienawiść. Ulepią z wosku moją kukiełkę i zaszpilują złą mocą. Cholerę im w bok!

Wieczorem zgarnęłam z jadalni Ewę i pojechałyśmy do nocnego, do Elwiry. W drodze opowiedziałam Ewie jej historię i zarazem historię naszej przyjaźni.

W sklepie było mało ludzi.

— Cześć, Gosiu! Smaruj tyłek, bo cię te małpy chcą wbić na pal! — roześmiała się Elwira na mój widok, odrzucając głowę do tyłu. — Jezu! Ale aferę strzeliłaś, kochana! Na cały Pasym! Andrzej powiedział, że cię na rękach ponosi z radości. A, i kazał mi sprawdzić, bo on twierdzi, że masz jaja!

Ewa miała niepewny uśmiech na ustach i ciekawie obserwowała z boku Elwirę i mnie. Dwóch nastolatków Elwira ewidentnie zlekceważyła. Nic nie kupowali. Stali i gapili się na półki.

Odpowiedziałam:

— Nie mogłam pozwolić, żeby cię tak tarzały w tych swoich gadkach. A właściwie Andrzeja. Czy ja go słusznie broniłam? Zasługuje? A tak w ogóle, to skąd wiesz, kochana?

— Od Maćkowiakowej. To ta z krzywym pyskiem. Plotkara, to i dobry Bóg ją pokarał i gębę wykrzywił. To mojej matki kolesiówna, więc przyszła tu do mnie i zaraz zdała raport! I powiedziała, że miałaś, kochana, rację!

— Aj waj! Miałam! Ale wiesz, Elwira, jak mi ulżyło?

— Po czym? Coś ci dopiekły te małpy?

— One mi? Nie. A, moja złota, ty nic nie wiesz?

Spojrzałam na małolatów tak, że zebrali się i wyszli, a ja kontynuowałam:

— Wiesz, Janusz wrócił z leczenia i mnie rzucił.

— O kurwa! — wyrwało się mojej przyjaciółce. — Dlaczego? Poznał młodszą?

— Gorzej. Teraz jest święty i pracuje nad sobą. „Emocje go niszczą. Potrzebuje spokoju i pracy. Kobieta i miłość mu zawadzają w stawaniu się lepszym".

— Mówiłam ci, że to chujek!

— Elwira, on słaby jest. Sama mi mówiłaś. I na razie potrzebuje ze sobą zrobić porządek. Mama też tak myśli.

— Pani Basia? Ona tak powiedziała...? To może tak jest, ale, Gosia, on nie dla ciebie! Daj se na luz!

— Nooo. Trudno. Dzięki, kochana. Na ślubie będę. Co wam odwaliło? W ciąży jesteś, czy co?

— Nieee. Andrzej chce. Mnie tylko sukienki się zachciało, bo jak byłam z nim w Szwecji, taką ładną widziałam na wystawie. Sprowadził ją specjalnie dla mnie. Taki jest!

— I pasuje? — spytałam, bo Elwira ma rozmiar jak Marilyn Monroe w dobrych czasach, a kiecki ślubne produkują w rozmiarach rachityczno–dziecięcych.

— No jasne! Szwedki spore są. Przysłali idealnie mój rozmiar. To, żeby się nie marnowała, pójdę do tego ślubu… I wiesz co, Gosia, sorki, że nie zaprosiłam cię na świadka, ale siostra moja by się obraziła.

— Coś ty! Wystarczy, że… No, nie wiem, jak to ująć…

— Że nas zaczarowałaś? Że twoje czary zadziałały? I bardzo dobrze! Teraz ty uszyj kukiełkę. Podać koniak jak zwykle, czy też heinekenka dla pana Tomka?

— Jedno i drugie. Pa, kochana!

Ewa stała cały czas z boku. Kiedy wyszłyśmy, przeprosiłam ją:

— O Boże! Przepraszam! Nawet was sobie nie przedstawiłam!

— Nie szkodzi. Bardzo dobrze. Czułam się jak w teatrze jednego widza. Jestem pod wrażeniem. Ale z was para!

— Prawda? Elwira to taka krew z krwi. Celna, świetna i prawdziwa.

— Naprawdę posadziła tę kukiełkę w ciężarówce i poznała tirowca?

— Tak. Czary działają, tylko w nie uwierz. Lubię ją. Jest pyskata. Klnie jak szewc, ale ma dobre serce i w środku to miękka kobietka.

— Ładna jest. Ma wdzięk. Wracamy?

— Nie. Musimy gdzieś kupić mięso na obiad. Wiesz co? Chodźmy na ryby!

I pojechałyśmy do rybaka, do Rum.

O tym, że lato wcale nie kończy się w sierpniu, a życie po pięćdziesiątce

Druga połowa sierpnia była taka, jaka powinna być. Padało w nocy, świeciło w dzień. Kwintowie wyjechali koło dwudziestego, inni kilka dni po nich. Ewa została do drugiego września, żeby nie wracać wtedy, kiedy szosy są zawalone wakacjuszami. Zapowiedziała stały ze mną kontakt i raporty o układach z córką. Bardzo jest zaintrygowana krosnami, więc zaprosiłam ją na czas, kiedy będzie Marysia. Może zacznie tkać? Harmider się skończył. Posprzątałyśmy wszystko we trzy. Ja, Kaśka i Ania — Wrona, która zaczęła się do nas przyzwyczajać i pod koniec wakacji mówiła już normalnie, nie odwracając wzroku. Czasem nawet dość pewnie. Jednak nie udało mi się wywołać u niej uśmiechu. Wciąż zacięta, twarda…

Niepokoi mnie Kaśka. Te jej częstsze zaziębienia, stany podgorączkowe, osłabienie…

— Powinnyśmy ci, Kasiu, zrobić więcej badań — powiedziałam przy kolacji.

— Nie. Badań. Nie. Basia zrobi napar, potrzyma ręce i będę zdrowa. Taaak.

Mama spojrzała na mnie znad kubka.

— Może rzeczywiście zrobić? Kaśko, trzeba, kotku. Wiesz?

Jutro pojadę z nią do laboratorium. Zrobimy OB, morfologię z rozmazem i antygeny na choroby odzwierzęce. To u niej, to nie może być tylko starość. Do niedawna była jak rzepa. Skąd takie nagłe pogorszenie?

Mama twierdzi, że już zeszłej jesieni Kaśka była nieswoja. Kto wie?

Wieczorem siadłam do komputera, bo mama rozliczyła się z panią Anią i robiła rachunki, a Kaśka oglądała telewizję.

Mail od Mani:

Mamcik!

Mam sporo forsy na koncie. Ładnie poszło! Paula też zadowolona. Teraz ruch siadł tu u nas trochę. W poniedziałki jest mniej gości, więc obie mamy wolny poniedziałek i czwartek rano, do piętnastej.

Przepraszamy, że nie pomagamy ci w pensjonacie, ale mówiłaś, że sobie spoko radzicie, a tu jednak zarabiam na cały przyszły rok. (Z napiwków, drugie tyle!) W poniedziałki jeździmy i oglądamy to, co mają najpiękniejsze — domy, krajobrazy i klimaty podwórek, oberży etc. Trochę nawet gęgam po ichniemu. Nie lubią angielskiego. Na włoski reagują przyjaźnie. Paula miała francuski w liceum i nawet grasejuje!

Pisz na ten adres e-mailowy, co ci wysłałam, bo to jest na kompie naszego pracodawcy. Śmieje się, że do mamusi trzeba koniecznie mailować! Mamusia jest najważniejsza!

Jest miły. Zwyczajny. Łysiejący rudzielec koło pięćdziesiątki. Rozwiedziony (?). Widziałam jego żonę. Wytrawna taka. Ładna blondynka. Na dole w mieście (uliczką w dół — bardzo malowniczo!) ma sklep. Podobałby się babci Basi. Zielarnia.

Opowiadałam mu o naszym pensjonacie i o tobie. Pokazałam twoje zdjęcia, te w pomarańczowym kostiumie i te z kuligu w zimie. Powiedział, że już cię kocha i może się żenić. Pomyśl!

Twoje córki, Mania i Paulinka

W drugim e–mailu były pliki ich zdjęć z szefem. Cudny! Rzeczywiście, ły-siejący rudzielec, piegowaty i radośnie uśmiechnięty. Podpisane „Jean Philippe i my". A ta ciotka Pauli, mama Jeana Philippa, jak z obrazu Toulouse–Lautreca. Sucha, z siwym koczkiem — cebulką na czubku głowy. Podpis: „Madamme Rastignac z nieodłącznym papierosem". Z szalem wokół szyi. Jest chyba niska. Też uśmiechnięta zadziornie.

Odpisałam:

Moje drogie!

Tęsknimy za wami, ale ze zrozumieniem. U nas ciągle lato. Goście wyje-chali, ale zaraz przyjadą następni. Bogusiowie na ryby i grzyby, ornitolodzy z Holandii na dwa tygodnie, gapić się na ptaszki, jacyś Niemcy od Piernac-kiego i być może też ta Ewa, o której wspominałam.

Jeśli Jean Philippe jest naprawdę taki fajny, jak piszecie, przyjadę koniecznie. Może w październiku? A może wiosną? Może wyjdę za ten mąż? Tylko naj-pierw rozwiedźmy go! Muszę odreagować, bo z Januszem — turbo finito.

Całuję wasze ryjki. Cioci się kłaniać, Jaśka Filipka pozdrowić.

Mamcia

Jest też mail od Wiktora:

Kochana przyjaciółko, całuję cię w czółko.

Och! Mam humor! W pracy chyba zadomowię się bez problemu. Moniśka wróciła z Pucka i z mety opowiedziała, że rodzice najpierw byli niezbyt szczęśliwi, że jestem taki stary, a jak już przyjechałem, dostałem dobrą punk-tację za poczucie humoru i za to, że lubię ryby (jej rodzice prowadzą knajp-kę, a tatko świetnie przyrządza ryby. A jego żur na węgorzu — paluszki lizać! Cymesik!).

Gosieńko. Nie bądź zła na Janusza. Niech cię nie wkurza to, że gada cytata-mi tego Olgierda. To normalne. Tamten dał mu możliwość odnalezienia się. Janusz zachowuje się tak, jakby chodził na protezach, z kulami. Uczy się żyć. Wszystko, co go rozprasza, jest rzeczywiście niepotrzebne.

Sorry, że tak piszę, ale akurat wiem, że tak jest na pewno. Nie rozmawiali-śmy o tym, ale mój brat przeszedł tę drogę kilka razy. Moja bratowa mi mó-wiła, że jak wraca z leczenia (dwa miesiące w Giżycku. Mają tam świetny ośrodek — OLO), to ona zawsze czuje się jak niepotrzebny balast. Musi się usuwać, żeby on mógł przepracować lekcje z odwyku już w normalnym ży-ciu. Wtedy kobiety i ich emocje przeszkadzają. Później powoli chłop wraca do rodziny i do kobiety, jeśli oczywiście ta jeszcze jest.

Tomasz ci mówił, że tylu nas jest — dla ciebie. Jak nie Janusz, to jakiś inny. Jesteś warta miłości. Uwierz. Pozdrawiam.
Wik

O mój Boże! Zgłupiałam. No i co ja mam myśleć? Co jest dobre? Jak mam się zachować? Szukać nowego fartu? Nie chce mi się. Żadnego innego oprócz Janusza — pijaka, jąkały. Jego chcę!!! Tyle że on mnie nieszczególnie... Przykro tak być kobietą odrzuconą. Gorzko i ciężko spojrzeć w lustro. Wczoraj wieczorem myłam twarz i mówiłam do siebie: "Nie chce mnie, nie chce". Wzięłam Funia i poszłam na wieczorną przechadzkę. W sierpniu wieczory bywały chłodne. Teraz jest ciepło. Już prawie noc, a mnie wystarcza lekka bluzka i bezrękawnik. Poszliśmy do lasu. Noc nad nami już rozsypała swoje gwiazdozbiory, na których nic a nic się nie znam. Gadają, że tam jest wszystko zapisane... Bzdura! To tu jest wszystko zapisane, na ziemi. Sami piszemy nasze scenariusze. Od tego, co teraz wymyślę, zależy cały dalszy rozwój sytuacji. Zostanę przy Januszu (jakoś — jeszcze nie wiem jak). Jest kilka wersji, scenariuszy. Obejdę się bez niego — następne. Gwiazdom nic do tego! To dekoracja. Niczego nie umiem przewidzieć. Chyba tylko to, że nie będę się narzucać.

Funio szaleje po drodze. Biega i warczy na coś, skacze w trawę, węszy. Ja idę powoli i myślę, bo nikt za mnie nic nie wymyśli. Muszę zająć się pracą, bo takie gdybanie nic nie da. Mam prawie pięćdziesiąt lat (no, czterdzieści osiem... dziewięć? Już?! E tam!), zbudowałam pensjonat, garaż, posadziłyśmy z Kaśką dużo krzewów i drzewek. Jak mężczyzna, tylko że on powinien jeszcze spłodzić syna, ale to seksistowskie. Ja mam Marysię, adoptowałam Paulę i Jannę i w ogóle taka mamuśka jestem!

Czuję siłę i chęć do życia. Rozpinam żagle, a czy Janusz ze mną będzie czy nie, trudno, nieważne. Nie chce mnie, to przeboleję. Zaczęłam drugą, fajną część życia. Czuję to.

Uśmiechnęłam się do siebie, swoich myśli, lasu i Funia.

— Funiu! Wracamy! Poradzę sobie!

Tupet Elwiry, czyli jak być sobą w Kołtunowie

Po południu w piątek przyjechali Bogusiowie z młodą panią Tarnawską. Są przekonani, że w lasach są grzyby, a nawet jak nie, to oni i tak poszukają. Pan Bogumił wysiadł z samochodu uśmiechnięty.

— Witam! Witam serdecznie, pani Małgosiu. Poprosimy o dwójkę i kawalerkę. Synowa bardzo ciekawa tego miejsca po naszych opowiadaniach.

A więc kręci się ten nasz interes. Wbrew proroctwom pani Karoliny mamy gości, lubią nas i już są sygnały, że za rok będzie podobnie.

Przygotowuję się do ślubu Elwiry. Cały Pasym drży w oczekiwaniu, bo to krwista postać, niejednemu śni się po nocach, a tu proszę, wybrała chłopa z daleka, nie naszego, w dodatku starszego o dziesięć lat i takiego wielkoluda. Według tutejszych bab powinna zgnić w staropanieństwie za ten swój ostry język, za odważne sądy, za to, że ładna i zaradna — też! Wystroiłam się jak na końską paradę. Postanowiłam pokazać Elwirze, że dla mnie to też uroczysty dzień. Obiecałam jej, że włożę kapelusz i włożyłam! Do mojego zielonego, lnianego kostiumu ładnie zaznaczającego moją baaardzo kobiecą (nie zrzuciłam w lecie ani grama! Cholera!) sylwetkę, włożyłam śliczny, czerwony kapelusz z cieniutkich bambusowych włókien z wywiniętym rondem. Przybrałam go czerwonymi begoniami z masą zielonych liści. Do tego matowe, czerwone szpilki. A co!

Zanim przyjechała Elwira, byłam obiektem paplania Zabielskiej, antysemitki, Maćkowiakowej i reszty gorliwych parafianek. Rozumiałam już Ewę. Byłam jak budząca emocje aktorka na scenie. Trzymałam wysoko głowę i cieszyłam się, że im się krew kotłuje. Mama z Tomaszem stali obok mnie na ulicy i z rozbawieniem obserwowali całe zajście. Mama też bulwersuje, bo ma suknię typu „chłopka". Tylko elegantsza wersja. Odcinana w pasie, ciut namarszczona, a przy szyi i rękawkach ozdobiona białym haftem richelieu. Kieca jest do kostek, w szkocką, zielono–czarno–czerwoną kratę. Włosy upięte w siwy kok i oczywiście, nie byłaby sobą — we włosach czerwona begonia. Tomasz jest w czarnych jeansach i tej swojej czerwonej koszuli, z rzemiennym wiązadłem pod szyją i w kamizelce. Od sanatorium włosy ma ładnie podcięte. Już nie długie, ale i nie krótkie. Siwe, jak mamine. Stanowią malowniczą parę. No i żyją bez ślubu, a to już powód do szemrania.

Zajechało srebrne volvo, pięknie udekorowane wiśniowymi gerberami, siwym mikołajkiem i wiśniowymi wstążkami.

— To ślub czy pogrzeb? — głośno zapytała Zabielska swoich kum, ale te spojrzały na mnie i tylko zasznurowały usta.

Z samochodu wysiadł kierowca i otworzył drzwi Andrzejowi. Chłopisko wysiadło eleganckie, w szarosrebrnym garniturze i podało rękę Elwirze. Zaszumiało, bo nasza gwiazda wyłoniła się ze środka w iście królewskim entourage'u.

— Rzeczywiście, piękna ta suknia! — powiedziałam do mamy na głos.

— Super! — podchwycił Tomasz.

Reszta tłumu nie miała zdania. Musieli się pozbierać. Gorset Elwiry był biały w wielkie wiśniowe róże i zielone liście. Szalowy kołnierz odsłaniający piękny biust Elwiry był wiśniowy jak dół sukni, szeroko rozkloszowanej, szeleszczącej przy każdym kroku, zacnym poszumem jedwabnej krepy i tafty. W jej czarnych włosach, ładnie i modnie upiętych, miała ogromną pąsową różę o kilka tonów jaśniejszą od sukni.

Wygląda oszałamiająco. Ma w sobie coś z Carmen. Czarna, zadziorna, harda i piękna. Za to jej tak te klempy nie lubią. Ma wysoko podniesioną głowę i tę pewność w każdym geście, że jest dobrze i że zawsze sobie poradzi.

Za nią wyskoczyła z samochodu, również z pomocą Andrzeja, Dominika w sukience z takiego samego materiału jak gorset Elwiry. Włoski blond miała upięte jak mama i też różę z boku. Zrobiło mi się miło, bo zamiast prosto do kościoła, podeszli do nas na ciepłe powitanie.

— Jesteście piękni! — powiedziałam do nich, a do Elwiry puściłam oko, bo stałam tyłem do gorliwych parafianek.

Elwira roześmiała się ze zrozumieniem i podziękowała mamie:

— Pani Basiu, to bardzo miło, że pani przyszła. Dziękujemy. Na weselu, oczywiście, będziecie?

— Jasne! — potwierdził Tomasz.

Później podobnie powitali jeszcze kilka osób.

Powoli wchodziliśmy do kościoła. Przybyli chyba wszyscy mieszkańcy popatrzeć na Elwirę.

— Dzień dobry! Chyba się nie spóźniłem?

To Sławek Maj. Zdziwiłam się.

— Znasz Elwirę?

— Znam! A nocą, jak potrzebne piwo, to niby u kogo mam kupować? Ładna, nie? A ten Andrzej to mi ją sprzed nosa sprzątnął.

— Podoba ci się?

— Andrzej?!

— No, nie. Elwira.

— Zbierałem się…

— …jak sójka za morze. Sławek, trzeba było z większą wiarą, impetem!

— Trzeba–było–trzeba–było… Ja już nie taki wyrywny, nie te lata.

— Nie kokietuj! Jakby ci się naprawdę baby zachciało, to byś uderzył.

Tomasz słuchał rozbawiony i wziął Sławka w obronę:

— Ja ci się nie dziwię, Sławek. Żeby pójść w konkury do Elwiry, trzeba odwagi, bo to kobieta jak kałasznikow. Wybuchowa dość.

— No właśnie — odetchnął zadowolony, że zeszliśmy z niego. — A Janusz? — spytał, rozglądając się.

— Nie ma — ucięłam — i nie będzie.

Sławek spojrzał mi w oczy, jakby chciał wyczytać resztę, ale odwróciłam się. Jest piękny, słoneczny dzień. Świetny na taki ślub. Oby tylko ksiądz się postarał. Czekamy tylko na mamę i babcię Elwiry.

Właśnie zajechały. Elegancka do bólu pani Gienia z loczkami, klipsami i kremowej garsonce, prowadzi babunię — stareńką, chudą i pomarszczoną. Ma na sobie świąteczną sukienkę, ale i sweter, bo chłodno jej, i chustkę na głowie, bo tak chodzi od niepamiętnych czasów. Babcia rozgląda się ciekawie i uśmiecha się ciut onieśmielona do ludzi. Koło nas stoi Zuzia i Ania. Wychylają się, żeby popatrzeć i komentują:

— To Róża jest! Babka Elwiry znaczy — informują mnie. — Razem my z nią do szkoły chodzili!

Czekamy już wszyscy w komplecie na księdza. Jest odświętny gwar, nie za głośny, świadczący o podekscytowaniu. Wszyscy patrzą na państwa młodych. Są rzeczywiście zjawiskowi, niekonwencjonalni, pięknie wyglądają i są swobodni.

Babunia podsuwa się do Elwiry drobnymi kroczkami, patrząc na nią z uwagą. Zadziera głowę i pyta głośno, bo chyba głuchawa jest:

— Ewuniu, dziecko, a czemu ty nie w bieli jesteś? Wianka z welonem nie masz? Co?

A Elwira jej na to, na cały kościół — głośno, wyraźnie i dobitnie:

— Bo nie jestem już dziewicą, babciu!

Tłum zafalował tak, jak w cyrku, gdy spada linoskoczek. Babcia machnęła ręką i, chichocząc, podeszła do mamy Elwiry, całej w pąsach. Andrzej śmiał się, a Elwirze błyszczały oczy diablim uśmieszkiem.

Ksiądz starał się być obojętny, ale staranny. Rozcelebrował się, mówił teatralnym głosem i sprawił, że ten ślub był naprawdę elegancki i dostojny. Po Andrzeju widać było szczęście i wzruszenie. Elwira na czas samych zaślubin i po zmiękła i stała wzruszona, cała w uśmiechach. Kiedy odwrócili się już od ołtarza i kroczyli przez kościół, jak zwykle tusz jej puścił i miała mokre oczy, leciutko rozmazane. A ja jak wtedy, za pierwszym razem w nocnym sklepie, podeszłam, kiedy już mijali ostatnie ławki, i wytarłam chusteczką te oznaki jej miękkiej, kobiecej duszy.

Życzenia przyjmowała już roześmiana i zadowolona.

Wesele było skromne i eleganckie, w ośrodku wypoczynkowym „Panorama", za Pasymiem.

Na zdjęciach pięknie wyglądamy — ona w tych wiśniach, ja w zieleniach. Zrobiłyśmy sobie taką naszą portretówkę — tylko my dwie, eleganckie, zadowolone i szczęśliwe przyjaciółki z Pasymia, na tle jeziora i zielonej łąki.

Tak też mi napisała na tym zdjęciu:

Mojej przyjaciółce, Wiedźmie Małgosi

Wierna i kochająca — Czarownica Elwira

Całe to zajście, cały ślub z klimacikami i plotkami, opisałam Ewie. Jej wysłałam klasycznie — pocztą. Wiktorowi posłałam mailem, wraz ze zeskanowanym zdjęciem, z którego jestem bardzo dumna.

Jakiś tydzień później, na początku września, zalewałam kurki wywarem cebulowo–octowym, kiedy zadzwonił telefon.

— Cześć, tu Sławek. Mam jakieś szanse zabrać cię do Olsztyna?

— Po co? — spytałam życzliwie i zachęcająco. Żmija.

Zamilkł niezdarnie.

— ...jest jakiś festyn...

— Był. W sierpniu. Niedawno całkiem. Dni Olsztyna. Spóźniłeś się.

Znów zapadła niezręczna cisza.

— Jesteś gorsza od Elwiry. Chciałem jakoś cię rozerwać, rozweselić...

— A skąd wiesz, że jest taka potrzeba?

— Byłem po piwo u Elwiry i tak się zgadało.

— O Matko! Już całe miasto i okoliczne wsie wiedzą, że Janusz mnie rzucił?! Mogłam dać ogłoszenie do prasy... — warknęłam.

— Dobrze. Przepraszam. Cześć.

— Poczekaj! Sławek, przepraszam. No, taka jestem rozmemłana, zła. Ciut rozczarowana. Wiesz jak jest. To jak? Jakoś muszę to wszystko zostawić w rękach mamy. Zabierz mnie nad morze.

— Ale, to... Dobrze. Nad morze. Dobrze. Będę jutro z rana. Dokąd?

— Wymyśl coś!

Pojechałam do mamy.

— Mamo, przejmij pensjonat. Chcę wyjechać na dwa, trzy dni. Odpocząć, przemyśleć. Skoro Janusz się wycofał...

— Sama jedziesz, córeńko? Nie będzie ci źle? Może Ania sobie poradzi, a ja z tobą chętnie pojadę, bo zmiana wody ci się należy.

— Sławek się nawinął...

— Ach, Sławek? — Przechyliła głowę i uśmiechnęła się znanym chochliczym uśmieszkiem. — No, to super! Może on ci rozgoni czarne chmury, chociaż do optymistów i wesołków raczej nie należy.

— Mamo! A zresztą, sama mówisz, że samej — lepiej nie.

Wieczorem nosiłam z Anią grzyby w słoiczkach do spiżarni i uprzedziłam ją, że wyjeżdżam. Przyjęła to ze zrozumieniem i nawet sarknęła coś, że w mojej sytuacji, to nawet powinnam. Co ona wie o mojej sytuacji? Widocznie ślepa nie jest, tylko dyskretna. Właśnie. Zapomniałam, że tu wszyscy o wszystkim wiedzą, że nasze sprawy są na widelcu i że tak tu już jest. W łóżku rozmyślałam i rozmyślałam, ale byłam zmęczona i stwierdziłam, że nie ma co planować, a co ma być, to będzie. Sławkowi też nielekko na duszy, więc i jemu przyda się taki miniurlop.

Przyjechał rano i przepakowaliśmy się do mojej terenówki. Nie lubię małych samochodów, a jego renówka ładna, ale mała.

— Ale dasz mi poprowadzić? — poprosił.

— A co? Lubisz terenówki?

— Nie, to nie to, ale nie będę wiedział, co zrobić z rękami, co powiedzieć… a tak, wiesz, męskie zajęcie. Poprowadzę, dobrze?

— Dobrze, dobrze.

„Fujara z Mościsk" — powiedziałby tato. „Nie wie, co miałby robić z rękami, co mówić". Dzikus. Sierotka Marysia. Teraz to ja mam go zabawiać podczas jazdy? Niech mu tam!

Pojechaliśmy przez Olsztyn, na Pasłęk, przez Morąg.

Przed Morągiem rozgadałam się:

— Wiesz, kiedyś oglądałam taki reportaż z Morąga właśnie, pod tytułem „Kochankowie z Morąga". Ona — pięćdziesięciolatka, taka pyza — mamusia. Okrąglutka, niska, pulchna — żadna tam modelka, i on — jej kochanek, partner w wieku jej syna, zresztą kolega syna, czy jakoś tak. Dwudziestotrzylatek. Wysoki, przystojny…

— Żartujesz?! To chore.

— Reagujesz jak kołtun. Czemu chore?! Bo stara czy że niepiękna jak modelka? Ty szowinisto!

— Nnnno, wiesz… — plątał się — to jednak nieprzyjęte. No, rzadko spotykane…

— Tak? Jak stary lowelas prowadza dziewczę w wieku własnej wnuczki — to zdrowo i normalnie?

— Przestań — mówi to cicho i pojednawczo. Przepraszająco. Wzrok ma jak spaniel. Nie, jak basset. Głupio mu, ale trudno, i tak zmyję mu kołtuna!

— On, rozumiesz — zapragnął ślubu i namawiał ją wściekle. Nawet jej dzieci, już dorosłe przekabacił. To ona nie chciała. Bała się, że dla niego to taki etap w życiu. A on jej na kolanach przysięgał! Przed kamerami!

— Pajac. No, przepraszam, Małgoś, ale pajac.

Lubię to „Małgoś". Tylko Sławek tak do mnie mówi. Ładnie…

— Wiesz, ja oglądając, też się bałam w jej imieniu. On był wiarygodny. Wtedy naprawdę ją kochał, ale życie bywa różne.

— Pewnie była jego pierwszą…

— Oglądałeś to?!

— Nie, ale my faceci tak już mamy, że jak późno inicjujemy… no dobra, i co było dalej? Pomylił seks z miłością. Dupek.

— Nie wiem. To znaczy pobrali się, jeszcze na tym filmie. Zatrzymaj tu! Przy tym sklepie. Skoczę po coś do picia. Co chcesz?

— Sok jakiś.

W małym sklepie kupiłam sok i moją kochaną orzechówkę. O! Tak. Mam ochotę wypić pod ten głupi wypad. Chyba za prędko się zgodziłam. Będę żałować, a na powrót za późno.

— Ale wiesz co? — kontynuowałam już w samochodzie. — Był u nas taki jeden z Morąga. Pracy szukał i go zapytałam, jak było z nimi dalej, bo domyślasz się, że cały Morąg huczał. I… masz rację. Zepsuło się podobno.

— Znalazł młodszą i przejrzał na oczy… Małgoś, tak musiało być, jeśli jeszcze mówisz, że taka… czerstwa, bułeczka.

— Są faceci, co od lat mają żony starsze i niepiękne i dobrze im!

— No, więc to są wyjątki potwierdzające… Mam rację?

— Masz, masz… Zaklepałeś jakieś pokoje? Hotel?

— Nie. Jedziemy na żywioł. Jak nic nie będzie, zaśniemy na plaży pod gwiazdami.

Wypiłam chaust orzechówki ze złości. Pieprzony romantyk! Janusz zamówił hotel w Krakowie i… w ogóle było lepiej! Byłam zła na siebie. Nie jestem harcerką, żeby spać we wrześniu w piachu! Boże! Żeby być z Januszem i żeby hotel był i wszystko to, co było między nami!

Zła, nie odzywałam się prawie. Włączyłam upiorne radio. Niech się wydziera. Minęliśmy Trójmiasto. Z moich myśli wytrącił mnie dopiero napis: „Puck 8 km".

— Nad zatokę? A co my tu znajdziemy?

— Zobaczysz…

Było popołudnie. Ciepłe i bezwietrzne. Okazało się, że Sławek zamówił pokój u miłych, starszych ludzi, w starym domu blisko portu. Jasne! Mogłam zadzwonić do Wika! Ta jego Moniśka ma tu rodziców!

Pokój duży, z dużym łożem, i wnęka z wersalką. Łazienka jak łazienka, żeden cymes, ale ważne, że jest. Sławcio ładnie poukładał moje rzeczy na moim łóżku, a swoje na wersalce. Tłumaczył, że inne pokoje zajęte. Ciągle trwa sezon. Dla Niemców.

Natychmiast poszliśmy w miasto. Mały rynek zrobił miłe wrażenie, chociaż sklepy już się zamykały. U kwiaciarki zamykającej kwiaciarnię kupił mi różę. Miło... Uparłam się na molo.

— Zobacz, jaka knajpa! — zawołałam, gdy zobaczyłam dziwne akwarium na grubej nodze pośrodku molo. — Chodź! Zgłodniałam!

— Chciałbym zaprosić cię do innej. Zawsze tam chodzimy z chłopakami. Może nie taka wypasiona, ale ma klimacik... — poprosił.

Niech mu będzie. To jego miasto, jego wyjazd. Jestem tu przez pomyłkę. Z męskim szowinistą, co nie lubi starych bab. Bliziutko portu, za katedrą — rzeczywiście dziwne miejsce: „Checz kaszebska", obwieszona suszonymi rybami i sieciami. Jedzenie uwiodło mnie! W sporej miseczce, gorąca zupa rybna z węgorza, halibuta i innych tam, pachnąca czosnkiem. Później zamówiłam flądrę prosto z patelni, z wiórkiem masła i cytryną. Frytki mi się nie zmieszczą. Do tego wypiliśmy kilka kieliszków pieprzówki. Od razu poprawił mi się humor i poszliśmy dalej, na deptak. Rozmowa ledwo się tliła. Tak sobie gadaliśmy cicho o jego życiu, o samotności, którą oswoił, i o potrzebie przytulania.

Wzrusza mnie tym swoim: „Małgoś" i tym, jak mnie słucha i jak patrzy. Na molo sporo spacerowiczów. Słońce topi się w zatoce. Woda spokojna jak w balii. Dobrze mi. Wyciszył mnie. Jest nienachalny, cichy, zamyślony, ale jednak cały czas obecny. Każda chciałaby być tak słuchana. Uważnie, prawdziwie.

Na ławce otaczam się jego ramieniem, żeby jakoś obłaskawić go za te moje wybuchy w drodze, że jest seksistą, że... takie tam. Wyżywałam się za swoje frustracje, a on milczał i uśmiechał się.

Słońce już mrugnęło ostatni raz, zostawiając nam tylko poświatę, a we mnie wstąpił diabeł. Diablica. Pocałowałam Sławka prosto w usta. Nawet się nie zdziwił, tylko nachylił i kontynuował dość nieśmiało.

— Chodź. Połaźmy jeszcze. Po plaży, dobrze? — Pociągnęłam go na spacer.

— Ty diabliczko! — powiedział. — Starsznie rozrabiasz.

— No co ty? Czemu?

— ...bo ja jestem nadpobudliwy... — powiedział, bezwstydnie patrząc na spodnie.

Miał wzwód!

— Chodź — Roześmiałam się.

Trzymał mnie za rękę i ciągle się uśmiechał. No i dobrze! Nie chce mnie Janusz, to nie! Niech się wypcha! Sławek chce. Jest lepszy, bo prostszy. Nie pije.

Jest z „mojej gliny", rozumiemy się i mieszkamy blisko. Moglibyśmy spróbować…

— Sławek, mógłbyś mimo mojego wieku… pobyć ze mną trochę?

— Mógłbym.

I tylko tyle. Reszta to oczy, sposób, w jaki mnie objął i przytulił.

A więc — Sławek. Tak. Warto spróbować!

Woda chlupała cicho o brzeg, a my byliśmy coraz dalej od molo. Wokół ciemno, gwiazdy i kawałek księżyca. Mamy polary — jest ciepło. Żółta plaża stygnie powoli. Staję na jakimś pniaku pod nawisem skarpy i obejmuję tego miśka. Ma twarz taką, jakby wygrał w loteryjce. Teraz całujemy się finezyjniej i zalotniej. Odważniej. Jest rzeczywiście nadpobudliwy, więc po prostu zdejmuję jeansy i dosiadam go na tym pniaku, na plaży. Jest zdziwiony, zaskoczony, ale poddaje się chętnie i jest dobrze, dziko.

— Małgoś. Ty wariatka jesteś — szepcze zdyszany i obejmuje mnie tak mocno, jak tylko można, żeby mi nie połamać kości.

W domu kontynuujemy. Teraz bez pośpiechu, piasku i chłodu. Zasypiam obok miśka zmęczona, zadowolona, z nowym planem na życie. Resztę dni spędziliśmy na spacerach po Cetniewie, Helu i Trójmieście. Dużo seksu, łażenia, jedzenia i gadania. Z każdym dniem upewniam się, że tak, własnie z miśkiem, z dobrotliwym Sławkiem o zadbanych dłoniach nie–stolarza, chcę być. Chcę, żeby o mnie dbał, nosił bez wysiłku na rękach i myślał o milionie różnych rzeczy, o których ja już nie będę musiała.

Wystarczy go karmić, głaskać i kochać się z nim — jest szczęśliwy.

Nie pije. O Jezu! Nie pije!

Wracamy nocą. Z radia sączy się nocny koncert. Gra nasze polskie, nowe odkrycie — Rafał Blechacz. Niech gra, bo nie chce mi się gadać. Muszę pomyśleć, choć już postanowiłam: Sławek. Tylko on jeszcze o tym nie wie…

O tym, jak zapragnęłam staroświeckiej ziemianki i jak życie dokonuje zmian, czyli filozofuję sobie

Już wrzesień. Jest sporo pracy w ogrodzie i obejściu, a jak są goście, to i w kuchni. Musiałam oddać na czas recenzje, przeczytać kilka książek i poprawić pracę licencjacką jakiegoś dysgrafika. Nudną. O finansach. Mnóstwo tabel, cyferek, ale i treści z bykami ortograficznymi, mimo porządnego komputera ze słownikiem. Odebrałam też Kaśki badania, z których wynika, że jest zarażona boreliozą. Musiał ją dziabnąć kleszcz i nawpuszczać jej krętków tej boreliozy. Wszystko już wiem z internetu. Rokowania nie są dobre, tym bardziej, że badania wskazują dawne zarażenie. Cholera! Psia krew! Byłam wściekła.

Poprosiłam doktor Lisowską o nawiązanie kontaktu z jej przyjaciółką z Gdyni, z Kliniki Chorób Tropikalnych, o zdobycie najnowszych wiadomości dotyczących metod walki z boreliozą. Obiecała zająć się sprawą. Czekam… Sławcio pojechał do Otwocka coś pozałatwiać, a potem z kumplami na spływ Wisłą. Na dwa tygodnie. Teraz jego ruch. Też pewnie myśli. A może on tylko chciał trochę seksu i już?

Zaangażowałam się w budowę ziemianki. Takiej, jakie widuję w starych obejściach, tu, na Kurpiach, na białostocczyźnie…

Otóż, żeby porządnie przechować pewne rzeczy — ziemniaki, przetwory — trzeba to robić w ziemiance, czyli ziemnej piwnicy. Takie funkcjonowały na wsiach od dawna, więc postanowiłam wskrzesić to, bo gdzieś trzeba trzymać warzywa, kapustę kwaszoną i ziemniaki. Składzik naziemny, nieogrzewany, może przemarznąć, a spiżarnia domowa bywa za ciepła. Ziemianka jest w sam raz. Bartek ze Stefanem mają opracowaną technologię, bo taka sama jest u nich na podwórzu. Więc oni są wykonawcami. Powstała na zapleczu kuchni pensjonatu. Ma wygodne zejście schodkami w dół. Podwójne drzwi, ściany wyłożone polnymi kamieniami, betonową podłogę i porządny strop. Nie wiem, z czego, ale od strony samego wnętrza są dechy. Dalej — tajemnica Bartka i Stefana. Na pewno maty słomiane, jakieś inne warstwy i na wierzchu — ziemia usypana w zaokrąglony nasyp. Na nasypie trzeba zasiać trawę. I już!

Jestem oczarowana. W środku mam regały drewniane wzdłuż ściany długiej i krótszej, a po przeciwległej stół i drewnianą skrzynię na ziemniaki. Inną z piaskiem na warzywa korzeniowe. Jest też miejsce ze słomą na kapustę.

Ania — Wrona obiecała zakisić na zimę kapustę w dębowej beczce. Kupiłam taką na bazarze w Szczytnie. Teraz Ania wlała w nią wodę z czosnkiem i gorczycą i beczka czeka.

Podobno w takiej ziemiance można przechowywać mięso, ryby, chociaż ja dotąd zawsze kupowałam wszystko świeże. Może rzeczywiście za rok, na sezon kupić świniaka i po sprawieniu trzymać tu, pod ręką? Bardzo to obniży koszty. Za kury i indyczki Piernacki i tak liczy nam mało, więc drób będę brała od niego, a ryby z Rum. Mleko i śmietanę z tartaku, od Stefana żony, też mogłabym tu przechowywać, a nie kupować w markecie. Bardzo mnie zajęła moja nowa piwnica. Jest super! Już widzę zawieszone tu siatki z cebulą, warkocze czosnku, skrzynki z jabłkami i gruszkami… Wszystko jak dawniej. Jak w *Dzieciach z Buller-byn*. Jak w prawdziwym domu.

O Boże! Co się ze mną porobiło? Zmieniłam się przez ten czas spędzony tu, u mamy nad rozlewiskiem. Przewartościowałam tyle rzeczy, uczuć, pojęć. Na przykład wyostrzyły mi się zmysły. Inaczej czuję zapachy. W Warszawie zapachy były konkretne: perfumy w sklepie, spaliny na ulicy, lilie przyniesione z ogrodu przez Zosię, (O! To był duszący, niezwykły zapach!) czy też zapach klatek schodowych w blokach. Mieszanka kocich szczyn i śmieci. Czasem zdarzał się smród przypalonego mięsa, jak się Zosia zagadała z listonoszem koło furtki. Ale było! Cały dom tygodniami śmierdział nieludzko.

Zapach Konrada, kiedy rano wychodził z łazienki. Ten sam od lat…

Teraz wszystko pachnie intensywniej. Perfumy są nie do zniesienia. Drażnią mnie i duszą. Ledwo znoszę dezodorant, jak przez nieuwagę kupię inny niż „sensitive". Zapach maminego pokoju, czyli mieszanka geranium, lekkich perfum, starych książek, cudowny zapach bezpieczeństwa. Mama jest opoką. Zapach Blanki, która mimo biegania po podwórzu prawie przez cały czas pachnie czystym wiatrem. Zapach poszycia leśnego. Inny latem — wtedy pachnie nagrzanym igliwiem, a inny jesienią — kiedy w runie kiełkuje i rozciąga się pod ziemią wilgotna grzybnia. Jeszcze inny zimą. Wtedy las prawie nie pachnie. Czasem mrozem.

Niesamowicie różnie pachną pola. Wiosna — to zapach rozmokłej ziemi. Cudowny, tęskny. Później dochodzi do tego roztrząśnięty obornik, parujący na zimnie i czekający na przyoranie. Zapach — obietnica plonów. Kwitnące łąki to nie nowość. Każdy to zna.

Kwitnący rzepak za to ma okropny, drażniący zapach. Nie lubię go, choć inni kochają. Pachnie też dojrzałe zboże kołyszące się lekko w takt skowronkowego trelu. Delikatnie, subtelnie.

W sierpniu po polach jeżdżą kombajny i, młócąc zboże, uwalniają zapach kośby. Całe okolice pachną żniwami. To taki alarm: koniec lata!

Jesienią znów pachnie mokra ziemia po zbiorze ziemniaków, ale to już inny zapach niż wiosną. Często przemieszany ze snującymi się dymami z kartoflisk. To jest piękny, senno–leniwy zapach.

Właśnie tak zmieniły mi się zmysły. Nimi postrzegam otaczający mnie świat. Dzięki mamie, Kasi i tym zapachom wycichłam, zadumałam się nad życiem i już wiem, co jest ważne, a co mniej.

Ważne jest zdrowie mamy i Kaśki. Ważna jest rozwaga w podejmowaniu decyzji i próba zrozumienia najbliższych. Bo wtedy jest w domu dobrze. Nieważne są drobiazgi, drobiazgowość, czepianie się dupereli. To zżera zdrowie i spokój.

Ja też jestem ważna, bo tu jestem. Robię coś pożytecznego i dobrego — opiekuję się Kasią, całym obejściem, panią Anią, a jak są, to moimi dziewczynkami i gośćmi w ogóle. To lepsze niż przekonywanie anonimowego tłumu do kupienia proszku z utleniaczem, albo tej konkretnej kawy, bo ma aromat identyczny z naturalnym, czy coś równie idiotycznego…

Zupełnie już nie zależy mi na tym, jak wyglądam. Na makijażu permanentnym, na nowym kolorze włosów też. Nawet ta moja okrąglejsza niż zawsze figura wydaje mi się czymś naturalnym. Po cholerę mam się odchudzać? Bo piszą o tym kolorowe czasopisma? Bo wprowadzono nowe, lepsze niż zeszłoroczne preparaty, i trzeba je sprzedać? Bo kreatorami mody kobiecej są w większości faceci — geje na granicy pedofilii, którzy kochają męską, chłopięcą sylwetkę i wmawiają nam, że na anorektycznych wieszakach suknie lepiej się układają?!

To jakiś absurd! Kobiety projektantki za nic nie chcą pokazać kobiecości, żeby być „trendy” i na topie. Boją się, że męska dyktatura zmiecie je, wyśmieje. Biedne lizuski. Osiemdziesiąt procent kobiet w krajach cywilizowanych ma okrągłą sylwetkę. Mamy piersi, pupy, okrągłe ramionka, brzuszki, do których tulą się nasi faceci. Te najchudsze to chore na zagłodzenie modelki i anorektyczki. Żaden wzór. Niema rozpacz. Znacznie bardziej niż moja krągła figura niepokoi mnie Kaśka. Jej badania jednoznacznie wskazują na to, że ma tę boreliozę od roku.

Mama przypomniała sobie.

— Rzeczywiście, rok temu, jesienią, jakoś po grzybach, wykręciłam jej kleszcza. Miała go na plecach. Tam, gdzie są nerki. Po lewej. Tak. Pamiętam. Cholera jasna! Nie oglądałam później tego miejsca. Wyjęłam drania i już… To moja wina!

— Mamo, nie myśli się o takich rzeczach. Nie obwiniaj się…

— Powinnam. Kaśka ani nikt inny nie obejrzałby sobie pleców. A tam musiał być czerwony ślad. Taki wędrujący…

— Może nawet ją swędziało, ale wiemy, mamo, że Kaśka nie mówi o takich rzeczach. Chyba że ją bardzo boli, czy coś.

— Tak mi głupio, Gosinku. Zaniedbałam ją.

Nie wiem, jak mamie pomóc. Ma kolosalne poczucie winy. Całe życie doglądała Kasi, a jak ja się pojawiłam, odpuściła. Obie zawiniłyśmy. Teraz już wiem, skąd te Kaśczyne słabości, kołatania serca, bóle stawów. Myślałam, że to starość, a to ten cholerny krętek z Lime.

To właśnie jest ważne, a nie jakaś idiotyczna dieta czy makijaż!

Kasisko moje kochane siedzi na werandzie. Łuska fasolę do kosza. Uśmiecha się do mnie i melduje:

— Fasolka będzie!

— Widzę, Kasiu. Jak się czujesz dzisiaj?

— Dobrze dzisiaj. Tak. — Kaśka kiwa głową i spogląda na łąki wokół rozlewiska, mrużąc oczy. — Jesień już idzie, co, Gosiu? Tak?

Wygląda czerstwo. Jest ładnie opalona. Włosy już posiwiałe na skroniach, wciąż porażają mnie swą grubością i tym, że się tak ładnie układają. Ucięłam jej wokół twarzy kilka kosmyków i teraz ładnie wygląda ze zwiniętym warkoczem i tymi loczkami poruszanymi wiaterkiem. Wciąż jest duża, ma grube palce, duże usta, stopy… Jednak widzę też oznaki zmęczenia. Jej oczy są takie inne. Spostrzegam w nich chorobę, zmęczenie… Gdybym była prawdziwą wiedźmą, mogłabym ją uzdrowić. Widocznie jeszcze nie jestem…

Chwilowo cicho w pensjonacie. Nie ma gości. Pusto.

Rano obudziłam się, myśląc, że to szósta, bo było strasznie ciemno. Wiedziałam już, co się święci, bo słyszałam mruczenie spod lasu i czułam niepokój w powietrzu.

Mania spytałaby mnie: „Jak to — czułaś?".

Normalnie, jak zwierzę, wyczuwałam tę burzę idącą zza lasu, jak jakaś mysz — wąsami. Tak już tutaj mam. Wyczuwam.

Rzeczywiście, nie trzeba było długo czekać, bo zagrzmiało kilka razy, ale bez błyskawic i lunęło. Grzmoty jeszcze mruczały, odchodząc dalej, a deszcz został… Miarowy, nudny, jesienny taki. Latem pada jak werbel, a jesienią tak… nudzi.

A jeszcze wczoraj było tak ładnie!

Kaśka już była w kuchni ubrana w swój zielony dres. Słuchała radia i robiła sobie śniadanie.

— Chcesz coś, Gosiu? Tak? Zrobić ci? — spytała.

— Dziękuję, Kasiu. Tylko kawa i troszkę ciasta. Nie chce mi się jeść ani nic robić. Zobacz, jak pada…

— Pada. Taaaak. Tomasz mówi, że grzybki rosną.

— To chyba jedyne pocieszenie. Wiesz? Smutno mi jakoś…

— …bo Mani nie ma?

Moje Kasisko! Też mnóstwo rzeczy wyczuwa. Rzeczywiście smętnie mi i przydałyby się moje panny.

Nasi letnicy zwinęli się, obiecując ponowny przyjazd na grzybobranie, więc mamy czas na pranie pościeli, sprzątanie i przetwory. O właśnie, przetwory. Taki dzień jest dobry na robienie pomidorów w słoiki.

— Mamo — powiedziałam, jak tylko weszła do kuchni. — Popatrz, jak się zasnuło. Pojadę po słoiki i pomidory. Porobimy soków, przecierów salsy… Jedziesz ze mną?

Pojechałyśmy. Na rynku mało ludzi, bo i pogoda kiepska, i nie targowy dzień. Kupiłyśmy piętnaście kilo pomidorów przecierowych, takich dziwnych — owalnych.

— Czemu akurat te? Tamta pani ma tańsze o złotówkę i też napisane: „Na zupę"— nudzę, jak Mania w dzieciństwie.

— Tamte rzeczywiście są dobre na jej zupę — Gnom tłumaczy mi cierpliwie. — Ale na przeciery zimowe muszą być te owalne, bo mają …

— Więcej „cukru w cukrze"? Są bardziej pomidorowe?

— No, właśnie. Mają więcej suchej masy, mniej wody i nie trzeba godzinami ich odparowywać. No, gęściejsze są. Oj, nie nudź!

W domu pozbawiłyśmy je skórki i gotowały niezbyt długo w wielkim garze. Z gara dochodziło bulgotanie i parowało przyjemnie. Wiedźmowy wywar.

Kaśka oglądała telewizję, a my z mamą czytałyśmy przepisy na salsę i domowy keczup. Myłyśmy słoiki i wyparzałyśmy je wrzątkiem. Gadałyśmy o Kaśce i tej paskudnej boreliozie, zastanawiając się, co jeszcze możemy zrobić, żeby skutecznie ją leczyć. Niestety, doktor Lisowska jakoś nie dawała znaku życia. Wiązałyśmy spore nadzieje z tą jej koleżanką z Kliniki Chorób Tropikalnych. Sądziłyśmy, że nowości w tej dziedzinie wprost galopują.

— Bo nam się wydaje, że wszystko już się leczy. Potem krzyk przy takiej opryszczce, żółtaczce, gruźlicy… Tej cholernej boreliozie. Gosiu, ja całe dzieciństwo latałam po lesie! Może i były kleszcze. Może i mama mi wykręcała jakieś, ale nikt się ich nie bał! O zachorowaniach na odkleszczowe zapalenie opon, na toksoplazmozę albo boreliozę nikt nie słyszał! Naprawdę!

— Mamo. Myślę, że prawda jest pośrodku. Lisowska mówiła, że istotnie rozmnożyły się gatunki endemicznych niegdyś kleszczy noszących te świństwa. Zachorowań jest o wiele więcej niż kiedyś. Poza tym żyłaś w czasach propagandy sukcesu. Chorowanie w Polsce było „de mode"! Byliśmy „Zdrowym Narodem Postępu", pamiętasz?

— Fakt.

— I jeszcze coś z mojej reklamowej działki. Wiesz, komu najbardziej zależy na rozpętaniu histerii wokół kleszczy i chorób odkleszczowych? Firmom farmaceutycznym produkującym szczepionki.

— Ale Kaśka choruje…

— I to mnie wkurza najbardziej.

Byłam tak rozżalona na te krętki, co zaatakowały naszą Kaśkę, że poparzyłam się gorącym przecierem, kiedy go wlewałam do słoika.

— Szlag! Cholera jasna! No, popatrz, mamo!

— Mówiłam ci, weź ten specjalny lejek do wlewania gorących przetworów. Po to został wynaleziony… Jak tam ze Sławkiem, Goniu?

Skąd ona wie?!

— Skąd wiesz, że coś?

— …wiem… — mówi to tak, że śmiać mi się chce (jak dziewczynka na podwórku: „wiem, ale nie powiem…”), a jednocześnie czuję, że ona po prostu takie rzeczy wie.

— Nie popędzam. Jest z chłopakami na spływie. Męska wyprawa. Może poczuł, że chcę go… zaanektować? Przestraszył się?

— Bardzo nawet prawdopodobne. — Gnom powiedział to jak zaklęcie.

Wyszło nam dwadzieścia słoików samego przecieru. Mamy zamiar porobić jeszcze keczup i pomidorki koktajlowe w zalewie. Słoiki pełne gęstego sosu z pestkami, kwaśnego, ciut słonego i pysznego, stoją teraz w ziemiance na półce.

Kocham ten widok! Przetwory na zimę są malownicze i dają poczucie bezpieczeństwa, że nawet jak nas zasypie po sam nos — nie zginiemy! Otworzymy słoik i zjemy nasze buraczki, dżem albo ugotujemy zupę z własnego przecieru. Za niedługo wsypiemy tu ziemniaki, marchew, cebulę… Pani Ania zakisi kapustę. Powiedziała, że szkoda słoików na ogórki i można je było w beczce. Jej mama tak robiła. No, może… Za rok będą w beczce!

Kupiłam też śliczne kanki z Olkusza, emaliowane — na mleko i śmietanę od Karolaków. Mniejsze i większe, jak będzie nas dużo latem. Ale mi odbiło! Gosposia!

Zosia, druhna Anna i tatko, piją pewnie kawę tam, w niebie, i śmieją się ze mnie.

— Popatrz, Stachu (to druhna), jaka się z tej Gosi pani domu wykluła. No! No! Nigdy bym jej o to nie posądzała. Nie miała wzorca!

— Mnie się wydaje, że to instynkt, moje panie. Nie mam racji? — Tatko rozsiadł się wygodniej.

Na to Zosia, moja teściowa:

— Zapewne masz rację, Staszku, ale też i jej mama jest osobą, z której Gosia sporo czerpie. Zresztą zarówno ona — Basia, jak i ja dużo opowiadałyśmy, jak to było dawniej w naszych domach. Każdy majątek, zagroda, dom musiał na zimę porobić przetwory. Kobiety całą jesień się uwijały, gromadziły. Zawsze…

— No, to na moje wychodzi, że wytworzył się wam, kobietom, instynkt.

— Niech ci będzie, Stachu. Zawsze byłeś besserwisser. Nie wiem, jak Inka to znosiła! A właśnie, gdzie ona jest?

Zdałam sobie sprawę, że w niebie to oni tam są wszyscy. Inka też, i dziadkowie — Bronia i dziadek Michał... Patrzą mi na ręce, czy aby czego nie sknocę. Czuję to...

— Zobaczcie, kochani! — przemawiam do tych moich aniołów. — Kontynuuję tradycję. Dom musi być zabezpieczony na zimę. W opał i w przetwory, ziemniaki, warzywa... Mam wszystko. Mięso i ryby są w pobliżu. Ryby w Rumach u rybaka, a mięso w każdym sklepie. Nie będę hodować świniaka. Nie znam się, a Kaśka jest za słaba. No, może kury za rok? Piernacki mnie namawia, ale cieszy się, że odmawiam, bo nam przynosi własne. On umie uhodować wszystko.

No, kochani! Wracajcie do swoich niebiańskich zajęć, bo ja muszę po zakupy. Zabrakło mi papieru do drukarki, soli, octu i kostek odkażających do kibelka. Pa!

O mokrym już wrześniu
i że to dobrze mieć ich wszystkich blisko

Niefajny ten wrzesień mają dzieciaki. Jest mokro i chlapowato. Nocami pada i to nawet nieźle. We dnie jest przez to masa kałuż i błoto. Pogoda nawet nie jest upiorna, bo jest ciepło. Czasem przeciera się i zza chmur ciemnych albo brzydko–szarych — wyziera słońce. Na pewno wtedy grzyby rosną najszybciej.

Nie chodzę do lasu. Mamy co robić, a grzyby zbiera dla nas pani Ania. Kocha las, zna jego zakamarki i ma swoje grzybne pola. Płacimy jej jak w skupie, a oprócz tego Ania sama je robi. Kategorycznie wzbrania się przed suszarką. Kapelusze osobno i nóżki osobno, nanizuje na grubą nić i wiesza na stryszku. Tam, mówi, jest im najlepiej. Jak już usychają na wiór, wkłada je do płóciennego worka, który też tam sobie wisi cały rok. Gotuje kwaśne zalewy, tradycyjne z gorczycą, cebulą i marchewką — dla ozdoby. Wkłada ładnie, z boku liść laurowy i ziele. Zamyka i ustawia rzędy marynowanych maślaków, podgrzybków i borowików. Teraz czeka na opieńki i gąski. Mama przywiozła ze Szczytna ogromną skrzynkę antonówek, wielkich jak grejpfruty.

— Zobacz, jakie piękne. Śmietankowe. Tak się nazywa ta odmiana. Zapamiętaj. Najlepsze na przetwory.

— Mamo, w Polsce jabłek jak ziemniaków. Po co jeszcze robić z nich przetwory? Całą zimę można kupić tanio, po złotówce.

— Nie zrzędź. Nie znasz się. Jak zrobimy tarte antonówki, to zdziwisz się w zimie, jak otworzę słoik, i przeprosisz. Przygotuj słoiki, miskę i tarkę.

Naturalnie zignorowałam tę tarkę, bo mamy malakser, a w nim samo się trze.

— Obrać?

— Nie. Ja trę wszystko — „psa z budą". To według makrobiotyki. Jabłko ma wszystko dobre. I skórę i gniazda nasienne też!

Wszystko, co wyszło z malaksera tarte na grubej tarze, mama wkładała do słoików zupełnie bez niczego.

— Nic?! Cukru? Niczego?

— Nic — odpowiedziała z miną szamanki. — I tak będzie cud. Zobaczysz. Zapasteryzujemy je przez dwadzieścia minut we wrzącej wodzie i do piwnicy. W zimie one są jak świeżo utarte jabłuszko. Masz takie dni, kiedy cię nosi, coś byś zjadła... A tu otwierasz słoiczek, wyjmujesz, posypujesz cukrem i cynamonem i masz coś pysznego.

— No, ale tyle? Masz zamiar wpaść w depresję i jeść tylko te jabłka?

— Głupiaś. Można je do szarlotki i zamiast jarzynki — do mięsa. Doskonale się też nadają do zemulgowania sosu z wieprzowiny, z baraniny... Nie widziałaś, jak dodawałam jabłko, kiedy robiłam duszony kark wieprzowy? Kiedy przyjadą dziewczynki? — zmieniła temat.

— Są już na wylocie. Tak, jak obiecały, wpadną w pierwszy weekend października. Aha. I dzwonili Bogusiowie, że może wpadną na grzyby w tym tygodniu. Pod koniec.

— Zapowiadało się jeszcze kilka osób. Też na grzyby.

— A grzyby o tym wiedzą?

Dobrze! Będzie gwarno i zarobimy jeszcze trochę przed zimą.

Kaśka ma zapisaną serię zastrzyków. Bardzo tego nie lubi i muszę ją zawsze trzymać za rękę. Siostra Sylwia w przychodni robi je naprawdę delikatnie, cienką igłą.

— To dobry, silny antybiotyk z grupy cefalosporyn. Pomoże! Pani się nie denerwuje.

— Naczytałam się o późnym leczeniu tej boreliozy — tłumaczyłam siostrze Sylwii, jak Kaśka wyszła. — No i ten aktor, ze *Złotopolskich*, co zmarł na nią...

— O Matko! Który?

— Organista... No, ale on w ogóle, w życiu, higienicznie to się nie prowadził i żył tak dość mocno i pitewnie.

— Pani Kasia jest zdrowa i silna. Poradzi sobie, zobaczy pani.

— Do widzenia!

— Do widzenia.

No i dobrze. Niech będą cefalosporyny i oby pomogły.

Jadąc przez rynek, pomachałyśmy do Elwiry i pojechałyśmy do domu. Szosa wilgotna, pobocza porośnięte wysokimi chwastami. Nikomu już nie chce się ich ciąć. Niedługo zima. Na razie jednak ciepła dość i mokra jesień i wszystko rośnie jak wściekłe. Chwasty przodują. W gminie nie ma pieniędzy na utrzymywanie poboczy w stanie... europejskim. Drzewa wciąż zielone, chociaż już sporo pożółkłych liści. Las powoli przebiera się w jesienne barwy. Zaczął od poszycia. Suche, żółte trawy bez życia, zdrewniałe i obumarłe, rdzawe pióropusze dzikiego szczawiu. Osty, rzepy i wszelkie inne rośliny, które właśnie wydały suche owoce czepiające się moich spodni i sierści Funia podczas spaceru. Wszystko to osypuje się, fruwa albo czepia się, pragnąc przedłużyć życie gatunku. Jedziemy polną drogą, za nami nasze trzy brzozy — już łagodnie żółciejące. Łąki w niższej partii wciąż zielone. Wciąż karmią i chronią polny drobiazg. Pachnie mokra ziemia, trawa i liście. Soczysty zapach jesieni. Sławek wrócił z Otwocka i, jak mnie zobaczył u siebie na podwórku, rzucił się i zaniósł na górę na rękach. Świr! Witaliśmy się czule i było naprawdę miło. Żadne z nas nie umiało jednak gadać o przyszłości. Widać nie czas...

W domu czekał na mnie list od naszej letniczki Ewy.

Kochana Gosiu.

Wysłałam list do mojej córki. Poprawiałam go i redagowałam ze sto razy. Cisza.

Nic nie jest łatwe. Jej milczenie mnie dobija. Trudno. Może potrzebny jej czas?

Wojtek, mój mąż zauważył, że wróciłam trochę odmieniona. Poszliśmy do sklepu i kupiłam sobie książkę o ogrodnictwie, o kwiatach doniczkowych i kucharską. Coś mi się chce. Nie kwękam. Spróbuję „żyć potrzebnie".

Fakt, że trochę mnie wybiłaś z moich utartych torów. Nazwałaś moją depresję „bezpiecznym bagienkiem". Tak. Tak było. Oczywiście mam nawyk wstawania rano ze smutkiem w oczach, ale Wojtek zaraz pyta mnie: Co dziś ugotujesz? Śmieszy mnie to i jakoś tam, motywuje.

Może masz rację, że proste czynności, takie zwykłe i codzienne, potrafią leczyć z melancholii? Ważne, żeby czuć się potrzebnym, a skoro w moim domu i tak wszystko robili najęci ludzie — gosposia, ogrodnik, to ja byłam potrzebna do... dekoracji?

Wczoraj aż pozazdrościłam Ci Mamy, Kaśki. Pomijając cały świat, dla niej musisz wstać, coś robić, dbać o nią... Ona sama przecież nie umiałaby żyć bez Was. To takie fajne, że macie siebie, Wy wszystkie kobiety Rozlewiska.

A Twoja córka? Jak ona się tam u Was odnajduje? Chwyta Wasz klimat?

Kupiłam małe krzaki — dwie hortensje i różaneczniki. Postanowiłam wiedzieć wszystko o ich hodowli i nie dać im zginąć.

Pozdrawiam, Małgoś, Ciebie i Twoją Mamę, i Kaśkę, i kaczkę, i pana Henia, i Elwirę.

— Ewa

PS: Może wpadnę w październiku tkać na krosnach? Dam znać.

Jutro jej odpiszę.

Wrzesień znów zrobił się ładny i pogodny. Dla jesieni to piękne słowo: pogodny, pogodna. Nie musi być oszałamiającego skwaru, upału, ciepłej wody w jeziorach i słońca w nadmiarze. Jesienią powinno być pogodnie. Wystarczą ciepłe noce. (No, takie nie zimne.) Wystarczy, że już nie pada we dnie. (Może sobie kropić nocami.) Wystarczy trochę słońca w dzień. (Tak, żeby grzała tylko bluza od dresu lub lekki sweter.) No, i żeby nie wiało wietrzysko. I tak właśnie jest. Już końcówka września — pachną grzyby. Sławcio jest na rozmowach w Warszawie w sprawie mebli.

Tomasz czyni przygotowania do październikowego pikniku. Coś tam z mamą szepczą, kombinują… Ja czekam na dziewczyny. Nigdy tak nie tęskniłam za Marysią, a teraz też, za Paulą. Taka się tu zrobiłam miękka, tkliwa i nawet to lubię. Myślę sobie, że to niedobrze być twardym. Ukrywać coś albo, nie daj Boże — nic nie czuć. Wszyscy się tu o siebie troszczymy, niepokoimy.

Kiedy Piernacki nie pokazuje się długo — dzwonimy. On zresztą dzwoni często tak sobie. Zapytać, czy czego nie trzeba — kur, jajek, gęsiny i czy wszystko dobrze.

Tomasz troszczy się o mamę, ale wszystkie czujemy jego opiekę. On zresztą zrzędzi, że za dużo się wtrącamy w to jego zdrowie i daje sobie świetnie radę sam. Ogania się od pytań: „Tomek, co ci? Boli?", kiedy się skrzywi lub położy dłoń na sercu. Ale widać, że lubi to nasze babskie grono. Mówi o nas — jak jeszcze pojawią się dziewczynki — „Mój babiniec".

Dobrze jest tak żyć. Czuć się kochaną, opiekować się. Kochać też… Byłam u Sławka tuż przed jego wyjazdem. Był tylko łagodny seks, ale nie rozmawialiśmy, bo ma jakiś zawodowy kłopot. Miłe popołudnie dwojga bliskich ludzi. Żadnych zaklęć i deklaracji. Może powinnam zakochać się? Pokochać Sławka, jak Basia z *Nocy i dni*? Trochę wbrew sobie, ale ze świadomością, że to porządny człowiek?

Mail od Wiktora:

Gośko, wybacz milczenie. Monika absorbuje mnie na równi z nową pracą.
Gadamy, myślimy i planujemy. Pisz. Wiem, że kiepski ze mnie korespondent,
ale wieści od Ciebie są zawsze mile widziane. Chociaż Ty podtrzymaj naszą
korespondencję. Na razie piszę skrótami, bo pochłonęło mnie to moje dziew-
czę kochane, ale jak tylko się uspokoimy i nasz stan przejdzie w przewlekły
— ponowię pisanie. Obiecuję. Wik

Dobrze. Przynajmniej jemu się układa.

Mail od Konrada. (O Matko! Od Konrada?)
Kochana Gosiu.
Raz jeszcze dziękujemy za zaproszenie. Jeśli można, będziemy razem z dziew-
czynkami w czwartek. Mamy z Adą taką możliwość. Marysia też twierdzi,
że może bez uszczerbku dla studiów „urwać" się na czwartek i piątek, a Pau-
la — sama wiesz. To autonomiczna jednostka.
Ada nie może się doczekać spotkania z naszą rodziną. Tobą, Basią, Tom-
kiem, Kasią. Bardzo jesteście różni od jej rodziny w Wiedniu, ale myślę, że
na korzyść. Z pewnością czary i odczyniania mogą ją zaszokować.
Będziemy koło południa. Pozdrawiam. Konrad

No, tak. Krócej się nie da, ale i tak to dużo i wylewnie.
Poszłam na spacer z Funiem i Kaśką.
— Chodź, Kasiu. Podrepczemy troszkę — mówię do Kasi i ona posłusznie
wstaje, zamyka dom i idziemy.
Kasisko dużo pracuje na powietrzu. Te cefalosporyny rzeczywiście jakby od-
daliły chorobę. Mniej narzeka na bóle stawów. Serducho się jej uspokoiło i jest
w lepszej formie. Zdecydowanie. Może zahamowały rozwój tych krętków? Idzie
żwawiej niż dwa miesiące temu. Uśmiecha się i podśpiewuje. Zerwała wielką
kiść nawłoci na długiej łodydze i macha w powietrzu.
— Co robisz? — pytam.
— Zaczyniam, żeby było dobrze — buczy.
— Komu?
— Wszystkim, co ich lubię. Taaak.
Po chwili widzę już, że będzie bukiet. Jak ona to robi? Jak widzi wśród traw
i chaberdzi — piękny materiał do jej ikeban? Idzie sobie, śpiewa coś, mruczy
i raz po raz schyla się i zrywa jakiś chwaścik. Takie sobie — nic. Potem nagle
przedziera się przez chaszcze i coś tam znajduje takiego, że aż się dziwię — wielki

liść ażurowy, jak powycinany. Pod lasem sięga po dziki chmiel i zrywa długaśną witkę z liśćmi i szyszkami.

Po powrocie do domu wstawia do wazonu bukiet godny fotografa. Zasypiając, patrzę na niego.

Moi wreszcie przyjechali!

Przed południem zajechały dwa samochody — Konrada i Pauli. Widocznie nie będą razem wracać. Dziewczynki guzdrały się, żeby dać nam szansę na przywitanie. Ada jest tu pierwszy raz... Wysiadła z pomocą Konrada i wyprostowała się dostojnie. Jest postawna i ładna taka, elegancka spokojną urodą. Ma siwe włosy zwinięte w niewielki kok i podaje mi rękę z uśmiechem.

— Pani Małgorzato, Ada jestem. Bardzo mi miło!

— Mnie również. Zapraszam was. Konrad, dzień dobry! — Wesoło klepię go po plecach, bo witamy się serdecznym uściskiem. Znów czuję, jak mu kamień spadł. — Pokój macie ten twój, na górce. Dobrze?

— To my szybciutko bagaże i zaraz zejdziemy! — Konrad uśmiecha się swoim niepewnym uśmiechem i zabiera torbę swoją i Ady.

Tonę w ramionach Marysi i Pauli. Stały cichutko i czekały. Teraz śmieją się radośnie i scenicznie:

— Mamo–mamo–mamo–mamo!

Cieszę się jak głupia. Przecież już wszyscy jesteśmy dorośli, a ja tęskniłam za nimi jak matka małych dzieciuchów.

— Moje kochane! Ale jesteście opalone, chude! Zaraz widać, że pracowałyście na świeżym powietrzu!

— Mamo, mamy dla ciebie prezenty i mnóstwo zdjęć, i pozdrowienia od Jeana Philippa! Mamo! Jak fajnie tu być. Co na obiad?

— Pieczone kuropatwy.

— Nie żartuj!

— Poważnie. Piernacki przyniósł na wieść o przyjeździe Ady, Konrada i was, i kazał imponować.

— To trudno. Jutro zrobimy pierogi. — Mania spojrzała na Paulę. — Dziś będzie po pańsku...

Przed obiadem Konrad zabrał Adę na spacer, nad wodę. Zostawił mnie z dziewczynkami, wiedząc, że one wprost eksplodują chęcią opowiedzenia mi wszystkiego. Znów kuchnia była wypełniona nami — kobietami Rozlewiska. Tylko mamy nie było. Tomasz ma gości i dzisiaj mama tam rządzi.

Kaśka obściskana przez Manię i Paulę siedzi i drze sałatę, kroi ogórek i jest szczęśliwa. Panny szwargoczą i zaśmiewają się, opowiadając o kelnerowaniu, poznanych ludziach i nawiązanych znajomościach. Promienieją.

Paula na chwilę poważnieje i mówi:

— Gosiu. Porozmawiaj ze mną wieczorem...

Marysia obstaje przy tym:

— No, mamcik. Porozmawiaj. To konieczne.

— Boże! Coś poważnego? Stało się coś? Jesteś w ciąży?

— Nie! Wieczorem, na spoko. Dobrze? I to nic takiego. Wszyscy żyją. — Paula uśmiecha się zadziornie i rzuca Mani porozumiewawcze spojrzenie. Znów ma śmieszną, krótką fryzurkę, tym razem gładką, ale niesymetryczną. Kolor piękny — czekoladowy brąz, podkreśla jej brązowe oczy. Są smutnawe, czy mi się zdaje?

Przy obiedzie dostałam od Konrada i Ady kopertę.

— Nie jest to szaleństwo, ale tyle kolekcjoner zapłacił za Orlika. Obraz sobie czeka na lepszą cenę, Gosiu. Nie było sensu godzić się na średnią.

— I tak jestem wystarczająco zażenowana, Konrad. Nie mam prawa do twoich pamiątek rodzinnych.

— Po co, Gosiu, do tego wracać raz jeszcze? Mama zostawiła tobie część majątku. To normalne i nie sumituj się niepotrzebnie. Nic nikomu nie odbierasz. Jeśli Adzie się tu spodoba, będziemy wpadać, i będzie ci może lżej z taką myślą?

— Zwariowałeś?! I tak masz tu swój pokój. Możecie wpadać zawsze. Pani Ado, jeśli tylko pani polubi to miejsce, proszę...

— Możemy mowić sobie na ty? — spytała spokojnie.

— Jasne, tak... naturalnie — wybąkałam ciut tylko pogubiona.

Mania zrobiła do Pauli minę pod tytułem: „Ale słodko i cudownie", na co Paula zrobiła zeza. Wariatki, a ja muszę być poważna!

Wieczorem miałam Paulę u siebie. Leżała na moim łóżku podparta na łokciu i mówiła:

— Pokierałam swoje życie.

— Co zrobiłaś? Proszę cię mów jasno, ja już nie rozumiem slangu...

— Już nie wiem, co robić, Gosiu... Wszystko mi się zawaliło na głowę. Wiesz, że matka chciała, żebym pojechała do Francji, do Reims kończyć studia i niańczyć jej bachora. Zaparłam się, że nie, a teraz... Jean Philippe chciałby, żebym wróciła... Znam francuski tyle o ile, mogłabym tam pojechać, tu wziąć dziekański, ale mam tylko rok do końca! Właściwie pół. Czy ja wiem? On twierdzi, że to proste i nawet wynajmie mi pokój. Że teraz to nic takiego, taki wolny związek.

— Ty i Jean Philippe?! Ten Jean Philippe? Ten rudy restaurator, wasz szef? Wolny związek? Chyba źle słyszę.

— ...no... Ten Jean Philippe.

Zatkało mnie.

Taki... papcio, rudzielec piegowaty. „Wiewiór"— jak o nim mówiła Marysia. Nawet przez chwilę wzięłam na poważnie te ich sugestie o wyjeździe i poznaniu go... Powiedział, że chce się ze mną ożenić, a przynajmniej tak żartem pisała Mania. Głupia, wzięłam to za zaloty. Głupia! Co jest ze mną? Może rzeczywiście na gwałt szukam męża? I po co? Bo mam puste gniazdo? Głupia!

Paula patrzyła wyczekująco.

— Ale jak? Kiedy?! Miałyście tyle pracy, a prowadzenie knajpy też pochłania... — Nie mogłam wyjść ze zdumienia.

— Nie przesadzajmy. Jak interes jest dobrze ustawiony, personel stary i sprawdzony, mieścina mała i uczciwa, to można nie zaharowywać się na śmierć. Nawet ja i Marynia miałyśmy czas na depilacje nóg, zwiedzanie i malowanie obrazów. Od tego się zaczęło...

— Co?

— Jak malowałam, miałam sztalugi rozłożone na tylnym tarasie, przy stolikach. Tam był widok z naszej skarpy na rozległą dolinę, potok płynący w dole i pola, łąki i jakieś domki po drugiej stronie. Jean często przystawał, jak malowałam, kiedy było mało gości. Pozwalał mi malować nawet w pracy. Klienci to lubili... Malująca kelnerka. Rozumiesz? Gadaliśmy, żartowaliśmy i nagle coś zaiskrzyło. Zmieniła mi się optyka widzenia, a szczególnie po tym, jak miałam bolesną miesiączkę i leżałam w domu, zdychając i wijąc się w skurczach. Przyszedł i przyniósł mi zioła od żony. Fantastyczne. Natychmiastowy skutek! Jest zielarką...

— Jako to — od żony? Podobno rozwiedziony!

— Oni tam wszyscy rozwiedzeni, jak mają romansowy nastrój. Żonaty! Z ładną blondynką koło czterdziestki piątki. Taka rasowa, ładna, tylko bezpłodna i dlatego dzieci nie mają.

— No i...

— No i porobiło się, bo jak tak siedział obok, potem parzył mi te zioła i zamartwiał się, to mi oczy zaszły mgłą. Już nie był Rudym Wiewórem — jakeśmy go z Manią nazwały, a cudownym, płomiennym Jeanem. Facetem o dobrej twarzy, piegach jak wyspy na morzu i oczach jak ocean. Troskliwy, ciepły, kochany. Przynosił mi zupę, głaskał... Mówię ci! Takiego mieć za męża!

— Oszalałaś. Możesz mieć każdego! Myślałam, że sobie tam owiniesz wokół palca jakiegoś Rimbauda podobnego do Leonka Di Caprio, czy coś. A ty, rudego żonkosia koło pięćdziesiątki! Zwariowałaś!

— Ma czterdzieści dziewięć.

— No to bardzo przepraszam! Papcio Smurf!

— Nie mów tak o nim, Gosiu. Jest naprawdę cudownym człowiekiem. Zna się na malarstwie, jest czuły, wrażliwy, świetnie gotuje. Fantastycznie nam się gadało. Cały promieniał, mówił, że mu lat przy mnie ubyło, że czuł się taki…

— …wypalony — dodałam, kiwając głową.

— Jest dobry! Umie słuchać, współczuć…

— Dorzuć coś.

— W łóżku altruista.

— Pieprzysz. Nie ma takich.

— Są. Jest. Wiesz, co on wyprawiał?! Jadł mnie na śniadanie. Kładł na stole, sam siadał na krześle i …

— Nie chcę tego słuchać. Jesteś otumaniona, zaczarowana, ja to rozumiem. Nawet myślisz, że kochasz.

— Bo kocham! Tylko nie wiem, jak postąpić. Szkoda mi tego roku.

— I co, niby jak ja ci coś powiem, to tak zrobisz?! Uważaj, bo uwierzę. Paula, po co ci jestem potrzebna? Ty chcesz tam jechać! Przecież twój przypadek jest ciężki i rzadko kiedy uleczalny. Tak naprawdę nie chcesz nikogo słuchać.

— Chcę. Boję się wyjazdu tam i palenia mostów. Ktoś musi ściągnąć mi cugle… Podać ważkie argumenty. Gdzieś przez skórę czuję, że powinnam słuchać ciebie i Mańki.

— Posłuchasz? A co Marynia?

— Spróbuję. Już Mańka mi nakładła do łba, teraz ty zrób swoje. Ona też uważa, że romansik tam to ostatecznie, ale żaden wyjazd. Że ten rok będzie wiążący. Zaraz przecież mam dyplom. Że przejrzę na oczy. On zapomni i już. Może się otrząsnę.

— Po pierwsze, nic nie wiesz o jego małżeństwie.

— Są już razem dwadzieścia lat. Nie mają dzieci, jemu już się to znudziło. Podobno nie kocha jej. Potrzebował zapalnika. Iskry motywacyjnej, jak twierdzi.

— Pieprzony romantyk. Paulinko, to Francuz i oni tak mają. Wyczuwają, co chcesz usłyszeć, i gadają to. Czuły? Opiekuńczy? No, to ładne z jego strony, ale też nic nadzwyczajnego. Oni nie znoszą naszych cierpień, więc zrobią z wyrazem troski wiele, żeby nie słuchać i nie widzieć naszego bólu. No, ładny gest z tymi

ziołami, głaskaniem, a ty to kupiłaś, bo nie masz ojca. Psychologia. Twoja pod-
świadomość dąży do tatusia. Dobrotliwego i kochającego.

Faceci o niezbyt oszałamiającej urodzie nadrabiają to altruizmem, maestrią
w łóżku. (Jak my.) „Nie jestem piękny, ale zobacz, jaki ci sprawię orgazm! Żaden
żigolak mi nie dorówna, bo każdy taki cudny jest, zapatrzony w siebie, i uważa,
że ledwo was smyrnie swoim wzwodem — macie wyć z rozkoszy". Przecież wiadomo też, że najlepsze kochanki to kobiety o przeciętnej urodzie i romantycznej
duszy. Paulineczko, błagam, rusz głową!

— Łatwo ci mówić, Gosiu. Tak cudownie i bezpiecznie było mi w jego ramionach! Chciałam wierzyć w to, co mówił, ale rzeczywiście brzmiało to trochę… za
słodko.

— Nic nie wiesz o ich małżeństwie. Dam sobie łeb uciąć, że razem jedzą ko-
lacyjki, podlewają kwiatki w ogródku i kochają się jak gołąbki. Skoro jest ładną
zielarką, to z pewnością jest uroczą i interesującą kobietą, a ty — to odskocznia.
Lifting. Kobiecie nie wolno, rozumiesz? Nie wolno włazić w romans z facetem
mającym żonę, kobietę…

— Dlaczego?! To wolny rynek! Facet nie jest jakimś niewolnikiem! Ma wolny wybór!

— Oszalałaś? Kto ci nagadał takich bzdur? Są pewne wartości, świętości i nie
mają one nic wspólnego z rynkiem. Żonaty facet już dokonał wyboru. Przysięgał. Zawarł jakiś układ. Owszem, może się z tego wyplątać, bo istnieje instytucja
rozwodów. Ale najpierw to, a nie żarcie naraz z dwóch żłobów. To nieuczciwe.
Równie nieuczciwe jest romansowanie z facetem, o którym wiesz, że jest z inną.
Moja mama mówi, że kobieta, która wchodzi w intymne relacje z mężczyzną
zajętym, jest „wyliniałą suką". Sama to przerobiła i długo miała do siebie żal.

— Pani Basia? Tak ostro? No, ale dlaczego? Niech tamta się stara, niech walczy…

— Ale dlaczego, Paula? Dlaczego zmuszasz ją do stawania z tobą w szranki?
To nie zawody. Zresztą długo ta „ona" nie wie nawet, że ma o coś walczyć, bo
romansuje się na lewo, po cichu. Dajesz jej nierówne szanse. Ty jesteś świeżutką
odskocznią, ale to ona pierze jego zasrane gacie i słyszy w nocy, jak ten romantyczny kochanek puszcza wiatry po kołdrą. Ona chodzi na wywiadówki i pie-
lęgnuje ich dzieci — jak są. Ty jesteś jak kieliszek wina w pubie, po pracy. Ona
ciągnie ich życie. Nie niszcz tego, nawet jeśli on coś bredzi, że czuje się wypalo-
ny. Najpierw, jak mu zależy, niech uporządkuje swoje życie. Rozwód, a potem
polowanie. Jeśli teren jest zajęty, odejdź. Małżeństwo to nie teren bitew godo-
wych, to świętość. Te wszystkie „związki otwarte", walka o żonatego samca, to

po prostu... kurestwo, wiesz? U facetów, zwróć uwagę, to się prawie nie zdarza. Oni nie odbijają żon innym facetom. Bardzo rzadko. „Tego kwiatu to pół światu". Po co rozbijać związek, narażać wszystkich na dyskomfort, dzieci na płacz i utratę tatusia lub mamusi, skoro jest tylu „wolnych strzelców"?

— O Boże. Wiedziałam, że mi łeb zmyjesz...

— Przyszłaś po to. Nienawidzę bab, które rozwalają cudzy związek, bo wierzą w te bzdety o tym, że „żona mnie nie rozumie". To tak, jakby podeszła do ciebie koleżanka z podwórka, wyrwała ci kochaną lalkę tylko dlatego, że ci jej zazdrości, i rzuciła przez plecy: „Walcz o nią!". Niby dlaczego?! To twoja lalka! Oczywiście, facet to nie lalka, ma swoją wolę, ale pamiętaj, że oni często, bardzo często myślą inną częścią ciała niż mózg. To też ich wina, jeśli mając żonę, pakują się w romans. Paula, powtarzam: cudzy związek to świętość. Nie wchodź w to. Poza tym on się nie rozwiedzie, a ty będziesz jego kochanicą, dopóki nie pojawi się inna malarka. Inna, która go uskrzydli.

— Więc jestem suką?!

— Po prostu, nie bądź nią. Nie daj się nabrać. Może on cię dzisiaj nawet kocha i uwielbia. To chwilowe. Jeśli natomiast to prawdziwe, to znajdzie do ciebie drogę. Pokona wszystko i jeśli ci pisany — będziesz z nim, ale nie właź w taki układ, jaki ci proponuje, jak ćma. Tam, we Francji, będziesz sama. No i wszyscy w miasteczku się dowiedzą i będziesz czarną owcą. Ciotkę narazisz na wstyd. No co, wynajmie ci garsonierę w innym miasteczku? Czujesz absurd? Tu masz nas i swój świat. Wiem, że gdzieś tu niedaleko łazi twoje przeznaczenie.

— Wierzysz w to? Pocieszasz.

— Czuję. Wierz mi. Skreśl Jeana Philippa. Jesteście jakoś skoligaceni.

— Piąta woda. O Matko. Ale mi dowaliłaś. Sądziłam, że będzie mniej bolało.

— Wybacz.

Odchyliła głowę i milczała długo.

— A co u ciebie, Gosiu? Mogę spytać? — zmieniła temat.

Pokrótce i szczerze opowiedziałam Pauli o mojej odstawce, o problemach Janusza. Potem poszłyśmy do Mańki.

— No jak? — spytała moja córka, patrząc na nas badawczo.

— Przeżyję — burknęła Paula, obejmując mnie w pasie. — Nasza mamcia dowaliła mi solidnie, ale sama chciałam.

— I co? Miałam rację? Durna jest? — dopytywała Mania.

— Miałaś — powiedziałam. — My wszystkie durne, jak się zakochujemy nie w tym facecie, co trzeba. A teraz, opowiadać! Wszystko z klimacikami! — zaproponowałam.

Ledwie zaczęły, zadzwoniła mama. Musimy pogadać i właśnie do mnie jedzie.

Niespodzianka, ale nie wiem: śmiać się czy płakać

Mama usiadła wygodnie w moim pokoju. Chwilę wierciła się jak Blanka, zanim się ukokosiła.

— Małgoś... — zaczęła, a ja już czuję, że będzie coś na poważnie. — Małgoś, podjęliśmy z Tomkiem wspólną decyzję, ale bez ciebie się nie obejdzie. Otóż... wiesz już, że leśniczówka jest absolutnie Tomkowa?

— No, wiem.

— Mamy mniej czasu niż młodzież. Przechodziliśmy różne koleje losów i nastrojów, ale już jesteśmy na tyle... starzy, że chcemy być razem. Zamieszkać razem. To nieproste, bo ja całe dorosłe życie spędziłam właściwie tu z Kaśką. Tomasz bywał trudny, a i ja miałam swoje fochy. Teraz wszystko się zmieniło. Niewiele nam zostało i nikt nie wie, co komu pisane.

— Mamo, to normalne, że wreszcie chcecie być razem, bo przeszliście próbę czasu...

— Jest jeszcze coś, ale powiem to na końcu. Na razie chcę cię zapytać, czy czułabyś się na siłach zamieszkać tu sama i zająć się Kaśką. Oczywiście, jesteśmy obok w leśniczówce, będziemy tu bywać, ale ja bym się wyprowadziła tak na amen. „Z psem i paprotką".

— Z Funiem?! Nie dam ci go.

— Żartuję. Tomka Bobek zeżarłby Funia. Wiesz, jaki to zbój. Ale poważnie. Kaśka nie jest łatwa. Oczywiście mogłabym ją zabrać do Tomasza, ale dla niej byłoby to trudne i niezrozumiałe. Dla Tomasza, ciut krępujące. Rozumiesz? Ona się tu wychowała...

— No... Myślę, że nie jest to nic wstrząsającego. Już dawno myślałam, że powinnaś być z Tomaszem tak na amen. Kasią zajmuję się i będę zajmować. Ona już mnie akceptuje, zna... Tylko dom będzie pusty bez ciebie.

— Żabko. Jest jeszcze coś. Nie chciałam o tym na początku, żeby nie było uważane za nacisk. Tomasz był na rozległych badaniach tam, w sanatorium. Uparłam się i oboje żeśmy się zbadali „na przewylot". Tomasz ma tętniaka na jednym z naczyń...

— O kurczę. — Poczułam niemiły skurcz w brzuchu.

— Nie jest wielki, ale mały też nie, a to jak bomba zegarowa. Za długo zwlekałam. Muszę z nim być. Rozumiesz to. Prawda? — Jej broda napięła się jak zawsze. Oczy zaszkliły. — Myślmy pozytywnie. Poza tym — kontynuowała — powinnaś mieć miejsce do zbudowania czegoś. Jakiegoś związku. W pewnym wieku potrzeba stałości uczuć i miejsca.

Jezu! Ale ona potrafi strzelić! W sam środek tarczy. Mój mądry Gnom!

— Mamo, a tobie nie trudno tak zamieszkać u Tomasza? Przecież tu jest twój dom, pensjonat, wszystko. Całe twoje życie.

— Jakoś nie. Całym moim życiem jest Tomasz. Mury i meble mnie nie przytulą. On mnie kocha i potrzebuje. Kaśkę zostawiam w dobrych rękach. Będę tu przecież często. Ona nawet tego nie odczuje. A pensjonat? Tomek też ma na górce pokoje gościnne. Zajmę się nimi i gośćmi. Tobie, jeśli pozwolisz, zwalę na głowę wszystko tutaj. Za dwa tygodnie umówiłam notariusza. Chcę ci wszystko przepisać, żebyś nie miała problemów, jak już przestanę palić.

— Proszę?

— Oj, no Tomasz tak mówi. Jak zemrę.

— Przestań.

— Bez ceregieli, moja droga. Każdego z nas to czeka, a sprawy spadkowe ciągną się jak flak, psują nerwy i kosztują.

— Ale co chcesz mi przepisać? — pytałam, nie dowierzając.

— Wszystko. I Kaśkę też.

— O Matko… — wyszeptałam, bo dopiero teraz załapałam. — Wszystko? Calutkie obejście, dom, pensjonat, garaż?

— …i krzaczki, i kaczkę — powiedziała z chochlikiem w oczach. — Zgadzasz się. Prawda?

— A co na to Tomasz?

— On to wymyślił. Dobrze. Masz dwa tygodnie na myślenie. Piknik jutro o czternastej. Pa. Daj buziaka.

Poleciała. Zostałam z mętlikiem w głowie. Jednak najbardziej mi pulsowało w głowie: „Tomasz ma tętniaka". „Bomba zegarowa".

Poszłam po wiedzę do internetu.

Wieczorem piknął SMS: „Dobranoc, Małgoś. Strasznie tęsknię. S.".

„Strasznie tęskni…" — myślałam. No, miłe, ale znam Sławka. Sam mi się przyznał, że brak bzykania to najgorszy aspekt jego samotności. Więc tęskni za mną, czy za seksem? Wszystkie te wątpliwości kotłują się we mnie do późna. Janusz mnie nie chce. Chce zostać świętym, Sławek zaś chce, ale chyba nie tak w pełni, nie na co dzień, nie za głęboko… Na romans jest wystarczająco, na miłość za mało. Romansów mam „po kokardę". Jak przekonać Sławka, że wspólne życie nie gryzie? Że miłość, to nie tylko łóżko? To dom, kwiatki, Kaśka, szambo, mój wiek, obiady, remont samochodu… Wszystko. Ja chcę wszystkiego!

Rano siedziałam zmęczona przy jajecznicy i merdałam w niej widelcem, niechętnie. Miałam natłok myśli, same znaki zapytania. Jeśli mama rzeczywiście chce przepisać mi to wszystko, to trzeba mieć na podatek. Nie mogę jej obciążać. Są pieniądze z wakacji, ale to mamy kasa. To jej pensjonat. No, trochę też mój. Mam do nich prawo? Wszystko to zajęło mi głowę dość dokładnie, a do tego ten cholerny tętniak Tomasza… Zła na niego, sprzątałam kuchnię zaciekle. Nawet nie pogadałam z listonoszem, który do domu przyniósł korespondencję i prasę. Stał, machał, widać chciał zamienić słowo, a ja go wypłoszyłam…

Kaśka przyszła z ogrodu obładowana ziołami. Będzie je wiązać w pęczki i suszyć. Pachnie cała weranda. Mówić jej czy nie? Może zostawić wszystko jak było. Przyzwyczai się. Nie zauważy. Mama coraz rzadziej tu mieszka i Kaśka jakby tego nie widzi. Tak. Tak będzie najlepiej.

— Kasiu. Skończ do południa, bo potem jedziemy do leśniczówki na piknik.

— Na co?

— Na taki obiad z grilla.

— Dobrze. Taaak. Skończę ja.

Pogoda akurat na takie przyjęcie. Paula z Manią i Kaśką pojechały samochodem, a ja z Konradem i Adą poszliśmy piechotą. To blisko…

Ada nienagannie elegancka, choć sportowa, stawia ostrożnie nogi po piaszczystej drodze. Na pewno nic się jej nie nasypie do skórzanych mokasynów. Mnie nawet do zasznurowanych adidasów wlatuje piach.

— Cudowny zapach. Czujesz, Radku? — to do Konrada. Ada w widoczny sposób jest zachwycona naszym lasem. — Czysta żywica! Samo zdrowie! Macie tu wspaniałe warunki do prowadzenia agroturystyki. To zresztą zrobiło się bardzo modne w całej Europie. Niektórzy lubią gwiazdkowe hotele i przepych. Proszę mi wierzyć, to się nudzi. Jest masa ludzi ceniących sobie domowe warunki, atmosferę…

— Wiem. W lecie miałam pierwsze doświadczenia.

— Mam wielu przyjaciół i teraz na pewno zareklamuję twój, Małgosiu, pensjonat. Tę przyrodę, okolicę! Warto.

I tak prześłodko i ładnie bleblając, dotarliśmy do Tomaszowej leśniczówki. W drodze wyjaśniłam Adzie, dlaczego ja — tam, mama tu i w ogóle, co u nas w rodzinie.

— To znaczy, że ta leśniczówka, to jakby filia — stwierdziła Ada.

No. Ma rację. Tomasz i mama powitali nas serdecznie. Podwórko przeistoczyło się w salon. Ławki i fotele ponakrywane kocami i derkami, dwa stoliczki — jeden do napojów. Owoce, kwiaty (to ręka mamy). W piecu już żarzyły się węgle, a obok pod ściereczką Tomasz trzymał zamarynowane rarytasy.

Popołudnie powolutku wprowadziło nas w nastrój. Pomogło wino i piwo.

— Jak tam Janne? — spytałam dziewczyn.

— Ja! — powiedziała Marysia. — Ja opowiem! Posłuchajcie!

— Kto to? — spytała Ada.

— Nasz przyjaciel. Fin. Urokliwy. Mamie się podoba, bo prawie biały. Tylko oczy ma granatowe. Robi w kosmetykach i paralekach. Taki... świrek. Bardzo miły. Wierz mi — Mania objaśniła Adzie i zaczęła: — Janne nigdy nie był w Prowansji, więc zostawił sobie z urlopu dwa tygodnie i przyjechał do nas. Nie zatrudnił się u Jeanna Philippa, bo chciał się trochę powłóczyć, popatrzeć na ten cud, jaki ma Francja na południu. Przyszedł do naszej restauracji, pogadaliśmy, a my z Paulą wzięłyśmy się do roboty, bo tak od jedenastej to już się zaczynał spory ruch. Janne siedział przy kawie, wystawiał twarz do słońca, rozglądał się, gadał z ludźmi. No, fajnie tak. Relaks. Po drugiej stronie ulicy jest kawiarnia, a tam kelnerowało rodzeństwo. Brat i siostra. Ona cicha, miła mężatka. On — Gaston, młody i tak piękny, że niech go cholera weźmie! Paula jak go zobaczyła, wymiękła. Ja, też.

— To ja teraz opowiem! — wtrąciła Paula. — Zupełnie jak jakiś hiszpański torreador. Smagły, cudnie zbudowany. Oczy jak smoła, zrośnięte brwi, uśmiech zniewalający. Tyłeczek jak marzenie. A jak się ruszał! Jakby tańczył flamenco. Mdlałam na jego widok, a on zerkał, uśmiechał się i widać było, że wie, skubany, jakie robi wrażenie. Jean Philippe to zauważył, roześmiał się i oświecił nas: „On nie dla was, różyczki wy moje!".

Teraz znów Mania kontynuowała:

— No, tośmy się wkurzyły. A co? Jak z Polski i niezbyt zamożne, to już nie dla nas?! Wiesz, mamo, że jestem jak ty wrażliwa na seksizm, rasizm i w ogóle. Co? „Za wysokie progi"? Kurczę? Sacre bleu! Merde! A Jean Philippe tylko roześmiał się i powiedział: „Skarby wy moje! To nie tak! Żadna go nie usidli. On jest już stracony dla żeńskiej części ludzkości".

No, to był cios! Taki facet!

No i spojrzał Gastonek na naszego Jannego raz. Wystarczyło. Nie mogłyśmy z Paulą pracować. Takie kino! To jedno spojrzenie wlało do duszy Jannego słodki niepokój. Dosłownie widziałyśmy, jak go przeszył dreszcz, jak złapał haczyk. Jak siedział, udając obojętność, a zakażenie już rozlało mu się po sercu.

Spoglądał na Gastona, upewniając się co do własnej intuicji. Pocił się i po godzinie widział już tylko jego. Mamo, babciu! To jak choroba! Jak wirus Ebola. Jakie tempo! Patrzyłyśmy na naszego Jannego. Był chory z miłości.

Spojrzałam na Konrada i Adę. Konrad mrugał oczami, skubał brzeg swetra i udawał, że słucha, ale kontrolował Adę. Ona zaś z królewskim spokojem słuchała oparta o ławkę.

Mania mówiła dalej:

— Patrzyłyśmy z zazdrością. Janne był już kompletnie zakochany, a Gaston spokojnie ciągnął podryw. Uśmiechał się do nas, do Jannego... Wie, co robić. Ma to opanowane, chociaż i u niego zauważyłyśmy po pewnym czasie objawy tej samej gorączki. Teraz posyłał Jannemu spojrzenia poważniejsze, takie wiele mówiące. Pytające. Cholera! Żaden facet tak na mnie nigdy nie patrzył! Zobaczył to Jean Philippe i tylko westchnął: „Jak wieczorem będzie mniej ludzi, zaproście tu Gastona. Będzie miło".

Tak też się stało. Dostaliśmy butlę różowego, domowego wina i zawołaliśmy Gastona. To była chyba niedziela. W poniedziałki otwieraliśmy dopiero o dwunastej, więc poszliśmy na nocny spacer w dół skarpy aż do potoku. Było ciepło, powietrze pachniało kwiatami, na niebie gwiazd po cholerze i księżyc, wielki jak pizza maxima.

— No, ślicznie, Maniu. Baaardzo obrazowo — pochwaliłam.

— Próbuję wam przybliżyć klimat! Nie przerywać! My szłyśmy z Jeannem Philippem. Żartowaliśmy, bo on ewidentnie nas podrywał. Wtedy obie jeszcze. Ups. Sorry... — Mania spojrzała na Paulę. — No i chłopcy szli za nami po tym stromym zboczu, kamienistą ścieżką. Bardzo chrobotała pod butami. Udałam, że mi się coś do adidasa wsypało, i obejrzałam się. Gaston trzymał Jannego za rękę! Myślałam, że się wścieknę z zazdrości! Patrzyli na siebie, uśmiechali się nieśmiało i zalotnie. Potem po jakichś paru minutach przestało chrzęścić. Obejrzałam się znów. Stali w tyle za nami pod drzewem pomarańczy i... całowali się! Ale jak!

— Nie wiem, czy chcę tego słuchać — chrząknął Konrad, patrząc przepraszająco na Adę.

— Hmmm, miłość ma różne oblicza. Przestań. — Ada grzecznie uśmiechnęła się, i wzięła Konrada za rękę.

Chyba mu nie ulżyło.

— W każdym razie, nigdy czegoś takiego nie widziałyśmy — ciągnęła Marynia. — Ale czad! Chłopaki zupełnie poszaleli. Janne przeniósł się do Gastona.

Cierpieli za dnia, kiedy oddzielała ich ulica. Znów nieme kino — spojrzenia pełne namiętności, uśmiechy i tęsknota niewymowna! Komedia!

Gaston, kiedy stawiał przed kimś filiżankę, posyłał Jannemu mgliste spojrzenie jak Rudolf Valentino do Poli Negri. Mniód! Sam cukier! Ten z kolei patrzył z zachwytem na niego i zaraz potem na nas — pełen niemocy. Kompletnie odjechany. Pocił się wciąż i czerwieniał na samą myśl o tym, co ich łączy albo co robili w nocy. O Boże! Ja tak jeszcze nigdy się nie zakochałam. Nie zwariowałam z miłości. Zazdrościłam im, mimo że wiedziałam, jak niewiele mają czasu... Rzeczywiście. Rozstanie było szaleńcze i Janne w samochodzie nie odzywał się przez pół drogi. Spał takim niby snem. Łzy wycierał ukradkiem. Biedak. Teraz ma dylemat, bo nie ma już urlopu. Praca i dom tutaj, rodzina w Finlandii. Strasznie cierpi. Dlatego został w Warszawie.

— A Gaston?

— Nie wiem. Pewnie ma więcej oleju w głowie i zapomina. Ci faceci z cieplejszych klimatów przeżywają to wszystko burzliwiej, ale rozsądniej. Szybciej stygną.

— Robią miejsce na następny romans — powiedziała Paula, patrząc na mnie i kiwając głową.

— Moim zdaniem — Tomasz wziął do ręki butelkę wina — trzeba wypić za miłość.

— Za miłość! — krzyknęliśmy wszyscy.

Miodowe żeberka, baranina i kiełbasa z dzika z rusztu wywołały miłe aplauzy. Tomasz cieszy się, opieka, czaruje następnymi kęskami mięsa. Widać, że jest szczęśliwy. Mama jest cicha i refleksyjna. Rozmawia z Adą półgłosem o pensjonacie, słyszę, jak chwali moje zachowanie w tej materii. Konrad słucha i trzyma Adę za dłoń. Widać po nim, że jest wyciszony. Dobrze mu z tą uporządkowaną kobietą, dającą mu poczucie stałości i prawdy. Ciepłe powietrze sprawia radość. Słońce przenika przez liście wysokich drzew otaczających gawrę Tomasza, bo jest już nisko. W ich prześwitach połyskuje babie lato. Snuje się aromatyczny dym z paleniska. Kaśka nakryta kocem drzemie w bujaku, a wokół niej zupełnie bajkowo, powolutku opadają listki brzozy, jak żółte płatki śniadaniowe.

Dobrze jest.

— No, kochani. — Tomasz wstał. — Czas na toast za moje starania. Konrad, zastąp mnie i rozlej co tam komu. Moja nagle wielka rodzino! Niedawno byliśmy właściwie sami z Basią. Później pojawiła się Małgorzata. Trochę się bałem, że przyjedzie miastowa lafirynda i narobi Baśce bałaganu w życiu. A tu proszę, normalna baba! Za twoje zdrowie, Gosiu!

— Ale, co... ja?

— Nie przerywaj, dziecko, starszemu! Później przyjechały ogony — Marynia i Paula, też udane egzemplarze. Sam nie wiem... właściwie jakby wnuczki?! Psia krew! A ja taki młody! Wy mili moi — Konradzie i Ado — też należycie do tej familii i myślę, że można się z wami wódki napić bez wstydu. I tak w dwa lata rodzina rozmnożyła się nagle, spuchła tak, że dla Baśki miejsca zbrakło nad rozlewiskiem, za co baaardzo wam dziękuję, bo wreszcie zdecydowała się zamieszkać ze mną, a ja nie posiadam się ze szczęścia. Wypijmy za moje szczęście — za moją Basię, że chce tu ze mną być.

Wzrok Tomka skierowany na mamę, mówił sam za siebie. Patrzyłam i wyłam na nich z niepokoju, bo przypomniał mi się ten tętniak. Cholera! Szlag!

Mama przyniosła galaretki i tak siedzieliśmy do wieczora, aż poczuliśmy chłód. Obudziłam Kaśkę i pomogliśmy mamie posprzątać.

Wracaliśmy spacerem przez las, komentując przyjęcie. Po drodze już porządnie zmarzliśmy.

— Lalki! — zawołałam do dziewczyn w domu. — Mam dla was niespodziankę! Przyjdźcie zaraz do jadalni!

Pokazałam Marysi pianino. Słyszałam je jeszcze długo, jak zamykałam z Kaśką obejście, zaganiałam Kaczkę Obrażalską i jej dorosłe już dzieci do ich budki. Mańka bębniła radośnie *Marsza Radetzkiego*.

Idąc spać, zabrałam listy. Rachunki, reklamy, prasa. I koperta zaadresowana do mnie długopisem. Pismo mi nieznane.

Kochana Małgosiu.

Głupio wyszło ze wszystkim. Najbardziej żałuję, że wmanewrowałem Cię w moje własne problemy. Miałaś prawo nie wytrzymać tego.

Zapewne nie zrozumiałaś niczego z tego, co się ze mną działo po moim wyjeździe nad Biebrzę do Olgierda i po powrocie. Zwłaszcza po powrocie.

Nie mogło to wyglądać inaczej. Olgierd dość istotnie wpłynął (zawsze wpływa) na moje myślenie. Tak bardzo, że najpierw, żeby się utrzymać w siodle, muszę zamknąć oczy i pozostać sam ze swoją słabością. Poświęcić wszystkie siły na przemeblowanie życia.

Jesteś zdziwiona, że piszę? W ten sposób unikam zająkania się na amen i w pewien sposób zmuszam Cię do wysłuchania, przeczytania tego, co chcę Ci powiedzieć.

Olgierd miał nie najlepsze doświadczenia z kobietami. Stąd też umniejsza ich rolę w życiu faceta. Co do jednego ma jednak rację. Taki pokopany gość jak ja, żeby zaproponować sobie i kobiecie wspólne życie, musi, MUSI przygotować plac. Oczyścić go z brudu. Umocnić się, poczuć siłę i chęć do budowania.

Bardzo mi też pomógł Mariusz. Mamy już jasną wizję naszej współpracy. Kontakty z klientami, podział pracy, logistykę — wszystko.

Chciałem wyjechać do Wielkiej Brytanii. Na Zachodzie jest ssanie na stomatologów. Mariusz uświadomił mi, że zaprzepaściłbym własną pracę nad sobą, bo jestem słaby. No, i mam kim się opiekować. Tatko nie młodnieje.

Mówiłaś mi kiedyś, co Twoja mama powiedziała Ci w drodze ze szpitala. Wtedy, kiedy Tomasz miał te bóle serca — pamiętasz? „Kiedy się coś ma na stałe, za darmo, nie docenia się tego. Czasem trzeba to stracić, by zrozumieć, co się straciło".

Zrobiłem wszystko — porządki z sobą w domu, gabinecie, z tatą, kolegami i nawet dogadałem się z Lisowską! To ona mnie zapytała: „Odpuścisz tej Gosi? Szukasz młodej laski, głupku?". Powiedziała to tak jakby z kpiną, że nie umiem utrzymać porządnej kobiety, tylko poszukam jakiejś…

W domu siadłem pod gruszą w ogródku i nagle zatęskniłem do Twojej głowy na moim ramieniu, do Twojego oburzenia: „Lekarz i takie głupoty robi ze swoim życiem?!", do Twojego uśmiechu i Ciebie całej.

Zrobiłem Ci krzywdę. Wiem i zrozumiem, jak mnie kopniesz w dupę.

Nie chcę już romansować z Tobą. Chcę z Tobą żyć naprawdę.

Janusz

Siedziałam tak nad tą kartką godzinę. Może dłużej. Było mi gorąco i łzawo. Wzruszałam się i piekliłam na zmianę. Już tyle razy zapewniał mnie, że musi stanąć na nogach, usamodzielnić się… Wiem, że tak od razu się nie da, że próbował, starał się. Teraz dał sobie powtórną szansę. A ja? Też mam mu ją dać? Nam? Znów?

Przeanalizowałam wszystko. Wszystkie wersje i scenariusze. A Sławek? Sławek?! Wsiadłam do samochodu i pojechałam do leśniczówki z łopotem serca.

— Mamo! Tomek! Muszę wam coś powiedzieć!

Po to ich mam, żeby gadać z nimi o wszystkim. Tomasz śmieje się ze mnie i Janusza, że zachowujemy się gorzej niż nastolatki. Mama jest filozoficznie wyciszona, ale zadała mi jedno pytanie:

— Nie sądzisz, Gonisiu, że twój obecny dom jest dość obszerny, aby wreszcie założyć w nim rodzinę?

— Jeszcze nie wiem, mamo, jak w ogóle będzie między nami, ale mam zdecydowanie dość romansowania. Może stworzę ze Sławkiem coś trwałego?

A może z Januszem? Ciągle nie wiem… Może częściej będą wpadać dziewczynki? Może… dobrze byłoby wypełnić jakoś ten dom? Życiem.

O emancypacji raz jeszcze

Nie zadzwoniłam do Janusza. Muszę wystrzegać się pochopnych decyzji. Cicho. Muszę być absolutnie pewna. Daję sobie kilka dni. Jestem dorosła i emocje nie powinny grać pierwszych skrzypiec w moich wyborach. Zresztą zdecydowałam już…

Wysłałam SMS–a: „Pogadajmy. Pozdro. Zadzwonię".

Marysia koniecznie chce mnie widzieć w Warszawie. Jest bardzo tajemnicza. Paula milczy. Pewnie przeżywa, myśli i wartościuje. Nie jest na tyle głupia, żeby myśleć wyłącznie emocjami. Jak to ona mówi — cipką. Czasem jest doroślejsza ode mnie. Czasem nie… Jest zwariowana, fakt. Bardzo spragniona ciepła i miłości. Po prostu przy tym Jeanie Philippie pogubiła się. Pomyliła czułość i dobry seks z miłością. A ja? Ja nie? Nie jestem jeszcze na tyle zdesperowana, żeby chwytać się byle czego. Fakt, że zauważam miłe, męskie spojrzenia, czuję zainteresowanie facetów… Nikt jednak nie zainteresował mnie na tyle, żebym chciała choć spojrzeć, odbić piłeczkę. Jakoś nie. W męskich ramionach, nawet najlepiej zbudowanych nic nie czuję, jeśli nie kocham. Ze Sławkiem jest inaczej. Janusz bardzo mnie zaangażował swego czasu. Boję się tylko, że po pierwsze, jest trochę młodszy i taki młodzieńczy. To podoba się kobietom. A jak już się poczuje mocny i podleczony, może zechce poromansować z młodą laską? Z taką ułożyć sobie życie? Ja, taka opiekuńcza i mamuśkowata, nie będę mu już odpowiadać. Znudzę się. Po drugie, Janusz ma ten swój feler. To jak bomba z opóźnionym zapłonem. Dziś nie pije. Jest zaleczony i dobrze zmotywowany. A jutro? Każdy z nas ma jakiś defekt, skazę. Pytanie, czy dam sobie z tym radę. Czy akurat alkoholizm Janusza mogę zaakceptować? Na razie jest w kagańcu. Oswojony. Okiełznany. Czy chcę ryzykować? Być żoną alkoholika? Eeee. Chyba nie. Sławek jest OK. Już to przemyślałam.

Ale najpierw — Marysia!

Pojechałam do Warszawy. Pewnie chce się wygadać, wyżalić. Paula romansowała, Janne romansował, a ona, sierotka, nic! Dobrze. Pocieszę ją.

Czekała mnie niespodzianka. Marynia kazała mi się wystroić.

— Wystroić do bólu! — powtórzyła dobitnie. — Masz się czuć, jak nie wiem jaka laska! Wychodzimy o szóstej, moim samochodem, albo twoim, jak chcesz.

— Ale co będziemy robić, Mańka? Dokąd mnie ciągniesz?!

— Idziemy, mamo, dobrze się zabawić i nabrać dystansu.

— Do czego?

— Raczej do kogo. Do facetów. Więcej nie powiem. I tobie, i mnie to dobrze zrobi. Mam już dość! Nie bądź lamer! No, chodź!

Pod Salą Kongresową niełatwo było znaleźć miejsce. Tłumy już szły w kierunku schodów. Zorientowałam się po chwili, że są to właściwie same kobiety.

— Maryniu? Czy ja się dobrze domyślam?

— Masz tu swój bilet, jakbyś się zgubiła — powiedziała z diablim błyskiem w oku.

„Chippendales" — przeczytałam na swoim bilecie.

— Zwariowałaś? — zdążyłam tylko krzyknąć, bo już porwał nas ludzki potok w kierunku sali. Miejsca bardzo dogodne, widoczność świetna, a na sali same kobiety, jak na sabacie czarownic. Tylko, że tu wszystkieśmy... ładne, zadziorne. Już nam błyszczy oko. Jestem podekscytowana. Naturalnie poprzednio, kiedy byli w Warszawie kilka lat temu, po raz pierwszy, narobili rabanu, bo kobiety podzieliły się na te, co owszem akceptują, lubią i chętnie pójdą, i na takie, co to: „Apage satanas! Fuj! Po co to komu?".

Choć nie byłam na ich występie, brałam udział w dyskusji:

— Kobitki, czemu nie? Światowe rewie kobiece robią furorę, a tłumy ludzi walą w Paryżu do „Moulin Rouge". I co, źle? Toż to rozrywka!

— Strasznie tania! — Wzruszały ramionami dziumdzie.

Teraz siedziałam z moją Marysią w sali z kobietami, które myślą swobodnie i bez sztucznej pruderii. Niektóre spięte jak agrafki. Inne chichoczą nerwowo. Zdumiały mnie panie mocno powyżej średniej, ale co tam!

Ci panowie robią to dla wszystkich nas, żebyśmy totalnie wyluzowały i dobrze się bawiły. Dla siebie i szmalu też, bo na razie oni są jedyni, a wstrzelić się w pustą lukę to dobre posuniecie marketingowe. Rzadki fart.

Światło zgasło, zahuczała mocna rytmiczna muzyka i wyskoczyli. Jacy żywi i pełni energii! Ośmiu fantastycznie zbudowanych facetów. Nieśmiało poklaskałyśmy.

— Nie podobamy się wam? — krzyknęli do mikrofonów po angielsku. Zafalowało mocniej i kobiety zaklaskały zdrowiej i odważniej.

Oni wiedzą, że muszą nas oswoić i robili to. Bardzo fachowo. Każdy z nich był inny. Amore Latino — smagły, gibki i ulizany jak hiszpański żigolo, jeszcze jeden podobny — taki meksykański, ostry, zadziorny. Był Japończyk z długimi włosami związanymi w koczek na czubku głowy, jak szogunek. Miał niebywałą mimikę. Niewielki, ale skoczny i bardzo się podobał Mańce. Był kowboj typowo amerykański big boy, dwóch o dość męskiej urodzie szatynów, włoscy Dżidżi Amoroso, blondynek o twarzy łagodnej i wreszcie wielkie, umięśnione zwierzę z włosami blond do pasa. Taki... dziki kanadyjski drwal. Może wiking? Super!

Są wspaniale zbudowani, tańczą ostro i bardzo siłowo. Pod bardzo rytmicznego rocka dali popis niemal gimnastyki z elementami Fit and Fun Show. Późniejsze kawałki miały w sobie fragmenty walk wschodu, tańca z szablami...

Wszystko to przeplatane bardzo erotycznymi wstawkami pokazującymi drugą ich twarz — twarz czułych kochanków. Wybierali z publiczności chętne kobiety do wspólnej zabawy na estradzie do krótkich, zabawnych scenek ociekających erotyzmem. Sala już podniosła temperaturę. Już skakałyśmy na stojąco z radości i podekscytowania. Po kolejnym świetnym tańcu, w którym drwal rozpalił moją wyobraźnię, do burzy oklasków dodałam mój świst na palcach. Później dołączyły do mnie inne babki. Sala już grzmiała potężną akceptacją tego, co nam dawali. Obie z Mańką gwiżdżemy na palcach jak oszalałe. Właśnie między innymi po to harcerstwo zaopatrzyło mnie i w tę umiejętność. Chłopaki wyraźnie rozkwitli w tej burzy oklasków, gwizdów i radości. Widać było, że wreszcie czują się docenieni i stają na głowie, żeby dać jak najlepszy występ. Ich zdyszane, spocone, muskularne ciała świadczą o wielkim wysiłku, bo to nie jest jednak taniec przy rurze w mdłej knajpie. Są doskonałymi tancerzami, a ciała mają wyrzeźbione artystycznie w trudzie salek ćwiczebnych. Dobrze śpiewają i uwodzą. Uwodzą jak szaleni. Panie obok też już szaleją i piszczą, kiedy chłopaki zrzucają kolejne fragmenty garderoby. Pokazują w układzie swoje śliczne tyłeczki w cienkich stringach. Falujemy i wrzeszczymy głośno — są zachwyceni i cieszą się. My też. Łowię wzrokiem starszą panią z siwymi włosami ułożonymi nobliwie. Klaszcze i śmieje się. Uśmiecham się do niej. Jest super!

Scena ciemnieje, muzyka łagodnieje i wjeżdża na nią wielkie, metalowe łóżko. To etiuda z tym drwalem. Robi mi się gorąco. Jest niesamowity i jego taneczna opowieść o tym, co on zrobiłby z nami w łóżku, sprawia, że niemal czuję podniecenie tej części sali, której się ten blondyn podoba. Marysia patrzy na mnie i śmieje się.

— Podoba ci się?! — wrzeszczy mi do ucha.

— Jak–nie–wiem–co! — odkrzykuję. — A tobie, ten konus?!

— No! Ale ma to coś!

— Co?!

— Co? To też! Taki jest fajny ogólnie, mamo!

Chłopaki wbiegli na salę między rzędy i ściskają ręce dziewczyn, przystają, przytulają się i całują po policzkach, dłoniach… Latino podbiegł do starszej pani o wyglądzie nauczycielki matematyki. Dotknął jej dłoni i pocałował w wewnętrzną jej część. Słodko i zalotnie. Włoscy Amorosos tulili się do kobiet, i „przybijali piątkę" z laleczkami — licealistkami. Japończyk zanurzył twarz w wielkim biuście wysokiej blondyny. Szalejemy, piszczymy, tupiemy. Muzyka z nami.

Show jest w stadium finalnym. Nasze szaleństwo i zabawa osiąga apogeum. Już rozumiem, dlaczego na sali nie ma naszych mężów, narzeczonych, nawet kolegów. Czuli by się głupio jak my, kiedy oni wyją do gołych girlsów w rewiach albo wsadzają papierowe pieniądze laskom tańczącym przy rurze w „Sofii". Niepotrzebni tu są.

Wychodzimy rozedrgane i zachwycone. Z nami, teraz to widzę, kobiety w bardzo różnym wieku — młode, średnie i te starsze, równie zaróżowione i rozbawione leciwe ladies fruną w powietrzu do aut, tramwajów…

— Dzięki, Mańka — próbuję powiedzieć przy samochodzie, ale wychodzi mi tylko chrypienie.

— No, ładnie? — chrypi też Marynia.

Śmiejemy się i długo komentujemy chłopaków. Aż do domowej furtki.

W pokoju Konrad odkłada gazetę i pyta półprzytomny:

— Gdzie byłyście tak długo?!

— W Kongresowej.

— Koncert jakiś? — spytał mało zainteresowany.

— Chippendalesi — odpowiadamy chrypliwym dwugłosem.

— Zaziębiłyście się. Ubieracie się tak…

Pokiwał głową i nie uwierzył. Poczuł się podpuszczany. Nie wyprowadzamy go z błędu. Po co?

Epilog, który zawsze może być prologiem

Wracałam nad moje rozlewisko.

Całą drogę mieliłam Chippendalesów. Głupie te, co się czepiają. Jestem wyluzowana i rozbawiona. Poczułam uczucia uważane niegdyś za nieprzystające do damy — podziw, pożądanie i zachwyt nad ich wystudiowaną i wypracowaną erotyzującą samczością. Niech sobie będą, jacy są prywatnie. Może nawet niektórzy są gejami, a może wszyscy? Co mnie to? Poruszyli moje zmysły i pograli na mojej kobiecości. I o to szło!

Jakoś tak mi lepiej. To odejście Janusza sprawiło, że poczułam się jako kobieta niepewnie. Zwątpiłam, zmarniałam w swoich oczach. Teraz mi przeszło. Nie będzie Janusz, to znajdzie się jakiś... drwal. Stolarz może? Jak nie — uszyję kukiełkę z długimi włosami blond...

W Pasymiu zatrzymałam się pod domem i sklepem Elwiry. Musiałam jej wszystko opowiedzieć! Jest fantastyczna. Zbiegła na dół i z uwagą i szczerą zazdrością wysłuchała wszystkiego o amerykańskich stiptizerach. Razem obgadałyśmy męski ród i śmiałyśmy się z mojego zachowania. Za to gwizdanie Elwira poklepała mnie po ramieniu i powiedziała:

— Świetnie, Gosiu! Kiedy oni znów przyjadą do Polski?

— Przepraszam, kto? — usłyszałam za sobą.

Twarz Elwiry już mnie utwierdziła w tym, że się nie mylę. To Janusz.

— Dobra, ja mam... ziemniaki na gazie — rzuciła pośpiesznie i zmyła się.

Janusz stał z niepewnym uśmiechem. Staliśmy na ulicy. Ja mrugałam oczami i nie bardzo wiedziałam, co powiedzieć. Rzuciłam coś o tym, że byłam w Warszawie i spojrzałam w górę. W oknie stała Elwira z łyżką przy ustach i robiła miny.

— Będziesz wieczorem w domu? — spytał mój zielonooki potwór. — Nie mam dziś przyjęć, ale muszę po... pojechać z tatką do Olsztyna, do Lisowskiej. Obiecała przebadać o... ojca pod kątem bypassów. Normalnie to by go o...odrzucili, bo za stary. Starych się nie opłaca operować, le...leczyć... Będziesz?

— Będę. A mamy o czym gadać? — spytałam wcale nie przymilnie.

Uśmiechnął się ze zrozumieniem i pokiwał głową.

— Daj mi szansę.

— Janusz... — usłyszałam swój całkiem nieswój głos i dziwne słowa: — Ja nie chcę niczego zaczynać od nowa...

— Ja też, broń Boże. Z ni...nikim nic od nowa! Po...po co mi to? To głupie gadanie: „Zacznijmy od nowa". Nie da się. Chcę nareperować to, co było. Za...zależy mi. Możesz nie chcieć. Ja to zro...zrozumiem.

— Nie wiem, Janusz. Może? Zresztą dobrze. Nie załatwiajmy tego tutaj. O której wpadniesz?

W domu zastałam nowych gości, którzy przyjechali na grzyby. Mama przekazała mi ich, posłuchała o naszych ekscesach w Kongresowej i uśmiechnęła się.

— Inaczej wyglądasz. Inaczej czujesz. Już chyba możesz sama płynąć. Ja tylko powiem ci tak: idź za głosem serca. Na rozsądek masz czas.

Zabrzmiało to dość filozoficznie. Podrapała mnie po głowie i pocałowała w ucho.

— Pomóc ci? — zapytała. — Tomek pojechał z ornitologami do Puszczy Augustowskiej i później do Biebrzańskiego Parku Narodowego. Mam czas. A ty? Jakie masz plany?

— Janusz ma wpaść wieczorem, pogadać.

— No, to ja się wszystkim zajmę, a ty idź i zajmij się sobą.

Mail od Marysi:

Kochana Mamciu!

Jestem z Ciebie dumna! Bawiłam się świetnie i widziałam, że Ty też. Nie chciałam Ci mącić, więc napiszę to tak. Oddałam Kubie pierścionek, bo jakoś miłość się nam nie udaje. Przyjaźń (mimo że to podobno tak się nie da) — owszem. Bardzo się o siebie troszczymy i w ogóle, ale tamto nie wróci.

I jemu, i mnie coś pękło. Babcia mówiła, że jak jesteśmy sobie przeznaczeni, to i tak… No, wiesz.

No i jest ktoś. Do chłopaków z zespołu dołączył Adaś — facet o cudownym talencie. Gra na klarnecie jak anioł. Jest okropnie stary. Ma trzydzieści lat. Śmiejesz się? Ja też. To takie głupie ocenianie kogoś po metryce. On jest bardzo „nasz". Chłopaki z zespołu dogadują się z nim jak z równym.

Uśmiejesz się, jak zobaczysz go, i zrozumiesz, dlaczego tak mnie podniecał ten Japończyk. Zaczynam falować, jak Janne na widok Gastona, tylko wolniej. Nareszcie! Moje zmysły kochają! Ciało kocha! Dusza śpiewa! Między nami jeszcze nic nie ma takiego — wiesz. Wszystko mamy w oczach i duszy. Cudne! Kiedy Japończyk tańczył, obejmował i dobierał się do tej rudej dziewczyny z widowni, pamiętasz? Zrobiło mi się gorąco i już wiem, co czuję do Adasia. Czego chcę. Całuje Cię mocno. W stosownej chwili przywiozę go. Jest fajny. Polubicie się. Pa!

Mania

PS: Miłość. Miłość :-)

No. Nareszcie!

Moja dziewczynka — kobieta czuje to cudowne coś. Rozgrzewa ją spojrzenie tego jej Adasia — klarnecisty. Marzy o nim i pozwala sprawom dziać się powoli. Zakochanie się jest… do pozazdroszczenia.

Cała ta aura, mrowienie serca, skok ciśnienia. Endorfinowa narkoza. Nie ma nic lepszego na świecie. Nic. Mam to za sobą. Muszę pomyśleć, jak mam rozmawiać z Januszem. Czy chcę znów słuchać o tym, że „on się musi pozbierać, ogarnąć…". Nie jest kanadyjskim drwalem parującym siłą i determinacją. Nawet na pewno — nie. A może właśnie to mnie tak ujęło? Może właśnie to, że czuję się silna, odpowiedzialna, sprawia mi radość, bo na ogół taka nie byłam? Pogubiłam się.

Nastawiłam sobie nokturny Szopena. Uspokajają jak waleriana. Gra Kun Woo Paik — japoński pianista. Są do bólu liryczne. Jak ja teraz.

Nie myję włosów. Nie wcieram w nie olejków. Nie zakładam nic pięknego. Nie jestem nastawiona na szokowanie Janusza moim wyglądem. Jestem bardzo refleksyjna. Czujna, zamyślona i niepewna. Niech on walczy. Jeśli oczywiście chce.

„Chcę z tobą żyć naprawdę". Jak on to czuje? Jak sobie wyobraża? Wie już, że życie ze mną to Kaśka, budowa pensjonatu, troska o mamę i Tomka? Współczucie Pauli, radość z Mani… To też złe samopoczucie. Bóle głowy, skoki hormonalne, które zaraz mi się zaczną, poczochrany łeb rano w lustrze… Wie to? To też?

Niech lepiej da sobie spokój. Nie dźwignie tego. Nie miał normalnego życia, małżeństwo dziwaczne, sporo samotności, dowolności i ten durny pociąg do picia. Nie będzie umiał. Nie! Niech zjeżdża! Utnijmy to raz a dobrze!

Zajechał pod wieczór, kiedy słońce już siadało za lasem, rzucając świetlistą poświatę na łąki i czubki drzew. Wniósł na werandę bukiet róż i powiedział:

— To dla ciebie. Po prostu, róże dla cie…ciebie.

Siedliśmy na chwilę, bo jest dość ciepło. Tylko trzymał mnie za rękę. Nic więcej. Później poprosił, żeby pokazać mu pensjonat. Racja! W ogóle go nie widział! Tyle ile z podwórka. Tak było dobrze. Pokazałam mu salę z pianinem i opowiedziałam, skąd jest. I o graniu Marysi i piosenkach śpiewanych przez Stasia Czajkowskiego. Był autentycznie zasłuchany. Uśmiechał się, zadawał pytania. W pokojach na górze zachwycał się doborem kolorów, smakiem Pauli, klimatem wywołanym kilimkami Ani i Zuzi. Jak nie on… Skupiony, spokojny i pewny siebie.

W morelowym pokoju pokazywałam mu gałązkę namalowaną na ścianie przez Paulę i poczułam się niepewnie. Moje wewnętrzne napięcie jednak rosło.

Janusz objął mnie, powoli obrócił i przytulił. I nic więcej. Serce mi załomotało, tłukło się jak wystraszony wróbel. Powoli wyciszałam się. Kołysał mnie lekko i dotykał ustami włosów. Żaden inny zapach tak mnie nie uspokaja. Janusz pachnie sobą, wszystkim, co nas łączy. Jakaś woda kolońska też jest, ale komponuje się z zapachem jego skóry jak nic innego na świecie. Mój feromon. Mięknę. Niczego więcej od życia nie chcę!

W kuchni opowiadałam mu o gościach. O tym, jak uczę się gotować, jak robiłyśmy przetwory, jak wymyśliłam moją ziemiankę. Kolacja wlokła się taka normalna, lekka, zwyczajna. Mama pogadała z nim o tętniaku Tomasza, Janusz odpowiadał, obiecał konsultacje u profesora. Potem opowiedział o układzie z Mariuszem, o gościach z zagranicy umówionych na przyszłe lato, o tacie, a jak już mama poszła do siebie i Kaśka też, opowiedział mi o Olgierdzie i o wszystkim, o czym tam myślał. Też o tym, że to bardzo trudne odstawić wódę, że czasem strasznie się jej pragnie i jak niełatwo można odnaleźć sens w odmawianiu jej sobie. Że to daje poczucie siły. Mocy — jak w *Gwiezdnych wojnach*. Ta jego moc — to panowanie nad wódą właśnie. Wzmocnienie męskiego ja.

Widziałam, jaki jest zadowolony z tego, że osiągnął to poczucie siły, jak panuje nad sobą i jaki jest spokojny, wyciszony i pewny siebie. Na jak długo mu to wystarczy? Nie wiem…

Pił herbatę i pocałował mnie w palce. Tkliwie, z pieszczotą i uśmiechem.

— Kocham cię i nic tego nie zmie…zmieni. Kocham w tobie tę twoją normalność. Brakowało mi ciebie. Ca…cały czas. Tęsknota jest probierzem miłości. A ja tęskniłem i tęsknię za tobą i wszystkim, co się z to…tobą wiąże. Nie chcę cię miewać. Chcę być z tobą cały czas. Ga…gadać i milczeć. Myć ci samochód i pić razem kawę ra…rano. Patrzeć, jak się smarujesz kremem, jak się śmiejesz. Daj mi to. Chce cię z twoim całym świa…światem.

I dałam mu siebie i cały mój świat. Nagle wszystkie wątpliwości poszły sobie do diabła. Kocham go i już! Pieprzę wszystko! Tylko jego chcę!

Został. Opowiedziałam mu wszystko. O wątpliwościach i Sławku. Zamiast przepraszać, objął mnie mocno i kołysał. Obudziłam się w nocy, w jego ramionach.

Wstałam na siusiu i wyszłam na werandę w szlafroku. Z ust idzie mi para. Jest zimna, gwiaździsta noc. Patrzę na rozlewisko i wdycham chłodne powietrze. Pachnie jesienią. Nad wodą unosi się tajemniczy opar mgły. Dzień był ciepły…

Janusz zaspany przyczłapał i objął mnie od tyłu.

— Gdzie łazisz? — mruczy. — Źle mi bez ciebie. Moja fo…foczka. Czemu ty taka cieplutka jesteś…?

Milczę. Opieram się o niego i głaszczę go po łapie. Dlaczego jestem taka cieplutka? Może to początek klimakterium, hormony?

Może miłość, po prostu?

Spis treści

495